John Irving

Das Hotel New Hampshire

Roman
Aus dem Amerikanischen
von Hans Hermann

Diogenes

Für meine Frau Shyla,
deren Liebe
Licht und Raum
für fünf Romane
schuf

Inhalt

1

Der Bär namens State o' Maine

In jenem Sommer, als mein Vater den Bären kaufte, war noch keiner von uns auf der Welt – wir waren noch nicht mal gezeugt: weder Frank, der älteste, noch Franny, die lauteste, noch ich, der nächste, noch die jüngsten von uns, Lilly und Egg. Mein Vater und meine Mutter kannten sich von klein auf und waren praktisch miteinander groß geworden, doch ihre »eheliche Vereinigung«, wie Frank das immer nannte, hatte damals, als Vater den Bären kaufte, noch nicht stattgefunden.

»Ihre ›eheliche Vereinigung‹, Frank?« triezte ihn Franny gern; Frank war zwar der Älteste, aber mir kam er jünger vor als Franny, und sie behandelte ihn immer wie ein kleines Kind. »Du meinst doch Frank«, sagte Franny, »daß sie noch nicht angefangen hatten mit vögeln.«

»Sie hatten ihr Verhältnis noch nicht vollzogen«, sagte Lilly einmal; obwohl sie, abgesehen von Egg, jünger war als wir anderen, spielte sich Lilly immer als die große Schwester von allen auf – sehr zum Ärger Frannys.

»›Vollzogen‹?« sagte Franny. Ich weiß nicht mehr, wie alt Franny damals war, aber Egg war für solche Sprüche bestimmt noch zu jung: »Den Sex haben Vater und Mutter doch erst entdeckt, nachdem der alte Herr diesen Bären gekauft hatte«, sagte Franny. »Der Bär brachte sie auf die Idee – ein richtig ordinärer, geiler Bock, der dauernd Bäume besprang und an sich selber rumfummelte und versuchte, Hunde zu vergewaltigen.«

»Er hat hin und wieder einen Hund *rauh angefaßt*«, sagte Frank angewidert. »Er hat nie Hunde *vergewaltigt*.«

»Er hat es versucht«, sagte Franny. »Du kennst doch die Geschichte.«

»*Vaters* Geschichte«, sagte daraufhin Lilly, die auf etwas andere Art angewidert war als Frank; es war *Franny*, die Frank anwiderte, doch Lilly fand Vater widerlich.

Und so liegt es nun an mir, dem mittleren und am wenigsten voreingenommenen von uns Kindern, die Tatsachen ins rechte – oder fast rechte – Licht zu rücken. Wir waren eine Familie, deren Lieblingsgeschichte die Romanze zwischen meiner Mutter und meinem Vater war: wie Vater den Bären kaufte, wie Mutter und Vater sich verliebten und in rascher Folge Frank, Franny und mich zeugten (»Peng, Peng, Peng!« sagt Franny gern), und wie sie dann, nach einer kurzen Verschnaufpause, noch Lilly und Egg (»Blup und Pfft«, sagt Franny) in die Welt setzten. Die Geschichte, die wir als Kinder zu hören bekamen und die wir uns in den Jahren danach immer wieder von neuem erzählten, scheint sich auf die Jahre zu konzentrieren, von denen wir selber nichts wissen konnten und die wir heute nur so sehen können, wie unsere Eltern sie in ihren vielen Versionen schilderten. Ich glaube, ich sehe meine Eltern klarer in diesen früheren Jahren als in den Jahren, an die ich mich tatsächlich erinnern kann, denn natürlich sind die Zeiten, die ich selbst erlebte, dadurch gefärbt, daß es Auf-und-Ab-Zeiten waren, über die ich Auf-und-Ab-Meinungen habe. Wenn ich aber an den berühmten Sommer des Bären und an den Zauber der ersten Liebe meiner Mutter und meines Vaters denke, dann kann ich mir da einen eindeutigeren Standpunkt erlauben.

Wenn sich Vater beim Erzählen der Geschichte verhaspelte – sei es, daß er einer früheren Version widersprach, sei es, daß er unsere Lieblingsstellen ausließ –, zeterten wir wie wütende Vögel.

»Entweder lügst du jetzt, oder du hast beim letzten Mal gelogen«, warf Franny (immer die strengste von uns) ihm vor, doch Vater schüttelte nur unschuldig den Kopf.

»Versteht ihr denn nicht?« fragte er uns dann. »In eurer Vorstellung ist die Geschichte lebendiger als in meiner Erinnerung.«

»Lauf, hol Mutter«, wies Franny mich dann an und schubste mich von der Couch. Oder Frank hob Lilly von seinem Schoß und flüsterte ihr ins Ohr: »Lauf, hol Mutter.« Und dann mußte unsere Mutter als Zeugin auftreten, weil wir Vater der Fälschung verdächtigten.

»Oder aber, du läßt all die saftigen Stellen absichtlich weg«, beschuldigte ihn Franny, »nur weil du meinst, Lilly und Egg seien noch zu jung für die ganzen Rumvögeleien.«

»Es gab keine Rumvögeleien«, schaltete Mutter sich ein. »Es gab nicht die sexuellen Freiheiten und das Durcheinander von heute. Wenn ein Mädchen die Nacht oder das Wochenende mit einem Mann verbrachte, hielten sogar Gleichaltrige sie für ein Flittchen oder was Schlimmeres; danach war sie für uns so gut wie gestorben. ›Die Sorte hält sich an ihresgleichen‹, sagten wir immer, oder: ›Schlecht und schlecht gesellt sich gern.‹« Und Franny, ob acht oder zehn oder fünfzehn oder fünfundzwanzig, verdrehte dann immer die Augen und stieß mir den Ellbogen in die Rippen oder kitzelte mich, und wenn ich zurückkitzelte, brüllte sie: »Perverser Kerl! Befingert die eigene Schwester!« Und ob Frank nun neun oder elf oder einundzwanzig oder einundvierzig war, sexuelle Themen und Zurschaustellungen wie die von Franny waren ihm schon immer verhaßt, und so sagte er rasch zu Vater: »Laß nur. Wie war denn das mit dem Motorrad?«

»Nein, erzähl weiter vom Sex«, sagte dann Lilly völlig humorlos zu Mutter, und Franny fuhr mir mit der Zunge ins Ohr oder machte mit den Lippen ein furzendes Geräusch an meinem Hals.

»Jedenfalls«, sagte Mutter, »redeten wir in gemischter Gesellschaft nicht offen über Sex. Es wurde geschmust und geknutscht, mehr oder weniger heftig; das geschah gewöhnlich in einem Auto. Es gab immer stille Gegenden, wo man parken konnte. Natürlich mehr Feldwege als heute, nicht so viele Menschen und nicht so viele Autos – und die Autos, das waren damals keine Kleinwagen.«

»So daß ihr euch schön langlegen konntet«, sagte Franny.

Mutter warf Franny einen mißbilligenden Blick zu und fuhr mit ihrer Darstellung der Vergangenheit fort. Sie war eine wahrheitsliebende, aber langweilige Geschichtenerzählerin – mit meinem Vater gar nicht zu vergleichen –, und immer wenn wir sie beizogen, um den Wahrheitsgehalt einer Geschichte festzustellen, bereuten wir das hinterher.

»Lieber soll der alte Herr immer weitererzählen«, meinte Franny, »Mutter nimmt alles so ernst.« Frank blickte finster drein, und Franny forderte ihn auf: »Spiel doch ein bißchen mit deinem Ding, Frank, dann fühlst du dich wohler.«

Aber Frank blickte nur noch finsterer drein. Dann sagte er: »Du würdest eine bessere Antwort bekommen, wenn du Vater erst mal nach dem Motorrad oder nach etwas Konkretem fragen würdest; stattdessen kommst du mit diesen allgemeinen Dingen, Kleidern, Bräuchen, sexuellen Gewohnheiten.«

»Frank, erklär doch mal, was Sex ist«, sagte Franny, doch Vater rettete uns alle, indem er mit seiner verträumten Stimme sagte: »Glaubt mir, sowas wär heute nicht mehr möglich. Ihr denkt vielleicht, ihr habt mehr Freiheit, aber ihr habt auch mehr Gesetze. Der Bär wäre heute nicht mehr möglich. Sie würden ihn gar nicht *zulassen.*« Und in dem Augenblick verstummten wir, unsere ganzen Streitereien waren schlagartig vergessen. Wenn Vater redete, konnten sogar Frank und Franny in Reichweite voneinander sitzen, ohne sich zu zanken. Ich konnte dann so dicht neben Franny sitzen, daß ich sogar ihr Haar in meinem Gesicht und ihr Bein an meinem Bein spürte, doch wenn Vater redete, dachte ich überhaupt nicht an Franny. Lilly saß dann totenstill (wie das nur Lilly konnte) auf Franks Schoß. Egg war gewöhnlich zu jung, um zuzuhören oder gar etwas zu begreifen, aber er war ein ruhiges Kind. Selbst wenn Franny ihn auf den Schoß nahm, war er still; bei mir auf dem Schoß schlief er immer ein.

»Er war ein Schwarzbär«, sagte Vater; »er wog dreieinhalb Zentner und war ein bißchen widerspenstig.«

»*Ursus americanus*«, murmelte Frank. »Und er war unberechenbar.«

»Ja«, sagte Vater, »aber doch ganz gutmütig, die meiste Zeit jedenfalls.«

»Er war zu alt, um noch ein Bär zu sein«, sagte Franny andächtig.

Das war der Satz, mit dem Vater gewöhnlich anfing – mit dem er auch damals anfing, als ich, soweit ich mich erinnern kann, die Geschichte erstmals zu hören bekam. »Er war zu alt, um noch ein Bär zu sein.« Ich saß bei dieser Fassung auf dem Schoß meiner Mutter, und ich kann mich erinnern, daß ich das Gefühl hatte, auf immer an die Zeit und den Ort gefesselt zu sein: Mutters Schoß, Franny auf Vaters Schoß neben mir, Frank aufrecht und abseits – im Schneidersitz auf dem abgewetzten Perserteppich, daneben unser erster Familienhund, Kummer (der eines Tages eingeschläfert werden sollte wegen seiner schrecklichen Furzerei). »Er war zu alt, um noch ein Bär zu sein«, fing Vater an. Ich sah Kummer an, unseren vertrottelten und treuen Labrador, und er wuchs vor meinen Augen bis zur Größe eines Bären und wurde dann alt und sackte neben Frank in stinkender Verfilztheit zusammen, bis er wieder bloß ein Hund war (auch wenn Kummer nie »bloß ein Hund« war).

Ich kann mich bei diesem ersten Mal nicht an Lilly oder Egg erinnern – sie müssen noch so klein gewesen sein, daß sie nicht wahrnehmbar waren, jedenfalls nicht bewußt. »Er war zu alt, um noch ein Bär zu sein«, sagte Vater. »Er ging auf seinen letzten Füßen.«

»Doch es waren die einzigen Füße, die er hatte!« sangen wir dann im Chor – Frank, Franny und ich –, das war unser einstudierter Anteil am Ritual. Und später, als sie die Geschichte draufhatten, stimmten auch Lilly und schließlich sogar Egg mit ein.

»Der Bär hatte keine Freude mehr an seiner Rolle als Entertainer«, sagte Vater. »Er spielte sie lustlos, ohne innere Beteiligung. Und von allen Menschen und Tieren und Gegenständen liebte er nur noch dieses Motorrad. Deshalb mußte ich mit dem Bären auch das Motorrad kaufen. Und deshalb fiel es dem

Bären auch nicht sonderlich schwer, seinen Lehrmeister zu verlassen und mir zu folgen; das Motorrad bedeutete diesem Bären mehr als irgendein Lehrmeister.«

Und später stieß Frank Lilly an, die gelernt hatte, an dieser Stelle zu fragen: »Wie hieß der Bär?«

Und Frank und Franny und Vater und ich riefen wie mit einer Stimme: »State o' Maine!« Der doofe Bär hieß tatsächlich so, und zusammen mit einem Motorrad – einer 1937er Indian mit handgefertigtem Beiwagen – kaufte ihn mein Vater im Sommer 1939 für 200 Dollar und die besten Kleider in seiner Feldkiste.

Mein Vater und meine Mutter waren in diesem Sommer neunzehn Jahre alt; sie wurden beide 1920 in Dairy, New Hampshire, geboren und wuchsen beide dort auf, doch sie waren sich in diesen Jahren mehr oder weniger aus dem Weg gegangen. Es ist einer jener logischen, vielen guten Geschichten zugrunde liegenden Zufälle, daß beide – zu ihrer Überraschung – den Sommer über im Arbuthnot-by-the-Sea arbeiteten, einem Strandhotel fernab von zuhause, jedenfalls für sie, denn Maine lag (damals und in ihrer Vorstellung) fernab von New Hampshire.

Meine Mutter war Zimmermädchen, trug jedoch ihre eigene Kleidung, wenn sie servierte oder bei den Cocktailparties aushalf, die im Freien unter Zeltdächern stattfanden und von den Golfern, den Tennis- und Krocketspielern und, nach einer Regatta, von den Segelsportlern besucht wurden. Mein Vater half in der Küche, schleppte Gepäck, hegte und pflegte die Grüns auf dem Golfplatz und sorgte dafür, daß die weißen Linien auf den Tennisplätzen immer gut sichtbar und gerade waren und daß die Leute, die wackelig auf den Beinen waren und erst gar nicht an Bord eines Schiffes hätten gehen sollen, beim Ein- und Aussteigen am Anlegeplatz möglichst davor bewahrt wurden, sich wehzutun oder ins Wasser zu fallen.

Es waren Ferienjobs, die sowohl von den Eltern meiner Mutter als auch denen meines Vaters gebilligt wurden, doch für Mutter und Vater war es irgendwie demütigend, einander dort zu entdecken. Es war der erste Sommer, den sie nicht in Dairy, New Hampshire, verbrachten, und sie hatten sich das noble Ferienhotel zweifellos als einen Ort vorgestellt, an dem auch sie – zwei völlig Fremde – als einigermaßen glanzvoll gelten könnten. Mein Vater hatte gerade die Dairy School, eine Privatschule für Jungen, hinter sich gebracht; für den Herbst war er zum Studium an der Harvard University zugelassen worden. Er wußte zwar, daß er frühestens im Herbst 1941 hingehen konnte, da er sich vorgenommen hatte, erst das Geld für die Studiengebühren zu verdienen; aber im Sommer 39 im Arbuthnot-by-the-Sea hätte mein Vater nur zu gerne bei den Gästen und den anderen Bediensteten den Eindruck erweckt, er sei morgen schon Harvard-Student. Da nun meine Mutter da war, die seine Verhältnisse natürlich genau kannte, war er gezwungen, die Wahrheit zu sagen. Er konnte das Studium an der Harvard University erst aufnehmen, wenn er das Geld für die Kosten zusammen hatte; aber natürlich war es schon eine Leistung, überhaupt dort studieren zu können, und die meisten Leute in Dairy, New Hampshire, hatten mit Überraschung auf die Neuigkeit reagiert, daß die Harvard University ihn tatsächlich angenommen hatte.

Als Sohn des Football-Coaches an der Dairy School gehörte mein Vater, Winslow Berry, nicht ganz in die Kategorie der Lehrerkinder. Er war der einzige Sohn eines Kraftprotzes, und sein Vater, den jeder nur Coach Bob nannte, war kein Harvard-Mann – ja, er galt als unfähig, Nachwuchs für Harvard zu produzieren.

Robert Berry hatte Iowa verlassen und war in den Osten gezogen, nachdem seine Frau im Kindbett gestorben war. Bob Berry war ein wenig alt für einen alleinstehenden Mann, der gerade erstmals Vater geworden war – er war zweiunddreißig. Er kam dahin auf der Suche nach einer geeigneten Schule für seinen kleinen Jungen und bot dafür als Gegenwert sich selbst an. Er verkaufte seine sportpädagogischen Fähigkeiten an die beste Privatschule, die versprach, seinen Sohn aufzunehmen, wenn sein Sohn in das entsprechende Alter kam. Die Dairy School war nicht gerade eine Bastion der höheren Schulbildung.

Sie mochte sich einst einen Status wie Exeter oder Andover gewünscht haben, aber sie hatte sich dann kurz nach der Jahrhundertwende für eine Zukunft der Kompromisse entschieden. Nicht weit von Boston gelegen, nahm sie ein paar Hundert Jungen auf, die von Exeter und Andover abgewiesen worden waren, und dazu weitere hundert, die man nirgends hätte aufnehmen dürfen, und sie gab ihnen einen vernünftigen Lehrplan, der nicht aus dem Rahmen fiel – und der strenger war als die meisten Lehrkräfte, die man einstellte; auch von diesen waren die meisten anderswo abgewiesen worden. Doch wenn die Dairy School unter den Privatschulen Neuenglands auch nur zweitklassig war, so war sie doch weit besser als die öffentlichen Schulen in der Gegend und insbesondere besser als die einzige High School in Dairy.

Die Dairy School war genau die richtige Schule für einen Handel wie den mit Coach Bob Berry: ein mickriges Gehalt und das Versprechen, daß sein Sohn Win die Schule (kostenfrei) besuchen konnte, wenn er erst alt genug war. Weder Coach Bob noch die Dairy School ahnten, daß mein Vater, Win Berry, einmal ein so guter Schüler werden würde. Er war in der ersten Gruppe der Bewerber, die von Harvard zugelassen wurden, aber er wurde nicht so hoch eingestuft, daß es für ein Stipendium gereicht hätte. Wäre er von einer besseren Schule als der Dairy School zu ihnen gekommen, hätte er wahrscheinlich irgendein Latein- oder Griechisch-Stipendium bekommen; er hielt sich für sprachbegabt und wollte ursprünglich Russisch studieren.

Meine Mutter, die (als Mädchen) nie die Dairy School besuchen konnte, ging auf die höhere Schule für Mädchen, eine weitere Privatschule am Ort und ebenfalls zweitklassig, aber dennoch besser als die öffentliche High School und außerdem die einzige Möglichkeit für die Eltern im Ort, die ihre Töchter ohne die Gegenwart von Jungen erzogen haben wollten. Anders als die Dairy School, die Wohnheime hatte – und zu 95 Prozent Internatsschüler –, war das Thompson Female Seminary eine reine Tagesschule. Die Eltern meiner Mutter, die aus irgendeinem Grund sogar noch älter waren als Coach Bob, wünschten, daß ihre Tochter nur mit den Jungs von der Dairy School Umgang pflegte, und nicht mit den Jungs aus dem Ort – schließlich war der Vater meiner Mutter ein pensionierter Lehrer der Dairy School (alle nannten ihn nur Latein-Emeritus) und die Mutter meiner Mutter eine Arzttochter aus Brookline in Massachusetts, verheiratet mit einem Harvard-Mann; sie hoffte, ihre Tochter würde das gleiche Schicksal anstreben. Auch wenn die Mutter meiner Mutter sich nie darüber beklagte, daß *ihr* Harvard-Mann sie postwendend in die Provinz verfrachtet (und aus der Bostoner Gesellschaft gerissen) hatte, so hoffte sie doch, meine Mutter würde einen richtigen Dairy-School-Jungen kennenlernen und von ihm postwendend nach Boston zurückverfrachtet werden.

Meine Mutter, Mary Bates, wußte, daß mein Vater, Win Berry, nicht der richtige Dairy-Schüler war, wie er ihrer Mutter vorschwebte. Harvard hin, Harvard her – er war Coach Bobs Sohn, und wer das Studium erst mit Verzögerung aufnehmen konnte, war nicht zu vergleichen mit einem, der schon studierte oder es sich leisten konnte, umgehend damit zu beginnen.

Mutters eigene Pläne in diesem Sommer 1939 machten ihr selber kaum Freude. Ihr Vater, der alte Latein-Emeritus, hatte einen Schlaganfall hinter sich; sabbernd und wirr im Kopf und lateinische Brocken murmelnd geisterte er durch das Haus in Dairy, nutzlos umsorgt von seiner Frau, wenn nicht Mary da war und sich um beide kümmerte. Mit ihren neunzehn Jahren hatte Mary Bates Eltern, die älter waren als anderer Leute Großeltern, und aus Pflichtgefühl – wenn auch ohne Begeisterung – verzichtete sie auf ein mögliches Universitätsstudium, damit sie zuhause bleiben und sich um ihre Eltern kümmern konnte. Sie nahm sich vor, das Maschinenschreiben zu erlernen und sich im Ort Arbeit zu suchen. Dieser Job im Arbuthnot war für sie in Wirklichkeit so etwas wie ein exotischer Sommerurlaub vor der Plackerei, die im Herbst auf sie zukommen würde. Mit jedem Jahr, so blickte sie in die Zukunft, würden die Jungs von der Dairy School jünger werden – bis schließlich keiner mehr daran interessiert sein würde, sie nach Boston zurückzuverfrachten.

Mary Bates war mit Winslow Berry groß geworden, doch sie hatten sich höchstens mal zugenickt oder einen kurzen Blick des gegenseitigen Erkennens ausgetauscht. »Irgendwie haben wir immer über den anderen hinausgeschaut, ich weiß nicht, warum«, erzählte Vater uns Kindern – vielleicht bis sie sich erstmals außerhalb der vertrauten Umgebung sahen, in der sie beide groß geworden waren: der Stadt Dairy und des Campus der Dairy School, die beide nichts Ganzes und nichts Halbes waren.

Als das Thompson Female Seminary meine Mutter im Juni 1939 nach bestandenem Examen entließ, stellte sie gekränkt fest, daß die Dairy School ihre Abschlußfeier bereits hinter sich hatte und geschlossen war; die interessanteren, auswärtigen Schüler waren nach Hause gefahren, und ihre zwei, drei »Beaus« (wie sie sie nannte) – von denen sie vielleicht eine Einladung zu ihrem eigenen Abschlußball hätte erhoffen können – waren fort. Sie kannte keinen der Jungs von der einheimischen High School, und als ihre Mutter Win Berry vorschlug, rannte meine Mutter aus dem Eßzimmer. »Warum denn nicht gleich Coach Bob!« schrie sie ihre Mutter an. Latein-Emeritus, ihr Vater, der ein Nickerchen gemacht hatte, hob den Kopf von der Tischplatte.

»Coach Bob?« sagte er. »Ist der Schwachkopf wieder hier, um sich den Schlitten auszuleihen?«

Coach Bob, den sie auch Iowa-Bob nannten, war kein Schwachkopf, aber für Latein-Emeritus, dessen Zeitgefühl seit dem Schlaganfall offenbar durcheinander war, gehörte der gedrungene Kraftprotz aus dem mittleren Westen nicht in eine Klasse mit dem regulären Lehrkörper. Und vor Jahren, als Mary Bates und Win Berry noch Kinder gewesen waren, war Coach Bob einmal gekommen, um sich einen alten Schlitten auszuleihen, von dem jeder wußte, daß er schon drei Jahre lang ungenutzt bei den Bates im Garten gestanden hatte.

»Hat der Trottel denn ein Pferd dafür?« hatte Latein-Emeritus seine Frau gefragt.

»Nein, er will ihn selber ziehen!« sagte die Mutter meiner Mutter. Und die Familie Bates stand am Fenster und sah zu, wie Coach Bob den kleinen Win auf den Kutschersitz hievte, das Ortscheit mit den Händen hinter seinem Rücken umklammerte und den Schlitten in Bewegung setzte; der gewaltige Schlitten glitt über den Schnee und hinunter auf die glatte Straße, die zu der Zeit noch von Ulmen eingefaßt war – »So schnell, als hätte ein Pferd ihn gezogen!« sagte meine Mutter immer.

Iowa-Bob war der kleinste Innenverteidiger gewesen, der jemals in der Liga der ›Großen Zehn‹ einen Stammplatz in einer Footballmannschaft gehabt hatte. Sein Einsatz war, wie er einmal zugab, so groß, daß er einen gegnerischen Angreifer *biß*, nachdem er ihn zu Fall gebracht hatte. An der Dairy School trainierte er zusätzlich zu seinen Pflichten als Football-Coach auch noch die Kugelstoßer und all diejenigen, die sich fürs Gewichtheben interessierten. Doch für die Familie Bates war Iowa-Bob zu unkompliziert, als daß man ihn hätte ernst nehmen können: ein komischer, untersetzter Kraftmensch, dessen Haare so kurz geschnitten waren, daß er glatzköpfig wirkte; und ständig sah man ihn durch den Ort traben – »gekrönt mit einem Schweißband von abscheulicher Farbe«, wie Latein-Emeritus zu sagen pflegte.

Da Coach Bob noch lange lebte, war er von den Großeltern der einzige, an den wir Kinder uns erinnern konnten.

»Was ist das für ein Geräusch?« fragte Frank einmal beunruhigt mitten in der Nacht, nachdem Bob zu uns gezogen war.

Was Frank hörte und was wir danach noch oft hören sollten, waren die knarrenden Liegestütze und die ächzenden Sit-ups des alten Mannes auf seinem Fußboden (unserer Decke) über uns.

»Das ist Iowa-Bob«, flüsterte Lilly einmal. »Er möchte ewig in Form bleiben.«

Jedenfalls war es nicht Win Berry, der Mary Bates zu ihrem Abschlußball führte. Der Pfarrer der Familie, der erheblich älter war als meine Mutter, aber ledig, war so nett, sie einzuladen. »Es wurde ein langer Abend«, erzählte uns Mutter. »Ich war niedergeschlagen. Ich war in meinem eigenen Heimatort eine Außenseiterin. Doch nur wenig später war es eben dieser Pfarrer, der euren Vater und mich traute!«

Das hätten sie sich nicht träumen lassen, als sie zusammen mit den anderen Aushilfskräften, die für die Sommermonate eingestellt wurden, auf dem unwirklichen Grün des verwöhnten Rasens am Arbuthnot-by-the-Sea einander »vorgestellt« wurden. Selbst die Vorstellung des Personals war dort ein formeller Akt. Ein Mädchen wurde aufgerufen aus einer Reihe anderer Mädchen und Frauen; und aus einer Reihe von Jungen und Männern kam ihr ein ebenfalls namentlich aufgerufener Junge entgegen wie bei einer Aufforderung zum Tanz.

»Das ist Mary Bates, die soeben ihren Abschluß am Thompson Female Seminary gemacht hat! Sie wird im Hotel und beim Betreuen der Gäste aushelfen. Sie segelt gerne, *nicht* wahr, Mary?«

Kellner und Kellnerinnen, die Rasenpfleger und Caddies, die Bootshilfen und das Küchenpersonal, Mädchen für alles, Empfangsdamen, Zimmermädchen, die Leute aus der Wäscherei, ein Klempner und die Mitglieder der Band. Bälle waren sehr beliebt; die Hotels in den weiter südlich gelegenen Badeorten – wie das Weirs in Laconia und Hampton Beach – lockten im Sommer einige der berühmten Bands an. Doch das Arbuthnot-by-the-Sea hatte seine eigene Band, die auf eine kalte, für Maine typische Art den Sound der Big-Bands nachahmte.

»Und das ist Winslow Berry, der es mag, wenn man ihn Win nennt! *Nicht* wahr, Win? Er geht im Herbst auf die *Harvard* University!«

Aber mein Vater blickte geradeaus auf meine Mutter, die lächelte und das Gesicht abwandte – seinetwegen ebenso verlegen wie ihretwegen. Sie hatte noch nie bemerkt, wie gut er wirklich aussah; er war so robust gebaut wie Coach Bob, doch durch die Dairy School hatte er sich die Manieren, die Kleidung und die Art Frisur angeeignet, wie sie in Boston (und nicht in Iowa) Mode waren. Er sah aus, als gehe er schon jetzt auf die Harvard University, was immer das damals für meine Mutter bedeutet haben mag. »Ich weiß nicht, was es bedeutete«, erzählte sie uns Kindern. »Irgendwie kultiviert, nehme ich an. Er sah wie ein Junge aus, der trinken kann, ohne daß ihm schlecht davon wird. Er hatte die dunkelsten, strahlendsten Augen, und wenn man ihn ansah, hatte man immer das Gefühl, daß auch er einen gerade angesehen hatte – aber man konnte ihn nie dabei ertappen.«

Diese Fähigkeit blieb meinem Vater sein ganzes Leben erhalten; wir hatten in seiner Gegenwart immer das Gefühl, daß er uns sorgfältig und liebevoll beobachtet hatte – selbst wenn er, sobald wir hinblickten, offenbar in eine andere Richtung sah, träumte oder Pläne schmiedete, angestrengt nachdachte oder in Gedanken ganz weit weg war. Selbst als er wirklich blind war gegenüber unseren Plänen und Taten, schien er uns noch zu »beobachten«. Es war eine merkwürdige Verbindung von Zurückgezogenheit und Wärme – und meine Mutter spürte sie zum ersten Mal auf dieser leuchtend grünen Rasenzunge, eingerahmt vom grauen Meer von Maine.

VORSTELLUNG DES PERSONALS: 16.00 UHR

So erfuhr sie also, daß er da war.

Als die Vorstellungen vorbei waren und das Personal angewiesen wurde, sich für die erste Cocktailstunde, das erste Dinner und die erste Abendunterhaltung bereitzumachen, fiel der Blick meines Vaters auf meine Mutter, und er kam zu ihr herüber.

»Ich kann mir Harvard erst in zwei Jahren leisten«, war das erste, was er zu ihr sagte.

»Das dachte ich mir«, sagte meine Mutter. »Aber ich finde es wunderbar, daß sie dich genommen haben«, fügte sie rasch hinzu.

»Warum sollten sie mich *nicht* nehmen?« fragte er.

Mary Bates zuckte mit den Achseln, eine Geste, die sie sich angewöhnt hatte, weil sie ihren Vater nie verstand (da er seit dem Schlaganfall höchst undeutlich redete). Sie trug weiße Handschuhe und einen weißen Hut mit einem Schleier; sie war schon für die erste Gartenparty angezogen, bei der sie servieren sollte, und mein Vater staunte, wie hübsch ihr Haar sich an ihren Kopf schmiegte – es war hinten länger, vom Gesicht aus nach hinten gekämmt und irgendwie an Hut und Schleier auf eine Art und Weise festgemacht, die so einfach und doch geheimnisvoll war, daß mein Vater anfing, sich Gedanken über meine Mutter zu machen.

»Was tust du im Herbst?« fragte er sie.

Wieder zuckte sie mit den Achseln, aber vielleicht sah mein Vater in den Augen hinter dem weißen Schleier, daß meine Mutter hoffte, vor der Zukunft bewahrt zu werden, die sie auf sich zukommen sah.

»Wir waren nett zueinander bei dieser ersten Begegnung, das weiß ich noch genau«, erzählte uns Mutter. »Wir waren beide allein, in einer neuen Umgebung, und wir wußten Dinge voneinander, die sonst niemand wußte.« Damals war das wohl bereits ziemlich intim.

»Zu der Zeit war man *überhaupt* nicht intim«, sagte Franny einmal. »Nicht mal Leute, die sich *liebten*, furzten voreinander.«

Und Franny wirkte überzeugend – ich glaubte ihr oft. Selbst mit der Sprache war sie ihrer Zeit voraus – als wüßte sie immer, wo es langging; und ich konnte nie ganz Schritt mit ihr halten.

An diesem ersten Abend im Arbuthnot spielte die hauseigene Band ihre Imitation des Big-Band-Sounds, aber es waren sehr wenige Gäste da, und noch weniger Tänzer; die Saison lief gerade erst an, und in Maine läuft sie langsam an –

es ist so kalt dort, selbst im Sommer. Der Ballsaal hatte einen blank gewienerten Holzboden, der über die offenen, zum Meer hin gelegenen Veranden hinauszugehen schien. Wenn es regnete, mußte man Markisen über die Veranden herunterlassen, da der Ballsaal ringsum so offen war, daß der Regen hereingeweht wurde und die gebohnerte Tanzfläche naßmachte.

An diesem ersten Abend, als Bonbon für das Personal – und weil so wenige Gäste da waren, von denen sowieso die meisten zu Bett gegangen waren, um sich zu wärmen – spielte die Band länger als sonst. Mein Vater und meine Mutter und die anderen Angestellten durften eine Stunde oder länger tanzen. Meine Mutter erinnerte sich immer daran, daß der Kronleuchter im Ballsaal kaputt war – er verbreitete nur einen matten Schimmer; unregelmäßige Farbtupfen sprenkelten die Tanzfläche, die in dem kümmerlichen Licht so weich und glatt wirkte, daß der Boden die Beschaffenheit einer Kerze zu haben schien.

»Ich bin froh, daß jemand hier ist, den ich kenne«, flüsterte meine Mutter meinem Vater zu, der sie ziemlich förmlich zum Tanz aufgefordert hatte und sehr steif mit ihr tanzte.

»Aber du kennst mich doch gar nicht«, sagte Vater.

»Das«, erzählte uns Vater, »habe ich nur gesagt, damit eure Mutter wieder mit den Achseln zuckte.« Und als sie es tatsächlich tat und sich dachte, was für ein unendlich schwieriger – und vielleicht überlegener – Gesprächspartner er doch sei, da war mein Vater überzeugt, daß er sich nicht nur zufällig zu ihr hingezogen fühlte.

»Aber ich *möchte*, daß du mich kennst«, sagte er zu ihr, »und ich möchte auch dich kennenlernen.«

(»Puh«, sagte Franny immer an dieser Stelle der Erzählung.)

Ein Motorengeräusch übertönte die Band, und viele hörten zu tanzen auf, um nachzusehen, was das für ein Lärm war. Meine Mutter war für die Unterbrechung dankbar: sie wußte nicht, was sie Vater antworten sollte. Sie gingen, ohne sich an den Händen zu halten, auf die Veranda hinaus, die den Blick auf den Bootsanlegeplatz freigab; im Licht der Lampen, die dort an Freileitungen schwankten, sahen sie einen Hummerfänger, der gerade in See stach, nachdem er offenbar ein dunkles Motorrad an Land abgesetzt hatte, das nun aufheulend auf Touren gebracht wurde – vielleicht sollte so die feuchte salzige Luft aus seinen Röhren und Leitungen geblasen werden. Der Fahrer schien darauf bedacht, erst das richtige Motorengeräusch zu bekommen, bevor er den Gang einlegte. Das Motorrad hatte einen Beiwagen, und darin saß eine dunkle Gestalt, plump und reglos, wie ein bis zur Unbeholfenheit vermummter Mann.

»Es ist Freud«, sagte jemand aus dem Personal. Und dann riefen auch andere, ältere Angestellte aus: »Ja, Freud! Freud und State o' Maine!«

Meine Mutter und mein Vater dachten beide, »State o' Maine« sei der Markenname des Motorrads. Doch dann hörte die Band zu spielen auf, da niemand mehr tanzte, und auch von den Musikern kamen einige auf die Veranda heraus.

»Freud!« riefen die Leute.

Mein Vater erzählte uns immer, ihn habe die Vorstellung amüsiert, *der* Freud werde im nächsten Augenblick mit dem Motorrad an die Veranda herangefahren kommen und sich dann im Licht der hoch oben hängenden Lampen, die den makellosen Kiesweg säumten, dem Personal vorstellen. Hier kommt also Sigmund Freud, dachte Vater; er war gerade dabei, sich zu verlieben – da war alles möglich.

Aber es war natürlich nicht *der* Freud; es war das Jahr, in dem *der* Freud starb. *Dieser* Freud war ein Wiener Jude, der ein Bein nachzog und dessen Namen keiner aussprechen konnte; seit 1933, als er seine österreichische Heimat verlassen hatte, arbeitete er den Sommer über im Arbuthnot, und dort hatte er den Namen Freud verdient wegen seiner Fähigkeit, bekümmerte Angestellte und Gäste zu trösten. Er war ein Entertainer, und da er aus Wien stammte und Jude war, fanden es einige der eigenartigen, fremden Geister im Arbuthnot-by-the-Sea ganz natürlich, ihn »Freud« zu nennen. Der Name schien erst recht angemessen, als Freud im Sommer 1937 mit einem neuen Motorrad angereist kam, einer Indian mit einem Beiwagen, den er eigenhändig gebaut hatte.

»Wer darf hinten sitzen, Freud, und wer kommt in den Beiwagen?« neckten ihn die Mädchen vom Hotel – denn mit den schrecklichen Pockennarben im Gesicht (den »alten Furunkellöchern«, wie er sie nannte) war er so häßlich, daß keine Frau ihn je lieben konnte.

»Mit mir fährt niemand außer State o' Maine«, sagte Freud, und er löste das Segeltuch-Verdeck über dem Beiwagen. Im Beiwagen saß ein Bär, schwarz wie Ruß, dicker vollgepackt mit Muskeln als selbst Iowa-Bob, wachsamer als jeder streunende Hund. Freud hatte den Bären aus einem Holzfällercamp im Norden von Maine herausgeholt, und er hatte die Direktion des Arbuthnot überzeugt, daß er das Biest dressieren und mit ihm die Hotelgäste unterhalten konnte. Als Freud aus Österreich emigriert und mit dem Schiff von New York aus nach Boothbay Harbour gefahren war, hatte er Arbeitspapiere bei sich, die seine beruflichen Fähigkeiten in Großbuchstaben schilderten: ERFAHRUNG IN DRESSUR UND PFLEGE VON TIEREN. GUTE HANDWERKLICHE BEGABUNG. Da keine Tiere verfügbar waren, reparierte er Fahrzeuge für das Arbuthnot und mottete sie fachmännisch für die Monate ein, in denen keine Touristen kamen; er selbst verbrachte diese Zeit als Mechaniker in den Holzfällercamps und Papierfabriken.

In dieser ganzen Zeit hatte er, wie er später meinem Vater erzählte, nach einem Bären gesucht. Bären, sagte Freud, seien eine Goldgrube.

Als mein Vater den Mann unterhalb der Veranda vom Motorrad steigen sah, wunderte er sich über die Hochrufe der altgedienten Hotelangestellten; als Freud seinem Passagier aus dem Beiwagen half, war der erste Gedanke meiner Mutter, es sei eine uralte Frau – möglicherweise die Mutter des Motorradfahrers (eine beleibte, in eine dunkle Decke gehüllte Frau).

»State o' Main!« brüllte jemand in der Band und ließ ein Trompetensignal hören.

Meine Mutter und mein Vater sahen, wie der Bär anfing zu tanzen. Auf den Hinterbeinen tanzte er von Freud weg; er ließ sich auf alle viere fallen und lief ein, zwei Runden um das Motorrad herum. Freud stand auf dem Motorrad und klatschte in die Hände. Der Bär namens State o' Maine fing ebenfalls an zu klatschen. Als meine Mutter spürte, daß mein Vater ihre Hand in die seine nahm – sie gehörten nicht zu denen, die klatschten –, wehrte sie sich nicht; sie erwiderte den Druck seiner Hand, und beide ließen den massigen Bären, der vor ihnen tanzte, nicht eine Sekunde aus den Augen, und meine Mutter dachte: Ich bin neunzehn, und mein Leben fängt gerade erst an.

»Hattest du *wirklich* das Gefühl?« fragte Franny immer.

»Alles ist relativ«, sagte Mutter dann. »Aber ich hatte wirklich das Gefühl, ja: daß mein Leben *anfing*.«

»Heiliger Strohsack«, sagte Frank.

»War ich es, den du mochtest, oder war es der Bär?« fragte Vater.

»Red keinen Unsinn«, sagte Mutter. »Es war alles zusammen. Es war der Anfang meines Lebens.«

Und dieser Satz hatte dieselbe, uns völlig in Bann schlagende Qualität wie Vaters Satz über den Bären (»Er war zu alt, um noch ein Bär zu sein«). Ich fühlte mich vollkommen in die Geschichte hineingezogen, wenn meine Mutter sagte, dies sei der *Anfang* ihres Lebens gewesen; es war, als könnte ich *sehen*, wie in Mutters Leben – wie beim Motorrad – nach langem Warmlaufen endlich der Gang einrastete und es sich schlingernd in Bewegung setzte.

Und was muß sich mein Vater vorgestellt haben, als er nach ihrer Hand griff, nur weil ein Hummerfänger einen Bären in sein Leben brachte?

»Ich wußte, es würde *mein* Bär sein«, sagte Vater zu uns. »Ich weiß nicht, warum.« Und dieses Wissen – daß er etwas sah, was einmal ihm gehören würde – war es vielleicht auch, das ihn die Hand nach meiner Mutter ausstrecken ließ.

Sie sehen, warum wir Kinder so viele Fragen stellten. Es ist eine vage Geschichte – von der Sorte, wie Eltern sie am liebsten erzählen.

An diesem ersten Abend, an dem sie Freud und seinen Bären sahen, küßten sich mein Vater und meine Mutter nicht einmal. Als die Band Schluß machte und das Dienstpersonal sich in die Männer- und Frauenschlafräume zurückzog – es waren die etwas weniger eleganten Gebäude abseits vom Hotel –, da gingen mein Vater und meine Mutter hinunter zum Anlegeplatz und blickten aufs Wasser hinaus. Falls sie überhaupt miteinander redeten, so erzählten sie uns Kindern jedenfalls nie, was. Es muß dort ein paar tolle Segelboote gegeben haben, und in Maine waren selbst an privaten Landestegen immer ein, zwei Hummerfänger festgemacht. Wahrscheinlich lag dort auch ein Beiboot, und mein Vater schlug vor, es für eine kleine Ruderpartie auszuleihen; meine Mutter lehnte das wahrscheinlich ab. Fort Popham war damals eine Ruine, nicht das attraktive Ausflugsziel von heute; sollte es aber dort am Ufer irgendeine Beleuchtung gegeben haben, hätte man sie vom Arbuthnot-by-the-Sea gesehen. Außerdem gab es in der breiten Mündung des Kennebec bei Bay Point eine Glockenboje und ein Leuchtfeuer, und es könnte schon 1939 einen Leuchtturm auf Stage Island gegeben haben – mein Vater konnte sich nie genau erinnern.

Im allgemeinen muß jedoch das Ufer damals im Dunkel gelegen haben, so daß mein Vater und meine Mutter die weiße Schaluppe, die auf sie zugesegelt kam – aus Boston oder New York: jedenfalls aus dem Südwesten, der zivilisierten Welt –, deutlich sehen und ungestört so lange betrachten konnten, bis sie beim Landesteg längsseits kam. Mein Vater fing das Tau auf; er erzählte uns immer, daß er der Panik nahe war, da er nicht wußte, ob er es irgendwo festbinden oder daran ziehen sollte, als der Mann in der weißen Smokingjacke, den schwarzen Hosen und den schwarzen Halbschuhen lässig von Bord ging, die Leiter zum Landesteg erklomm und meinem Vater das Tau abnahm. Mühelos dirigierte der Mann die Schaluppe um das Ende des Stegs herum, bevor er das Tau zurückwarf. »Alles klar!« rief er dann zu dem Boot hinüber. Meine Mutter und mein Vater behaupteten, sie hätten niemanden an Bord gesehen, doch die Schaluppe glitt davon, hinaus aufs Meer – ihre gelben Lichter entschwanden wie versinkendes Glas –, und der Mann in der Smokingjacke wandte sich meinem Vater zu und sagte: »Vielen Dank für die Hilfe. Sind Sie neu hier?«

»Ja, wir sind beide neu«, sagte Vater.

Die makellose Kleidung des Mannes zeigte keine Spuren von der Bootsfahrt. Dafür, daß der Sommer erst begann, war der Mann bereits sehr braun, und er bot meiner Mutter und meinem Vater Zigaretten an aus einem eleganten, flachen schwarzen Etui. Sie rauchten nicht. »Ich hatte gehofft, rechtzeitig zum letzten Tanz zu kommen«, sagte der Mann, »aber die Band hat wohl schon Schluß gemacht?«

»Ja«, sagte meine Mutter. Mit ihren neunzehn Jahren hatten meine Mutter und mein Vater noch nie jemand wie diesen Mann gesehen. »Er hatte ein geradezu obszönes Selbstvertrauen«, erzählte uns meine Mutter.

»Er hatte Geld«, sagte Vater.

»Sind Freud und der Bär angekommen?« fragte der Mann.

»Ja«, sagte Vater. »Und das Motorrad.«

Der Mann in der weißen Smokingjacke rauchte hungrig, doch nicht ohne Eleganz, während er auf das dunkle Hotel blickte. Nur in ganz wenigen Zimmern brannte noch Licht, aber die zur Beleuchtung der Wege, Hecken und Anlegeplätze aufgehängten Lampen erhellten das braune Gesicht des Mannes und machten seine Augen schmal, und sie spiegelten sich in der schwarzen, bewegten See. »Freud ist nämlich Jude«, sagte der Mann. »Nur gut, daß er Europa rechtzeitig den Rücken gekehrt hat. In Europa wird es nicht zum Aushalten sein für Juden. Das weiß ich von meinem Makler.«

Diese ernste Neuigkeit muß tiefen Eindruck auf meinen Vater gemacht haben, der es kaum erwarten konnte, Harvard – und die Welt – zu erobern, und der noch nicht ahnte, daß sich ein Krieg für längere Zeit zwischen ihn und seine

Pläne schieben würde. Der Mann in der weißen Smokingjacke veranlaßte meinen Vater, zum zweiten Mal an diesem Abend nach der Hand meiner Mutter zu greifen, und auch diesmal erwiderte sie seinen Händedruck, während sie höflich darauf warteten, daß der Mann seine Zigarette zu Ende rauchte oder Gutenacht sagte oder weiterredete.

Doch er sagte lediglich: »Und die *Welt* wird nicht zum Aushalten sein für *Bären!*« Seine Zähne waren so weiß wie seine Smokingjacke, als er lachte, und bei dem Wind hörten mein Vater und meine Mutter das Zischen seiner Zigarette beim Auftreffen auf den Wellen nicht – ebensowenig wie die Schaluppe, die wieder längsseits kam. Plötzlich ging der Mann auf die Leiter zu, und erst als er flink die Sprossen hinabstieg, merkten Mary Bates und Win Berry, daß die weiße Schaluppe unter die Leiter glitt und daß der Mann genau im richtigen Augenblick unten war, um an Deck zu springen. Kein Tau wurde angerührt. Die Schaluppe, die keine Segel gesetzt hatte, sondern sonstwie angetrieben langsam tuckerte, drehte ab nach Südwesten (wieder nach Boston oder New York) – ohne Angst vor der Nacht –, und was ihnen der Mann in der weißen Smokingjacke zuletzt noch zurief, verlor sich im lauten Blubbern des Motors, im Klatschen des Schiffsrumpfes auf dem Wasser und im Wind, der die Möwen vorbeitrug (wie gefiederte Party-Hüte, die auf den Wellen tanzten, von Betrunkenen hineingeworfen). Für den Rest seines Lebens wünschte sich mein Vater, er hätte gehört, was der Mann damals zu sagen hatte.

Es war Freud, der meinem Vater sagte, er habe den *Besitzer* des Arbuthnot-by-the-Sea gesehen.

»Ja, das war er und kein anderer«, sagte Freud. »So kommt er immer, nur ein paarmal jeden Sommer. Einmal hat er mit einem der Mädchen getanzt, die hier arbeiten – den letzten Tanz; wir haben sie nie wieder gesehen. Eine Woche danach kam einer und holte ihre Sachen ab.«

»Wie heißt er eigentlich?« fragte Vater.

»Vielleicht ist er Arbuthnot *persönlich*, wer weiß?« sagte Freud. »Irgendwer sagte, er sei Holländer, aber seinen Namen hab ich nie gehört. Über *Europa* weiß er allerdings Bescheid – das kann ich Ihnen sagen!«

Mein Vater brannte darauf, ihn nach den Juden zu fragen; er spürte, wie ihn meine Mutter sanft in die Rippen stieß. Sie saßen auf einem der Grüns auf dem Golfplatz lange nach Feierabend – wenn das Grün im Mondlicht blau wurde und das rote Tuch schlaff an dem im Loch steckenden Flaggenstock hing. Der Bär namens State o' Maine war ohne Maulkorb und versuchte gerade, sich an dem dünnen Flaggenstock zu scheuern.

»Komm her, Dummkopf!« sagte Freud zu dem Bären, doch der Bär beachtete ihn nicht.

»Lebt Ihre Familie immer noch in Wien?« fragte meine Mutter Freud.

»Meine Schwester ist meine ganze Familie«, sagte er. »Und ich hab schon lange nichts mehr von ihr gehört, im März war es ein Jahr.«

»Und im März war es ein Jahr«, sagte mein Vater, »daß die Nazis Österreich geschnappt haben.«

»Als ob *ich* das nicht wüßte!« sagte Freud.

State o'Maine, dem der Flaggenstock zu wenig Widerstand entgegensetzte, als daß er sich richtig daran hätte scheuern können, schlug in seiner Enttäuschung den Flaggenstock aus dem Loch, so daß er über das gepflegte Grün wirbelte.

»Jessas Gott«, sagte Freud. »Er gräbt noch Löcher in den Golfplatz, wenn wir nicht anderswo hingehen.« Mein Vater steckte die alberne, mit einer »18« versehene Flagge in das Loch zurück. Meine Mutter hatte den Abend frei bekommen und mußte nicht servieren, darum trug sie noch die Zimmermädchen-Uniform; sie rannte dem Bären voraus und rief seinen Namen.

Der Bär rannte nur selten. Es war eher ein Watscheln – und er entfernte sich nie sehr weit von dem Motorrad. Er rieb sich so oft am Motorrad, daß die rote Farbe am Schutzblech ebenso glänzte wie die Chromteile, und der Beiwagen war vorne, wo er spitz zulief, eingedrückt, weil der Bär ständig dagegendrückte. Er hatte sich oft an den Auspuffrohren verbrannt, wenn er sich, kaum daß die Maschine zum Stillstand kam, daran reiben wollte; so kam es, daß ominöse Fetzen verkohlten Bärenfells an den Auspuffrohren klebten – als sei das Motorrad selbst (früher einmal) ein Pelztier gewesen. Entsprechend hatte State o' Maine zerschlissene Stellen in seinem Fell, wo der Pelz fehlte oder zu bräunlichen Klumpen versengt war – Flecken, die die stumpfe Farbe getrockneten Seetangs hatten.

Wofür der Bär dressiert worden war, blieb allen ein Rätsel – selbst Freud schien es nicht genau zu wissen.

Ihre gemeinsame Nummer, die sie am späten Nachmittag vor den Gartenparties zeigten, war eine größere Anstrengung für das Motorrad und Freud als für den Bären. Runde um Runde fuhr Freud im Kreis herum, der Bär im Beiwagen, das Verdeck abgenommen – der Bär wie ein Pilot in einem offenen Cockpit ohne Instrumente. State o' Maine trug in der Öffentlichkeit meistens seinen Maulkorb; es war ein Ding aus rotem Leder, das meinen Vater an die Masken erinnerte, mit denen Lacrossespieler manchmal ihr Gesicht schützen. Der Maulkorb ließ den Bären kleiner erscheinen, drückte sein ohnehin schon runzliges Gesicht noch mehr zusammen und verlängerte seine Schnauze, so daß er mehr denn je einem übergewichtigen Hund glich.

Runde um Runde fuhren sie, und unmittelbar bevor die gelangweilten Gäste ihre Gespräche wiederaufnehmen und diese Kuriosität sich selbst überlassen wollten, hielt Freud das Motorrad an, stieg bei laufendem Motor ab und trat an den Beiwagen, wo er den Bären mit einem deutschen Wortschwall piesackte. Das fanden die Zuhörer dann komisch, vor allem, weil es komisch war, wenn jemand deutsch redete, aber Freud ließ nicht locker, bis der Bär langsam aus dem Beiwagen kletterte und auf das Motorrad stieg, um den Platz des Fahrers einzunehmen; er legte seine schweren Pfoten auf die Lenkstange, doch seine kurzen Hinterbeine reichten nicht bis zu den Fußrasten oder den Hebeln für die Hinterradbremse. Freud stieg in den Beiwagen und befahl dem Bären loszufahren.

Nichts passierte. Freud saß im Beiwagen und zeterte, weil sie nicht vom Fleck kamen; der Bär hielt sich wild entschlossen an der Lenkstange fest, wippte auf dem Sattel und strampelte mit den Beinen, als gelte es, Wasser zu treten.

»State o' Maine!« rief dann mal einer aus der Menge. Und der Bär nickte, mit einer Art verlegener Würde, und blieb, wo er war.

Mit deutschen Flüchen, die die Leute so gerne hörten, stieg Freud aus dem Beiwagen und versuchte, dem Bären zu zeigen, wie man ein Motorrad in Gang setzt.

»Kupplung!« sagte Freud und hielt die große Bärenpfote über den Kupplungshebel. »Gas!« schrie er und brachte mit der anderen Pfote den Motor auf Touren. Freuds 1937er Indian hatte den Schalthebel neben dem Benzintank, so daß der Fahrer einen beängstigenden Augenblick lang die Hand vom Lenker nehmen mußte, um einen Gang einzulegen oder in einen anderen Gang zu schalten. »Schalten!« schrie Freud und knallte den ersten Gang rein.

Worauf der Bär auf dem Motorrad über den Rasen rollte, mit wenig Gas und gleichbleibend leise brummendem Motor; er wurde nicht schneller und nicht langsamer, fuhr aber entschlossen auf die geschniegelten, elegant gekleideten Leute zu – die Männer, selbst wenn sie eben noch Sport getrieben hatten, trugen Hüte; und auch die männlichen Gäste des Arbuthnot-by-the-Sea trugen zum Schwimmen Badeanzüge, obwohl sich in den dreißiger Jahren die Badehosen für Männer immer mehr durchsetzten. Doch nicht in Maine. Die Jacketts – ob für Damen oder Herren – hatten wattierte Schultern; die Herren trugen weißen Flanell, weit und bauschig; die sportliche Dame trug zweifarbige Halbschuhe mit kurzen Söckchen; die feine Dame legte Wert auf eine natürliche Taille und entschied sich gern für Puffärmel. Es gab ein buntes Durcheinander, als der Bär – verfolgt von Freud – geradewegs auf sie zusteuerte.

»*Nein! Nein!* Du doofer Bär!«

Und State o'Maine, dessen Miene unter dem Maulkorb den Gästen verborgen blieb, fuhr weiter, ohne die Richtung wesentlich zu ändern – eine ungeschlachte Gestalt, die da über der Lenkstange hing.

»Du dummes Vieh!« schrie Freud.

Der Bär fuhr davon – immer geradewegs durch ein offenes Zelt, doch ohne eine stützende Stange zu rammen oder an den weißen Leinentüchern hängenzubleiben, die über die Tische und die Bar gebreitet waren. Kellner verfolgten ihn über den kostbaren Rasen. Von den Tennisspielern kamen ermunternde Zurufe, doch wenn dann der Bär in ihre Richtung fuhr, räumten sie das Feld.

Ob der Bär nun wußte, was er tat, oder nicht: jedenfalls landete er nie in einer Hecke, und er fuhr nie zu schnell; es kam nie vor, daß er zum Anlegeplatz hinunterfuhr und versuchte, an Bord einer Yacht oder eines Hummerfängers zu gelangen. Und Freud holte ihn immer ein, wenn es so aussah, als hätten die Gäste genug von dem Schauspiel. Freud setzte sich dann hinter den Bären aufs Motorrad; er drückte sich an den breiten Rücken und steuerte das Tier und die 37er Indian zurück zu der Party.

»Na gut, er hat noch ein paar Mucken!« rief er dann jeweils der Menge zu. »Noch ein paar Haare in der Suppe. Aber das kriegen wir hin. Nichts von Bedeutung. Das begreift er schnell!«

Das also war die Nummer. Sie änderte sich nie. Das war alles, was Freud State o' Maine beigebracht hatte; er behauptete, mehr könne der Bär nicht lernen.

»Er ist kein besonders schlauer Bär«, sagte Freud zu Vater. »Er war schon zu alt, als ich ihn kriegte. Ich dachte, es würde schon noch werden. Er war ganz klein, als sie ihn zähmten. Aber bei den Holzfällern lernte er nichts. Diese Leute haben doch keine Manieren, das sind selber nur Tiere. Sie hielten sich den Bären als Haustier, sie gaben ihm so viel zu fressen, daß er nicht unangenehm wurde, aber sonst ließen sie ihn einfach fau-

lenzen und versacken – wie sich selbst. Ich glaube, die Holzfäller sind schuld, daß dieser Bär Alkoholprobleme hat. Heute
trinkt er zwar nicht – ich erlaube es ihm nicht –, aber er be-
nimmt sich wie einer, der gerne trinken würde, verstehen Sie?«

Vater verstand *nicht*. Er fand Freud großartig, und die 37er
Indian war das schönste Motorrad, dem er je begegnet war.
An freien Tagen fuhr mein Vater mit meiner Mutter die
Küstenstraßen entlang, und beide drängten sich in der kühlen
salzigen Luft eng aneinander, aber sie waren nie allein: das
Motorrad war nicht vom Arbuthnot wegzufahren, ohne daß
State o' Maine im Beiwagen saß. Der Bär geriet völlig außer
sich, wenn das Motorrad ohne ihn wegfahren wollte; es war
der einzige Grund, der den alten Bären zum Laufen bringen
konnte. Ein Bär kann überraschend schnell laufen.

»Los doch, versuchen Sie mal auszureißen«, sagte Freud zu
Vater. »Aber ich rate Ihnen, erst mal zu schieben, den Fahr-
weg hinunter bis zur Straße, und erst dort den Motor anzulassen. Und lassen Sie beim ersten Versuch die arme Mary
lieber hier. Sehen Sie zu, daß Sie gut vermummt sind, denn
wenn er Sie einholt, wird er Sie ausgiebig betatschen. Er wird
nicht wütend sein – nur aufgeregt. Los, versuchen Sie's. Aber
wenn Sie sich nach ein paar Kilometern umblicken und er
läuft Ihnen immer noch nach, müssen Sie anhalten und ihn
zurückbringen. Sonst bekommt er einen Herzschlag, oder er
verirrt sich – er ist dermaßen dumm.

Er kann weder jagen noch sonstwas. Er ist hilflos, wenn
man ihn nicht füttert. Er ist ein Spielzeug, kein richtiges Tier
mehr. Und er ist nur etwa doppelt so klug wie ein Deutscher
Schäferhund. Und das ist nun mal zu wenig für die Welt.«

»Die Welt?« fragte Lilly dann immer mit staunenden
Augen.

Doch im Sommer 39 war die Welt für meinen Vater neu
und herzlich, mit den scheuen Berührungen meiner Mutter,
dem Röhren der 37er Indian und dem starken Geruch von
State o' Maine, den kalten Nächten von Maine und der Weis-
heit Freuds.

Daß er hinkte, war natürlich die Folge eines Motorradunfalls; das Bein war unsachgemäß eingerichtet worden. »Diskriminierung«, behauptete Freud.

Freud war klein, kräftig, wendig wie ein Tier, von einer seltsamen Hautfarbe (wie eine grüne, durch langsames Kochen fast braun gewordene Olive). Er hatte glänzende schwarze Haare, die in einem merkwürdigen Flecken auch auf seiner Wange wuchsen, unmittelbar unter dem einen Auge: es war ein seidenweiches Haarpolster, größer als die meisten Leberflecke, mindestens so groß wie eine mittlere Münze, auffälliger als jedes Muttermal, und es wirkte in Freuds Gesicht so natürlich wie eine Napfschnecke an einer Felsklippe in Maine.

»Es kommt daher, daß mein Gehirn so riesig ist«, sagte Freud zu Mutter und Vater. »Mein Gehirn läßt auf dem Schädel nicht genug Platz für Haare, drum werden die Haare eifersüchtig und sprießen dort, wo sie eigentlich nicht hingehören.«

»Vielleicht war es ein Stück Bärenpelz«, sagte Frank einmal allen Ernstes, und Franny kreischte und schlang mir so heftig die Arme um den Hals, daß ich mir auf die Zunge biß.

»Frank ist wirklich zu komisch!« rief sie. »Zeig uns mal *deinen* Bärenpelz, Frank.« Der arme Frank näherte sich damals der Pubertät; er war für sein Alter schon weit entwickelt, und das war ihm sehr peinlich. Aber nicht einmal Franny konnte uns von dem hypnotisierenden Zauber Freuds und seines Bären ablenken; wir Kinder waren ebenso in deren Bann wie mein Vater und meine Mutter damals, im Sommer 1939.

An manchen Abenden, so erzählte uns Vater, begleitete er Mutter zu ihrer Unterkunft und gab ihr einen Gutenachtkuß. Wenn Freud schon schlief, kettete Vater State o' Maine vom Motorrad los und nahm ihm den Maulkorb ab, damit er fressen konnte. Dann ging mein Vater mit dem Bären zum Fischen. Dicht über dem Motorrad hing eine Plane auf Pfählen, die wie ein offenes Zelt State o' Maine vor dem Regen schützte; die Plane bildete am Boden eine Tasche, und darin

bewahrte mein Vater für solche Gelegenheiten sein Angel-
zeug auf.

Die beiden fuhren immer zum Pier von Bay Point; er lag
weiter entfernt als all die Hotelpiers und wimmelte von
Hummerfängern und kleinen Fischerbooten. Vater und State
o' Maine setzten sich dann am Ende des Stegs hin, und Vater
angelte mit einem Blinker am Haken nach Steinköhlern. Mit
den lebenden Steinköhlern fütterte er dann State o' Maine.
Nur einmal kam es zum Streit zwischen ihnen. Gewöhnlich
fing Vater drei oder vier Steinköhler; dann hatten beide –
Vater *und* State o' Maine – genug, und sie fuhren wieder nach
Hause. Doch eines Abends blieben die Steinköhler aus, und
als nach einer Stunde immer noch keiner angebissen hatte,
stand Vater auf, um den Bären zu seinem Maulkorb und seiner
Kette zurückzubringen.

»Komm jetzt«, sagte er. »Heute sind keine Fische im Meer.«
State o' Maine rührte sich nicht von der Stelle.

»Nun komm schon!« sagte Vater. Doch State o' Maine erlaubte auch nicht, daß *Vater* wegging.

»Earl!« brummte der Bär. Vater setzte sich und angelte
weiter. »Earl!« beschwerte sich State o' Maine. Vater warf
wieder und wieder die Angel aus, er nahm einen anderen
Blinker, er versuchte alles. Hätte er unten im Schlick nach
Ringelwürmern graben können, dann hätte er den richtigen
Köder gehabt, um mit der Angel in die Tiefe zu gehen und
Schollen zu fangen, doch wenn Vater auch nur den Versuch
machte wegzugehen, wurde State o' Maine sofort ungemütlich. Vater dachte daran, ins Wasser zu springen und an Land
zu schwimmen, dann könnte er heimlich zum Hotel zurückgehen und Freud holen und dann mit seiner Hilfe – und mit
Essensresten aus dem Hotel – State o' Maine zurückholen.
Doch dann griff die Stimmung auch auf Vater über und er
sagte: »Schon gut, schon gut, du willst also Fisch? Dann fangen
wir eben einen Fisch, verdammt nochmal!«

Kurz vor Morgengrauen kam ein Hummerfischer zum Steg
herunter; er wollte hinausfahren, um seine Körbe einzuholen,

und hatte einige neue Körbe bei sich, die er ins Wasser lassen wollte; zudem hatte er – unglücklicherweise – auch Köder dabei. State o' Maine roch die Köder.

»Es ist wohl besser, Sie geben sie ihm«, sagte Vater.

»Earl!« sagte State o' Maine, und der Hummerfischer gab dem Bären seine ganzen Köderfische.

»Wir bezahlen natürlich dafür«, sagte Vater. »Umgehend.«

»Ich weiß, was *ich* gern tun würde, ›umgehend‹«, sagte der Hummerfischer. »Ich würde gern den *Bären* in meine Körbe tun und *ihn* als Köder benutzen. Ich würde gerne zugucken, wie er von Hummern *aufgefressen* wird!«

»Earl!« sagte State o' Maine.

»Es ist wohl besser, Sie reizen ihn nicht«, sagte Vater zu dem Hummerfischer, der ihm beipflichten mußte.

»Ja ja, er ist nicht besonders schlau, dieser Bär«, sagte Freud danach zu Vater. »Ich hätte Sie warnen sollen. Er kann komisch sein, wenn's ums Fressen geht. In den Holzfällercamps haben sie ihm zuviel gegeben; er bekam ständig zu fressen – lauter mieses Zeug. Und jetzt hat er manchmal plötzlich das Gefühl, er kriegt nicht genug – oder er will was zum Saufen oder so. Denken Sie immer dran: setzen Sie sich nie zum Essen, ohne ihn erst gefüttert zu haben. Er mag das nicht.«

Vor seinen Auftritten bei den Gartenparties wurde State o' Maine also immer gut gefüttert – denn die weißen Leinentücher auf den Tischen waren reich mit Hors d'oeuvres, erlesenstem rohem Fisch und gegrilltem Fleisch beladen, und mit einem hungrigen State o' Maine hätte es Ärger geben können. Freud stopfte deshalb State o' Maine vor seiner Nummer, und der vollgefressene Bär war beim Motorradfahren ganz ruhig. Er hing friedlich, ja gelangweilt über der Lenkstange, als sei das größte körperliche Bedürfnis, das ihn überkommen würde, ein furchteinflößendes Rülpsen oder der Drang, seinen gewaltigen Bärendarm zu entleeren.

»Es ist eine doofe Nummer, und ich zahle drauf«, sagte Freud. »Das ist hier alles zu fein. Es kommen nur Snobs her. Ich müßte irgendwo sein, wo die Leute ein bißchen simpler sind, wo sie Bingo spielen, nicht bloß tanzen. Ich sollte an Orten sein, wo es *demokratischer* zugeht – wo die Leute auf den Ausgang von Raufereien wetten, verstehen Sie?«

Mein Vater verstand *nicht,* aber er muß über solche Orte gestaunt haben – wilder noch als das Weirs in Laconia oder selbst Hampton Beach. Wo es mehr Betrunkene gab und wo das Geld für eine Nummer mit einem dressierten Bären lockerer saß. Die Leute im Arbuthnot waren schlicht zu vornehm für einen Mann wie Freud und einen Bären wie State o' Maine. Sie waren sogar zu vornehm, als daß sie dieses Motorrad hätten würdigen können: die Indian aus dem Jahr 1937.

Aber meinem Vater war klar, daß Freud keine Ambitionen hatte, die ihn hätten weglocken können. Im Arbuthnot verbrachte Freud einen angenehmen Sommer; nur war eben der Bär nicht zu der Goldmine geworden, die Freud sich erhofft hatte. Was Freud wirklich wollte, war ein anderer Bär.

»Mit einem derart doofen Bären«, sagte er zu meiner Mutter und meinem Vater, »hat es keinen Sinn, auf einen besseren Schnitt zu hoffen. Und wenn man die billigen Urlaubsorte abgrast, hat man andere Probleme.«

Meine Mutter griff nach der Hand meines Vaters und drückte sie fest und warnend – vielleicht weil sie sah, daß er sich diese »billigen Urlaubsorte«, diese »anderen Probleme« ausmalte. Doch mein Vater dachte an die Studiengebühren der Harvard University; er *mochte* die 37er Indian und den Bären namens State o' Maine. Nach allem, was er gesehen hatte, gab sich Freud mit der Abrichtung des Bären nicht die geringste Mühe, und Win Berry war ein Junge, der an sich glaubte; Coach Bobs Sohn war ein junger Mann mit der Vorstellung, was er sich vorstellen könne, das könne er auch erreichen.

Er hatte ursprünglich den Plan gefaßt, nach dem Sommer im Arbuthnot nach Cambridge zu gehen, ein Zimmer zu mieten und einen Job zu finden – vielleicht in Boston. Er würde sich mit der Gegend um Harvard vertraut machen und irgendwo da Arbeit finden, damit er sich einschreiben konnte, sobald er die Studiengebühren beisammen hatte. Und er konnte dann möglicherweise teilzeitarbeiten *und* Harvard besuchen. Meiner Mutter hatte dieser Plan natürlich gefallen, denn die Strecke von Boston nach Dairy und zurück ließ sich bequem mit der Boston & Maine bewältigen – die Züge fuhren damals noch regelmäßig. Sie malte sich bereits die Besuche meines Vaters aus, an langen Wochenenden, und wohl auch ihre eigenen – natürlich anständigen – Besuche, die sie gelegentlich bei ihm in Cambridge oder Boston machen würde.

»Was verstehst du schon von Bären?« fragte sie. »Oder von Motorrädern?«

Sie hielt auch nichts von Vaters Idee, mit Freud – *falls* Freud sich nicht von seiner Indian oder seinem Bären trennen wollte – zu den Holzfällercamps zu fahren. Win Berry war ein starker Junge, aber er war nicht vulgär. Und Mutter stellte sich die Camps als vulgäre Orte vor, von denen Vater – wenn überhaupt – als ein anderer Mensch wiederkehren würde.

Sie hätte sich keine Sorgen zu machen brauchen. Diesem Sommer lag offenbar ein Plan zugrunde, der unausweichlich und sehr viel umfassender war als irgendwelche banalen Vorbereitungen, die mein Vater und meine Mutter für die Zukunft treffen mochten. Dieser Sommer 1939 verlief so unausweichlich wie der Krieg in Europa, von dem bald die Rede sein würde, und sie alle – Freud, Mary Bates und Winslow Berry – wurden vom Sommer so mühelos dahingetrieben, wie die Möwen, die von den wilden Strömungen in der Mündung des Kennebec bald da, bald dorthin verschlagen wurden.

Eines Abends Ende August, als Mutter beim Abendessen serviert und gerade genug Zeit gehabt hatte, die zweifarbigen Halbschuhe und den langen Rock anzuziehen, um Krocket zu spielen, wurde Vater aus seinem Zimmer geholt; er sollte bei der Bergung eines Verletzten behilflich sein. Vater lief an dem Krocket-Spielfeld vorbei, wo Mutter auf ihn wartete, einen Krocketschläger über der Schulter. Die Lichterketten, die wie Christbaumschmuck in den Bäumen hingen, beleuchteten den

Krocket-Rasen auf eine so gespenstische Weise, daß meine Mutter – für meinen Vater – »aussah wie ein Engel, der einen Knüppel bereithält«.

»Ich bin gleich wieder da«, sagte Vater zu ihr. »Es hat sich jemand verletzt.«

Sie ging mit, und zusammen mit einigen anderen Männern rannten sie hinunter zu den Anlegeplätzen. Am Landesteg vibrierte ein großes hell erleuchtetes Schiff. An Bord spielte eine Band mit zu vielen Blechbläsern, und der starke Gestank des Treibstoffs und der Auspuffgase in der salzigen Luft vermischte sich mit dem Geruch zerquetschter Früchte. Wie sich herausstellte, wurde den Gästen auf dem Schiff aus einer Riesenschüssel eine hochprozentige Früchtebowle ausgeschenkt, und sie kippten sie sich über die Kleidung oder schrubbten damit gleich das ganze Deck. Am Ende des Landestegs lag ein Mann auf seiner Seite und blutete aus einer Wunde in der Wange: er war, als er die Leiter heraufkam, gestolpert und hatte sich an einer Klampe das Gesicht aufgerissen.

Er war ein massiger Mann, dessen Gesichtsfarbe im wäßrig blauen Mondlicht blühend wirkte, und sowie ihn jemand anfaßte, setzte er sich auf. »*Scheiße*«, sagte er.

Meinem Vater und meiner Mutter war das deutsche Wort von den vielen Auftritten Freuds vertraut. Unter Mithilfe mehrerer kräftiger junger Männer wurde der Deutsche auf die Beine gestellt. Er hatte eine fantastische Menge Blut auf seiner weißen Smokingjacke, in die ohne weiteres auch zwei Männer gepaßt hätten; sein blauschwarzer Kummerbund erinnerte an einen Vorhang, und die gleichfarbige Frackschleife an seinem Hals hatte sich senkrecht gestellt wie ein verdrehter Propeller. Er hatte beträchtliche Hängebacken und roch stark nach der Bowle, die an Bord des Schiffes serviert wurde. Er brüllte jemandem etwas zu. Von Bord des Schiffs kam ein mehrstimmiges Echo auf deutsch, und eine große, braungebrannte Frau in einem mit gelben Spitzen oder Rüschen besetzten Abendkleid kam die Leiter herauf wie ein in Seide gekleideter Panther.

Der blutende Mann griff nach ihr und stützte sich mit seinem ganzen Gewicht auf sie, so daß die Frau trotz all ihrer offensichtlichen Kraft und Gelenkigkeit gegen meinen Vater gestoßen wurde, der verhinderte, daß sie das Gleichgewicht verlor. Sie war viel jünger als der Mann, wie meine Mutter bemerkte, und auch sie war Deutsche; sie redete mit weichen, gluckenden Tönen auf ihn ein, während er fortfuhr, in Richtung des an Bord verbliebenen deutschen Chors unflätig zu blöken und zu gestikulieren. Den Landesteg entlang und dann den Kiesweg hinauf zum Hotel schwankte das stämmige Paar.

Als sie das Arbuthnot erreichten, wandte sich die Frau meinem Vater zu und sagte auf englisch, mit einem kontrollierten Akzent: »Er muß genäht werden, *ja?* Hier *gibt* es doch einen Doktor, ja?«

Der Empfangschef flüsterte Vater zu: »Holen Sie Freud.«

»Genäht muß werden?« sagte Freud. »Der Doktor wohnt in Bath, viel zu weit weg, und außerdem säuft er. Aber ich kann nähen, ich flicke jeden zusammen.«

Der Empfangschef rannte nun selbst hinaus zu den Schlafräumen der Männer und rief nach Freud. »Setzen Sie sich auf Ihre Indian und schaffen Sie den alten Doc Todd her! Den kriegen wir schon nüchtern, wenn er erst hier ist«, meinte er. »Aber fahren Sie um Himmels willen los!«

»Das dauert eine Stunde, *wenn* ich ihn überhaupt finde«, sagte Freud. »Sie wissen doch, daß ich mich aufs Nähen verstehe. Sie brauchen mir nur die richtigen Kleider zu besorgen.«

»Das hier ist etwas anderes«, sagte der Empfangschef. »Ich glaube, das ist ein besonderer Fall, Freud – ich meine, dieser Mann. Es ist ein *Deutscher*, Freud. Und die Wunde ist in seinem *Gesicht*.«

Freud streifte die Arbeitskleidung von seinem narbigen, olivbraunen Körper und begann, sich die feuchten Haare zu kämmen. »Die Kleider«, sagte er. »Nur her damit. Den alten Doc Todd zu holen ist zu kompliziert.«

»Die Verletzung ist im *Gesicht*, Freud«, sagte Vater.

»Na und, was ist schon ein Gesicht?« sagte Freud. »Auch

nur Haut, ja? Wie an den Händen oder Füßen. Ich habe schon eine Menge Füße vernäht. Schnitte von Äxten und Sägen – die Holzfäller, diese Dummköpfe.«

Draußen schleppten die anderen Deutschen vom Schiff Koffer und schweres Gepäck vom Landesteg zum Hoteleingang auf dem kürzesten Weg – direkt über das achtzehnte Grün. »Seht euch das an, diese Schweine«, sagte Freud. »Machen Dellen in den Rasen, wo nachher der kleine weiße Ball hängenbleibt.«

Der Oberkellner kam in Freuds Zimmer. Es war das beste Zimmer der Männerunterkunft – niemand wußte, wie Freud es ergattert hatte. Der Oberkellner begann sich auszuziehen.

»Alles bis aufs Jackett, Dummkopf«, sagte Freud zu ihm. »Ärzte tragen keine Kellneruniform.«

Vater hatte eine schwarze Smokingjacke, die einigermaßen zu der schwarzen Kellnerhose paßte, und er brachte sie Freud.

»Ich hab es denen schon tausendmal gesagt«, sagte der Oberkellner – mit einer Bestimmtheit, die durch seine Nacktheit komisch wirkte. »Es sollte einen Arzt geben, der hier im Hotel lebt.«

Als Freud sich völlig angezogen hatte, sagte er: »Den *gibt* es.« Der Empfangschef lief vor ihm her zum Hauptgebäude des Hotels zurück. Vater sah, wie der Oberkellner hilflos auf Freuds abgelegte Kleider blickte; sie waren nicht sehr sauber, und sie rochen stark nach State o' Main; der Kellner hatte sichtlich keine Lust, sie anzuziehen. Vater lief aus dem Zimmer, um Freud einzuholen.

Die Deutschen, inzwischen in der Zufahrt vor dem Eingang, zerrten einen großen Überseekoffer durch den knirschenden Kies; der Weg würde am nächsten Morgen geharkt werden müssen. »Gibt es in diesem Hotel so wenig Angestellte, daß uns niemand hilft?« brüllte einer der Deutschen.

Auf der makellos sauberen Anrichte zwischen dem Hauptspeisesaal und der Küche lag der massige Deutsche mit dem klaffenden Riß in der Wange da wie eine Leiche; bleich ruhte sein Kopf auf der zusammengefalteten Smokingjacke, die nie wieder weiß sein würde; seine dunkle Propellerschleife hing schlaff an seinem Hals, sein Kummerbund hob und senkte sich.

»Ist es ein guter Doktor?« fragte er den Empfangschef. Die junge Riesin in ihrem Abendkleid mit den gelben Rüschen hielt die Hand des Deutschen.

»Ein ausgezeichneter Doktor«, sagte der Empfangschef.

»Besonders im Nähen«, sagte mein Vater. Meine Mutter hielt seine Hand.

»Kein sehr kultiviertes Hotel, scheint mir«, sagte der Deutsche.

»Die reinste Wildnis«, sagte die gebräunte Frau mit der athletischen Figur, aber sie tat ihre eigene Bemerkung mit einem Lachen ab. »Die Wunde ist nicht so schlimm, glaube ich«, wandte sie sich an Vater und Mutter und den Empfangschef. »Da reicht auch ein Doktor, der nicht so gut ist, glaube ich.«

»Hauptsache, es ist kein *Jude*«, sagte der Deutsche. Er hustete. Freud war in dem kleinen Raum, doch sie hatten ihn nicht bemerkt; er war gerade beim Einfädeln und hatte damit seine Schwierigkeiten.

»Es ist bestimmt kein Jude.« Die braune Prinzessin lachte. »In Maine gibt es keine Juden!« Als sie Freud entdeckte, schien sie nicht mehr so sicher.

»Guten Abend, meine Dame, mein Herr«, sagte Freud auf deutsch. »Was ist los?«

Wie mein Vater sagte, gab Freud, in die schwarze Smokingjacke gezwängt und mit all seinen Furunkelnarben, ein so schauerliches Bild ab, daß man sofort den Eindruck hatte, er habe die Kleider gestohlen, und zwar von *mindestens* zwei verschiedenen Leuten. Selbst sein sichtbarstes Zubehör war schwarz – eine schwarze Rolle Zwirn, die Freud in den grauen Gummihandschuhen hielt, wie sie die Tellerwäscher in der Küche trugen. Die beste Nadel, die sich im Bügelraum des Arbuthnot auftreiben ließ, sah in Freuds kleiner Hand zu groß aus, so als habe er die Nadel erwischt, mit der sonst die Segel der Boote genäht wurden. Vielleicht *war* es diese Nadel.

»Herr *Doktor?*« fragte der Deutsche und wurde noch blasser. Es schien, als hörte seine Wunde augenblicklich auf zu bluten.

»Herr Professor Doktor Freud«, sagte Freud und ging nahe heran und inspizierte genüßlich die Wunde.

»Freud?« sagte die Frau.

»*Jawohl*«, sagte Freud.

Als er das erste Glas Whisky in die Wunde des Deutschen goß, schwappte der Whisky in die Augen des Deutschen.

»Hoppla!« sagte Freud.

»Ich bin blind! Ich bin blind!« sang der Deutsche.

»*Nein,* blind sind Sie *nicht*«, sagte Freud. »Aber Sie hätten die Augen zumachen sollen.« Er goß noch ein Glas in die Wunde; dann machte er sich an die Arbeit.

Am Morgen bat der Geschäftsführer Freud, mit State o' Maine *nicht* aufzutreten, solange die Deutschen noch da waren – sie würden weiterfahren, sobald ihr großes Schiff mit genügend Proviant beladen war. Freud weigerte sich, weiterhin die Arztkleidung zu tragen; er bestand darauf, in seiner Mechanikerkluft an der 37er Indian herumzuflicken, und das war dann auch die Aufmachung, in der die Deutschen ihn fanden, zwischen dem Strand und den Tennisplätzen, für Leute im Hauptgebäude und auf den diversen Spielplätzen zwar nicht gerade unsichtbar, aber doch in taktvoller Abgeschiedenheit. Das mächtige bandagierte Gesicht des Deutschen war böse geschwollen, und er ging sehr vorsichtig auf Freud zu, als könnte der kleine Motorradmechaniker möglicherweise der beängstigende Zwillingsbruder des »Herrn Professor Doktor« vom Abend vorher sein.

»Nein, er ist es *selber*«, sagte die gebräunte Frau, die den Deutschen untergefaßt hatte.

»Was flickt denn der Judendoktor heute morgen?« wollte der Deutsche von Freud wissen.

»Mein Hobby«, sagte Freud, ohne aufzublicken. Mein Vater, der – als assistiere er bei einer Operation – Freud die

Werkzeuge reichte, nahm den Dreiviertelzoll-Schlüssel fester in die Hand.

Die zwei Deutschen sahen den Bären nicht. State o' Maine scheuerte sich an dem Zaun, der die Tennisplätze umgab – mit heftigen drängenden Bewegungen rieb er seinen Rücken an dem Drahtgeflecht, und dabei stöhnte er und wiegte sich in einem Rhythmus, der einen an Masturbation denken ließ. Meine Mutter hatte ihm den unbequemen Maulkorb abgenommen.

»Ich hab noch nie gehört von einem Motorrad wie diesem hier«, sagte der Deutsche abfällig zu Freud. »Wohl *Schrott*, ja? Was ist eine Indian? Nie gehört.«

»Sie sollten selbst mal versuchen, damit zu fahren«, sagte Freud. »Hätten Sie Lust?«

Die Frau war sich offenbar nicht sicher, was sie von der Idee halten sollte – und ganz sicher, daß *sie* keine Lust dazu hatte –, doch dem Mann sagte die Idee ganz offensichtlich zu. Er trat zum Motorrad und berührte den Tank, fuhr mit den Fingern über den Kupplungszug und streichelte den Knauf an der Gangschaltung. Er griff nach der Lenkstange und drehte rasch einmal am Gasgriff. Er tastete den weichen – zwischen all dem Metall wie ein bloßgelegtes lebenswichtiges Organ wirkenden – Gummischlauch ab, in dem das Benzin vom Tank zum Vergaser lief. Er öffnete den Benzinhahn, ohne Freud um Erlaubnis zu fragen; er tippte auf den Vergasertupfer und machte sich mit Benzin die Finger naß, die er darauf am Sattel abwischte.

»Sie haben nichts dagegen, *Herr Doktor?*« fragte der Deutsche.

»Aber nein«, sagte Freud. »Machen Sie ruhig eine kleine Spritztour.«

Und das war der Sommer 1939: mein Vater sah, wie es enden würde, aber er konnte nicht eingreifen. »Ich hätte es nicht aufhalten können«, sagte Vater immer. »Es *kam* einfach, wie der Krieg.«

Mutter, die am Zaun bei den Tennisplätzen stand, sah den

Deutschen aufs Motorrad steigen; sie hielt es für ratsam, State o' Maine wieder den Maulkorb anzulegen. Aber der Bär reagierte unwillig; er schüttelte den Kopf und scheuerte sich noch heftiger an dem Zaun.

»Ein ganz normaler Kickstarter, ja?« fragte der Deutsche.

»Einmal kräftig treten, und sie springt sofort an«, sagte Freud. Irgend etwas an der Art, wie er und Vater von dem Motorrad zurückwichen, ließ auch die junge Deutsche ein wenig zurücktreten.

»Dann wollen wir mal!« sagte der Deutsche und trat den Kickstarter nach unten.

Im selben Moment, in dem der Motor ansprang, noch bevor er auf Touren kam, richtete sich am Zaun neben den Tennisplätzen der Bär namens State o' Maine zu voller Größe auf, und in dem rauhen, dichten Fell auf seiner Brust sträubten sich die Haare; er starrte über den Center Court hinüber zu der 37er Indian, die ohne ihn wegfahren wollte. Als der Deutsche einen Gang reinwürgte und anfing, zaghaft über das Gras auf einen nahegelegenen Kiesweg zuzurollen, ließ sich State o' Maine auf alle viere fallen und stürmte los. In vollem Lauf überquerte er den Center Court und sprengte das Doppel – Schläger fielen zu Boden, Bälle machten sich selbständig. Der Spieler, der vorne am Netz spielen sollte, drückte sich *ins* Netz und schloß die Augen, als der Bär an ihm vorbeiraste.

»Earl!« rief State o' Maine, doch der Deutsche auf der heiser knatternden 37er Indian hörte nichts.

Die deutsche Frau jedoch hörte es und blickte – wie Vater und Freud – in Richtung des Bären. »*Gott!* Welche Wildnis!« rief sie und kippte ohnmächtig gegen meinen Vater, der sie sanft ins Gras gleiten ließ.

Als der Deutsche sah, daß ein Bär hinter ihm her war, hatte er die Orientierung noch nicht gefunden; er war sich nicht sicher, in welcher Richtung die Hauptstraße lag. Auf der Hauptstraße hätte er den Bären natürlich abhängen können, doch solange er sich auf die schmalen Pfade und Spazierwege um das Hotel und die weichen Rasenspielfelder beschränken mußte, kam er nicht auf die nötige Geschwindigkeit.

»Earl!« grollte der Bär. Der Deutsche kurvte plötzlich über das Krocketfeld und geradewegs auf die Picknickzelte zu, in denen zum Lunch gerüstet wurde. Nach noch nicht einmal fünfundzwanzig Metern war der Bär auf dem Motorrad und wollte in seiner plumpen Art den Platz hinter dem Deutschen – als habe State o' Maine nun endlich Freuds Lektionen begriffen und bestehe nun auf einer einwandfreien Vorführung ihrer Nummer.

Diesmal ließ der Deutsche nicht zu, daß Freud ihn verarztete, und selbst Freud gestand, daß er dieser Aufgabe nicht gewachsen wäre. »Schöne Schweinerei«, sinnierte Freud vor meinem Vater. »So viele Stiche – das ist nichts für mich. Ich könnte mir sein Gebrüll nicht so lange anhören, wie das dauern würde.«

Und so wurde der Deutsche von der Küstenwache ins Krankenhaus nach Bath transportiert. State o' Maine wurde im Bügelraum versteckt gehalten, damit dem Bären der mythische Status des »wilden Tieres« erhalten blieb.

»Aus dem *Wald* kam er«, sagte die deutsche Frau, als sie wieder bei Bewußtsein war. »Der Lärm von dem Motorrad muß ihn gereizt haben.«

»Eine Bärenmutter mit Jungen«, erklärte Freud. »*Sehr* heimtückisch in dieser Jahreszeit.«

Aber die Direktion des Arbuthnot-by-the-Sea würde die Sache nicht so leicht als erledigt betrachten; das war Freud klar.

»Ich verschwinde hier, bevor ich nochmal mit *ihm* reden muß«, sagte Freud zu Vater und Mutter. Sie wußten, daß Freud vom Besitzer des Arbuthnot sprach, dem Mann in der weißen Smokingjacke, der gelegentlich zum letzten Tanz erschien. »Ich hör ihn direkt, den großen Boss: ›Nun, Freud, das Risiko war Ihnen bekannt – wir hatten das erörtert. Als *ich* einwilligte, das Tier hier auftreten zu lassen, waren *wir* uns einig, daß *Sie* die Verantwortung tragen.‹ Und wenn er mir

47

dann noch erzählt, was für ein Glück es sei für einen Juden, in seinem Scheiß-Amerika sein zu dürfen – dann soll ihn State o' Maine ruhig *fressen!*« sagte Freud. »Der und seine vornehmen Zigaretten, darauf kann ich verzichten. Das ist ohnehin nicht das richtige Hotel für mich.«

Der Bär, nervös wegen der Enge des Bügelraums, und beunruhigt, weil Freud seine Kleider so schnell – und so naß – einpackte, wie sie aus der Waschmaschine kamen, begann vor sich hinzubrummen. »Earl!« flüsterte er.

»Sei du bloß still!« brüllte Freud. »Du bist auch nicht der richtige Bär für mich.«

»Ich war schuld«, sagte meine Mutter. »Ich hätte ihm nicht den Maulkorb abnehmen sollen.«

»Das war es nicht, er hat ja bloß geknabbert«, sagte Freud. »Was den Scheißkerl so zugerichtet hat, waren die Krallen des Viehs!«

»Wenn er nicht versucht hätte, State o' Maine am Fell zu reißen«, sagte Vater, »dann wäre es, glaube ich, nicht so schlimm gewesen.«

»Natürlich nicht!« sagte Freud. »Wer läßt sich schon gern an den Haaren ziehen?«

»Earl!« klagte State o' Maine.

»So solltest du heißen: ›Earl‹!« wandte sich Freud dem Bären zu. »Du bist so dumm, daß du nie was anderes sagst.«

»Was wollen Sie denn jetzt machen?« fragte Vater. »Wo können Sie schon hingehen?«

»Zurück nach Europa«, sagte Freud. »Da gibt's schlaue Bären.«

»Da gibt's auch Nazis«, sagte Vater.

»Gebt mir einen schlauen Bären, und ich scheiß auf die Nazis«, sagte Freud.

»Ich kümmere mich um State o' Maine«, sagte Vater.

»Sie können noch mehr tun«, sagte Freud. Sie können ihn *kaufen.* Zweihundert Dollar, und was Sie an Kleidern da haben. *Die* hier sind zu naß!« brüllte er und warf mit seinen Kleidern um sich.

»Earl!« sagte der Bär bekümmert.

»Paß auf, was du sagst, Earl«, ermahnte ihn Freud.

»Zweihundert Dollar?« fragte Mutter.

»Das ist das ganze Geld, was ich bisher verdient habe«, sagte Vater.

»Ich weiß, was man hier verdient«, sagte Freud. »Deshalb geb ich mich ja mit zweihundert zufrieden. Natürlich ist das Motorrad inbegriffen. Sie haben ja gesehen, warum Sie die Indian behalten müssen, ja? State o' Maine setzt sich in kein Auto; da wird ihm schlecht. Außerdem hat ihn mal ein Holzfäller auf seinen kleinen Lastwagen gekettet – ich hab's selber gesehen. Der doofe Bär hat die hintere Wagenklappe weggerissen und das Fenster hinten an der Fahrerkabine eingedrückt und den Fahrer übel zugerichtet. Seien *Sie* wenigstens nicht doof. Kaufen Sie die Indian.«

»Zweihundert Dollar«, wiederholte Vater.

»Und jetzt zu Ihren Kleidern«, sagte Freud. Er ließ seine eigenen nassen Sachen am Boden des Bügelraums liegen. Der Bär versuchte, ihnen in Vaters Zimmer zu folgen, doch Freud wies meine Mutter an, mit State o' Maine nach draußen zu gehen und ihn an das Motorrad zu ketten.

»Er weiß, daß Sie weggehen, deshalb ist er nervös, der arme Kerl«, sagte Mutter.

»Ihm fehlt nur das Motorrad«, sagte Freud, aber er ließ den Bären mit ins Obergeschoß kommen – obwohl er vom Arbuthnot gebeten worden war, das nicht zuzulassen.

»Das geht mich doch nichts mehr an, was die erlauben«, sagte Freud, während er die Kleider meines Vaters anprobierte. Meine Mutter blickte argwöhnisch den Gang auf und ab; weder Bären *noch* Frauen waren in der Männerunterkunft erlaubt.

»Meine Kleider sind Ihnen durchweg zu *groß*«, bemerkte mein Vater, als Freud sich angezogen hatte.

»Ich bin noch nicht ausgewachsen«, sagte Freud, der damals mindestens vierzig war. »Hätte ich immer die richtigen Kleider gehabt, wäre ich jetzt größer.« Er hatte drei Hosen meines

Vaters an, alle übereinander; er trug zwei Jacketts, deren Taschen mit Unterwäsche und Socken vollgestopft waren, und er hatte sich ein drittes Jackett über die Schultern gehängt. »Wozu sich mit Koffern abplagen?« fragte er.

»Aber *wie* wollen Sie nach Europa kommen?« flüsterte Mutter von außen ins Zimmer.

»Über den Atlantik«, sagte Freud. »Komm herein«, sagte er zu Mutter; er nahm die Hände meiner Mutter und meines Vaters und legte sie zusammen. »Ihr seid noch halbe Teenager«, sagte er, »drum hört mir jetzt gut zu: ihr liebt euch. Davon wollen wir ausgehen, ja?« Und obwohl meine Mutter und mein Vater derlei nie ausgesprochen hatten, nickten sie nun beide, während Freud ihre Hände hielt. »Gut«, sagte Freud. »Das hat drei Dinge zur Folge. Ihr versprecht mir, daß ihr bei diesen drei Dingen einwilligen werdet?«

»Ich verspreche es«, sagte mein Vater.

»Ich auch«, sagte Mutter.

»Gut«, sagte Freud. »Hier ist Numero eins: ihr heiratet, und zwar sofort, bevor irgendwelche Trottel und Huren euch dazwischen kommen. Verstanden? Ihr heiratet, auch wenn es euch teuer zu stehen kommt.«

»Ja«, willigten meine Eltern ein.

»Hier ist Numero zwei«, sagte Freud und blickte dabei nur meinen Vater an. »Du *wirst* Harvard-Student – das versprichst du mir, auch wenn es dich teuer zu stehen kommt.«

»Aber dann werde ich schon verheiratet sein«, sagte Vater.

»Ich sagte ja, es wird dich teuer zu stehen kommen. Du mußt es mir versprechen: du wirst Harvard-Student. Du nützt *jede* Gelegenheit, die dir in dieser Welt geboten wird, selbst wenn du zu viele Gelegenheiten hast. Eines Tages ist es nämlich aus mit den Gelegenheiten, verstanden?«

»Ich will ja ohnehin, daß du nach Harvard gehst«, sagte Mutter zu Vater.

»Auch wenn es mich teuer zu stehen kommt«, sagte Vater, aber er willigte ein.

»Wir kommen zu Numero drei«, sagte Freud. »Bist du

bereit?« Und damit wandte er sich an meine Mutter; er ließ die Hand meines Vaters los, stieß sie fast von sich, so daß er nur noch Mutters Hand hielt. »Verzeih ihm«, sagte ihr Freud, »auch wenn es dich teuer zu stehen kommt.«

»Was soll sie mir verzeihen«, wunderte sich Vater.

»Verzeih ihm einfach«, sagte Freud und sah nur meine Mutter an. Sie zuckte mit den Achseln.

»Und *du!*« sagte Freud zu dem Bären, der unter Vaters Bett herumschnüffelte. Freud schreckte State o' Maine auf, der unter dem Bett einen Tennisball gefunden und ins Maul genommen hatte.

»Earp!« sagte der Bär. Heraus fiel der Tennisball.

»Du«, sagte Freud zu dem Bären. »Mögest du eines Tages dankbar sein dafür, daß du aus der widerlichen Welt der *Natur* gerettet worden bist!«

Das war alles. Es war eine Trauung und eine Segnung, sagte meine Mutter immer. Es war ein guter altmodischer jüdischer Gottesdienst, sagte mein Vater immer; Juden waren ihm ein Rätsel – ähnlich wie China, Indien, Afrika und all die exotischen Gegenden, wo er nie gewesen war.

Vater kettete den Bären ans Motorrad. Als er und Mutter Freud zum Abschied küßten, versuchte der Bär, seinen Kopf zwischen sie zu schieben.

»Aufgepaßt!« rief Freud, und sie stoben auseinander. »Er glaubte, wir hätten da was zu essen«, erklärte er Vater und Mutter. »Paßt auf mit Küssen, wenn er dabei ist; Küssen versteht er nicht. Für ihn ist es *Essen.*«

»Earl!« sagte der Bär.

»Und bitte«, sagte Freud, »mir zuliebe: nennt ihn Earl – es ist das einzige, was er je sagt, und State o' Maine ist so ein doofer Name.«

»Earl?« sagte meine Mutter.

»*Earl!*« sagte der Bär.

»Gut«, sagte Vater. »Dann eben *Earl.*«

»Good-bye, Earl«, sagte Freud und fügte auf deutsch hinzu: »Auf Wiedersehen!«

Sie beobachteten Freud noch lange, wie er am Bay-Point-Pier auf ein Boot nach Boothbay wartete, und als ein Hummerfischer ihn schließlich mitnahm, fanden meine Eltern – obwohl sie *wußten*, daß Freud in Boothbay auf ein größeres Schiff umsteigen würde – es sehe so aus, als bringe der Hummerfänger Freud nach Europa, den ganzen langen Weg über den dunklen Ozean. Sie sahen dem durch die Wellen stampfenden und tanzenden Boot nach, bis es kleiner schien als eine Seeschwalbe oder gar ein im Wasser treibender Strandläufer; zu dem Zeitpunkt war das Boot schon außer Hörweite.

»Habt ihr es in dieser Nacht zum ersten Mal getan?« fragte Franny immer.

»Franny!« sagte Mutter.

»Aber du hast doch gesagt, ihr hättet euch verheiratet *gefühlt*«, sagte Franny.

»Es kann dir eigentlich egal sein, wann wir's getan haben«, sagte Vater.

»Aber ihr *habt* es getan, stimmt's?« sagte Franny.

»Das kann dir egal sein«, sagte Frank.

»Es kommt nicht drauf an, *wann*«, sagte Lilly auf ihre seltsame Art.

Und sie hatte recht – es kam wirklich nicht drauf an, *wann*. Als sie den Sommer 1939 und das Arbuthnot-by-the-Sea hinter sich ließen, waren meine Mutter und mein Vater verliebt – und für *ihre* Begriffe verheiratet. Schließlich hatten sie Freud das Versprechen gegeben. Sie hatten seine 37er Indian und seinen Bären mit dem neuen Namen Earl, und als sie wieder daheim in Dairy, New Hampshire, waren, fuhren sie zuerst zum Haus der Familie Bates.

»Mary ist wieder da!« rief die Mutter meiner Mutter.

»Was ist denn das für eine *Maschine*, auf der sie sitzt?« sagte der alte Latein-Emeritus. »Und wen hat sie da bei sich?«

»Es ist ein Motorrad, und das ist Win Berry!« rief die Mutter meiner Mutter.

»Nein, nein!« sagte Latein-Emeritus. »Wer ist der *andere*?«

Der alte Mann starrte auf die vermummte Gestalt im Beiwagen.

»Das muß Coach Bob sein«, sagte die Mutter meiner Mutter.

»Dieser Schwachkopf!« sagte Latein-Emeritus. »Was zum Teufel soll die Verkleidung bei diesem Wetter? Wissen die in Iowa denn nicht, wie man sich anzieht?«

»Ich heirate Win Berry!« rief meine Mutter, während sie ihren Eltern entgegenlief. »Das ist sein Motorrad. Er wird nach Harvard gehen. Und das ... ist Earl.«

Coach Bob zeigte mehr Verständnis. Er mochte Earl.

»Ich wüßte zu gern, was der im Bankdrücken schafft«, sagte der Mann, der einst bei den ›Großen Zehn‹ Football gespielt hatte. »Aber können wir ihm nicht die Nägel schneiden?«

Es schien albern, noch einmal Hochzeit zu feiern. Mein Vater war der Ansicht, die Trauung durch Freud genüge vollkommen. Doch die Familie meiner Mutter bestand auf einer Trauung durch jenen Kongregationalistenpfarrer, der Mutter zu ihrem Abschlußball begleitet hatte. Und so geschah es.

Es war eine kleine, zwanglose Feier, bei der Coach Bob den Trauzeugen spielte, während Latein-Emeritus seine Tochter dem Bräutigam übergab und nur ab und zu etwas auf lateinisch murmelte; die Mutter meiner Mutter weinte, denn sie wußte ganz genau, Win Berry war *nicht* der Harvard-Mann, der Mary Bates nach Boston zurückverfrachten würde – zumindest nicht in absehbarer Zeit. Earl stand den ganzen Gottesdienst im Beiwagen der 37er Indian durch, wo er mit Zwieback und Hering bei Laune gehalten wurde.

Anschließend machten meine Mutter und mein Vater eine kurze Hochzeitsreise, allein.

»Aber *dann* müßt ihr es doch getan haben!« rief Franny immer. Doch das war nicht wahrscheinlich; sie blieben nirgendwo über Nacht. Sie fuhren mit einem frühen Zug nach Boston und bummelten durch Cambridge und stellten sich vor, wie sie eines Tages dort leben würden, während Vater Harvard besuchte; sie fuhren mit dem ersten Bummelzug zurück nach New Hampshire und kamen im Morgengrauen des nächsten Tages an. Ihr erstes Ehebett hätte nur das Mädchenbett meiner Mutter im Haus von Latein-Emeritus sein können – denn dort sollte meine Mutter weiterhin wohnen, während Vater sich bemühte, das Geld für Harvard zusammenzubringen.

Coach Bob sah Earl nicht gerne weggehen. Bob war überzeugt, daß man dem Bären beibringen konnte, in der Abwehrreihe eines Football-Teams zu spielen, doch mein Vater machte Iowa-Bob klar, daß der Bär künftig den Lebensunterhalt seiner Familie und seine Studiengebühren verdienen sollte. Eines Abends also – die Nazis waren eben in Polen einmarschiert, und der nahende Herbst hing in der Luft – war es soweit: auf dem Sportgelände der Dairy School, das bis zu Iowa-Bobs Hintertür heranreichte, gab meine Mutter meinem Vater den Abschiedskuß.

»Kümmere dich um deine Eltern«, sagte mein Vater zu Mutter,»ich komme dann wieder und kümmere mich um dich.«

»Puh!« stöhnte Franny immer; irgendwie störte sie dieser Teil der Geschichte. Sie wollte einfach nicht daran glauben. Auch Lilly schüttelte sich und rümpfte die Nase.

»Sei still und hör zu«, sagte Frank dann immer.

Wenigstens ich bin nicht ganz so voreingenommen wie meine Schwestern und Brüder. Ich konnte mir jedenfalls vorstellen, wie Mutter und Vater sich geküßt haben müssen: vorsichtig – während Coach Bob den Bären mit irgendeinem Spiel ablenkte, damit Earl nicht auf die Idee kam, Vater und Mutter äßen etwas, ohne mit ihm zu teilen. Küssen war und blieb riskant, wenn Earl in der Nähe war.

Meine Mutter erzählte uns, sie habe gewußt, daß mein Vater ihr treu bleiben würde, denn der Bär hätte ihn beim Versuch, jemanden zu küssen, übel zugerichtet.

»Und *bist* du ihr treu geblieben?« wollte Franny in ihrer schrecklichen Art von Vater wissen.

»Aber ja doch, natürlich«, sagte Vater.

»Wer's glaubt«, sagte Franny. Lilly sah immer besorgt aus – Frank sah weg.

Das war im Herbst 1939. Meine Mutter wußte es zwar noch nicht, aber sie war bereits schwanger – mit Frank. Mein Vater fuhr die Ostküste hinunter, und während er die Ferienhotels abklapperte – mit ihrem Big-Band-Sound, ihren Bingo spielenden Gesellschaften und ihren Kasinos –, gelangte er mit dem Wechsel der Jahreszeiten immer weiter nach Süden. Er war gerade in Texas, als im Frühjahr 1940 Frank geboren wurde; Vater und Earl reisten zu der Zeit zusammen mit einer Truppe, die sich ›Lone Star Brass Band‹ nannte. Bären waren in Texas beliebt – auch wenn ein Betrunkener in Fort Worth versucht hatte, die 37er Indian zu stehlen, nicht ahnend, daß der schlafende Earl ans Motorrad gekettet war. Das Gericht in Texas verlangte, daß Vater für den Krankenhausaufenthalt des Mannes bezahlte, und Vater mußte noch einmal einen Teil seines Verdienstes drangeben, um die lange Reise in den Osten antreten und sein erstes Kind in der Welt willkommen heißen zu können.

Meine Mutter war noch im Krankenhaus, als Vater nach Dairy zurückkam. Sie gaben Frank den Namen »Frank«, weil mein Vater meinte, so werde man in der Familie immer miteinander umgehen: frank und frei sollte sich jeder aussprechen können.

»Puh«, pflegte dann Franny zu sagen. Doch Frank war ganz stolz darauf, so zu seinem Namen gekommen zu sein.

Vater blieb gerade lange genug in Dairy, um meiner Mutter zu einer neuen Schwangerschaft zu verhelfen. Dann fuhren er und Earl wieder los, nach Virginia Beach und durch North und South Carolina. Als sie am vierten Juli in Falmouth auf der Halbinsel Cape Cod auftraten, wurden sie fortgejagt und waren schon bald danach wieder bei Mutter in Dairy, um sich von ihrem Unglück zu erholen. In Falmouth war während des Festzugs zum Tag der Unabhängigkeit an der 37er Indian ein Lager kaputtgegangen, und Earl war Amok gelaufen, als ein Feuerwehrmann aus Buzzards Bay Vater helfen wollte, den Schaden zu beheben. Der Feuerwehrmann hatte unglücklicherweise zwei Dalmatiner dabei – eine Hunderasse, die noch nie durch besonderen Scharfsinn aufgefallen ist; als wollten sie ihrem Ruf gerecht werden, griffen die Dalmatiner Earl in dem Beiwagen an. Earl riß einem von ihnen kurzerhand den Kopf ab und hetzte den anderen mitten unter die im Festzug mitmarschierenden Männer vom Osterviller Softball-Club, wo der dumme Hund sich zu verstecken versuchte. Der Festzug stob auseinander, der Feuerwehrmann aus Buzzards Bay war in seinem Kummer nicht mehr bereit, meinem Vater mit der defekten Indian zu helfen, und der Sheriff von Falmouth eskortierte Vater und Earl zur Stadtgrenze. Da Earl grundsätzlich in keinem Auto fuhr, war das ein sehr umständlicher Transport, bei dem Earl im Beiwagen des Motorrads saß, das abgeschleppt werden mußte. Sie brauchten fünf Tage, um die Ersatzteile für den Motor aufzutreiben.

Schlimmer war aber, daß Earl nun an Hunden Geschmack gefunden hatte. Coach Bob versuchte, ihm diese Verstümmelungslust dadurch abzugewöhnen, daß er ihm andere sportliche Leistungen beibrachte: er ließ ihn Bälle apportieren, verbesserte seine Rolle vorwärts und übte sogar Rumpfbeugen mit ihm, doch Earl war schon alt und nicht von demselben Glauben an stählende Leibesübungen beseelt wie Iowa-Bob. Zudem entdeckte Earl, daß er Hunde zerfleischen konnte, ohne selber viel laufen zu müssen; wenn er schlau war – und Earl *war* schlau –, kamen die Hunde zu ihm gelaufen. »Und dann sind sie erledigt«, stellte Coach Bob fest. »Teufel, was der erst als Abwehrspieler hätte leisten können!«

Vater ließ ihn also die meiste Zeit angekettet und achtete darauf, daß er den Beißkorb trug. Mutter sagte, Earl leide an Depressionen – sie fand, daß er immer trauriger wurde, aber mein Vater sagte, Earl sei nicht im geringsten deprimiert. »Er denkt die ganze Zeit an seine Hunde«, sagte Vater. »Und er ist glücklich, solange er ans Motorrad gebunden ist.«

In diesem Sommer 1940 wohnte Vater bei den Bates in Dairy und tingelte abends durch Hampton Beach. Es gelang ihm, mit Earl eine neue Szene einzustudieren. Sie hieß ›Auf dem Arbeitsamt‹ und ersparte der alten Indian weiteren Verschleiß.

Earl und Vater traten im Musikpavillon in Hampton Beach auf. Wenn die Lichter angingen, saß Earl in einem Herrenanzug auf einem Stuhl; der drastisch umgearbeitete Anzug hatte einmal Coach Bob gehört. Wenn sich das Gelächter legte, betrat mein Vater mit einem Blatt Papier in der Hand den Pavillon.

»Sie heißen?« fragte Vater.

»Earl!« sagte Earl.

»Aha, Earl, sehr gut«, sagte Vater. »Und Sie suchen einen Job, Earl?«

»Earl!« sagte Earl.

»Schon gut, daß Sie Earl heißen, *weiß* ich inzwischen, aber Sie suchen einen *Job*, stimmt's?« sagte Vater. »Hier steht allerdings, daß Sie nicht tippen können; Sie können nicht mal lesen, und – das steht auch hier – Sie trinken zuviel.«

»Earl«, bestätigte Earl.

Das Publikum warf manchmal Obst, doch Vater hatte Earl vorher gut gefüttert; dieses Publikum war ganz anders als die Gäste im Arbuthnot, an die Vater sich erinnerte.

»Nun, wenn Ihr eigener Name alles ist, was Sie sagen können, dann wage ich zu behaupten, daß Sie entweder den ganzen Abend getrunken haben oder daß Sie zu dumm sind, auch nur die eigenen Kleider auszuziehen.«

Earl sagte nichts.

»Was ist?« fragte Vater. »Nun wollen wir doch mal sehen, ob Sie das können. Runter mit den Kleidern. Auf geht's!« Und hier zog Vater mit einem Ruck den Stuhl nach hinten, und Earl machte eine Rolle vorwärts, wie es ihm Coach Bob beigebracht hatte.

»Purzelbäume schlagen können Sie also. Und wenn schon. Die Kleider, Earl. Lassen Sie mal sehen, ob Sie die ausziehen können.«

Aus irgendeinem Grund ist es albern, wenn eine Menschenmenge zusieht, wie sich ein Bär auszieht: meine Mutter haßte diese Szene – sie sagte, es sei Earl gegenüber nicht fair, ihn einem solchen Haufen gemeiner, ungehobelter Leute auszusetzen. Wenn Earl sich auszog, mußte ihm Vater gewöhnlich bei der Krawatte helfen – andernfalls ging es Earl nicht schnell genug, und er *riß* sie sich vom Hals.

»Sie haben wohl einen ziemlichen Verschleiß an Schlipsen, Earl«, sagte Vater dann. Das Publikum in Hampton Beach war hingerissen.

Wenn Earl ausgezogen war, sagte Vater zu ihm: »Nun machen Sie schon weiter, keine halben Sachen – runter mit dem Bärenkostüm.«

»Earl?« sagte dann Earl.

»Runter mit dem Bärenkostüm«, sagte Vater und zerrte an Earls Fell – aber nur ein bißchen.

»Earl!« brüllte Earl, und das Publikum kreischte vor Angst.

»Mein Gott, Sie sind ja ein *echter* Bär!« rief Vater.

»Earl!« brüllte Earl wieder und jagte Vater um den Stuhl herum – und das halbe Publikum floh in die Nacht hinaus, manche stolperten durch den weichen Ufersand hinunter ans Meer; andere warfen Obst und Pappbecher mit warmem Bier.

Eine – für Earl – angenehmere Nummer wurde einmal in der Woche im Kasino von Hampton Beach vorgeführt. Mutter hatte Earls Tanzstil verfeinert, und sobald die Big Band ihr Eröffnungsstück spielte, drehte sie mit Earl einige Runden auf der leeren Tanzfläche, die Paare drängten vorwärts und staunten über die beiden – den gedrungenen, gebückten breitschultrigen Bären, der in Iowa-Bobs Anzug überraschend graziös mit schleifenden Schritten meiner Mutter folgte, die ihn führte.

An diesen Abenden blieb Coach Bob als Babysitter bei Frank. Mutter und Vater und Earl fuhren auf der Uferstraße nach Hause und legten in Rye, wo die Reichen ihre Häuser hatten, einen Halt ein, um sich die Brandung anzusehen, die »Brecher«, wie man die Brandung in Rye allgemein nannte. Die Küste von New Hampshire war zugleich zivilisierter und schäbiger als die von Maine, aber das phosphoreszierende Licht über den Brechern von Rye muß meine Eltern an Abende im Arbuthnot erinnert haben. Sie sagten, sie hätten dort immer Pause gemacht, bevor sie nach Dairy heimfuhren.

Eines Abends wollte Earl nicht von den Brechern in Rye weg.

»Er glaubt, ich geh mit ihm angeln«, sagte Vater. »Sieh mal, Earl, ich hab nichts bei mir – keinen Köder, keine Blinker, keine *Angel*, du Dummkopf«, sagte Vater zu dem Bären und hielt ihm seine leeren Hände hin. Earl sah verwirrt aus; sie merkten, daß der Bär fast blind war. Sie redeten Earl die Fische aus und brachten ihn heim.

»Wie ist er bloß so alt geworden?« fragte meine Mutter meinen Vater.

»Er pißt neuerdings in den Beiwagen«, sagte Vater.

Meine Mutter war sichtbar schwanger, diesmal mit Franny, als Vater im Herbst 1940 zur Wintersaison aufbrach. Er hatte sich für Florida entschieden, und Mutter bekam die erste Nachricht von ihm aus Clearwater, und dann wieder eine aus Tarpon Springs. Earl hatte sich eine seltsame Hauterkrankung zugezogen – eine nur bei Bären vorkommende Pilzinfektion der Ohren –, und das Geschäft lief schlecht.

Das war kurz bevor Franny geboren wurde, gegen Ende des Winters 1941. Vater kam zu dieser Geburt nicht nach Hause, und Franny verzieh ihm das nie.

»Ich nehme stark an, er wußte, daß ich ein Mädchen werden würde«, sagte Franny gern.

Erst im Sommer 41 kam Vater nach Dairy zurück; und sofort war meine Mutter wieder schwanger, diesmal mit mir.

Er versprach ihr, er würde sie nicht wieder verlassen müssen; nach einem erfolgreichen Zirkusauftritt in Miami hatte er genügend Geld, um im Herbst an der Harvard University beginnen zu können. Sie hatten einen sorglosen Sommer vor sich und brauchten nur gelegentlich in Hampton Beach aufzutreten, wenn sie Lust dazu hatten. Er würde mit dem Bostoner Zug als Pendler zu seinen Vorlesungen fahren, es sei denn, er fand eine billige Bleibe in Cambridge.

Earl wurde von Minute zu Minute älter. Eine blaßblaue Salbe, die sich anfühlte wie das dünne Häutchen, das Quallen umhüllt, mußte ihm jeden Tag in die Augen gegeben werden; Earl wurde sie wieder los, indem er sich an den Polstermöbeln rieb. Meine Mutter bemerkte überall an seinem Körper einen alarmierenden Haarausfall, und er schien zu schrumpfen und faltiger zu werden. »Seine Muskeln haben ihre Spannkraft verloren«, stellte Coach Bob besorgt fest. »Er sollte mit Gewichten arbeiten oder Waldläufe machen.«

»Versuch mal, ihm mit der Indian wegzufahren«, sagte mein Vater zu seinem Vater. »Dann läuft er schon.« Aber als Coach Bob einen Versuch machte, konnte er glatt wegfahren. Earl lief ihm nicht nach; es war ihm egal.

»Bei Earl«, sagte Vater, »stimmt der alte Spruch, daß man verachtet, wen man zu gut kennt.« Er hatte lange und hart genug mit Earl gearbeitet, um zu verstehen, wieso Freud dem Bären gegenüber die Geduld verloren hatte.

Meine Mutter und mein Vater redeten fast nie von Freud; bei dem »Krieg in Europa« konnten sie sich nur zu leicht ausmalen, was ihm alles geschehen sein konnte.

In den Läden am Harvard Square gab es Wilsons ›That's All‹, Roggenwhisky, sehr billig, aber mein Vater war kein Trinker. Im Oxford Grill in Cambridge schenkten sie Faßbier in einem großen Glas aus, das die Form eines Kognakschwenkers hatte und fast vier Liter faßte. Wenn man das in einem bestimmten Zeitraum leertrank, bekam man das nächste Glas umsonst. Doch Vater trank dort, wenn er eine Woche Vorlesungen hinter sich hatte, ein normales Glas Bier und beeilte sich dann, zum Nordbahnhof zu kommen, um den Zug nach Dairy zu erwischen.

Er zog sein Studium so rasch wie möglich durch, um früher fertig zu werden; daß er das schaffte, lag nicht etwa daran, daß er klüger gewesen wäre als die anderen Harvard-Jungs (er war wohl *älter* als die meisten, aber nicht klüger), sondern daran, daß er wenig Zeit mit Freunden verbrachte. Er hatte eine schwangere Frau und zwei kleine Kinder zu Hause; da blieb kaum Zeit für Freunde. Ausgespannt, sagte er, habe er nur, wenn im Radio die Baseballspiele der Profis übertragen wurden. Nur wenige Wochen nach Abschluß der Endrunde hörte Vater im Radio die Nachricht vom Überfall auf Pearl Harbor.

Ich wurde im März 1942 geboren und bekam den Namen John – nach John Harvard. (Franny nannten sie Franny, weil das irgendwie zu Frank paßte.) Meine Mutter war nicht nur damit beschäftigt, uns zu versorgen; sie war auch damit beschäftigt, den alten Latein-Emeritus zu versorgen und sich, zusammen mit Coach Bob, um den bejahrten Earl zu kümmern; auch ihr blieb keine Zeit für Freunde.

Als der Sommer 1942 zu Ende ging, war der Krieg wirklich für jedermann spürbar; es war nicht mehr nur »der Krieg in Europa«. Und obwohl die 37er Indian nur wenig Benzin verbrauchte, wurde sie degradiert zu einer Behausung für Earl und nicht mehr als Transportmittel eingesetzt. Wie eine Manie erfaßte der Patriotismus die Universitäten überall im Land. Für Studenten gab es Zuckermarken, die die meisten an ihre Familien weitergaben. In nur drei Monaten waren Vaters sämtliche Bekannte an der Harvard University entweder eingezogen oder hatten sich freiwillig für irgendwelche Ausbildungen gemeldet. Als Latein-Emeritus starb – und ihm die Mutter meiner Mutter, im Schlaf, rasch folgte –, trat meine Mutter eine bescheidene Erbschaft an. Mein Vater sorgte von sich aus dafür, daß seine Einberufung vorverlegt wurde, und meldete sich im Frühjahr 1943 zur Grundausbildung; er war dreiundzwanzig.

Er ließ Frank, Franny und mich mit Mutter im Batesschen Haus zurück; und er ließ seinen Vater, Iowa-Bob, zurück, dem er die ermüdende Pflege Earls anvertraut hatte.

Mein Vater schrieb nach Hause, die Grundausbildung sei eine Lektion im Ruinieren der Hotels von Atlantic City. Sie wischten täglich die Parkettböden naß auf und marschierten über die Strandpromenade hinunter zu einer Sanddüne, wo die Schießübungen abgehalten wurden. Die Bars an der Promenade machten ein Bombengeschäft mit den Rekruten – außer meinem Vater. Niemand fragte nach dem Alter; die Rekruten, die größtenteils jünger waren als mein Vater, trugen alle ihr Schützenabzeichen und tranken unbehelligt. Die Bars waren voller Mädchen aus den Büros in Washington, und jedermann rauchte filterlose Zigaretten – außer meinem Vater.

Vater sagte, jeder hätte von der Idee geschwärmt, sich vor der Verschiffung nach Übersee »noch einmal auszutoben«, aber längst nicht alle setzten ihre Pläne in die Tat um; Vater allerdings tat es – mit meiner Mutter, in einem Hotel in New Jersey. Zum Glück schwängerte er sie diesmal nicht, so daß Mutter es noch eine Weile bei Frank, Franny und mir beließ.

Von Atlantic City kam mein Vater zur kryptographischen Ausbildung auf eine frühere Privatschule im Norden von New York. Danach schickten sie ihn zum Militärflugplatz Chanute Field – bei Kearns in Utah gelegen – und dann nach Savannah in Georgia, wo er früher einmal mit Earl im alten Hotel DeSoto aufgetreten war. Die nächste Station war dann Hampton Road, wo die Einschiffung erfolgte, und mein Vater war unterwegs zum »Krieg in Europa«, und er hatte die vage Vorstellung, daß er dort vielleicht Freud treffen würde. Vater vertraute darauf, seine heile Rückkehr dadurch gesichert zu haben, daß er drei Kinder bei meiner Mutter zurückließ.

Er wurde einer Einheit der Air Force zugewiesen, die auf einem Bomberstützpunkt in Italien Dienst tat, und die größte Gefahr dort war, daß man betrunken jemanden erschoß, daß man erschossen wurde von einem Betrunkenen oder daß man betrunken in die Latrine stürzte – was einem Oberst, den mein Vater kannte, tatsächlich passierte; bevor der Oberst aus seiner Lage befreit wurde, hatten ihm mehrere Leute auf den Kopf geschissen. Die einzige andere Gefahr bestand darin, daß man sich bei einer italienischen Hure eine Geschlechtskrankheit holte. Und da mein Vater weder soff noch hurte, kam er unbeschadet durch den Zweiten Weltkrieg.

Er verließ Italien mit einem Truppentransporter der Navy

und fuhr über Trinidad nach Brasilien – »eine Art Italien auf Portugiesisch«, wie er meiner Mutter schrieb. In die Staaten zurück flog er schließlich mit einem Piloten, der an einer Bombenneurose litt und die C-47 im Tiefflug über die breiteste Straße von Miami jagte. Aus der Luft erkannte mein Vater einen Parkplatz wieder, auf dem Earl einmal nach einem Auftritt gekotzt hatte.

Auch meine Mutter leistete im Krieg ihren Beitrag – obwohl sie weiterhin für ihre Alma Mater, das Thompson Female Seminary, Schreibarbeiten erledigte: sie half mit bei der Ausbildung von Krankenhauspersonal. Das Krankenhaus in Dairy bildete Schwesternhelferinnen aus, und im zweiten Kurs war meine Mutter dabei. Sie hatte eine fixe Achtstundenschicht in der Woche und stand sonst auf Abruf bereit – und bei dem großen Mangel an Krankenschwestern mußte sie oft genug einspringen. Am liebsten arbeitete sie auf der Entbindungsstation und im Kreißsaal; sie wußte, wie einem zumute war, wenn man in diesem Krankenhaus ein Kind zur Welt brachte, während der Mann weit weg war. So also verbrachte meine Mutter den Krieg.

Gleich nach Kriegsende ging Vater mit Coach Bob zu einem Profi-Footballspiel im Bostoner Stadion ›Fenway Park‹. Als sie dem Nordbahnhof zustrebten, um mit dem Zug nach Dairy zurückzufahren, trafen sie einen von Vaters Studienkollegen, der ihnen für 600 Dollar einen 1940er Chevy – ein Coupé – verkaufte; das war zwar etwas mehr, als der Wagen neu gekostet hatte, aber er war in ordentlichem Zustand, und Benzin war lächerlich billig; man zahlte vielleicht fünf Cents für den Liter. Coach Bob und mein Vater teilten sich die Kosten für die Versicherung, und damit hatte nun unsere Familie endlich einen Wagen. Während Vater an der Harvard University fertig studierte, hatte Mutter nun die Möglichkeit, Frank, Franny und mich zu den Stränden von New Hampshire mitzunehmen, und Iowa-Bob fuhr einmal mit uns in die White Mountains, wo Frank übel zerstochen wurde, als Franny ihn in ein Wespennest schubste.

Das Leben der Harvard-Studenten hatte sich geändert; die Zimmer waren überbelegt; die Footballer hatten eine neue Mannschaft. Die Slawistik-Studenten machten geltend, für die amerikanische Entdeckung des Wodkas verantwortlich zu sein; niemand mixte Wodka – man trank ihn nach russischer Art, kalt und pur aus kleinen Stielgläsern – doch mein Vater blieb beim Bier und wechselte sein Hauptfach. Von nun an studierte er Englische Literatur, ein weiterer Versuch, sein Studium schneller zum Abschluß zu bringen.

Es waren nicht mehr viele Big Bands im Geschäft. Das Tanzen als Sport und Freizeitvergnügen verlor an Bedeutung. Und Earl war so altersschwach, daß er nicht mehr auftreten konnte; in der Weihnachtszeit nach seiner Entlassung aus der Air Force arbeitete Vater bei Jordan Marsh in der Spielzeugabteilung, und er sorgte – wieder einmal – dafür, daß meine Mutter schwanger wurde. Diesmal war es Lilly. So konkret die Gründe waren, Frank Frank und Franny Franny und mich John zu nennen, so wenig gab es einen besonderen Grund, Lilly Lilly zu nennen – eine Tatsache, die Lilly plagen sollte, vielleicht mehr, als wir ahnten; möglicherweise ihr ganzes Leben lang.

Vater gehörte zu den Harvard-Studenten, die 1946 ihren Abschluß machten. Die Dairy School hatte gerade erst einen neuen Rektor eingestellt, und der führte nun im Harvard Faculty Club mit meinem Vater ein Gespräch und bot ihm eine Stelle an: er sollte Englisch unterrichten und zwei Sportarten als Coach betreuen – für ein Jahresgehalt von zweitausendeinhundert Dollars. Wahrscheinlich hatte Coach Bob dem neuen Rektor den Tip gegeben. Mein Vater war sechsundzwanzig: er nahm die Stellung an der Dairy School an, auch wenn er sich dort nicht für den Rest seines Lebens sah. Aber das bedeutete immerhin, daß er nun endlich mit meiner Mutter und mit uns Kindern zusammen im Haus der Familie Bates in Dairy wohnen konnte, nahe bei seinem Vater und bei Earl, seinem betagten Bären. In dieser Lebensphase waren Vater seine Träume sichtlich wichtiger als sein berufliches Fortkommen, vielleicht auch wichtiger als wir Kinder und eindeutig wichtiger als der Zweite Weltkrieg. (»In *allen* Lebensphasen«, sagte Franny oft.)

Lilly wurde 1946 geboren, als Frank sechs, Franny fünf und ich vier Jahre alt war. Wir hatten plötzlich einen Vater – zum ersten Mal eigentlich; bisher war er entweder im Krieg, auf der Universität oder mit Earl auf Tournee gewesen, unser Leben lang. Er war ein Fremder für uns.

Das erste, was er mit uns unternahm, im Herbst 1946, war ein Ausflug nach Maine, wo wir noch nie gewesen waren und wo er mit uns das Arbuthnot-by-the-Sea besuchen wollte. Natürlich war es für meinen Vater und meine Mutter eine romantische Wallfahrt zur Erinnerung an die alten Zeiten. Lilly war zum Reisen noch zu jung, und Earl war zu alt, doch Vater bestand darauf, daß Earl mitkam.

»Das Arbuthnot ist, weiß Gott, auch für ihn ein besonderer Ort«, sagte Vater zu Mutter. »Es wäre nicht dasselbe – ein Besuch im Arbuthnot ohne den alten State o' Maine.«

Lilly blieb also zuhause mit Coach Bob, und Mutter fuhr das 1940er Chevy-Coupé mit Frank, Franny und mir, einem großen gut gefüllten Picknickkorb und einem Berg wollener Decken. Vater brachte noch einmal die 37er Indian in Schwung und fuhr sie, mit Earl im Beiwagen. So ging es dann – unglaublich langsam – auf der kurvenreichen Küstenstraße nach Norden, viele Jahre bevor sie dort eine Schnellstraße bauten. Stunden vergingen, ehe wir Brunswick erreichten, und nach einer weiteren Stunde hatten wir Bath hinter uns. Und dann sahen wir die rauhe, bewegte, blutergußfarbene See, wo der Kennebec ins Meer mündet, Fort Popham und die Fischerhütten am Bay Point – und die Kette, die die Zufahrt zum Arbuthnot versperrte. Das Schild verkündete:

DIESEN SOMMER GESCHLOSSEN

Das Arbuthnot war seit vielen Sommern geschlossen. Vater muß das gleich klargeworden sein, nachdem er die Kette ausgeklinkt hatte und unsere Karawane den Weg zu dem alten Hotel hinauffuhr. Farblos wie sonnengeblichene Knochen standen die verlassenen mit Brettern vernagelten Gebäude da; jedes sichtbare Fenster war eingeschlagen oder herausgeschossen worden. Die verblichene Fahne für das achtzehnte Grün war in eine Ritze gestoßen worden, zwischen zwei Bodendielen der überhängenden Veranda beim Ballsaal; die Fahne hing schlaff vom Arbuthnot-by-the-Sea, wie zum Zeichen dafür, daß hier ein Schloß nach einer Belagerung im Sturm genommen worden war.

»Jessas Gott«, sagte Vater. Wir Kinder drängten uns um unsere Mutter und jammerten. Es war kalt; es war neblig; der Ort machte uns Angst. Uns war gesagt worden, wir gingen zu einem Ferienhotel, und wenn Hotels *so* waren, dann wußten wir, daß wir Hotels nicht mochten. Rauhe Grasbüschel hatten sich grob durch den rissigen Lehmboden der Tennisplätze gezwängt, und auf dem Krocket-Rasen wucherte kniehoch – gemessen an meinem Vater – ein gezähntes Sumpfgras wie es oft in der Nähe von Salzwasser zu finden ist. Frank schnitt sich an einem alten Krocket-Tor und fing an zu plärren. Franny bestand darauf, daß Vater sie trug. Ich hängte mich an die Hüfte meiner Mutter. Earl, dem seine Arthritis zu schaffen machte, weigerte sich, auch nur einen Schritt vom Motorrad zu weichen, und kotzte in seinen Maulkorb. Nachdem Vater ihm den Maulkorb abgenommen hatte, fand Earl etwas im Dreck und versuchte es zu fressen; es war ein alter Tennisball, den Vater ihm wegnahm und dann weit wegwarf, in Richtung des Meeres. Verspielt schickte Earl sich an, den Ball zu apportieren; doch dann schien der alte Bär zu vergessen, was er tat, und saß bloß da und blickte mit zusammengekniffenen Augen hinüber zu den Anlegeplätzen. Wahrscheinlich konnte er sie kaum erkennen.

Die zum Hotel gehörenden Landungsstege hingen durch. Das Bootshaus war in einem Hurrikan während des Krieges aufs offene Meer hinausgespült worden. Die Fischer hatten versucht, die alten Piere zur Verankerung ihrer Fischzäune zu verwenden, die unten am Hummerfängerpier bei Bay Point befestigt waren, wo nun ein Junge oder Mann mit einem Gewehr Wache zu stehen schien. Seine Aufgabe sei es, auf Robben zu schießen, mußte Vater erklären, denn die bewaffnete Gestalt in der Ferne erschreckte meine Mutter. Die Robben waren der Hauptgrund, weshalb Fischzäune in Maine nie ein großer Erfolg waren: die Robben durchbrachen den Zaun, stopften sich mit den eingefangenen Fischen voll und brachen dann wieder aus. Da sie auf diese Weise große Mengen an Fisch fraßen und dabei auch noch die Netze zerstörten, schossen die Fischer so viele ab, wie sie nur konnten.

»Freud hätte das ›eines der widerlichen Gesetze der Natur‹ genannt«, sagte Vater. Er bestand darauf, uns die Unterkünfte zu zeigen, in denen er und Mutter ihre Zimmer gehabt hatten.

Es muß für sie beide deprimierend gewesen sein – auf uns Kinder wirkte es nur beunruhigend und fremd –, aber ich glaube, meine Mutter war betroffener von der Reaktion meines Vaters auf den Niedergang des Arbuthnot als vom Schicksal des einst so großen Ferienhotels.

»Der Krieg hat wirklich eine Menge verändert«, sagte Mutter und zeigte uns ihr berühmtes Achselzucken.

»Jessas Gott«, sagte Vater immer wieder. »Stellt euch vor, wie das jetzt aussehen *könnte!*« rief er. »Wie haben die das bloß kaputt gekriegt? Sie waren nicht *demokratisch* genug«, erzählte er uns verwirrten Kindern. »Es müßte doch möglich sein, ein gewisses Niveau zu haben, guten Geschmack zu haben, und trotzdem nicht so exklusiv zu sein, daß man zugrunde geht. Es müßte doch einen annehmbaren Kompromiß geben zwischen einem Arbuthnot und einem Loch wie Hampton Beach. Jessas Gott!« rief er immer wieder aus. »Jessas Gott.«

Wir folgten ihm durch die heruntergekommenen Bauten über die zerzausten und außer Rand und Band geratenen

Rasenflächen. Wir fanden den alten Bus, mit dem die Mitglieder der Band gereist waren, und den Lastwagen, den der Gärtner und seine Helfer benutzt hatten – er war voller rostiger Golfschläger. Das waren die Fahrzeuge, die Freud immer repariert und in Schwung gehalten hatte; sie würden nie wieder in Schwung kommen.

»Jessas Gott«, sagte Vater.

Wir hörten Earl nach uns rufen von weit weg.

»Earl!« rief er.

Wir hörten zwei Schüsse aus dem Gewehr, von weit weg – unten am Bay-Point-Pier. Ich glaube, wir wußten alle, daß es keine Robbe war, die da abgeschossen wurde. Es war Earl.

»Oh, nein, Win«, sagte meine Mutter. Sie hob mich auf und fing an zu laufen. Frank rannte aufgeregt um sie im Kreis herum. Vater rannte mit Franny auf dem Arm.

»State o' Maine!« schrie er.

»Ich hab einen Bären geschossen!« rief der Junge am Pier. »Ich hab einen ganzen Bären geschossen!« Der Junge trug eine derbe blaue Latzhose und ein weiches Flanellhemd; beide Knie waren durchgewetzt, und sein karottenrotes Haar war borstig und glänzte von der salzigen Gischt; er hatte einen eigenartigen Ausschlag in seinem blassen Gesicht; er hatte sehr schlechte Zähne; er war erst dreizehn oder vierzehn Jahre alt. »Ich hab einen Bären geschossen!« schrie er. Er war schrecklich aufgeregt, und die Fischer draußen auf dem Meer müssen sich gefragt haben, warum er wohl so brüllte. Sie konnten ihn bei den tuckernden Motoren und dem über die See pfeifenden Wind nicht hören, doch sie steuerten ihre Boote nach und nach dem Pier zu und ließen sich von den Wellen an Land tragen, um nachzusehen, was los war.

Earl lag auf dem Pier, den großen Kopf auf einer Rolle geteerten Tauwerks, die Hinterpfoten gekrümmt an den Leib gepreßt, eine der schweren Vorderpfoten nur Zentimeter von einem Eimer mit Köderfischen entfernt. Der Bär hatte schon so lange schlechte Augen, daß er in dem Jungen mit dem Gewehr offenbar Vater mit einer Angel gesehen hatte. Vielleicht erinnerte er sich sogar, undeutlich, an all die Steinköhler, die er einst an diesem Pier zu fressen bekommen hatte. Und als er dort hinunter und in die Nähe des Jungen kam, war die *Nase* des alten Bären immer noch gut genug, die Köderfische zu riechen. Der Junge, der auf dem Meer nach Robben Ausschau gehalten hatte, war zweifellos erschrocken, als der Bär ihn auf seine Weise begrüßte. Er war ein guter Schütze, doch auf die Entfernung hätte auch ein schlechter Schütze Earl getroffen; der Junge schoß dem Bären zweimal ins Herz.

»Herrje, ich wußte doch nicht, daß er jemand *gehört*«, sagte der Junge mit dem Gewehr zu meiner Mutter. »Ich wußte doch nicht, daß er *zahm* war.«

»Aber nein, natürlich nicht«, beruhigte ihn meine Mutter.

»Tut mir leid, Mister«, sagte der Junge zu Vater, aber Vater hörte ihn nicht. Er setzte sich neben Earl auf den Boden und nahm den Kopf des toten Bären auf seinen Schoß; er drückte Earls altes Gesicht an sich und weinte und weinte. Er weinte natürlich nicht nur um Earl. Er weinte um das Arbuthnot und Freud und den Sommer 39; doch wir waren sehr bekümmert, wir Kinder – denn damals hatten wir Earl länger und im Grunde genommen besser gekannt als unseren Vater. Es war sehr verwirrend für uns – warum dieser Mann, von Harvard zurückgekehrt und vom Krieg zurückgekehrt, in Tränen aufgelöst dasaß und unseren alten Bären umarmte. Wir waren – alle zusammen – eigentlich zu jung, als daß wir Earl hätten *kennen* können, aber seine Erscheinung – sein Fell, das sich so steif anfühlte, die Hitze seines herben sumpfigen Atems, sein Geruch nach toten Geranien und Urin – all das war stärker in unserer Erinnerung als der verblichene Latein-Emeritus zum Beispiel und die Mutter meiner Mutter.

Ich erinnere mich wirklich genau an diesen Tag am Pier unterhalb des zerfallenen Arbuthnot. Ich war vier, und ich glaube ganz ehrlich, daß das meine erste Erinnerung an das Leben selbst ist – im Gegensatz zu dem, was mir *erzählt* worden ist, im Gegensatz zu den Bildern, die andere Leute für mich gemalt haben. Der Mann mit dem kräftigen Körper und dem Gesicht eines Gentleman war mein Vater, der gekommen war, um mit uns zusammenzuleben; nun saß er mit Earl in den Armen schluchzend da – auf einem faulenden Landungssteg, über gefährlichem Wasser. Kleine Boote kamen angetuckert. Meine Mutter drückte uns an sich, so fest, wie Vater Earl umklammert hielt.

»Ich glaube, der dumme Junge hat den Hund von jemand erschossen«, sagte ein Mann in einem der Boote.

Die Leiter herauf kam ein alter Fischer in schmutziggelbem Ölzeug, sein Gesicht ein fleckiges Braun unter einem schmutzigweiß gesprenkelten Bart. Seine nassen Stiefel schwappten, und er roch stärker nach Fisch als der Eimer voll Köder neben Earls geknickter Pfote. Er war mehr als alt genug, um in der Gegend gewesen zu sein, als das Arbuthnot-by-the-Sea das Grand Hotel von früher war. Auch der Fischer hatte einmal bessere Tage gesehen.

Als dieser alte Mann den toten Bären sah, nahm er seinen breitkrempigen Südwester ab und hielt ihn in seiner Hand, die so groß und hart war wie ein Fischhaken. »Heiliger Strohsack«, sagte er ehrfürchtig und legte dem sichtlich mitgenommenen Jungen mit dem Gewehr einen Arm um die Schulter. »Heiliger Strohsack. Du hast State o' Maine getötet.«

2

Das erste Hotel New Hampshire

Das erste Hotel New Hampshire kam so zustande: Als die Leute von der Dairy School einsahen, daß künftig auch Mädchen aufgenommen werden mußten, wenn die Schule überleben sollte, war es um das Thompson Female Seminary geschehen; plötzlich hatte Dairys immer flauer Immobilienmarkt ein großes unbrauchbares Objekt anzubieten. Kein Mensch wußte, was aus dem riesigen Gebäude werden sollte, das einmal eine reine Mädchenschule gewesen war.

»Sie sollten es abbrennen«, schlug Mutter vor, »und aus dem ganzen Gelände einen Park machen.«

Es war ohnehin schon eine Art Park – ein Stück Land auf einer kleinen Anhöhe, vielleicht einen knappen Hektar groß, im verwahrlosten Herzen der Stadt Dairy. Alte geschindelte Häuser, ursprünglich für große Familien und jetzt stückweise an Witwen und Witwer – und die pensionierten Lehrer der Dairy School – vermietet, umgeben von sterbenden Ulmen, die das vierstöckige Backstein-Ungetüm von einem Schulhaus einrahmten, das nach Ethel Thompson benannt war. Miss Thompson hatte in der Episkopalkirche als Pfarrer fungiert, und es war ihr gelungen, sich bis zu ihrem Tod als Mann auszugeben (Hochwürden *Edward* Thompson nannte man sie, ehrwürdiges Oberhaupt der Episkopalgemeinde in Dairy und allgemein dafür bekannt, daß sie immer wieder flüchtige Sklaven im Pfarrhaus versteckte). Die Entdeckung, daß sie eine Frau war (im Anschluß an einen Unfall, bei dem sie überfahren wurde, als sie gerade ein Rad an ihrer Kutsche wechselte), kam nicht für alle Mannsleute in Dairy überraschend, denn zum Teil waren sie mit ihren Problemen zu ihr gegangen, als sie auf dem Gipfel ihrer Beliebtheit als Pfarrherr stand.

Irgendwie hatte sie eine Menge Geld angesammelt, von dem sie der Kirche keinen Pfennig hinterließ; vielmehr sollte damit eine höhere Schule für Mädchen gegründet werden, »bis«, schrieb Ethel Thompson, »dieser Greuel von einer Knabenschule gezwungen ist, Mädchen aufzunehmen.«

Dem Urteil, daß die Dairy School ein Greuel sei, hätte auch mein Vater beigepflichtet. Obwohl wir Kinder mit Vorliebe auf dem Sportgelände der Schule spielten, erklärte uns Vater immer und immer wieder, daß Dairy keine »richtige« Schule sei. Da sowieso die ganze Stadt Dairy einst Milchwirtschaftsgebiet gewesen war, war auch das Sportgelände der Schule eine Kuhweide; und als zu Beginn des neunzehnten Jahrhunderts die Schule gegründet worden war, hatte man die alten Ställe neben den neueren Schulbauten stehenlassen, und die Kühe durften sich – wie die Schüler – frei auf dem Schulgelände bewegen. Moderne Landschaftsgärtnerei hatte zwar die Wiesen zu Sportplätzen gemacht, aber die Ställe und die ersten damals für die Schule errichteten Bauten bildeten immer noch den ungepflegten Mittelpunkt des Schulgeländes; ein paar Pro-forma-Kühe bevölkerten nach wie vor die Ställe. Es hatte, wie Coach Bob es nannte, zur »Spieltaktik« der Schule gehört, die Schüler zur Versorgung des Milchviehs anzuhalten – eine Taktik, die eine lasche Schulbildung und schlecht versorgte Kühe zur Folge hatte, eine Taktik, die noch vor dem Ersten Weltkrieg aufgegeben wurde. Es gab freilich im Lehrkörper der Dairy School immer noch Leute – und oft waren es die neueren, jüngeren Lehrer –, die der Ansicht waren, diese Mischung aus Schule und Bauernhof sollte wieder eingeführt werden.

Mein Vater widersetzte sich dem Plan, an der Dairy School ein, wie er es nannte, »pädagogisches Kuhstallexperiment« wieder einzuführen.

»Wenn meine Kinder alt genug sind, um auf diese erbärmliche Schule zu gehen«, tobte er vor meiner Mutter und vor Coach Bob, »gibt es bestimmt Leistungskurse im Gemüsepflanzen.«

»Und es gibt Schulwettkämpfe im Scheißeschippen!« sagte Iowa-Bob.

Mit anderen Worten: die Schule war auf der Suche nach Grundsätzen. Sie gehörte nun unbestritten zu den zweitklassigen unter den herkömmlichen Privatschulen; der Lehrplan hatte zwar die Vermittlung akademischen Wissens zum Ziel, aber immer weniger Lehrer an der Schule waren fähig, dieses Wissen zu vermitteln, und – ganz bequem – auch immer weniger überzeugt, daß dieses Wissen überhaupt gefragt war: schließlich ließ ja auch das Aufnahmevermögen der Schüler immer mehr nach. Die Zahl der Neuaufnahmen sank immer mehr, also wurden die Mindestanforderungen noch weiter gesenkt; die Dairy School gehörte nun zu den Schulen, in die jeder fast sofort aufgenommen wurde, der an einer anderen Schule rausgeflogen war. Einzelne Mitglieder des Lehrkörpers, wie beispielsweise mein Vater, die es immer noch für wesentlich hielten, daß die Leute lesen und schreiben – und sogar die Regeln der Zeichensetzung – lernten, stellten resigniert fest, daß ihre Bemühungen bei den meisten ihrer Schüler vergeblich waren. »Perlen vor die Säue«, schimpfte Vater. »Wir könnten ihnen ebensogut beibringen, wie man Heu zusammenrecht und Kühe melkt.«

»Football können sie auch nicht spielen«, klagte Coach Bob. »Keiner *blockt* für den anderen.«

»Die laufen ja nicht mal«, sagte Vater.

»Und sie gehen nicht *rein* in den Mann«, sagte Iowa-Bob.

»Klar tun sie das«, sagte Frank, auf dem dauernd herumgehackt wurde.

»Sie sind ins Gewächshaus eingebrochen und haben dort wie die Vandalen unter den Pflanzen gehaust«, sagte Mutter, die von diesem Vorfall in der Schulzeitung gelesen hatte, einer Zeitung für Analphabeten, wie Vater sagte.

»Einer hat mir sein Ding gezeigt«, sagte Franny, um Ärger zu machen.

»Wo?« fragte Vater.

»Hinter der Eisbahn«, sagte Franny.

»Was hattest du überhaupt hinter der Eisbahn zu suchen?«
fragte Frank, angewidert wie immer.

»Die Eisbahn ist ganz uneben«, sagte Coach Bob. »Da hat
sich keiner mehr drum gekümmert, seit dieser Mann, wie hieß
er doch gleich, pensioniert worden ist.«

»Er ist nicht pensioniert worden, er ist *gestorben*«, sagte
Vater. Er verlor jetzt, da Iowa-Bob älter wurde, öfter mal die
Geduld mit seinem Vater.

1950 war Frank zehn, Franny war neun, ich war acht, und
Lilly war vier; Egg war eben erst zur Welt gekommen, und so
blieb ihm in seiner Ahnungslosigkeit *unsere* Angst, eines Tages
die so heftig kritisierte Dairy School besuchen zu müssen,
erspart. Vater war überzeugt, daß sie, wenn Franny einmal
alt genug war, auch Mädchen zulassen würden.

»Nicht aus irgendwelchen progressiven Neigungen heraus«,
meinte Vater, »sondern einzig und allein, um dem Bankrott
zu entgehen.«

Er behielt natürlich recht. Schon 1952 war das schulische
Niveau der Dairy School höchst fragwürdig; die Neuzugänge
sanken beharrlich, und die Mindestanforderungen für Neue
wurden noch fragwürdiger. Und je tiefer die Zahl der Neu-
zulassungen sank, desto höher kletterte das Schulgeld, was
wiederum noch mehr Schüler fernhielt, und das bedeutete, daß
man einige Lehrer gehen lassen mußte – und daß andere, die
Prinzipien *und* andere Mittel hatten, von sich aus kündigten.

Die Footballmannschaft des Jahres 1953 beendete die Saison
mit einem Sieg und neun Niederlagen; Coach Bob glaubte, die
Schule warte nur auf seinen Rücktritt, um Football dann ganz
aus dem Programm zu streichen – Football war zu teuer, und
die Ehemaligen, die ihn (und das ganze Sportprogramm) immer unterstützt hatten, schämten sich so sehr, daß sie nicht
mehr zurückkamen, um sich die Spiele anzusehen.

»Es sind die verdammten Trikots«, sagte Iowa-Bob, und
Vater verdrehte die Augen im Bemühen, gegen Bobs wach-
sende Senilität nicht intolerant zu erscheinen. Vater hatte bei
Earl seine Erfahrungen mit der Senilität gemacht. Aber man

mußte Coach Bob fairerweise zugestehen, daß er, was die Trikots betraf, nicht ganz unrecht hatte.

Die Farben der Dairy School, vielleicht in Anlehnung an eine mittlerweile wieder verschwundene Rinderrasse, waren eigentlich ein tiefes Schokoladenbraun und ein leuchtendes Silber. Doch im Laufe der Jahre und mit dem Vordringen synthetischer Stoffe waren diese kräftigen Kakao- und Silbertöne traurig und trübe geworden.

»Brauner Schlamm und graue Regenwolken«, sagte Vater.

Die Schüler der Dairy School, die mit uns Kindern spielten – wenn sie nicht gerade Franny ihr »Ding« zeigten –, erzählten uns, welche anderen Bezeichnungen für die Farben an der Schule im Schwang waren. Ein älterer Junge namens De Meo – Ralph De Meo, einer der wenigen Stars in Iowa-Bobs Team und im Winter und Frühjahr der Sprinterstar unter Vaters Leichtathleten – erzählte Frank, Franny und mir, wie die Schulfarben wirklich aussahen. »Grau wie die Leichenblässe im Gesicht eines Toten«, sagte De Meo. Ich war zehn und hatte Angst vor ihm; Franny war elf, doch ihm gegenüber gab sie sich älter; Frank war zwölf und fürchtete sich grundsätzlich vor allen.

»Grau wie die Leichenblässe im Gesicht eines Toten«, wiederholte De Meo langsam, für mich. »Und braun – kuhbraun, wie Mist«, sagte er. »Für dich heißt das Scheiße, Frank.«

»Ich *weiß*«, sagte Frank.

»Zeig's mir noch mal«, sagte Franny zu De Meo; sie meinte sein Ding.

Scheiße und Tod waren die Farben der sterbenden Dairy School. Der Verwaltungsrat, auf dem dieser Fluch lastete – und manch anderer Fluch aus der Kuhstallvergangenheit der Schule und der kaum noch putzigen Kleinstadt in New Hampshire, in die die Schule geplumpst war wie ein Kuhfladen in die Wiese –, beschloß, künftig auch Mädchen aufzunehmen.

So würde zumindest die Schülerzahl steigen.

»Das macht den Football endgültig kaputt«, sagte der alte Coach Bob.

»Die *Mädchen* spielen bestimmt besser Football als die meisten deiner Jungs«, sagte Vater.

»Eben, das mein ich doch«, sagte Iowa-Bob.

»Ralph De Meo spielt aber ziemlich gut«, sagte Franny.

»Fragt sich nur, *womit*«, sagte ich, und Franny gab mir unter dem Tisch einen Tritt. Frank, grämlich und größer als alle, saß gefährlich nahe bei Franny und mir direkt gegenüber.

»De Meo ist wenigstens schnell«, sagte Vater.

»De Meo geht wenigstens *rein* in den Mann«, sagte Coach Bob.

»Und *wie!*« sagte Frank; er hatte schon mehrere Zusammenstöße mit De Meo hinter sich.

Es war Franny, die mich vor Ralph beschützte. Als wir einmal zuschauten, wie sie auf dem Footballplatz die Linien nachzogen – nur Franny und ich, wir hatten uns vor Frank versteckt (wir versteckten uns oft vor Frank) –, kam De Meo auf uns zu und stieß mich gegen den Blockschlitten für das Football-Training. Er trug seinen Trainingsdress: Scheiße und Tod Nummer 19 (sein Alter). Er nahm den Helm ab, spuckte seinen Mundschutz im Bogen über die Aschenbahn und blitzte Franny mit seinen Zähnen an. »Verpiß dich«, sagte er zu mir, den Blick weiter auf Franny gerichtet. »Ich hab was Wüstes mit deiner Schwester zu bereden.«

»Du brauchst ihn nicht rumzuschubsen«, sagte Franny.

»Sie ist erst zwölf«, sagte ich.

»Verpiß dich«, sagte De Meo.

»Du brauchst ihn nicht rumzuschubsen«, ließ Franny De Meo wissen. »Er ist erst elf.«

»Ich muß dir sagen, wie schade ich es finde«, sagte De Meo zu ihr, »daß ich nicht mehr hier sein werde, wenn du an der Schule anfängst. Ich bin dann schon fertig.«

»Wie meinst du das?« fragte Franny.

»Bald werden auch Mädchen zugelassen«, sagte De Meo.

»Weiß ich«, sagte Franny. »Na und?«

»Ich meine nur, es ist ein Jammer«, erklärte er ihr, »daß ich nicht mehr *da* sein werde, wenn du endlich *alt* genug bist.«

Franny zuckte mit den Achseln; es war Mutters Achselzuk-ken – selbständig und hübsch. Ich hob De Meos Mundschutz von der Aschenbahn auf; das Ding war schleimig und voller Dreck, und ich warf es ihm zu.

»Warum stopfst du dir das nicht wieder ins Maul?« fragte ich ihn. Ich konnte schnell laufen, glaubte aber nicht, daß ich schneller sein würde als Ralph De Meo.

»Verpiß dich«, sagte er und schmiß den Mundschutz nach meinem Kopf, doch ich duckte mich. Das Ding verlor sich irgendwo.

»Wieso trainierst du eigentlich nicht?« fragte ihn Franny. Hinter den grauen Gerüsten mit den Holzbänken – dem »Sta-dion« der Dairy School – lag der Trainingsplatz, wo wir die Helme gegen die gepolsterten Schultern klatschen hörten.

»Ich hab eine Verletzung in der Leistengegend«, erklärte er Franny. »Willst du mal sehen?«

»Ich hoffe, dein Ding fällt ab«, sagte ich.

»Dich hol ich jederzeit ein, Johnny«, sagte er, den Blick nach wie vor auf Franny gerichtet. Niemand nannte mich Johnny.

»Aber nicht mit einer Leistenverletzung«, sagte ich.

Ich irrte mich.

Er erwischte mich an der 40-Yard-Linie und stieß mein Gesicht in den frisch aufgetragenen Kalk. Er drückte mir gerade seine Knie ins Kreuz, als ich hörte, wie er plötzlich die Luft ausstieß, und im gleichen Moment rollte er von mir her-unter und krümmte sich auf der Aschenbahn.

»Mein Gott«, sagte er mit leiser, schwacher Stimme. Franny hatte nach dem gewölbten Blechschutz in seiner Hose gegriffen und dessen Ränder in die Schamteile – so nannten wir es da-mals – hineingedreht.

Nun konnten wir ihm beide davonlaufen.

»Woher hast du das gewußt«, fragte ich sie, »daß er so ein Ding in der Hose hat? Das Blechding, meine ich.«

»Er hat es mir gezeigt, neulich mal«, sagte sie grimmig.

Wir lagen still in den Tannennadeln im dichten Wald hinter

dem Trainingsplatz; wir hörten Coach Bobs Pfeife und das Zusammenprallen der Spieler, aber keiner konnte uns sehen.

Franny störte es nie, wenn Ralph De Meo Frank verprügelte, und ich fragte sie, warum es sie störte, wenn Ralph mich verprügelte.

»Du bist nicht Frank«, flüsterte sie heftig; sie machte in dem feuchten Gras am Waldrand ihren Rock naß und wischte mir damit den Kalk vom Gesicht, wobei sie den Rocksaum so weit nach oben schob, daß ihr blanker Bauch zu sehen war. Eine Tannennadel klebte daran, und ich nahm sie weg.

»Danke«, sagte sie und konzentrierte sich darauf, mir auch noch das letzte bißchen Kalk aus dem Gesicht zu wischen; sie zog ihren Rock noch weiter nach oben, spuckte darauf und wischte von neuem. Mein Gesicht brannte.

»Warum mögen wir einander mehr, als wir Frank mögen?« fragte ich sie.

»Das ist eben so«, sagte sie, »und das wird immer so sein. Frank ist komisch.«

»Aber er ist unser Bruder«, sagte ich.

»Na und? Du bist auch mein Bruder«, sagte sie. »Aber ich mag dich nicht deswegen.«

»Warum *dann*?« fragte ich.

»Einfach so«, sagte sie. Wir rangen miteinander auf dem Waldboden, bis sie etwas ins Auge bekam. Ich half ihr, es herauszuholen. Sie war verschwitzt und roch wie sauberer Dreck. Sie hatte sehr hochsitzende Brüste, zwischen denen ein zu breites Stück Brustkasten zu liegen schien, aber Franny war stark. Normalerweise besiegte sie mich, es sei denn, ich schaffte es, mich ganz auf sie draufzulegen; dann konnte sie mich aber immer noch dermaßen kitzeln, daß ich in die Hosen machte, wenn ich nicht losließ. Wenn sie auf mir lag, war sie nicht mehr runterzubringen.

»Eines Tages werde ich so stark sein, daß ich dich verprügeln kann«, sagte ich ihr.

»Und wenn schon«, sagte sie. »Bis dahin wirst du das gar nicht mehr wollen.«

Ein fetter Footballspieler namens Poindexter kam in den Wald, um seinen Darm zu leeren. Wir sahen ihn kommen und versteckten uns in dem Farnkraut, das uns schon seit Jahren vertraut war. Seit Jahren kamen die Footballspieler zum Kacken in diesen Wald gleich hinter dem Trainingsplatz – vor allem die dicken, wie es schien. Der Weg zur Turnhalle zurück war lang, und Coach Bob blies ihnen den Marsch, wenn sie nicht vor dem Training ihren Darm geleert hatten. Irgendwie, so stellten wir uns das vor, schafften es die Dicken *nie*, den Darm restlos zu leeren.

»Poindexter«, flüsterte ich.

»Natürlich«, sagte Franny.

Poindexter war sehr unbeholfen; es machte ihm immer Schwierigkeiten, die Schenkelpolster runterzubekommen. Einmal mußte er die Stollenschuhe und – bis auf die Socken – die ganze untere Hälfte seiner Ausrüstung ausziehen. Diesmal kämpfte er nur mit den Polstern und den Hosenbeinen, die seine Knie gefährlich eng zusammenrückten. Er hielt das Gleichgewicht, indem er sich in der Hocke leicht nach vorn neigte und sich mit den Händen auf dem Helm abstützte, der vor ihm auf dem Boden lag. Auch diesmal pfuschte er und kackte auf den Innenrist seiner Footballschuhe, so daß er sich erst den Arsch und dann auch noch die Schuhe putzen mußte. Einen Moment lang fürchteten Franny und ich, er würde das mit dem Farnkraut machen, aber Poindexter hatte es immer eilig, und er behalf sich – so gut es ging – mit der Handvoll Ahornblätter, die er am Wegrand gesammelt und mit in den Wald gebracht hatte. Wir hörten Coach Bobs Pfeife, und auch Poindexter hörte sie.

Als er zum Trainingsplatz zurücklief, fingen Franny und ich an, Beifall zu klatschen. Als Poindexter stehenblieb, um hinzuhorchen, hörten wir auf. Der arme fette Junge stand im Wald und fragte sich, welchen Applaus er sich *diesmal* eingebildet hatte, und hastete dann zu dem Spiel zurück, in dem er so miserabel war und bei dem er gewöhnlich so erniedrigt wurde.

Dann schlichen Franny und ich hinunter zu dem Weg, auf dem die Footballspieler immer zur Turnhalle zurückgingen. Es war ein schmaler Weg, und die Abdrücke der Stollenschuhe wirkten wie Pockennarben. Nicht zu wissen, wo De Meo war, beunruhigte uns ein wenig, aber ich ging bis zum Rand des Trainingsplatzes und stand Schmiere für Franny, während sie die Hosen runterließ und sich auf den Weg hockte; anschließend stand sie für mich Schmiere. Wir streuten beide etwas Laub auf unsere ziemlich enttäuschende Produktion. Dann zogen wir uns ins vertraute Farnkraut zurück, um das Ende des Football-Trainings abzuwarten, doch dort wartete bereits Lilly auf uns.

»Geh nach Hause«, sagte Franny zu ihr. Lilly war sieben. Meistens war sie Franny und mir zu jung, aber zuhause waren wir nett zu ihr, denn sie hatte keine Freunde, und sie schien begeistert von Frank, dem es Spaß machte, sie wie ein Baby zu behandeln.

»Ich muß aber nicht nach Hause«, sagte Lilly.

»Es wäre besser für dich«, sagte Franny.

»Warum hast du so ein rotes Gesicht?« wollte Lilly von mir wissen.

»De Meo hat ihm Gift draufgeschmiert«, sagte Franny, »und jetzt sucht er nach neuen Opfern.«

»Wenn ich nach Hause geh, sieht er mich«, sagte Lilly ernst.

»Nicht, wenn du jetzt gleich gehst«, sagte ich.

»Wir passen auf für dich«, sagte Franny. Sie stand auf und spähte aus dem Farn. »Die Luft ist rein«, flüsterte sie. Lilly rannte nach Hause.

»Bin ich wirklich rot im Gesicht?« fragte ich Franny.

Franny zog mein Gesicht zu sich und leckte mir einmal über die Wange, einmal über die Stirn, einmal über die Nase, einmal über die Lippen. »*Schmecken* kann ich nichts mehr«, sagte sie. »Ich hab dir alles abgeputzt.«

Wir lagen zusammen im Farnkraut; es war nicht langweilig, aber es dauerte eine Weile, bis das Training zu Ende war und die ersten Footballspieler den Weg herunterkamen. Der dritte trat hinein – ein Rückraumspieler aus Boston, der noch ein zusätzliches Jahr in Dairy blieb, vor allem, um etwas älter zu werden, bevor er im College Football zu spielen begann. Er rutschte ein kurzes Stück, konnte sich aber wieder auffangen; dann besah er sich die Schweinerei zwischen den Stollen seiner Schuhe.

»Poindexter!« brüllte er. Poindexter, ein langsamer Mann, war ziemlich weit hinten in der Kette der Spieler, die der Dusche zustrebten. »Poindexter!« brüllte der Rückraumspieler aus Boston. »Ein elender *Scheißhaufen* bist du, Poindexter!«

»Was hab ich denn getan?« fragte Poindexter, außer Atem, fett wie immer – »fett in seinen Genen«, sagte Franny später, als sie wußte, was Gene waren.

»Mußte es ausgerechnet auf dem Weg sein, du Arschloch?« fragte ihn der Rückraumspieler.

»Ich war's nicht!« protestierte Poindexter.

»Dir haben sie wohl ins Gehirn geschissen. Putz mir die Schuhe«, sagte der Rückraumspieler. An einer Schule wie dieser standen in der vorderen Abwehrkette zwar auch die Großen, aber es waren die Schwächeren, Dickeren, Jüngeren, und sie wurden oft für die wenigen wirklich *guten* Spieler geopfert – Coach Bob ließ seine guten Leute mit dem Ball laufen.

Ein paar der rauheren unter Iowa-Bobs Ballträgern aus dem Rückraum umringten nun Poindexter auf dem Weg.

»Es gibt noch keine Mädchen hier, Poindexter«, sagte der Rückraumspieler aus Boston, »deshalb wirst du mir jetzt die Scheiße von den Schuhen kratzen.«

Poindexter fügte sich; wenigstens machte er diese Arbeit nicht zum erstenmal.

Franny und ich gingen nach Hause, vorbei an den Pro-forma-Kühen in den zerfallenden Ställen, vorbei an Coach Bobs Hintertür, wo unter dem Vordach die rostigen Schutzbleche der 37er Indian umgekehrt festgeschraubt waren – als Schuhabstreifer. Die Schutzbleche des Motorrads waren die einzigen irdischen Überreste Earls außerhalb des Hauses.

»Wenn wir alt genug sind für die Dairy School«, sagte ich zu Franny, »hoffe ich, daß wir nicht mehr hier wohnen.«

»*Ich* kratze jedenfalls keinem die Scheiße von den Schuhen«, sagte Franny. »Nichts zu machen.«

Coach Bob, der zum Essen bei uns war, jammerte über seine schreckliche Footballmannschaft. »Es ist mein letztes Jahr, das schwör ich«, sagte der alte Mann, aber das sagte er oft. »Poindexter hat heute doch tatsächlich auf den Weg geschissen – und das während des Trainings.«

»Franny und John haben sich ausgezogen, ich hab's gesehen«, sagte Lilly.

»Hast du nicht«, sagte Franny.

»Auf dem Weg«, sagte Lilly.

»Und was haben sie da gemacht?« fragte Mutter.

»Das was Opa Bob gesagt hat«, verkündete Lilly.

Frank schnaubte angewidert; Vater schickte Franny und mich auf unsere Zimmer. Oben flüsterte Franny: »Siehst du? Nur wir beide, du und ich. Lilly nicht. Frank nicht.«

»Egg nicht«, fügte ich hinzu.

»Egg ist noch gar niemand, du Dummi«, sagte Franny. »Egg ist noch gar kein Mensch.« Egg war erst drei.

»Jetzt sind's schon zwei, die uns hinterher sind«, sagte Franny. »Frank und Lilly.«

»Vergiß De Meo nicht«, sagte ich.

»Den kann ich leicht vergessen«, sagte Franny. »Ich werde massenhaft De Meos haben, wenn ich groß bin.«

Dieser Gedanke beunruhigte mich, und ich schwieg.

»Keine Sorge«, flüsterte Franny, aber ich sagte nichts mehr, und sie schlich über den Gang und in mein Zimmer; sie kam zu mir ins Bett, und wir ließen die Tür offen, um alles hören zu können, was beim Essen gesprochen wurde.

»Sie taugt nicht für meine Kinder, diese Schule«, sagte Vater. »Das steht fest.«

»Na ja«, sagte Mutter, »mit deinem ewigen Gerede hast du *sie* jedenfalls überzeugt. Sie werden Angst haben hinzugehen, wenn es soweit ist.«

»Wenn es soweit ist«, sagte Vater, »schicken wir sie fort, auf eine *gute* Schule.«

»Mir liegt nichts an einer guten Schule«, sagte Frank, und Franny und ich konnten ihm das nachempfinden; wir haßten zwar die Vorstellung, die Dairy School besuchen zu müssen, aber der Gedanke ans »Fortgehen« schreckte uns noch mehr.

»›Fort‹ *wohin?*« fragte Frank.

»Wer geht fort?« fragte Lilly.

»Nun laß mal«, sagte Mutter. »Keiner geht fort, wir könnten uns eine andere Schule gar nicht leisten. Wenn es einen Vorteil bringt, im Lehrkörper der Dairy School zu sein, dann den, daß wenigstens unsere Kinder dort umsonst zur Schule gehen können.«

»Eine Schule, die nichts taugt«, sagte Vater.

»Sie ist besser als der Durchschnitt«, sagte Mutter.

»Hör zu«, sagte Vater, »wir werden Geld machen.«

Das war uns neu; Franny und ich machten keinen Muckser. Frank machte diese Aussicht offenbar nervös. »Darf ich gehen?« fragte er.

»Natürlich, mein Junge«, sagte Mutter. »Und *wie* werden wir Geld machen?« fragte sie Vater.

»Bei Gott, *mir* mußt du das erklären«, sagte Coach Bob. »*Ich* bin derjenige, der in den Ruhestand will.«

»Dann hört mal gut zu«, sagte Vater. Wir hörten gut zu. »Diese Schule taugt vielleicht nichts, aber sie wird wachsen; sie wird *Mädchen* aufnehmen, wie ihr wißt. Und selbst wenn sie *nicht* wächst: eingehen wird sie auf keinen Fall; dazu ist sie schon zu lange hier. Ihre treibende Kraft ist allein der Wunsch zu überleben, und sie wird überleben. Sie wird *nie* eine gute Schule sein; sie wird so viele Phasen durchlaufen, daß wir sie zeitweise nicht wiedererkennen werden, aber sie wird immer weitermachen – darauf könnt ihr euch verlassen.«

»Na und?« sagte Iowa-Bob.

»Es wird hier also weiterhin eine Schule geben«, sagte Vater. »Es wird in diesem Drecknest auch weiterhin eine Privatschule geben«, sagte er, »und das Thompson Female Seminary wird es *nicht* mehr geben, denn nun werden die Mädchen im Ort auf die Dairy School gehen.«

»Das weiß doch jeder«, sagte Mutter.

»Darf ich gehen?« fragte Lilly.

»Ja, ja«, sagte Vater. »Hört mal«, sagte er zu Mutter und Bob, »seht ihr es immer noch nicht?« Franny und ich sahen überhaupt nichts – bloß Frank, der draußen im Gang vorbeischlich. »Was wird wohl aus diesem alten Gebäude, dem Thompson Female Seminary?« fragte Vater. Und das war der Augenblick, in dem Mutter vorschlug, sie sollten es abbrennen. Bob schlug vor, das Bezirksgefängnis darin unterzubringen.

»Groß genug ist es«, sagte er. Das hatte jemand bei der Bürgerversammlung vorgebracht.

»Kein Mensch will hier ein Gefängnis haben«, sagte Vater. »Jedenfalls nicht mitten im Ort.«

»Es sieht jetzt schon wie ein Gefängnis aus«, sagte Mutter.

»Bloß noch ein paar zusätzliche Fenstergitter«, meinte Iowa-Bob.

»Jetzt hört doch mal zu«, sagte Vater ungeduldig. Franny und ich erstarrten gleichzeitig; Frank lauerte vor meiner Tür – Lilly hörte man ganz in der Nähe pfeifen. »Wißt ihr, was diese Stadt braucht?« sagte Vater. »Diese Stadt braucht ein *Hotel.*«

Vom Tisch im Eßzimmer kam kein Laut. Ein »Hotel«, das war für Franny und mich, wie wir da in meinem Bett lagen, das, was den alten Earl umgebracht hatte. Ein Hotel war ein ödes, zugrunde gerichtetes Gelände, das nach Fisch stank und von einem Gewehr bewacht wurde.

»Warum ein Hotel?« sagte Mutter schließlich. »Du nennst doch Dairy dauernd ein Drecknest – wer kommt schon freiwillig hierher?«

»Vielleicht nicht *freiwillig*«, sagte Vater, »aber weil sie *müssen*. Ich rede von den Eltern dieser Dairy-Schüler«, sagte er. »Die besuchen doch ihre Kinder, oder vielleicht nicht? Und weißt du, was? Es werden immer reichere Eltern sein, denn das Schulgeld wird immer weiter in die Höhe gehen, und es wird keine Stipendiaten mehr geben – es werden *nur* noch reiche Kinder herkommen. Und wer heute sein Kind hier besucht, kann nirgends in der Stadt übernachten. Er muß an die Küste fahren, wo all die Motels sind, oder er muß noch weiter weg, Richtung Berge – doch hier, *hier am Ort*, gibt es nichts, absolut nichts.«

Das war sein Plan. Irgendwie, obwohl sich die Dairy School kaum genügend Hausmeister leisten konnte, glaubte Vater, sie würde genügend Gäste anziehen für ein Hotel in der Stadt Dairy – daß die Stadt nichts Ganzes und nichts Halbes war und daß noch niemand im Traum daran gedacht hatte, die Möglichkeit zum Verweilen in dieser Stadt zu schaffen, störte meinen Vater nicht. In New Hampshire fuhren die Sommergäste an die Küste – die war eine halbe Stunde entfernt. Eine Stunde war es bis zu den Bergen, wo die Skiläufer hinfuhren und wo es Seen für den Sommer gab. Doch Dairy, das hieß Flachland: Binnenland, aber nicht Hochland. Es lag nahe genug an der Küste, um die feuchte Meeresluft abzubekommen, aber nicht nahe genug, um auch nur im geringsten von der Frische des Meeres zu profitieren. Die erfrischenden Brisen vom Meer her und von den Bergen herunter konnten gegen den dumpfen Dunstschleier, der über dem Tal des Squamscott hing, nichts ausrichten, und Dairy lag nun mal an diesem Fluß – wo im Winter eine durchdringende feuchte Kälte herrschte, und den ganzen Sommer über eine dampfende Schwüle. Keines der Bilderbuchdörfer Neuenglands, sondern eine Fabriksiedlung an einem verschmutzten Fluß – und dazuhin war die Fabrik nun so verlassen und so häßlich wie das Thompson Female Seminary. Es war ein Ort, dessen Hoffnungen einzig und allein an der Dairy School hingen, ein Ort, wo niemand freiwillig hinwollte.

»Wenn es hier aber ein Hotel gäbe«, sagte Vater, »würden die Leute da übernachten.«

»Aber das Thompson Female Seminary würde ein gräßliches Hotel«, sagte Mutter. »Es würde *immer* das bleiben, was es ist: ein altes Schulhaus.«

»Ist dir klar, wie billig man es kaufen könnte?« sagte Vater.

»Ist *dir* klar, wieviel man hineinstecken müßte, um es herzurichten?« fragte Mutter.

»Was für eine deprimierende Idee!« stöhnte Coach Bob.

Franny begann, meine Arme festzuhalten und sie nach unten zu drücken; mit der Methode griff sie meistens an – irgendwie fesselte sie meine Arme, und dann kitzelte sie mich, indem sie mir ihr Kinn in die Rippen oder in die Achselhöhle bohrte, oder sie biß mich in den Hals (nur gerade so stark, daß ich still liegenblieb). Unsere Beine kämpften unter der Decke und strampelten sich frei – wer den anderen in die Beinschere nehmen konnte, hatte erst mal einen Vorteil –, als Lilly auf ihre seltsame Art ins Zimmer kam, unter einem Leintuch, auf allen vieren.

»Du kleines Ekel«, sagte Franny zu ihr.

»Es tut mir leid, daß ihr Ärger gehabt habt«, sagte Lilly unter dem Leintuch. Lilly entschuldigte sich immer so, wenn sie uns angeschwärzt hatte: sie verhüllte sich völlig mit einem Tuch und kroch auf allen vieren in unsere Zimmer. »Ich hab euch was mitgebracht«, sagte Lilly.

»Was zum Essen?« fragte Franny. Ich zog Lilly das Leintuch weg, und Franny nahm ihr eine Papiertüte ab, die Lilly zwischen die Zähne geklemmt hatte, um sie zu uns zu bringen. In der Tüte waren zwei Bananen und zwei warme Brötchen vom Abendessen. »Nichts zu trinken?« fragte Franny. Lilly schüttelte den Kopf.

»Komm schon, steig ein«, sagte ich zu ihr, und Lilly kroch ins Bett zu Franny und mir.

»Wir ziehen in ein Hotel«, sagte Lilly.

»Nicht ganz«, sagte Franny.

Doch unten im Eßzimmer schienen sie inzwischen von etwas anderem zu reden. Coach Bob war meinem Vater wieder einmal böse – offenbar wegen derselben alten Geschichte: weil er nie zufrieden war, wie Bob es ausdrückte, weil er in der Zukunft lebte. Weil er dauernd *Pläne* machte für das *nächste* Jahr, anstatt einfach zu *leben*, von Augenblick zu Augenblick.

»Er kann doch nicht anders«, sagte meine Mutter; sie nahm meinen Vater immer in Schutz gegen Coach Bob.

»Du hast eine wunderbare Frau und eine wunderbare Familie«, hielt Iowa-Bob meinem Vater vor. »Du hast dieses große alte Haus – geerbt! Es hat dich nicht mal Geld gekostet! Du hast einen Job. Sicher, die Bezahlung ist nicht besonders, aber was soll's – wozu brauchst du Geld? Du bist ein Glückspilz.«

»Ich möchte kein Lehrer sein«, sagte Vater ruhig, und das hieß, daß er wieder wütend war. »Ich möchte kein Coach sein. Ich möchte nicht, daß meine Kinder auf eine so erbärmliche Schule gehen. Das ist ein Kuhnest, mit einer sich mühsam über die Runden quälenden Schule voller reicher Problemkinder; wenn ihre Eltern sie hierherschicken, dann ist das ein verzweifelter Versuch, ihre ohnehin schon fortgeschrittene Blasiertheit zu bremsen – *Amok laufende* Blasiertheit auf seiten der Schüler, Amok laufende *Kuhstallmentalität* auf seiten der Schule und der Stadt. Die schlimmsten Auswüchse beider Welten.«

»Wenn du nur *jetzt* mehr Zeit für die Kinder aufbrächtest«, sagte Mutter ruhig, »anstatt dir dauernd Gedanken zu machen, was in ein paar *Jahren* mit ihnen allen sein wird.«

»Schon wieder die *Zukunft!*« sagte Iowa-Bob. »Er *lebt* in der Zukunft! Erst kam das ewige Herumreisen – alles nur, damit er Harvard besuchen konnte. Das klappte dann auch, aber alles mußte möglichst schnell gehen – er wollte es *hinter* sich bringen. Wofür? Für diesen Job, über den er sich seither nur noch beschwert hat. Warum *genießt* er denn sein Leben nicht?«

»Bei *dem* Job?« sagte Vater. »Genießt *du* vielleicht deinen Job?«

Wir konnten uns gut vorstellen, wie unser Großvater, Coach Bob, vor Wut kochte; die meisten Auseinandersetzungen mit meinem Vater, der gewandter war als er, endeten damit, daß Iowa-Bob vor Wut kochte; wenn Bob das Gefühl hatte, übertrumpft worden zu sein, obwohl er im Recht war, dann kochte er. Franny und Lilly und ich konnten uns vorstellen, wie sein knorriger, kahler Kopf glühte. Es stimmte zwar, daß er der Dairy School nicht mehr Achtung entgegenbrachte als mein Vater, aber Iowa-Bob hatte sich, wie er glaubte, wenigstens eingesetzt für eine Sache, und er hätte es einfach gern gesehen, daß sich mein Vater für das, was er tat, *interessierte*, anstatt sich – wie Bob meinte – nur für die *Zukunft* zu interessieren. Schließlich hatte Bob einmal einen Rückraumspieler gebissen; meinen Vater hatte er noch nie so engagiert erlebt.

Wahrscheinlich war er bekümmert darüber, daß mein Vater für keine Sportart Feuer fing, obwohl Vater ein sportlicher Typ war und Spaß an sportlicher Betätigung hatte. Und Iowa-Bob liebte meine Mutter sehr; er hatte die ganzen Jahre über Kontakt mit ihr, als mein Vater weg im Krieg war, weg auf der Harvard University und weg auf Tournee mit Earl. Coach Bob dachte wahrscheinlich, mein Vater kümmere sich nicht genügend um seine Familie; ich weiß, daß Bob in den letzten Jahren der Meinung war, Vater habe sich nicht genügend um Earl gekümmert.

»Entschuldigung«, hörten wir Frank sagen; Franny packte mich um die Hüfte, ihre Hände trafen sich in meinem Kreuz; ich versuchte ihr Kinn von meiner Schulter wegzudrücken, aber Lilly saß auf meinem Kopf.

»Was ist denn, mein Junge?« sagte Mutter.

»Was gibt's, Frank?« sagte Vater, und an dem plötzlichen Knarren eines Stuhles erkannten wir, daß sich Vater Frank geschnappt hatte. Damit Frank ein bißchen lockerer wurde, wollte er dauernd mit ihm ringen, oder er versuchte, mit ihm herumzualbern, aber Frank ging nicht darauf ein. Franny und mir machte es unheimlich Spaß, wenn Vater mit uns herumtobte, aber Frank schätzte das überhaupt nicht.

»Entschuldigung«, wiederholte Frank.

»Schon gut, schon gut«, sagte Vater.

»Franny ist nicht auf ihrem Zimmer, sie ist bei John im Bett«, sagte Frank. »Und Lilly ist auch bei ihnen. Sie hat ihnen etwas zu essen gebracht.«

Ich spürte, wie Franny von mir wegglitt; im Nu war sie aus meinem Bett und aus meinem Zimmer, ihr Flanellnachthemd blähte sich wie ein Segel im Luftzug, der von der Treppe herkam; Lilly schnappte ihr Leintuch und kroch in meinen Schrank. Das alte Batessche Haus war riesig; es gab so viele Verstecke, aber meine Mutter kannte sie alle. Ich erwartete, daß Franny in ihr Zimmer zurücksausen würde, aber ich hörte sie stattdessen *die Treppe hinunter* gehen, und dann hörte ich sie brüllen.

»Du mieser Fiesling!« brüllte sie Frank an. »Du Scheißhaufen! Du Furz im Sturzflug!«

»Franny!« sagte Mutter.

Ich lief zum obersten Treppenabsatz und drückte mich ans Geländer; die Treppen waren mit einem Teppich belegt, dem gleichen dicken und weichen Teppich, der überall im Haus lag. Ich sah, wie im Eßzimmer Franny Frank sofort in die Kopfzange nahm. Sie hatte ihn schnell am Boden – Frank war langsam und wußte mit seinem Körper nicht viel anzufangen; seine Koordination war schlecht, dafür war er kräftiger gebaut als Franny, und viel kräftiger als ich. Ich raufte selten mit ihm, auch nicht zum Spaß; Raufen zum Spaß gab's kaum bei Frank, und auch wenn es zum Spaß war, konnte er einem weh tun. Er war zu klobig, und trotz seiner Abneigung gegen alles Körperliche hatte er viel Kraft. Er hatte auch eine Art, mit seinem Ellbogen das Ohr des anderen zu finden, oder mit seinem Knie dessen Nase. Er gehörte zu den Kämpfern, deren Finger und Daumen immer ein Auge fanden oder deren Kopf ruckzuck dem Gegner die Lippen an den eigenen Zähnen blutig schlug. Es gibt Leute, die sich in ihrem eigenen Körper so unwohl fühlen, daß sie jedem *anderen* Körper in die Quere zu kommen scheinen. Frank war so einer, und ich ließ ihn in Ruhe, und das nicht nur, weil er zwei Jahre älter war.

Franny konnte nicht anders, sie mußte sich gelegentlich mit ihm anlegen, aber dabei taten sie einander fast immer weh. Ich sah Franny nun in einer mörderischen Umklammerung mit Frank unter dem Eßtisch.

»Geh dazwischen, Win!« sagte meine Mutter, aber Vater stieß mit dem Kopf gegen den Tisch, als er versuchte, die beiden darunter hervorzuzerren, um sie zu trennen. Coach Bob kroch von der anderen Seite unter den Tisch.

»Scheiße!« sagte Vater.

Ich spürte etwas Warmes an meiner Hüfte beim Treppengeländer; es war Lilly, die unter ihrem Leintuch hervorlugte.

»Du Rattenarsch, Frank!« brüllte Franny.

Dann erwischte Frank Frannys Haare und zog so heftig daran, daß ihr Kopf gegen das Tischbein krachte; auch wenn ich selber keine Brüste hatte, tat es mir doch körperlich weh, wie Frank seine Knöchel in Frannys Brust bohrte. Sie mußte ihre Kopfzange lockern, und er schlug ihren Kopf noch zweimal gegen das Tischbein und wickelte ihre Haare immer fester um seine Faust, ehe Coach Bob drei ihrer vier Beine mit seinen gewaltigen Händen zu fassen bekam und sie unter dem Tisch hervorzerrte. Franny schlug mit ihrem freien Bein um sich und landete einen guten Treffer an Bobs Nase, doch der Footballveteran aus Iowa ließ sich nicht abschütteln. Franny heulte jetzt, aber sie stemmte sich mit aller Kraft gegen die an ihren Haaren zerrende Hand und schaffte es, Frank in die Wange zu beißen. Frank packte eine ihrer Brüste und drückte sie offenbar heftig zusammen, denn Frannys Mund gab Franks Wange frei, und ein hoffnungsloses Wimmern brach aus ihr heraus. Es war ein so schrecklicher, gebrochener Laut, daß Lilly mit ihrem Leintuch zurück in mein Zimmer rannte. Vater schlug Franks Hand von Frannys Brust, und Coach Bob nahm Franny in den Schwitzkasten, damit sie Frank nicht mehr beißen konnte. Aber Franny hatte eine Hand frei und ging auf Franks Schamteile los; ganz gleich, ob man einen Blechschutz, ein Suspensorium oder überhaupt nichts anhatte – wenn's um die Wurst ging, erwischte einen Franny immer an den Schamteilen. Plötzlich war Frank ein Haufen wild zuckender Arme und Beine, und er fing an so qualvoll zu stöhnen, daß es mich kalt überlief. Vater gab Franny eine Ohrfeige, aber sie ließ nicht los; er mußte ihr die Finger einzeln aufbiegen. Coach Bob zog Frank von ihr weg, aber Franny trat mit ihrem langen Bein noch einmal nach ihm, und Vater war gezwungen, sie hart auf den Mund zu schlagen. Dann war Schluß.

Vater saß auf dem Teppich im Eßzimmer, drückte den Kopf der weinenden Franny an seine Brust und wiegte sie in seinen Armen. »Franny, Franny«, redete er leise auf sie ein. »Warum muß dir jeder erst weh tun, ehe du aufgibst?«

»Sachte, Junge, schön sachte atmen«, sagte Coach Bob zu Frank, der auf der Seite lag, die Knie an die Brust gepreßt, das Gesicht so grau wie das Grau der Dairy School; der alte Iowa-Bob wußte, wie man jemandem Trost zusprach, den ein Schlag in die Eier gefällt hatte. »Fühlst dich ziemlich elend, stimmt's?« erkundigte sich Coach Bob behutsam. »Schön sachte atmen, möglichst nicht bewegen. Es vergeht von selber.«

Mutter räumte den Tisch ab, stellte die umgestürzten Stühle wieder hin; ihre entschiedene Mißbilligung der Gewalttätig-keiten in ihrer Familie spiegelte sich in ihrem Gesicht als er-zwungenes Schweigen, bitter und verletzt und voller Angst.

»Versuch jetzt mal tiefer zu atmen«, riet Coach Bob; Frank versuchte es und hustete. »Okay«, sagte Iowa-Bob. »Bleib noch ein bißchen beim vorsichtigen Atmen.« Frank stöhnte.

Vater untersuchte Frannys Unterlippe, während ihr die Tränen übers Gesicht strömten und ihr Schluchzen sich so erstickt anhörte, als werde es schon im Hals abgewürgt. »Ich fürchte, da werden ein paar Stiche nötig sein, mein Schatz«, sagte er, aber Franny schüttelte zornig den Kopf. Vater nahm ihren Kopf fest zwischen seine Hände und drückte ihr einen Kuß zwischen die Augen, und dann noch einen. »Es tut mir so leid, Franny«, sagte er, »aber was soll ich nur mit dir *machen*, was soll ich *machen*?«

»Ich brauche keine Stiche«, klagte Franny. »Keine Stiche. Nichts zu machen.«

Doch ein kleiner Fetzen ihrer Unterlippe hing herab, und Vater mußte seine offene Hand unter Frannys Kinn halten, um ihr Blut aufzufangen. Mutter brachte einen Waschlappen voll Eis.

Ich ging zurück auf mein Zimmer und lockte Lilly aus meinem Schrank heraus; sie wollte bei mir bleiben, und ich ließ sie. Sie schlief gleich ein, aber ich lag wach im Bett und überlegte mir, daß nur jemand »Hotel« zu sagen brauchte, und schon gab es Blut und plötzlichen Kummer. Vater und Mutter fuhren Franny zur Krankenstation der Dairy School, wo jemand ihre Lippe zusammenflicken würde; niemand würde Vater einen Vorwurf machen – schon gar nicht Franny. Sie würde natürlich Frank die Schuld geben, und dazu neigte – damals – auch ich. Vater würde sich keine Vorwürfe machen – oder zumindest nur für kurze Zeit –, nur Mutter würde sich – aus unerfindlichen Gründen – noch einige Zeit länger Vorwürfe machen.

Wenn wir uns stritten, schrie uns Vater gewöhnlich an: »Wißt ihr eigentlich, wie das eurer Mutter und mir zu schaffen macht? Stellt euch bloß mal vor, *wir* würden uns die ganze Zeit streiten, und ihr müßtet damit leben. Aber streiten *wir* uns vielleicht, eure Mutter und ich? Mal ehrlich? Und würde es euch vielleicht *gefallen,* wenn wir das täten?«

Natürlich nicht; und sie stritten sich auch nicht – jedenfalls nicht oft. Es gab immer nur den *einen* Streitpunkt, das Warum-in-der-Zukunft-leben-anstatt-das-Heute-zu-genießen, und Coach Bob war da sehr viel energischer als Mutter, obwohl wir wußten, daß das auch ihre Meinung von Vater war (aber auch: daß Vater nun mal nicht anders könne).

Uns Kindern kam das nicht so wichtig vor. Ich rollte Lilly auf die Seite, denn ich wollte mich flach auf den Rücken legen, mit beiden Ohren über dem Kopfkissen, um Iowa-Bob hören zu können, der Frank die Treppe heraufgeleitete. »Sachte, Junge, stütz dich ruhig auf mich«, sagte Bob gerade. »Es kommt nur aufs richtige Atmen an.« Frank plärrte etwas, und Coach Bob sagte: »Aber wenn du einem Mädchen an die Titten gehst, Junge, darfst du dich nicht wundern, wenn du eins auf die Nüsse kriegst, das ist doch klar, oder?«

Doch Frank plärrte weiter: daß Franny schrecklich zu ihm sei, daß sie ihn nie in Ruhe lasse, daß sie dauernd die anderen gegen ihn aufhetze, daß er ihr aus dem Weg gehen wolle und daß sie trotzdem immer da sei. »Immer wenn ich in Schwierigkeiten gerate, steckt sie dahinter!« heulte er. »Du *weißt* das alles nicht!« ächzte er. »Du weißt nicht, wie sie mich ärgert.«

Aber *ich* wußte es, und Frank hatte recht; er war außerdem ziemlich unverträglich, und das war das eigentliche Problem. Franny *war* wirklich scheußlich zu ihm, aber Franny selbst war nicht scheußlich; und Frank war eigentlich zu keinem von uns scheußlich, nur daß er eben selbst irgendwie scheußlich war. Es war alles so verwirrend für mich, als ich dalag. Lilly fing an zu schnarchen. Vom anderen Ende des Gangs hörte ich Egg schniefen und fragte mich, was Coach Bob wohl tun würde, wenn Egg aufwachte und nach Mutter schrie. Bob war mit Frank im Bad und hatte alle Hände voll zu tun.

»Nun komm schon«, sagte Bob. »Du schaffst das schon.« Frank schluchzte immer noch. »Na also!« rief Iowa-Bob, als habe die gegnerische Mannschaft den Ball vertändelt. »Siehst du? Kein Blut, mein Junge – nur Pisse. Dir ist nichts passiert.«

»Du weißt nicht, wie es ist«, sagte Frank immer wieder. »Du weißt es nicht.«

Ich ging nachsehen, was Egg wollte; mit seinen drei Jahren wollte er bestimmt etwas Unerreichbares, dachte ich mir, doch zu meiner Überraschung war er guter Dinge, als ich in sein Zimmer kam. Er war offensichtlich erstaunt, mich zu sehen, und nachdem ich ihm all seine Stofftiere ins Bett zurückgebracht hatte – er hatte sie im ganzen Zimmer rumgeschmissen –, begann er mich einem nach dem anderen vorzustellen: dem abgewetzten Eichhörnchen, das er schon so oft vollgespieen hatte, dem fadenscheinigen Elefanten mit dem einen Ohr, dem orangefarbenen Nilpferd. Sowie ich aber rauszugehen versuchte, wurde er unruhig, und so nahm ich ihn mit auf mein Zimmer und legte ihn in mein Bett, neben Lilly. Dann trug ich Lilly zurück in ihr eigenes Bett, obwohl das bei ihrem Gewicht ziemlich weit war, und sie wachte auf und protestierte, noch ehe ich sie in ihrem Bett verstaut hatte.

»Mich läßt du nie in deinem Zimmer schlafen«, sagte sie – und schlief augenblicklich wieder ein.

Ich ging in mein Zimmer zurück und stieg ins Bett zu Egg, der hellwach war und Unsinn plapperte. Er war jedenfalls glücklich. Unten hörte ich Coach Bob reden – mit Frank, glaubte ich zunächst, doch dann wurde mir klar, daß Bob auf Kummer, unseren alten Hund, einredete. Frank war wohl schlafen oder zumindest schmollen gegangen.

»Du stinkst noch schlimmer als Earl«, hielt Iowa-Bob dem Hund vor. Und wahrhaftig, Kummer verbreitete einen fürchterlichen Gestank; nicht nur seine Fürze, sondern auch sein übler Mundgeruch konnten einen umbringen, wenn man nicht aufpaßte, und der Gestank des alten schwarzen Labradorhunds schien auch mir noch abscheulicher als die üblen Gerüche, die mir von Earl noch schwach in Erinnerung waren. »Was machen wir bloß mit dir?« sagte Bob murmelnd zu dem Hund, der so gern unter dem Tisch im Eßzimmer lag und ganze Mahlzeiten lang vor sich hin furzte.

Iowa-Bob machte unten einige Fenster auf. »Komm, mein Junge«, rief er Kummer. »Gott im Himmel«, sagte Bob mit angehaltenem Atem. Ich hörte, wie die Haustür aufging; Coach Bob hatte Kummer vermutlich vor die Tür gesetzt.

Ich lag wach im Bett, und Egg krabbelte munter auf mir herum, während ich darauf wartete, daß Franny zurückkam. Wenn ich wach blieb, kam sie bestimmt noch zu mir herein und zeigte mir ihre Stiche. Als Egg endlich eingeschlafen war, trug ich ihn in sein Zimmer und zu seinen Tieren zurück.

Kummer war immer noch draußen, als Vater und Mutter mit Franny im Auto zurückkamen; wenn er mich nicht mit seinem Bellen aufgeweckt hätte, hätte ich sie verpaßt. »Na, das sieht doch ganz gut aus«, hörte ich Coach Bob sagen, der offensichtlich die geflickte Lippe begutachtete. »Das gibt nicht mal eine Narbe, wart nur ab.«

»Fünf Stück«, sagte Franny schwerfällig, als hätten sie ihr eine zweite Zunge eingenäht.

»Fünf!« rief Iowa-Bob. »Phantastisch!«

»Der Hund hat ja wieder im Haus rumgefurzt«, sagte Vater; er hörte sich müde und verdrossen an, als hätten sie, solange sie weg waren, geredet, geredet und immer nur *geredet*.

»Er ist doch so süß«, sagte Franny, und ich hörte Kummers harten Schwanz gegen einen Stuhl oder die Anrichte klopfen – *zack, zack, zack*. Nur Franny konnte stundenlang neben Kummer liegen, ohne an dem vielfältigen Gestank des Hundes Anstoß zu nehmen. Allerdings schien Franny überhaupt gegen Gerüche nicht so empfindlich zu sein wie wir anderen. Sie hatte Egg immer anstandslos trockengelegt – und davor auch schon Lilly, als wir alle noch viel jünger waren. Und wenn Kummer – in *seiner* Senilität – über Nacht ein Malheur passierte, fand Franny den Hundedreck nie unangenehm; kräftigen Dingen begegnete sie mit einer fröhlichen Neugier. Von uns allen hielt sie es am längsten ohne ein Bad aus.

Ich hörte, wie all die Erwachsenen Franny ihren Gutenachtkuß gaben, und ich dachte: Familien müssen wohl so sein – eben noch Kämpfe bis aufs Blut, und im Handumdrehen die große Versöhnung. Genau wie ich es vorausgesehen hatte, kam Franny in mein Zimmer, um mir ihre Lippe zu zeigen. Die Fäden waren von einem kräftigen, glänzenden Schwarz, wie Schamhaare; Franny *hatte* Schamhaare, ich nicht. Frank hatte auch welche, aber er haßte sie.

»Weißt du, wie deine Fäden aussehen?« fragte ich sie.

»Klar weiß ich das«, sagte sie.

»Hat er dir weh getan?« fragte ich sie, und sie beugte sich über mein Bett und ließ mich ihre Brust anfassen.

»Es war die andere, du Dummi«, sagte sie und richtete sich wieder auf.

»Du hast Frank voll erwischt«, sagte ich.

»Ja, ich weiß«, sagte sie. »Gute Nacht.« Dann steckte sie nochmal den Kopf durch die Tür. »Wir ziehen *wirklich* in ein Hotel«, fügte sie hinzu. Dann hörte ich sie in Franks Zimmer gehen.

»Willst du meine Fäden sehen?« flüsterte sie.

»Klar«, sagte Frank.

»Weißt du, wie die aussehen?« fragte ihn Franny.

»Sie sehen ekelhaft aus«, sagte Frank.

»Ja schon, aber weißt du, was so ähnlich aussieht?«

»Ja, ich weiß«, sagte er, »und sie sind ekelhaft.«

»Tut mir leid wegen deinen Eiern, Frank.«

»Schon gut«, sagte er. »Es geht schon wieder. Und mir tut's leid wegen deiner ...«, aber er brachte den Satz nicht zu Ende, denn er hatte noch nie in seinem Leben »Brust«, geschweige denn »Titte« gesagt. Franny wartete; ich auch. »Tut mir leid wegen der ganzen Sache«, sagte Frank schließlich.

»Okay, klar«, sagte Franny. »Mir auch.«

Dann hörte ich, wie sie's bei Lilly versuchte, aber Lilly ließ sich in ihrem tiefen Schlaf nicht stören. »Willst du meine Fäden sehen?« flüsterte Franny. Dann, nach einer Weile: »Träum schön, Kleines.«

Es wäre natürlich sinnlos gewesen, Egg die Fäden zu zeigen. Er hätte geglaubt, an Frannys Lippen sei etwas vom Essen hängengeblieben.

»Soll ich dich nach Hause fahren?« fragte mein Vater seinen Vater, aber der alte Iowa-Bob sagte, ihm würde die Bewegung ganz guttun.

»Für dich leben wir ja vielleicht in einem Drecknest«, sagte Bob, »aber wenigstens sind hier nachts die Straßen sicher.«

Ich horchte weiter; ich wußte, daß meine Eltern allein waren.

»Ich liebe dich«, sagte mein Vater.

Und meine Mutter sagte: »Das weiß ich. Und ich liebe dich auch.« Da wußte ich, daß auch sie müde war.

»Laß uns einen kleinen Spaziergang machen«, sagte Vater.

»Ich möchte die Kinder nicht allein lassen«, antwortete Mutter, aber ich wußte, das war kein Argument; Franny und ich konnten sehr gut auf Lilly und Egg aufpassen, und Frank paßte auf sich selber auf.

»Es dauert keine Viertelstunde«, sagte Vater. »Wir gehen einfach mal rauf und sehen es uns an.«

»Es« war natürlich das Thompson Female Seminary – dieses Monster von einem Schulhaus, das Vater in ein Hotel verwandeln wollte.

»Ich bin dort zur Schule gegangen«, sagte Mutter. »Ich kenne das Gebäude besser als du; ich will es mir nicht ansehen.«

»Früher bist du gern nachts spazierengegangen mit mir«, sagte Vater, und das Lachen meiner Mutter, das nur ein klein wenig spöttisch war, sagte mir, daß sie ihm wieder ihr Achselzucken zeigte.

Es war jetzt still unten; ich war mir nicht sicher, ob sie sich küßten oder ihre Jacken anzogen – die Herbstnächte waren feucht und kühl –, und dann hörte ich Mutter sagen: »Ich glaube, du hast nicht die geringste Ahnung, wieviel Geld du in dieses Gebäude stecken mußt, damit es auch nur *annähernd* wie ein Hotel aussieht, in dem auch nur *ein* Mensch freiwillig übernachten würde.«

»Es muß ja nicht unbedingt *freiwillig* sein«, sagte Vater. »Vergiß nicht: es wird das einzige Hotel am Ort sein.«

»Aber woher soll das Geld kommen?« fragte Mutter.

»Komm, Kummer«, sagte Vater, und ich wußte, daß sie auf dem Weg zur Tür waren. »Komm schon, Kummer. Jetzt kannst du die ganze Stadt verpesten«, sagte Vater. Mutter lachte wieder.

»Gib mir eine Antwort«, sagte sie, aber jetzt war *sie* es, die kokettierte; Vater hatte sie bereits überzeugt, irgendwo, irgendwann – vielleicht während Franny sich die Lippe zusammenflicken ließ (in stoischer Haltung, da war ich sicher: ohne eine Träne). »Woher soll das Geld kommen?« fragte ihn Mutter.

»*Du* weißt schon«, sagte er und machte die Tür zu. Ich hörte Kummer, der die Nacht – und alles in ihr oder überhaupt nichts Bestimmtes – anbellte.

Und ich wußte: wenn eine weiße Schaluppe am Vorbau und an den Spalieren des alten Batesschen Hauses angelegt hätte, meine Mutter und mein Vater wären nicht überrascht gewesen.

Wäre der Mann in der weißen Smokingjacke, der Eigentümer des einstmals exotischen Arbuthnot-by-the-Sea, erschienen, um sie zu begrüßen, sie hätten nicht mit der Wimper gezuckt. Wäre er dagewesen – eine Zigarette in der Hand, von der Sonne gebräunt, eine tadellose Erscheinung – und hätte zu ihnen gesagt: »Willkommen an Bord!« – sie wären auf der Stelle mit der weißen Schaluppe in See gestochen.

Und als sie die Pine Street hinauf zum Elliot Park gingen und nach der letzten Häuserreihe, wo die Witwen und Witwer wohnten, einbogen, da muß das erbärmliche Thompson Female Seminary für sie in der Nacht geleuchtet haben wie ein Schloß oder eine Villa, wo für die Reichen und Berühmten ein rauschendes Fest gegeben wurde – obwohl dort nirgends ein Licht an sein konnte, und wenn noch irgendwo eine Menschenseele auf war, dann höchstens der alte Polizist in seinem Streifenwagen, der im Abstand von ungefähr einer Stunde hier aufkreuzte, um die Teenager aufzuscheuchen, die zum Knutschen herkamen. Es gab im Elliot Park nur eine einzige Straßenlaterne; Franny und ich gingen nach Einbruch der Dunkelheit nie barfuß durch den Park, aus Angst, in Scherben von Bierflaschen zu treten – oder in gebrauchte Präservative.

Wie muß dagegen das Bild ausgesehen haben, das Vater entwarf! Wie muß er Mutter an den Stümpfen der längst abgestorbenen Ulmen vorbeigeführt haben – die Glasscherben unter ihren Schuhsohlen müssen für sie geknirscht haben wie Kieselsteine an einem teuren Strand – und er muß gesagt haben: »Siehst du's nicht vor dir? Ein Hotel als Familienbetrieb! Wir hätten es die meiste Zeit ganz für uns. Bei den enormen Umsätzen an den großen Schulwochenenden bräuchten wir nicht einmal Reklame zu machen – oder jedenfalls nicht viel. Unter der Woche wären nur das Restaurant und die Bar offen, um die Geschäftsleute anzulocken – alles gute Esser und Cocktailtrinker.«

»Geschäftsleute?« könnte meine Mutter laut gedacht haben. »*Was* denn für Esser und Cocktailtrinker?«

Aber auch als Kummer die Teenager unter einem Gebüsch

hervorspülte, selbst als der Streifenwagen anhielt und Vater und Mutter aufforderte, sich auszuweisen, muß mein Vater überzeugend geklungen haben. »Ach du bist's, Win Berry«, muß der Polizist gesagt haben. Der alte Howard Tuck fuhr die Nachtstreife; er war ein Trottel und stank nach Zigarren, die er in Bierpfützen ausdrückte. Kummer muß ihn angeknurrt haben: hier war eine Duftnote, die mit dem sehr differenzierten Geruch des Hundes in Widerstreit geriet. »Der arme Bob hat eine schwere Saison«, sagte Howard Tuck wahrscheinlich, denn jeder wußte, daß mein Vater Iowa-Bobs Sohn war; Vater hatte als Ersatzmann für den Spielmacher in einer von Coach Bobs *alten* Dairy-Mannschaften gespielt – damals, als diese noch gewannen.

»Schon wieder eine schwere Saison«, muß Vater gewitzelt haben.

»Was *macht* ihr eigentlich hier?« muß der alte Howard Tuck sie gefragt haben.

Und mein Vater sagte zweifellos: »Na schön, Howard, nur weil du's bist: wir kaufen das Ding hier.«

»*Ehrlich?*«

»Und ob«, sagte Vater wohl. »Wir machen ein Hotel daraus.«

»Ein Hotel?«

»Ganz richtig«, sagte Vater wohl. »Und ein Restaurant mit einer Bar, für all die Esser und Cocktailtrinker.«

»Die Esser und Cocktailtrinker«, muß Howard Tuck wiederholt haben.

»Du hast es begriffen, das feinste Hotel in New Hampshire!«

»Heiliger Strohsack«, kann da der Polizist nur noch geantwortet haben.

Jedenfalls war es Howard Tuck auf seiner nächtlichen Streife, der meinen Vater fragte: »Wie willste's denn nennen?«

Vergessen wir nicht: es war Nacht, und die Nacht inspirierte meinen Vater. Er hatte Freud und seinen Bären erstmals bei Nacht gesehen; er war mit State o' Maine bei Nacht angeln

99

gewesen; der Mann in der weißen Smokingjacke war das einzige Mal bei Nacht erschienen; es war nach Einbruch der Dunkelheit, als der Deutsche und seine Blaskapelle das Arbuthnot anliefen, um ein wenig Blut zu vergießen; es muß dunkel gewesen sein, als mein Vater und meine Mutter das erste Mal miteinander schliefen; und Freuds Europa lag nun in totaler Finsternis. Und so stand also mein Vater im Elliot Park im Scheinwerferlicht des Streifenwagens und blickte auf den viergeschossigen Backsteinbau, der tatsächlich wie ein Bezirksgefängnis aussah – überall krochen rostige Feuerleitern hoch, wie Baugerüste an einem Haus, das versuchte, etwas anderes zu werden. Zweifellos griff er nach der Hand meiner Mutter. In der dunklen Nacht, die der Einbildungskraft keine Grenzen setzt, spürte mein Vater, wie ihm der Name seines künftigen Hotels – und unsere Zukunft – eingegeben wurde.

»Wie willste's denn nennen?« fragte der alte Polizist.

»Das Hotel New Hampshire«, sagte mein Vater.

»Heiliger Strohsack«, sagte Howard Tuck.

»Heiliger Strohsack« wäre vielleicht ein besserer Name dafür gewesen, aber nun war alles entschieden; es würde das Hotel New Hampshire sein.

Ich war noch wach, als Mutter und Vater heimkamen – sie waren viel länger als nur eine Viertelstunde weggewesen, und so wußte ich, daß sie auf ihrem Spaziergang zumindest der weißen Schaluppe – wenn nicht Freud *und* dem Mann in der weißen Smokingjacke – begegnet waren.

»Mein Gott, Kummer«, hörte ich Vater sagen. »Hättest du das nicht *draußen* erledigen können?«

Ich stellte mir ihren Nachhauseweg vor und sah das Bild deutlich vor mir: Kummer, der durch die Hecken an den Schindelhäusern der Stadt schnaubte und die nicht mehr so fest schlafenden älteren Menschen aus den Betten holte. Ein bißchen durcheinander, was das Zeitgefühl betraf, blickten sie vielleicht aus dem Fenster und sahen meinen Vater und meine Mutter, Hand in Hand; und ohne die verflossenen Jahre zu bedenken murmelten sie vielleicht, als sie wieder schlafen gingen, vor sich hin: »Es ist Iowa-Bobs Junge mit der kleinen Bates, und sie haben wieder diesen alten *Bären* dabei.«

»Nur eins ist mir noch unklar«, sagte meine Mutter. »Werden wir *dieses* Haus verkaufen und räumen müssen, bevor wir soweit sind, daß wir *dort* einziehen können?«

Weil er natürlich nur so die Mittel aufbringen konnte, um aus einer Schule ein Hotel zu machen. Die Stadt würde ihm das Thompson Female Seminary mit Freuden und zu einem Spottpreis überlassen. Wer hatte schon ein Interesse daran, diesen Schandfleck leer stehen zu lassen, wo Kinder sich weh tun konnten, wenn sie die Fenster einwarfen und auf den Feuerleitern herumkletterten? Aber das angestammte Haus meiner Mutter – der imposante Batessche Familiensitz – mußte für die Kosten der Renovierung drangegeben werde. Vielleicht hatte Freud das gemeint, als er zu Mutter sagte, sie müsse Vater verzeihen.

»Möglicherweise werden wir es *verkaufen* müssen, bevor wir dort einziehen«, sagte Vater, »aber wir werden vielleicht nicht *ausziehen* müssen. Das sind nur *Details*.«

Diese (und andere) Details sollten uns jahrelang beschäftigen, und als die Fäden an Frannys Lippe längst gezogen waren und die Narbe so fein war, daß man glaubte, man könne sie mit dem Finger wegwischen – oder ein guter Kuß könne das besorgen – sagte Franny dazu: »Hätte Vater einen zweiten Bären kaufen können, hätte er es nicht nötig gehabt, sich ein Hotel zu kaufen.« Aber mein Vater hatte zwei Illusionen: einmal glaubte er, Bären könnten ein Leben überstehen, wie es von Menschen geführt wird, und zum andern bildete er sich ein, Menschen könnten ein Leben überstehen, wie es in Hotels geführt wird.

3

Iowa-Bobs erfolgreiche Saison

1954 kam Frank in die erste Klasse der Dairy School – für ihn offenbar ein nichtssagender Übergang, nur daß er jetzt noch mehr Zeit allein auf seinem Zimmer verbrachte. Es gab einen vagen homosexuellen Zwischenfall, aber eine ganze Reihe von Jungen, alle aus demselben Wohnheim – und alle älter als Frank – waren darin verwickelt, und man nahm an, daß Frank das Opfer eines der üblichen Pennälerscherze geworden war. Schließlich wohnte er zuhause; da überraschte es nicht, daß er auf das, was sich in einem Wohnheim abspielte, ziemlich naiv reagierte.

1955 ging Franny auf die Dairy School; es war das erste Jahr, in dem sie dort Mädchen nahmen, und der Übergang war nicht so reibungslos. Übergänge verliefen nie völlig reibungslos, wenn Franny etwas damit zu tun hatte, aber in diesem Fall gab es viele unvorhergesehene Probleme, von der Diskriminierung in den Klassenzimmern bis zu dem Mangel an Duschen in dem Flügel der Turnhalle, der für die Mädchen abgeteilt worden war. Außerdem gingen dadurch, daß es plötzlich auch Frauen im Lehrkörper gab, mehrere wacklige Ehen in die Brüche, und die Wachträume der *männlichen* Dairy-Schüler wurden sicherlich tausendfach bereichert.

1956 war dann ich an der Reihe. Das war das Jahr, in dem sie einen kompletten Sturm und drei Abwehrspieler für Coach Bob kauften; die Schule wußte, daß er in den Ruhestand ging, und er hatte kurz nach dem Krieg seine letzte erfolgreiche Saison gehabt. Sie dachten, sie würden ihm einen Gefallen tun, wenn sie seine Footballmannschaft mit fertigen Spielern aufstockten, die von den stärksten Bostoner High Schools kamen und noch ein Jahr dranhängen wollten. Endlich einmal hatte Coach Bob nicht nur eine Stürmerreihe, sondern auch ein paar Bullen, die vorne blocken konnten, und obwohl dem alten Mann die Vorstellung von einem »gekauften« Team von »Legionären«, wie wir das damals nannten, mißfiel, wußte er doch die Geste zu schätzen. Der Dairy School ging es jedoch nicht nur darum, Iowa-Bob in seinem letzten Jahr eine erfolgreiche Saison zu bescheren. Sie warfen all ihre Netze aus, um mehr Geld von den Ehemaligen und einen neuen und jüngeren Football-Coach für das nächste Jahr zu bekommen. Bob wußte: noch eine schlechte Saison, und die Dairy School würde Football für immer von ihrem Programm streichen. Coach Bob wäre lieber mit einem von ihm selbst über mehrere Jahre hinweg aufgebauten Team als Sieger abgetreten, aber auch für ihn war es am wichtigsten, überhaupt irgendwie als Sieger abzutreten.

»Außerdem«, sagte Coach Bob, »brauchen auch talentierte Spieler einen Coach. Ohne mich wären diese Burschen halb so gut. Jeder braucht taktische Anweisungen; man muß jedem sagen, was er falsch macht.«

Damals hatte Iowa-Bob meinem Vater eine ganze Menge über Taktik und Fehler zu erzählen. Coach Bob sagte, die Renovierung des Thompson Female Seminary sei ein ähnliches Unternehmen »wie der Versuch, ein Rhinozeros zu vergewaltigen«. Es dauerte etwas länger, als mein Vater erwartet hatte.

Er hatte keine Mühe, Mutters Elternhaus zu verkaufen – es war ein Prachtstück, und wir bekamen einen stolzen Preis dafür –, aber die neuen Eigentümer waren sehr darauf erpicht, das Haus in Besitz zu nehmen, und wir zahlten ihnen eine saftige Miete, um noch ein volles Jahr nach Unterzeichnung aller Papiere in dem Haus bleiben zu können.

Ich erinnere mich noch, wie die alten Schreibpulte aus dem künftigen Hotel New Hampshire entfernt wurden – Hunderte von Pulten, die am Boden festgeschraubt waren. Hunderte von Löchern im Boden waren auszufüllen, oder alles mußte mit einem Teppich zugedeckt werden. Das war eines der »Details«, um die Vater sich zu kümmern hatte.

Die Ausstattung der Toiletten im dritten Stock war auch eine Überraschung für ihn. Meine Mutter hätte sich daran erinnern müssen: Jahre vor ihrer Zeit am Thompson Female Seminary waren die Toiletten und Waschbecken für das oberste Geschoß falsch bestellt worden. Anstatt Toiletten für High-School-Schülerinnen einzurichten, lieferten und installierten die Toiletten- und Waschbeckenleute *Miniaturen* – sie waren für einen Kindergarten im Norden des Staates gedacht. Da der Fehler billiger war als die ursprüngliche Bestellung, hatte es die Schulleitung dabei belassen. Und so hatten sich Generationen von High-School-Schülerinnen gebückt und sich die Knie aufgeschlagen, wenn sie zu pinkeln oder sich zu waschen versuchten – die winzigen, kindgerechten Toiletten brachen den Mädchen das Kreuz, wenn sie sich zu schnell hinsetzten, die kleinen Waschbecken erwischten sie auf Kniehöhe, und die Spiegel glotzten direkt auf ihre Brüste.

»Jessas Gott«, sagte Vater. »Ein Elfenklo.« Er hatte gehofft, die alten Toiletteneinrichtungen einfach aufs ganze Hotel verteilen zu können; so gescheit war er, daß er den Gästen keine gemeinschaftlichen Klos und Waschräume zumuten wollte, aber er dachte, er könnte eine Menge Geld sparen, wenn er die bereits vorhandenen Toiletten und Waschbecken wiederverwendete. Es gab schließlich nicht viele Einrichtungsgegenstände, die eine High School und ein Hotel gemeinsam hatten.

»Wir können immerhin die Spiegel behalten«, sagte Mutter. »Wir werden sie einfach ein wenig höher festmachen.«

»Und wir können auch die Waschbecken und Toiletten gebrauchen«, beteuerte Vater hartnäckig.

»*Wer* kann sie gebrauchen?« fragte Mutter.

»Zwerge?« sagte Coach Bob.

»Auf jeden Fall Lilly und Egg«, sagte Franny. »Zumindest die nächsten paar Jahre.«

Dann waren da die festgeschraubten Stühle, die zu den Pulten paßten. Auch sie wollte Vater nicht einfach rauswerfen.

»Das sind doch tadellose Stühle«, sagte Vater. »Und außerdem sind sie sehr bequem.«

»Sie sind irgendwie putzig mit all den Namen, die da reingeschnitzt sind«, sagte Frank.

»*Putzig*, Frank?« sagte Franny.

»Aber man muß sie am Boden festschrauben«, sagte Mutter. »Die Leute werden sie gar nicht verrücken können.«

»Warum sollte irgend jemand Hotelmöbel verrücken wollen?« fragte Vater. »Ich meine, schließlich richten wir doch die Zimmer von Anfang so ein, daß alles stimmt, oder? Ich will sowieso nicht, daß die Leute Stühle verrücken«, sagte er. »Und bei diesen Stühlen gibt's nichts zu verrücken.«

»Nicht mal im Restaurant?« fragte Mutter.

»Die Leute schieben gern den Stuhl zurück, wenn sie gut gegessen haben«, sagte Iowa-Bob.

»Na und? Das geht dann eben nicht«, sagte Vater. »Bei uns dürfen sie stattdessen den Tisch von sich wegschieben.«

»Warum schrauben wir die Tische nicht auch fest?« schlug Frank vor.

»Das ist eine putzige Idee«, sagte Franny. Später einmal bemerkte sie, Franks Unsicherheit sei so rießengroß, daß er am liebsten alles im Leben am Boden festgeschraubt sähe.

Natürlich dauerte das Unterteilen in einzelne Räume mit eigenen Badezimmern am längsten. Und das Gewirr der Leitungen war so kompliziert wie die Gleisanlagen auf einem riesigen Güterbahnhof; wenn im dritten Stock jemand die Spülung betätigte, hörte man das Wasser durch das ganze Hotel rauschen – auf der Suche nach einem Weg nach unten. Und in einigen Zimmern gab es immer noch Wandtafeln.

»Solange sie schön sauber sind«, sagte Vater, »stören sie überhaupt nicht.«

»Klar«, sagte Iowa-Bob. »Der Gast kann dann seinem Nachfolger eine Nachricht hinterlassen.«

»Dinge wie ›Meiden Sie dieses Hotel!‹« sagte Franny.

»Es wird schon gut so«, sagte Frank. »Ich will nur mein eigenes Zimmer.«

»In einem Hotel, Frank«, ließ Franny ihn wissen, »bekommt jeder sein Zimmer.«

Sogar Coach Bob sollte ein Zimmer bekommen; nach seiner Pensionierung wollte ihn die Dairy School nicht mehr in schuleigenen Räumen wohnen lassen. Coach Bob begann, sich ganz allmählich für die Idee zu erwärmen; er war bereit, einzuziehen, wenn alles soweit war. Was ihn interessierte, war die Zukunft der Sportgeräte und Spielfelder auf dem Schulhof: des rissigen Lehmbodens der Volleyballanlage, des Hockeyrasens und der Korbbretter und Korbringe für die Basketballer – die Netze waren längst verrottet.

»Nichts sieht verlassener aus«, sagte Bob, »als ein Korbring ohne Netz. Ich finde das so traurig.«

Und eines Tages sahen wir den Männern mit den Preßluftbohrern zu, die THOMPSON FEMALE SEMINARY von der leichengrauen Steinplatte abstemmten, die in die Backsteine über dem großen Portal eingelassen war. Sie machten Feierabend – absichtlich, da bin ich sicher –, als nur noch die Buchstaben MALE SEMIN über dem Portal standen. Das war an einem Freitag, und so blieben die Buchstaben über das Wochenende stehen, zum Ärger meiner Mutter und meines Vaters – und zu Coach Bobs Belustigung.

»Warum nennst du's nicht einfach Hotel *Sperma?*« fragte Iowa-Bob meinen Vater. »Das heißt dasselbe und ist zudem schön kurz.« Bob war guter Laune, weil er ein erfolgreiches Team hatte und weil er wußte, daß er die erbärmliche Dairy School bald verlassen würde.

Wenn mein Vater schlechter Laune war, ließ er es sich kaum einmal anmerken. (Er war voller Energie – »Energie zeugt Energie«, bleute er uns immer wieder ein, ob wir nun Hausaufgaben machten oder für eine der Mannschaften trainierten, die von ihm betreut wurden.) Er hatte der Dairy School nicht gekündigt; wahrscheinlich traute er sich nicht, oder Mutter ließ es nicht zu. Er machte zwar weiter mit dem Hotel New Hampshire, gab daneben aber drei Englischkurse und leitete im Winter und im Frühjahr das Training der Leichtathleten; er machte also mit halber Kraft weiter.

Frank schien in der Dairy School zu verschwinden; er war

wie eine der Pro-forma-Kühe. Nach einer gewissen Zeit nahm man ihn gar nicht mehr wahr. Er machte seine Schularbeiten – sie schienen ihm schwerzufallen – und besuchte die vorgeschriebenen Sportstunden, auch wenn er keinen Lieblingssport hatte und nicht gut (oder ehrgeizig) genug war, sich für eine der Schulmannschaften zu qualifizieren. Er war groß und stark und so linkisch wie eh und je.

Und er ließ sich (mit sechzehn) einen feinen Schnurrbart auf der Oberlippe stehen, der ihn viel älter machte. Er hatte die Plumpheit eines Welpen – diese täppische Schwerfälligkeit in den Füßen, die die Vorstellung erweckt, das Hündchen könnte eines Tages zu einem großen und imposanten Hund heranwachsen. Doch Frank würde ewig auf die Haltung warten, die imposante Größe begleiten muß, damit das betreffende Tier auch imposant *wirkt*. Er hatte keine Freunde, aber niemand machte sich deshalb Sorgen; Frank hatte noch nie Wert darauf gelegt, Freunde zu haben.

Franny hatte natürlich viele Freunde. Die meisten von ihnen waren älter als Franny, und einen von ihnen mochte ich: es war ein großer rothaariger Junge im letzten Schuljahr – ein kräftiger, stiller Typ, der als Schlagmann im ersten Boot der Schulmannschaft ruderte. Er hieß Struthers, er war in Maine aufgewachsen, und bis auf die Blasen an seinen Händen, die er – um sie abzuhärten – mit rostbrauner Benzoinsalbe bestrich, und bis auf die Tatsache, daß er gelegentlich wie ein Haufen nasser Socken roch, war er für alle in der Familie akzeptabel. Sogar für Frank. Kummer knurrte Struthers an, aber das war eine Geruchsfrage: Struthers war eine Bedrohung für Kummers dominierende Stellung in unserem Haus. Ich wußte nicht, ob Struthers der Lieblingsfreund Frannys war, aber er mochte sie sehr und war auch zum Rest der Familie nett.

Von den anderen – darunter war auch der Anführer dieser Legionäre aus Boston, die für Coach Bobs Team angeheuert woren waren – waren manche nicht so nett. So war zum Beispiel der Spielmacher in diesem gekauften Sturm ein Junge, neben dem Ralph De Meo wie ein Heiliger wirkte. Sterling

Dove hieß er, wurde aber Chip oder Chipper genannt; seinem sanften Namen zum Trotz – Dove heißt Taube – war er ein roher, kantiger Bursche; er kam von einer der feineren Schulen in den Außenbezirken Bostons.

»Der geborene Führer, dieser Chip Dove«, sagte Coach Bob.

Der geborene Kommandant irgendeiner Geheimpolizei, dachte ich. Chipper Dove war ein blonder Schönling von der makellosen, fast hübschen Sorte; in unserer Familie waren alle dunkelhaarig, abgesehen von Lilly, aber die war weniger blond als vielmehr verwaschen – am ganzen Leib; selbst ihr Haar war bleich.

Es hätte mir Spaß gemacht, Chip Dove einmal *ohne* die Jungs, die so gut für ihn blockten, in der Spielmacherrolle zu erleben, und das in einer Situation, wo er mit vielen Pässen versuchen müßte, etliche Touchdowns aufzuholen; aber die Verantwortlichen hatten Coach Bob die richtigen Leute besorgt – Dairys Footballmannschaft geriet nie in Rückstand. Wenn sie den Ball einmal hatten, gaben sie ihn nicht mehr her, und Dove war kaum einmal gezwungen, lange Pässe zu werfen. Obwohl es die erste erfolgreiche Saison war, die wir Kinder erlebten, war es auf die Dauer langweilig – mitanzusehen, wie sie sich Meter um Meter vorarbeiteten, um möglichst viel Zeit zu verbrauchen und dann den Ball aus kürzester Distanz über die Linie in die Endzone zu tragen. Da war nichts Spektakuläres; sie waren bloß stark, präzise und hatten einen guten Coach; ihre Abwehr war nicht so stark, so daß auch die Gegner zu Punkten kamen, aber nicht allzu oft – sie kamen einfach zu selten an den Ball.

»Ballbesitz ist alles«, triumphierte Iowa-Bob. »Zum ersten Mal nach dem Krieg hab ich wieder eine Mannschaft, die danach handelt.«

Das einzig Tröstliche an Frannys Beziehung zu Chipper Dove war Doves Teambesessenheit; er traf kaum einmal mit Franny zusammen, ohne daß seine ganzen Rückraumleute dabei waren – und oft auch der eine oder andere Abwehrspieler. Wie eine Horde von Kriegern bedrohten sie in diesem

Jahr die ganze Schule, und Franny ließ sich gelegentlich in ihrem Lager sehen; Dove war von ihr angetan – jeder Junge, außer Frank, schien von Franny angetan. Mädchen waren in ihrer Gegenwart zurückhaltend; sie stellte die anderen einfach in den Schatten, und vielleicht war sie ihnen auch keine besonders gute Freundin. Franny lernte dauernd neue Leute kennen; Fremde interessierten sie wahrscheinlich viel zu sehr, als daß sie so loyal hätte sein können, wie Mädchen das von ihren Freundinnen erwarten.

Ich weiß es nicht; mich ließ sie darüber im ungewissen. Manchmal brachte mich Franny mit einem Mädchen zusammen, aber die waren gewöhnlich älter als ich, und es wurde nie etwas daraus. »Alle finden dich nett«, sagte Franny, »aber du mußt ein bißchen *reden* mit den Leuten, verstehst du – du kannst doch nicht gleich mit Knutschen *anfangen*.«

»Ich fange *nicht* an mit Knutschen«, wehrte ich mich dann. »Ich *komme* gar nicht zum Knutschen.«

»Na ja«, sagte sie, »das liegt daran, daß du einfach dasitzt und wartest, daß etwas passiert. Jeder sieht dir an, was du denkst.«

»*Du* nicht«, sagte ich. »Jedenfalls nicht immer.«

»Du meinst, ich weiß nicht, wie du über *mich* denkst?« fragte sie, aber ich gab ihr keine Antwort. »Hör mal, Kleiner«, sagte Franny. »Eins weiß ich jedenfalls: du denkst zuviel an mich – wenn du das meinst.«

In Dairy fing sie an, mich »Kleiner« zu nennen, obwohl wir nur ein Jahr auseinander waren. Zu meinem Ärger blieb der Name an mir hängen.

»He, Kleiner«, sagte Chip Dove zu mir unter der Dusche in der Turnhalle. »Deine Schwester hat den hübschesten Arsch an dieser Schule. Bumst sie mit einem?«

»Struthers«, sagte ich, obwohl ich hoffte, daß es nicht so war. Struthers war zumindest besser als Dove.

»Struthers!« sagte Dove. »Dieser verfickte *Riemenreißer*? Dieser *Trampel* im Ruderboot?«

»Er ist unheimlich stark«, sagte ich, und das war nicht gelogen – Ruderer sind stark, und Struthers war der stärkste.

»Und wenn schon, ein Trampel ist er trotzdem«, sagte Dove.

»So'n Ruderer zieht doch tagaus tagein an seinem Riemen!« sagte Lenny Metz, einer der Ballträger, der sich immer – selbst beim Duschen – rechts von Chip Dove aufhielt, dicht an dessen Hüfte, als rechne er damit, jeden Moment den Ball von ihm zu bekommen. Er war dumm wie Beton – und ebenso hart.

»Also, Kleiner«, sagte Chipper Dove. »Du richtest Franny aus, daß sie meiner Meinung nach den hübschesten Arsch an dieser Schule hat.«

»Und Titten!« rief Lenny Metz.

»Sicher, die sind nicht schlecht«, sagte Dove. »Aber der Arsch ist wirklich Sonderklasse.«

»Sie hat auch ein hübsches Lächeln«, sagte Metz.

Chip Dove verdrehte die Augen und sah mich dabei an, als wolle er sagen, er wisse, wie dumm Metz sei, und er sei viel, viel schlauer. »Vergiß nicht, dich richtig einzuseifen, Lenny«, sagte Dove und steckte ihm die glitschige Seife zu, die Metz instinktiv – er ließ nie einen Ball fallen – mit seinen Bärenpranken packte und sofort an seinen Bauch zog.

Ich drehte meine Dusche ab, weil eine massigere Gestalt zu mir unter das strömende Wasser getreten war. Er schob mich ganz zur Seite und drehte das Wasser wieder an.

»Geh weiter, Mann«, sagte er sanft. Er war einer jener Abwehrspieler, die die heranstürmenden Gegner abzublocken hatten, damit sie nicht an Chipper Dove rankamen. Sein Name war Samuel Jones jun., und alle nannten ihn Junior Jones. Junior Jones war so schwarz wie irgendeine der Nächte, in denen meines Vaters Einbildungskraft inspiriert wurde; später als Student spielte er für Penn State und danach als Profi in Cleveland, bis ihm einer das Knie kaputtmachte.

Ich war damals, 1956, vierzehn Jahre alt, und Junior Jones war die mächtigste Zusammenballung menschlichen Fleisches, die ich je gesehen hatte. Ich machte ihm Platz, doch Chipper Dove sagte: »He, Junior, kennst du den Kleinen nicht?«

»Nein, ich bin ihm nie begegnet.«

»Nun, das ist Franny Berrys Bruder«, sagte Chip Dove.

»Sehr erfreut«, sagte Junior Jones.

»Tag«, sagte ich.

»Der alte Coach Bob ist sein Großvater, Junior«, machte Dove weiter.

»Na fein«, sagte Junior Jones. Er füllte seinen Mund mit dem Schaum der winzigen Seife in seiner Hand, legte seinen Kopf in den Nacken und spülte den Mund im herabströmenden Wasser. Vielleicht, dachte ich, tut er das, anstatt sich die Zähne zu putzen.

»Wir haben uns gerade darüber unterhalten«, sagte Dove, »was uns an Franny am besten *gefällt*.«

»Ihr Lächeln«, sagte Metz.

»Du hast auch gesagt, ihre Titten«, sagte Chipper Dove. »Und *ich* sagte, sie hat den hübschesten Arsch an dieser Schule. Wir sind noch nicht dazu gekommen, den Kleinen hier zu fragen, was *ihm* an seiner Schwester gefällt, aber ich dachte mir, wir fragen erst mal dich, Junior.«

Junior Jones hatte seine Seife restlos aufgebraucht; sein gewaltiger Kopf war über und über mit weißem Schaum bedeckt; als er sich wieder unter die Dusche stellte, umspülte der Seifenschaum seine Knöchel. Ich blickte hinunter auf meine Füße und spürte die unmittelbare Nähe des Duos, das von Iowa-Bobs Rückraumspielern übriggeblieben war. Chester Pulaski, ein Junge mit einem verbrannten Gesicht, der zuviel Zeit unter der Höhensonne verbrachte – trotzdem strotzte sein Genick von Furunkeln, und seine Stirn war voll von ihnen. Er hatte in erster Linie gegnerische Angreifer im Rückraum abzublocken – aber nicht, weil er das wollte; er lief einfach nicht so gut mit dem Ball wie Lenny Metz. Chester Pulaski war für diese Zweikämpfe wie geschaffen, denn er neigte ohnehin eher dazu, in den Gegenspieler *hinein*zulaufen, als ihm auszuweichen. Der andere, der wie eine lästige Bremse um mich herumschwirrte, war ein Junge, der so schwarz war wie Junior Jones; doch mit der Hautfarbe waren ihre Gemeinsamkeiten auch schon erschöpft. Er postierte sich gern auf einem der Flügel, und wenn er aus dem Rückraum kam, dann nur, um Chipper Doves kurze und risikolose Pässe aufzufangen. Sein Name war Harold Swallow, und er war nicht größer als ich, aber Harold Swallow konnte fliegen. Er hieß nicht umsonst »Schwalbe«, denn genau so waren seine Bewegungen; hätte ihn je ein gegnerischer Block voll erwischt, wäre er möglicherweise entzweigebrochen, aber wenn er nicht gerade Pässe fing oder ins Seitenaus flog, hielt er sich im Rückraum versteckt, gewöhnlich hinter Chester Pulaski oder Junior Jones.

Sie alle standen um mich herum, und ich dachte, wenn jetzt eine Bombe in den Duschraum geworfen würde, wäre Coach Bobs erfolgreiche Saison zu Ende. Zumindest in sportlicher Hinsicht war ich der einzige, den niemand vermißt hätte. Ich stand einfach nicht auf einer Stufe mit Iowa-Bobs gekauften Rückraumspielern oder mit dem Abwehrhünen Junior Jones; es gab natürlich noch andere Abwehrspieler, aber Junior Jones war der Hauptgrund dafür, daß Chipper Dove nie von den Beinen geholt wurde. Er war auch der Hauptgrund dafür, daß es immer eine Lücke gab, durch die Chester Pulaski Lenny Metz schleusen konnte; Jones schuf eine Lücke, die groß genug war, daß die beiden Seite an Seite durchlaufen konnten.

»Komm, Junior, denk mal nach«, sagte Chip Dove herausfordernd, denn seinem spöttischen Unterton war zu entnehmen, daß er Zweifel hatte, ob Junior Jones überhaupt denken *konnte*. »Was gefällt *dir* an Franny Berry besonders gut?« fragte Dove.

»Sie hat hübsche kleine *Füße*«, sagte Harold Swallow. Alle starrten ihn an, aber er tänzelte nur unter den Duschen herum, ohne jemanden anzusehen.

»Sie hat einen wunderschönen Teint«, sagte Chester Pulaski und machte so erst recht auf seine Furunkel aufmerksam.

»Junior!« sagte Chip Dove, und Junior drehte seine Dusche ab. Er stand eine Weile nur da und ließ das Wasser abtropfen. Ich fühlte mich plötzlich wie Egg, vor Jahren, als er noch nicht richtig gehen konnte.

»Für mich ist sie einfach ein weißes Mädchen«, sagte Junior Jones, und sein Blick blieb an jedem von uns einen Moment hängen. »Aber sie scheint ein nettes Mädchen zu sein«, fügte er, an meine Adresse, hinzu. Dann drehte er meine Dusche wieder auf, schob mich in das herabströmende – zu kalte – Wasser und ging aus dem Duschraum, einen kalten Luftzug zurücklassend.

Es beeindruckte mich, daß bei ihm sogar Chipper Dove gewisse Grenzen nicht überschritt, aber mehr noch beeindruckte mich, daß Franny in Gefahr war – und erst recht, daß ich hilflos war und nichts dagegen unternehmen konnte.

»Dieser widerliche Chipper Dove redet über deinen Arsch, deine Titten, ja sogar deine *Füße!*« erzählte ich ihr. »Paß auf mit dem.«

»Meine *Füße?*« sagte Franny. »Was sagt er denn über meine Füße?«

»Na schön«, gab ich zu, »das war Harold Swallow.« Jedermann wußte, daß Harold Swallow verrückt war; von einem Irren wie Harold Swallow sagten wir damals, er sei so verrückt wie eine walzertanzende Maus.

»Was hat denn nun Chip Dove über mich gesagt?« fragte Franny. »Es geht mir nur um ihn.«

»Ihm geht es nur um deinen Arsch«, erzählte ich ihr. »Und er redet in aller Öffentlichkeit darüber.«

»Das läßt mich kalt«, sagte sie. »So groß ist mein Interesse denn auch wieder nicht.«

»Aber *er* interessiert sich für *dich*«, sagte ich. »Halt dich lieber an Struthers.«

»Ach, ich kann dir sagen, Kleiner«, seufzte sie. »Struthers *ist* ja ein lieber Kerl, aber er ist so langweilig, langweilig, *langweilig*.«

Ich ließ den Kopf hängen. Wir standen im oberen Flur des Hauses, in dem wir nur mehr Mieter waren, auch wenn es für uns weiterhin den alten Batesschen Familiensitz verkörperte. Franny kam nur noch selten in mein Zimmer. Jeder machte seine Hausaufgaben in seinem eigenen Zimmer, und dann trafen wir uns vor der Toilette, um miteinander zu reden. Frank schien nicht einmal die Toilette zu benutzen. Jeden Tag stapelte Mutter nun im Flur vor unseren Zimmern neue Schachteln und Koffer übereinander; wir bereiteten uns auf den Umzug ins Hotel New Hampshire vor.

»Und ich versteh nicht, warum du Cheerleader werden mußt, Franny«, sagte ich. »Ausgerechnet du – ein *Cheerleader.* Wenn ich mir das vorstelle: du in so einem dämlichen Kostüm, wie du klatschst und schreist – für eine Footballmannschaft aus lauter Legionären.«

»Weil es mir Spaß macht«, sagte sie.

Es war dann auch nach einer Probe der Cheerleader, daß ich mich unweit unseres Verstecks im Farnkraut – seit wir beide die Dairy School besuchten, kamen wir kaum noch dorthin – mit Franny traf und wir darauf ganz überraschend auf Iowa-Bobs Rückraumspieler stießen. Auf dem Waldweg, der gern als Abkürzung zur Turnhalle benutzt wurde, hatten sie jemanden aufgehalten; jetzt waren sie dabei, jemanden in die Mangel zu nehmen, in der großen Schlammpfütze, die mit Löchern von den Stollen der Footballschuhe übersät war, als sei mit einem Maschinengewehr in den Schlamm gefeuert worden. Als Franny und ich sahen, daß es die Jungs aus dem Rückraum waren und daß sie jemanden zusammenschlugen, machten wir kehrt und rannten davon. Die Rückraumspieler schlugen ständig irgend jemanden zusammen. Aber wir waren vielleicht gerade zwanzig Meter gelaufen, als mich Franny am Arm packte und abbremste. »Ich glaube, es war Frank«, sagte sie. »Sie haben Frank.«

Da mußten wir natürlich zurück. Für einen kurzen Moment, bevor wir richtig sehen konnten, was vor sich ging, kam ich mir sehr tapfer vor; ich spürte, wie Franny meine Hand nahm, und ich drückte sie kräftig. Ihr Cheerleader-Röckchen war so kurz, daß mein Handrücken ihren Oberschenkel streifte. Dann riß sie ihre Hand los und schrie. Ich hatte meine kurze Sporthose an und fühlte meine Beine kalt werden.

Frank trug die Uniform der Schulkapelle. Die scheißbraunen Hosen (mit dem leichengrauen Streifen an der Seite) hatten sie ihm völlig ausgezogen. Franks Unterhose war bis zu den Knöcheln heruntergerissen. Die Uniformjacke hatten sie ihm halb über die Brust hochgezerrt. Ein silbernes Schulterstück schwamm lose in der Schlammpfütze neben Franks Gesicht, und seine silberne Mütze mit dem braunen Zierband – vom Schlamm fast nicht zu unterscheiden – lag zerquetscht unter Harold Swallows Knie. Harold hielt einen von Franks ausgestreckten Armen fest, Lenny Metz den anderen. Frank lag bäuchlings da, mit den Eiern mitten in der Schlammpfütze, und sein erstaunlicher blanker Arsch hob sich aus dem Wasser und tauchte wieder unter, da Chipper Dove ihn mit dem Fuß hinunterdrückte, hochkommen ließ, hinunterdrückte. Chester Pulaski saß auf Franks Kniekehlen und hatte sich Franks Knöchel unter die Arme geklemmt.

»Mach schon, hau ihn rein!« sagte Chipper Dove zu Frank. Er drückte gegen Franks Arsch und stieß ihn wieder tief in die Schlammpfütze. Die Stollen an seinen Sohlen hinterließen kleine weiße Abdrücke auf Franks Arsch.

»Mach schon, du Schlammficker«, sagte Lenny Metz. »Hast du nicht gehört – du sollst ihn reinhauen!«

»Aufhören!« brüllte Franny. »Was macht ihr da?«

Frank schien ihr Auftauchen am meisten zu erschrecken, obwohl selbst Chipper Dove seine Überraschung nicht verbergen konnte.

»Sieh mal an, wen haben wir denn da«, sagte Dove, aber ich spürte, daß er nicht recht wußte, was er als nächstes sagen sollte.

»Er kriegt von uns nur, was er mag«, sagte Lenny Metz zu Franny und mir. »Frank fickt gern Schlammpfützen, du magst das, nicht wahr, Frank?«

»Laßt ihn los«, sagte Franny.

»Wir tun ihm nicht weh«, sagte Chester Pulaski; er war ewig verlegen wegen seines Teints und zog es vor, mich anzusehen und nicht Franny; wahrscheinlich konnte er den Anblick ihrer makellosen Haut nicht ertragen.

»Dein Bruder mag *Jungs*«, erzählte uns Chipper Dove.
»Hab ich recht, Frank?«

»Und wenn schon?« sagte Frank. Er war wütend und nicht
etwa geknickt; wahrscheinlich hatte er ihnen seine Finger in
die Augen gerammt – wahrscheinlich hatte er den einen oder
anderen da oder dort verletzt. Frank setzte sich immer zur
Wehr.

»Ihn Jungs in den Arsch zu stecken«, sagte Lenny Metz, »ist
widerlich.«

»Es ist, wie wenn man ihn in ein *Schlammloch* steckt«, erklärte Harold Swallow, aber er sah aus, als würde er viel
lieber *laufen*, egal wohin, als hier Franks Arm festhalten.
Harold Swallow sah immer unruhig aus – als überquere er
eine belebte Straße, bei Nacht und zum erstenmal.

»Na, war doch alles halb so schlimm«, sagte Chipper Dove.
Er nahm seinen Fuß von Franks Arsch und ging einen Schritt
auf Franny und mich zu. Mir fiel ein, was Coach Bob immer
über Knieverletzungen sagte, und ich fragte mich, ob ich wohl
Chip Dove am Knie erwischen konnte, bevor er mich zu Brei
schlug.

Ich wußte nicht, was Franny sich ausdachte, aber sie sagte
zu Dove: »Ich will mit dir reden. Allein. Ich will mit dir allein
sein, jetzt gleich.«

Harold Swallow lachte gellend, seine nasalen, piepsenden
Töne hätten jeder Walzer tanzenden Maus zur Ehre gereicht.

»Na ja, das läßt sich machen«, sagte Dove zu Franny. »Klar
können wir reden. Allein. Jederzeit.«

»Jetzt gleich«, sagte Franny. »Ich will es jetzt gleich tun –
oder nie.«

»Na gut, jetzt gleich, klar«, sagte Dove. Mit Blick auf seine
Rückraumspieler verdrehte er die Augen. Chester Pulaski und
Lenny Metz waren ganz krank vor Neid, während Harold
Swallow mit finsterer Miene einen Grasfleck auf seinem Foot-
ball-Dress musterte. Es war der einzige Fleck an ihm; offen-
bar hatte er bei einem seiner Tiefflüge den Boden gestreift.
Oder er blickte deshalb so finster drein, weil Franks ausge-

streckter Körper ihm den Blick auf Frannys Füße verwehrte.

»Laß Frank jetzt gehen«, wies Franny Dove an. »Und schick die anderen weg – in die Turnhalle.«

»Klar lassen wir ihn gehen«, sagte Dove. »Das hatten wir sowieso gerade vor, *stimmt's?*« fügte er hinzu – ganz der Spielmacher, der seiner Rückraumtruppe Anweisungen gibt. Sie ließen Frank gehen. Frank rappelte sich auf und versuchte seine Schamteile zu verdecken, die voller Dreck und Schlamm waren. Wütend und ohne ein Wort zog er sich an. In dem Augenblick hatte ich mehr Angst vor ihm als vor irgendeinem der anderen – sie befolgten jedenfalls ihre Anweisungen und trabten den Weg hinunter zur Turnhalle. Lenny Metz drehte sich noch einmal um, um anzüglich zu grinsen und zu winken. Franny antwortete mit dem ausgestreckten Mittelfinger. Frank drängte sich triefend zwischen Franny und mir durch und machte sich mit schwerfälligen Schritten auf den Heimweg.

»Hast du nichts vergessen?« sagte Chip Dove zu ihm.

Franks Becken lagen im Gebüsch. Er blieb stehen; die Peinlichkeit, sein Musikinstrument vergessen zu haben, schien ihm mehr auszumachen als die eben erlittenen Demütigungen. Franny und ich haßten Franks Becken. Ich glaube, die Aussicht auf eine Uniform – *irgendeine* Uniform – war es, was Frank zur Schulkapelle hingezogen hatte. Er war kein geselliger Mensch, aber als Coach Bobs erfolgreiche Saison das Wiederaufleben einer Schulkapelle bewirkte – kurz nach dem Zweiten Weltkrieg war letztmals eine Schulkapelle in Dairy aufgetreten –, da konnte Frank den Uniformen nicht widerstehen. Da er kein Musikinstrument spielen konnte, gaben sie ihm die Becken. Andere Leute kamen sich damit wahrscheinlich albern vor; ganz anders Frank. Ihm machte es Spaß, untätig mitzumarschieren und auf den großen Augenblick zu warten, wo er – BATSCH – die Becken gegeneinanderknallen durfte.

Nicht, daß wir nun einen Musiker in der Familie gehabt hätten, der pausenlos übte und mit seinem Kratzen, Tuten oder Klimpern den Rest der Familie in Wahnsinn trieb. Frank »übte« mit den Becken nicht. Gelegentlich, zu ungewöhnlicher Stunde, hörten wir sie einmal krachend zusammenrasseln – hinter verschlossener Tür –, und wir, Franny und ich, mußten uns dann ausmalen, wie Frank in seiner Uniform so lange schwitzend vor dem Spiegel auf der Stelle marschiert war, bis er das Geräusch seines eigenen Atems nicht mehr ertragen hatte und dazu inspiriert worden war, einen dramatischen Schlußpunkt zu setzen.

Der fürchterliche Lärm ließ Kummer bellen und – wahrscheinlich – furzen. Mutter ließ Dinge zu Boden fallen. Franny lief zu Franks Tür und trommelte dagegen. Ich hatte bei dem Schmetterschlag immer andere Vorstellungen; mich erinnerte er an die Schroffheit eines Schusses, und jedesmal dachte ich, einen Augenblick lang, wir seien gerade von Franks Selbstmord aufgeschreckt worden.

Auf dem Weg, wo die Rückraumspieler ihm aufgelauert hatten, zerrte Frank seine schlammverschmierten Becken aus dem Gebüsch und klemmte sie sich unter den Arm.

»Wo können wir hin?« fragte Chip Dove Franny. »Um *allein* zu sein.«

»Ich weiß was«, sagte sie. »Ganz in der Nähe«, fügte sie hinzu. »Den Platz kenne ich schon ewig.« Und ich wußte natürlich, daß sie das Versteck in den Farnen meinte – *unser* Versteck. Meines Wissens war sie da nicht mal mit Struthers hingegangen. Ich dachte mir, sie habe den Ort nur deshalb so eindeutig genannt, damit Frank und ich Bescheid wußten und sie retten konnten, doch Frank war bereits auf dem Weg nach Hause; er stapfte den Weg hinunter, ohne für Franny ein Wort oder einen Blick übrig zu haben, und Chip Dove grinste mich mit seinen eisig blauen Augen an und sagte: »Verpiß dich, Kleiner.«

Franny nahm ihn an der Hand und zog ihn vom Weg herunter, aber ich hatte Frank im Nu eingeholt. »Herrgott, Frank«, sagte ich, »wo willst du denn hin? Wir müssen ihr helfen.«

»Franny helfen?« sagte er.

»Sie hat dir doch auch geholfen«, sagte ich zu ihm. »Sie hat dich aus der Scheiße geholt.«

»Na und?« sagte er, und dann fing er an zu heulen. »Woher willst du wissen, daß sie unsere Hilfe *will*?« sagte er schniefend. »Vielleicht will sie *wirklich* mit ihm allein sein.«

Das war für mich ein furchtbarer Gedanke – fast so schlimm wie meine Befürchtung, daß Chipper Dove mit Franny etwas machte, was sie nicht wollte – und so packte ich Frank an dem einen noch verbliebenen Schulterstück und zog ihn hinter mir her.

»Hör auf zu heulen«, sagte ich, denn ich wollte nicht, daß Dove uns kommen hörte.

»Ich will mit dir reden, nur *reden*!« hörten wir Franny schreien. »Du Rattenarsch!« brüllte sie. »Du hättest so nett sein können, aber nein, du mußtest so ein Super-*Scheißhaufen* von einem Menschen sein. Ich *hasse* dich!« rief sie. »Hör *auf* damit!« kreischte sie.

»Ich glaube, du *magst* mich«, hörten wir Chipper Dove sagen.

»Ich *hätte* dich vielleicht gemocht«, sagte Franny, »aber jetzt nicht mehr. Nie und *nimmer*«, hörten wir sie sagen, aber sie klang nicht mehr wütend – sie weinte plötzlich.

Als Frank und ich zu den Farnen kamen, hatte Dove seine Footballerhosen bis zu den Knien heruntergezogen. Er hatte die gleichen Schwierigkeiten mit den im Hosenfutter steckenden Schenkelpolstern, die Franny und ich schon vor Jahren bei dem fetten Footballspieler namens Poindexter beobachtet hatten, wenn er sich zum Scheißen in den Wald hockte. Franny hatte *ihre* Kleider *an*, aber sie kam mir seltsam passiv vor, wie sie da in den Farnen saß (in die er sie hineingestoßen hatte, wie sie mir später erzählte) und sich die Hände vors Gesicht hielt. Frank schlug seine verdammten Becken gegeneinander – so fürchterlich laut, daß ich glaubte, über uns rase ein Flugzeug in ein anderes Flugzeug. Dann holte er mit der rechten Hand aus und schlug das Becken Chipper Dove voll ins Gesicht.

Einen so harten Schlag hatte der Spielmacher in der ganzen Saison noch nicht wegstecken müssen; es war deutlich zu sehen, daß er so etwas nicht gewohnt war. Und augenscheinlich behinderten ihn seine herabgestreiften Hosen. Ich stürzte mich sofort auf ihn, als er am Boden lag. Frank knallte pausenlos seine Becken gegeneinander – wie für einen rituellen Tanz, den unsere Familie immer inszenierte, bevor sie einen Feind abschlachtete.

Dove schüttelte mich ab, ganz so, wie der alte Kummer es immer noch schaffte, Egg wegzustoßen – mit einem kräftigen Stoß seines großen Kopfes –, doch der Lärm, den Frank veranstaltete, schien den Spielmacher zu lähmen. Dagegen schien er Franny aus ihrer vorübergehenden Passivität zu reißen. Mit ihrem geübten unwiderstehlichen Griff ging sie Chipper Dove an die Schamteile, und er reagierte mit den unsäglichen Bewegungen eines Todgeweihten, die Frank mit Sicherheit wiedererkannte – und die *mich* natürlich an die alte Geschichte mit Ralph De Meo erinnerte. Sie hatte ihn wirklich fest im Griff, und während er noch auf der Seite in den Tannennadeln lag und ihm die Footballerhose noch um die Knie hing, zog Franny das Suspensorium mit der Blecheinlage weit über die Oberschenkel herunter und ließ es dann wieder zurückschnappen. Eine Sekunde lang bekamen Frank, Franny und ich Doves kleine, verängstigte Schamteile zu sehen. »Und dann noch große Sprüche machen!« schrie Franny Dove an. »So ein Windbeutel!«

Dann mußten Franny und ich Frank davon abhalten, mit seinen rasselnden Becken immer weiter zu lärmen; es schien, als könnte der Krach die Bäume zum Absterben bringen und kleine Tiere aus dem Wald vertreiben. Chipper Dove lag auf der Seite; mit der einen Hand hielt er sich die Eier, mit der anderen hielt er sich das eine Ohr zu, zum Schutz gegen den Lärm; das andere Ohr preßte er gegen den Boden.

Als wir Dove verließen, um ihm Gelegenheit zu geben, sich zu erholen, sah ich seinen Helm in den Farnen und nahm ihn mit. In der Schlammpfütze auf dem Weg füllten Frank und

Franny den Helm des Spielmachers mit Schlamm. Randvoll ließen wir ihn dort für ihn liegen.

»Scheiße und Tod«, sagte Franny düster.

Frank konnte nicht aufhören, seine Becken gegeneinanderzuschlagen, so erregt war er.

»Herrgott, Frank«, sagte Franny. »Hör bitte auf damit.«

»Tut mir leid«, sagte er zu uns. Als wir dann fast zuhause waren, fügte er hinzu: »Und vielen Dank.«

»Vielen Dank auch von mir«, antwortete Franny. »Euch *beiden*«, und dabei drückte sie meinen Arm.

»Übrigens, ich bin *wirklich* andersrum«, murmelte Frank.

»Ich hab das wohl schon immer gewußt«, sagte Franny.

»Schon recht, Frank«, sagte ich, denn was soll man als Bruder schon anders sagen?

»Ich habe mir schon überlegt, wie ich es euch am besten beibringe«, sagte Frank, und Franny meinte: »*Das* war jedenfalls eine putzige Tour.«

Sogar Frank lachte; ich glaube, es war das erste Mal, daß ich Frank lachen hörte, seit Vater damals im dritten Stock des Hotels New Hampshire die Mini-Toiletten entdeckte, unser »Elfenklo«.

Wir fragten uns manchmal, ob das Leben im Hotel New Hampshire immer so aussehen würde.

Wichtiger schien allerdings die Frage, wer unsere Hotelgäste sein würden, wenn wir erst einzogen und den Hotelbetrieb aufnahmen. Je näher dieser Zeitpunkt rückte, desto eindringlicher vertrat Vater seine Theorien von einem perfekten Hotel. Er hatte im Fernsehen ein Interview gesehen, mit dem Direktor einer Hotelfachschule – in der Schweiz. Der Mann sagte, für ein neues Hotel liege der Schlüssel zum Erfolg darin, sich möglichst schnell eine regelmäßige Folge von Vorbestellungen zu sichern.

»Vorbestellungen!« schrieb Vater auf einen Pappdeckel aus einer Hemdenverpackung und befestigte ihn am Kühlschrank in Mutters künftigem Ex-Familiensitz.

Mit »Guten Morgen, Vorbestellungen!« begrüßten wir uns morgens zum Frühstück, um Vater zu hänseln, aber er nahm die Sache ganz ernst.

»Ihr lacht«, sagte er eines Morgens zu uns. »Aber zwei hab ich schon.«

»Zwei was?« fragte Egg.

»Zwei Vorbestellungen«, sagte Vater geheimnisvoll.

Wir hatten vor, an dem Wochenende zu eröffnen, an dem das Spiel gegen Exeter stattfand. Wir wußten, das war die erste »Vorbestellung«. Jedes Jahr beschloß die Dairy School ihre klägliche Footballsaison mit einer deftigen Niederlage gegen eine der großen Schulen wie Exeter oder Andover. Am schlimmsten war es immer, wenn wir auswärts antreten und gegen diese Schulen auf ihrem eigenen gepflegten Rasen spielen mußten. Exeter hatte zum Beispiel ein richtiges Stadion; beide, Exeter und Andover, hatten einen schicken Dress; beide waren zu der Zeit reine Jungenschulen – und man ging dort nur im Jackett und mit Krawatte zum Unterricht. Einige der Schüler kamen sogar im Jackett und mit Krawatte zu den Footballspielen, aber selbst wenn sie salopp gekleidet waren, sahen sie besser aus als wir. Wir fühlten uns erbärmlich, wenn wir solche Schüler sahen – so sauber und selbstbewußt. Und jedes Jahr stolperte unser Team aufs Spielfeld und sah aus wie Scheiße und Tod – und wenn das Spiel vorbei war, entsprach das genau unserer Stimmung.

Exeter und Andover wechselten sich ab: beide hatten uns gern in ihrem vorletzten Saisonspiel zum Gegner – um sich richtig warmzuspielen, denn im letzten Spiel der Saison traten sie gegeneinander an.

Doch in Iowa-Bobs erfolgreicher Saison war es ein Heimspiel für uns, und der Gegner war in diesem Jahr Exeter. Sieg oder Niederlage – daß es eine erfolgreiche Saison war, stand schon vorher fest; aber die meisten Leute – selbst mein Vater und Coach Bob – dachten, die diesjährige Dairy-Mannschaft hätte die Chance zum ›Durchmarsch‹: ungeschlagen zu bleiben, mit einem Sieg im letzten Spiel gegen Exeter, eine Schule, gegen die die Dairy School noch nie gewonnen hatte. Die erfolgreiche Saison brachte sogar die Ehemaligen zurück, und das Wochenende mit dem Spiel gegen Exeter wurde zum Wochenende der Eltern erklärt. Coach Bob hätte zusätzlich zu seinen gekauften Rückraumspielern – und Junior Jones – gerne auch einen neuen Dress gehabt, aber es befriedigte den alten Herrn, sich vorzustellen, seine abgerissene Scheiße-und-Tod-Truppe könnte möglicherweise Exeters schneeweiße Trikots mit den knallroten Buchstaben und den knallroten Helmen wie Hühner übers Spielfeld scheuchen.

Exeter war in dem Jahr ohnehin nicht so super; sie mogelten sich so durch, mit 5 Siegen und 3 Niederlagen – zwar gegen bessere Teams, als wir gewöhnlich zu sehen bekamen, aber was sie in diesem Jahr aufzubieten hatten, war keine der *großen* Exeter-Mannschaften. Iowa-Bob sah, daß er eine Chance hatte, und mein Vater betrachtete die ganze Footballsaison als ein gutes Omen für das Hotel New Hampshire.

Für das Wochenende mit dem Spiel gegen Exeter wurden die Zimmer vorbestellt – das ganze Hotel war für zwei Nächte ausgebucht; und das Restaurant konnte für Samstagabend keine Tischbestellungen mehr annehmen.

Meine Mutter machte sich Sorgen wegen des »Küchenchefs«, wie Vater die betreffende Person beharrlich nannte; *sie* war eine Kanadierin aus Prince Edward Island, wo sie fünfzehn Jahre lang für eine große Seemannsfamilie gekocht hatte. »Es ist ein Unterschied, ob man für eine Familie kocht oder für ein Hotel«, gab Mutter Vater zu bedenken.

»Aber es war eine *große* Familie – das hat sie doch selber erzählt«, sagte Vater. »Außerdem sind wir nur ein kleines Hotel.«

»Für das Exeter-Wochenende sind wir ein *volles* Hotel«, sagte Mutter. »Und ein volles Restaurant.«

Die Köchin hieß Mrs. Urick; als Helfer hatte sie ihren Mann Max – einen ehemaligen Matrosen und Schiffskoch, dem an der linken Hand Daumen und Zeigefinger fehlten. Ein Unfall in der Kombüse eines Schiffes mit dem Namen *Miss Intrepid* (was nichts anderes heißt als »Fräulein Furchtlos«), erzählte er uns Kindern mit einem anzüglichen Augenzwinkern. Er war nicht bei der Sache gewesen, weil er sich auszumalen versuchte, was wohl Mrs. Urick mit ihm machen würde, wenn sie von den Stunden wüßte, die er an Land bei einer furchtlosen Dame in Halifax verbrachte.

»Mit einem Male blickte ich nach unten«, erzählte uns Max – Lilly ließ seine verstümmelte Hand keine Sekunde aus den Augen –, »und da lagen mein Daumen und mein Finger mitten unter den blutigen Mohrrüben, und das Hackmesser hackte munter weiter.« Max zuckte mit seiner Klauenhand, als schrecke er vor der Klinge zurück, und Lilly blinzelte heftig. Lilly war zehn, schien aber kaum größer, als sie mit acht gewesen war. Egg mit seinen sechs Jahren schien da robuster – und von Max Uricks Geschichten nicht im geringsten beeindruckt.

Mrs. Urick erzählte keine Geschichten. Stundenlang brütete sie über Kreuzworträtseln, ohne die Quadrate auszufüllen; sie hängte Max' Wäsche in der Küche auf, die zu Zeiten des Thompson Female Seminary der Umkleideraum der Mädchen gewesen war – zum Trocknen aufgehängte Socken und Unterwäsche waren hier also nichts Neues. Mrs. Urick und mein Vater waren sich einig, daß Hausmannskost für das Hotel New Hampshire am attraktivsten sei. Für Mrs. Urick hieß das: zweierlei Braten oder ein Gemüseeintopf nach Neuengländer Art; zwei Sorten von Kuchen – und am Montag allerlei Fleischpasteten, deren Zusammensetzung von den Bratenresten bestimmt wurde. Zum mittäglichen Imbiß gab es Suppen und Aufschnitt, zum Frühstück Pfannkuchen, und so fort.

»Nichts Übertriebenes – schlicht, aber gut«, sagte Mrs. Urick, die ziemlich humorlos war; sie erinnerte Franny und mich an die Diätspezialistinnen, die es in Internaten gibt und die wir von der Dairy School her kannten – unerschütterlich in ihrem Glauben, daß das Essen keinen Spaß macht, aber irgendwie moralisch wesentlich ist. Wir teilten Mutters Befürchtungen in bezug auf die Küche – schließlich ging es auch um unser tägliches Essen –, aber Vater war überzeugt, daß mit Mrs. Urick alles klappen würde.

Sie bekam ihren eigenen Raum im Untergeschoß, »damit ich meine Küche in der Nähe habe«, sagte sie; sie nahm wohl an, sie könnte ihre Fleischbrühen-Töpfe auch nachts auf Sparflamme köcheln lassen. Auch Max Urick bekam sein eigenes Zimmer – im dritten Stock. Es gab keinen Aufzug, und mein Vater war froh, ein Zimmer im obersten Stock belegen zu können. Die Toiletten und Waschbecken dort waren zwar auf Knirpse zugeschnitten, aber da Max seine Toilettengeschäfte viele Jahre lang in der beengten Latrine der *Miss Intrepid* verrichtet hatte, brachten ihn die zwerghaften Dimensionen nicht aus der Fassung.

»Gut für mein Herz«, erklärte uns Max. »Hält die Pumpe in Schwung – das ganze Treppensteigen«, sagte er und schlug sich mit der verstümmelten Hand auf die zähe graue Brust. Doch wir hatten den Eindruck, daß Max sehr viel in Kauf nahm, um von Mrs. Urick so weit wie möglich weg zu sein; dafür stieg er auch Treppen und schränkte sich beim Händewaschen und Pinkeln ein. Angeblich hatte er geschickte Hände, und wenn er gerade nicht Mrs. Urick in der Küche half, war er mutmaßlich damit beschäftigt, irgend etwas im Haus zu reparieren. »Alles von der Toilette bis zum Türschloß!« behauptete er; er konnte mit der Zunge schnalzen, daß es sich anhörte, als werde ein Schlüssel in einem Schloß umgedreht, und er konnte das Geräusch eines gewaltigen Wasserschwalls erzeugen – wie die winzigen Toiletten im dritten Stock des Hotels New Hampshire, wenn sie ihr Zeug auf eine ehrfurchtgebietende, lange Reise schickten.

»Wofür ist die *zweite* Vorbestellung?« fragte ich Vater.

Wir wußten, daß es im Frühjahr ein Wochenende mit einer Abschlußfeier an der Dairy School geben würde; und vielleicht ein Wochenende mit einem großen Eishockeyspiel im Winter. Doch die wenigen – wenn auch regelmäßigen – Besuche von Eltern bei ihren Sprößlingen an der Dairy School würden kaum Vorbestellungen erfordern.

»Die Abschlußfeier, hab ich recht?« fragte Franny. Doch Vater schüttelte den Kopf.

»Eine riesige Hochzeit!« rief Lilly, und wir blickten sie groß an.

»Wessen Hochzeit denn?« fragte Frank.

»Weiß ich doch nicht«, sagte Lilly. »Aber jedenfalls eine *riesige* – eine wirklich große. Die größte Hochzeit in ganz Neuengland.«

Wir wußten nie, wie Lilly auf all die Dinge kam, die sie sich ausdachte; Mutter warf ihr einen besorgten Blick zu, dann wandte sie sich an Vater.

»Tu nicht so geheimnisvoll«, sagte sie. »Wir wollen es alle wissen: wofür ist die zweite Vorbestellung?«

»Sie ist erst für den Sommer«, sagte er. »Wir können uns noch lange genug darauf vorbereiten. Jetzt müssen wir uns auf das Exeter-Wochenende konzentrieren. Alles zu seiner Zeit.«

»Es ist wahrscheinlich eine Konferenz der Blinden«, sagte Franny morgens zu Frank und mir, als wir in die Schule gingen.

»Oder ein Lepra-Seminar«, sagte ich.

»Es wird schon recht sein«, sagte Frank beunruhigt.

Den Weg durch den Wald hinter dem Trainingsplatz benützten wir nicht mehr. Wir gingen quer über die Fußball-felder und warfen manchmal unsere Apfelbutzen in die Tore, oder aber wir nahmen den Hauptweg durch das Schulgelände, neben dem links und rechts die Wohnheime lagen. Es lag uns sehr daran, auch weiterhin Iowa-Bobs Rückraumspielern aus dem Weg zu gehen; keiner von uns hatte Lust, allein von Chipper Dove erwischt zu werden. Wir hatten Vater nichts von dem Vorfall erzählt – Frank hatte Franny und mich gebeten, ihm nichts zu sagen.

»Mutter weiß Bescheid«, erzählte uns Frank. »Ich meine, sie weiß, daß ich andersrum bin.«

Das überraschte Franny und mich nur im ersten Augenblick; wenn man darüber nachdachte, war es absolut einleuchtend. Wenn man ein Geheimnis hatte, war es bei Mutter gut aufgehoben; wenn man eine demokratische Debatte wollte, einen Familiendisput, der Stunden, vielleicht Wochen – oder gar Monate – dauerte, dann brachte man es am besten in Vaters Gegenwart zur Sprache. Er hatte für Geheimnisse nicht viel übrig, auch wenn er seine zweite Vorbestellung beharrlich für sich behielt.

»Es wird ein Treffen aller großen Schriftsteller und Künstler Europas sein«, mutmaßte Lilly, und Franny und ich stießen uns unterm Tisch an und verdrehten die Augen; unsere Augen sagten: Lilly ist komisch und Frank ist andersrum und Egg ist erst sechs. Unsere Augen sagten: Wir sind ganz allein in dieser Familie – nur wir zwei.

»Es ist bestimmt der *Zirkus*«, sagte Egg.

»Woher weißt du das?« fuhr ihn Vater an.

»Ach nein, Win«, sagte Mutter. »*Ist* es ein Zirkus?«

»Nur ein kleiner«, sagte Vater.

»Nicht die Nachkommen von P. T. Barnum?« sagte Iowa-Bob.

»Natürlich nicht«, sagte Vater.

»Die King Brothers!« sagte Frank; er hatte eine Tigernummer der King Brothers auf einem Poster in seinem Zimmer.

»Nein, ich meine *wirklich* klein«, sagte Vater. »Eher eine Art *Privat*zirkus.«

»Einer dieser zweitklassigen, meinst du«, sagte Iowa-Bob.

»Nicht so einer, der Mißgeburten vorführt!« sagte Franny.

»Ganz gewiß nicht«, sagte Vater.

»Was soll denn das sein, ›Mißgeburten‹?« fragte Lilly.

»Pferde mit zu wenig Beinen«, sagte Frank. »Eine Kuh mit einem zusätzlichen Kopf – auf dem Rücken.«

»Wo hast du das bloß gesehen?« fragte ich.

»Sind auch Tiger und Löwen dabei?« fragte Egg.

»Dann seht bloß zu, daß sie im *dritten* Stock wohnen«, sagte Iowa-Bob.

»Nein, bring sie bei Mrs. Urick unter!« sagte Franny.

»Win«, sagte meine Mutter. »Was *ist* das für ein Zirkus?«

»Na ja, der *Rasenplatz* wäre genau richtig für sie, verstehst du«, sagte Vater. »Sie können ihre Zelte auf dem alten Schulhof aufschlagen, sie können im Restaurant essen, und einige von ihnen würden vielleicht tatsächlich im Hotel übernachten – auch wenn die meisten dieser Leute, glaube ich, ihre eigenen Wohnwagen haben.«

»Was für Tiere werden es sein?« fragte Lilly.

»Na ja«, sagte Vater, »ich glaube, die haben nicht so viele Tiere. Es ist ein *kleiner* Betrieb, wie gesagt. Wahrscheinlich nur wenige Tiere. Sie haben einige besondere *Nummern*, glaube ich – aber Tiere, da bin ich mir nicht sicher.«

»Was denn für *Nummern*?« sagte Iowa-Bob.

»Es ist wahrscheinlich einer von diesen *entsetzlichen* Zirkussen«, sagte Franny. »Mit Ziegen und Hühnern und diesen gewöhnlichen, abgeschmackten Tieren, die sowieso schon jeder mal gesehen hat – ein paar doofen Rentieren, einer sprechenden Krähe. Aber bestimmt nichts Großes, und nichts Exotisches.«

»Auf die exotischen können wir hier ganz gut verzichten«, sagte Mutter.

»Was denn für *Nummern*«, sagte Iowa-Bob.

»Na ja«, sagte Vater. »Genau weiß ich es nicht. Eine Trapeznummer vielleicht?«

»Du weißt nichts über die Tiere«, sagte Mutter. »Und du weißt auch nichts über die Nummern. Was *weißt* du denn nun?«

»Sie sind *klein*«, sagte Vater. »Sie wollten sich nur ein paar Zimmer reservieren lassen und vielleicht die Hälfte des Restaurants. Jeden Montag machen sie Ruhetag.«

»Jeden Montag?« sagte Iowa-Bob. »Für wie lange haben sie denn gebucht?«

»Na ja«, sagte Vater.

»Win!« sagte meine Mutter. »Wie viele Wochen werden sie hier sein?«

»Sie werden den ganzen Sommer hier sein«, sagte Vater.

»Wow!« rief Egg. »Der Zirkus!«

»*Ein* Zirkus«, sagte Franny. »Ein seltsamer Zirkus.«

»Doofe Nummern, doofe Tiere«, sagte ich.

»Seltsame Nummern, seltsame Tiere«, sagte Frank.

»Dann paßt du ja gut dazu, Frank«, sagte Franny zu ihm.

»Laß das«, sagte Mutter.

»Kein Grund zur Aufregung«, sagte Vater. »Es ist nur ein kleiner, privater Zirkus.«

»Wie heißt er?« fragte Mutter.

»Na ja«, sagte Vater.

»Du weißt nicht, wie er heißt?« fragte Coach Bob.

»Natürlich weiß ich, wie er heißt!« sagte Vater. »Er heißt Fritzens Nummer.«

»Fritzens *Nummer?*« sagte Frank.

»Was ist das für eine Nummer?« fragte ich.

»Na ja«, sagte Vater. »Der Zirkus *heißt* nur so. Ich bin sicher, es gibt mehr als nur eine Nummer.«

»Es klingt sehr modern«, sagte Frank.

»*Modern*, Frank?« sagte Franny.

»Es klingt, als hätten die einen Tick«, sagte ich.

»Was ist ein Tick?« fragte Lilly.

»Vielleicht ein Tier?« fragte Egg.

»Vergiß es«, sagte Mutter.

»Wir sollten uns jetzt wirklich auf das Exeter-Wochenende konzentrieren«, sagte Vater.

»Richtig, und auf euren und meinen Umzug«, sagte Iowa-Bob. »Über den Sommer können wir uns noch lange genug unterhalten.«

»Der ganze Sommer ist bereits ausgebucht?« fragte Mutter.

»Siehst du?« sagte Vater. »*So* muß das Geschäft laufen! Bereits jetzt ist alles klar für den Sommer *und* für das Exeter-Wochenende. Alles zu seiner Zeit. Jetzt brauchen wir nur noch einzuziehen.«

Das war eine Woche vor dem Spiel gegen Exeter; es war das Wochenende, an dem Iowa-Bobs Legionäre neun Touchdowns erzielten – es war ihr neunter Sieg in den neun Spielen dieser Saison. Franny bekam das Spiel nicht zu sehen; sie hatte beschlossen, nicht mehr als Cheerleader weiterzumachen. An diesem Samstag halfen wir beide Mutter mit dem Transport der letzten Sachen, die die Möbelwagen noch nicht zum Hotel New Hampshire gefahren hatten; Lilly und Egg gingen mit Vater und Coach Bob zu dem Spiel; Frank marschierte natürlich mit der Schulkapelle.

Es waren dreißig Zimmer in vier Stockwerken, und unsere Familie belegte sieben Zimmer in der Südostecke, verteilt über zwei Stockwerke. Ein Zimmer im Untergeschoß gehörte zu Mrs. Uricks Reich; einschließlich der Zufluchtstätte für Max im dritten Stock waren es also zweiundzwanzig Gästezimmer. Doch das Erste Servier- und Hausmädchen, Ronda Ray, hatte im ersten Stock einen Tagesraum – um sich sammeln zu können, wie sie zu Vater gesagt hatte. Und in der Südostecke im zweiten Stock – direkt über uns – waren zwei Zimmer für Iowa-Bob reserviert. Damit blieben noch neunzehn Gästezimmer, und von denen hatten nur dreizehn ein eigenes Bad; sechs Zimmer hatten die Ausstattung im Zwergformat.

»Es sind mehr als genug Zimmer«, sagte Vater. »Die Stadt ist klein und nicht so überlaufen.«

Es waren vielleicht mehr als genug Zimmer für den Zirkus, der sich Fritzens Nummer nannte, aber wir fragten uns besorgt, wie wir mit dem vollen Haus zurechtkommen würden, das wir für das Exeter-Wochenende erwarteten.

An dem Samstag, an dem wir einzogen, entdeckte Franny die Gegensprechanlage und stellte die Schalter in allen Zimmern auf ›Empfang‹. Sie waren natürlich alle leer, aber wir versuchten uns vorzustellen, wie wir später den ersten Gästen zuhören würden. Die Quatschkisten, wie Vater die Anlage nannte, waren natürlich ein Überbleibsel vom Thompson Female Seminary – die Direktorin konnte alle Klassenzimmer benachrichtigen, wenn es eine Feuerlöschübung gab, und eine Lehrerin konnte ein Klassenzimmer verlassen und trotzdem mithören, ob die Schülerinnen Krach machten. Vater sagte sich, wenn die Sprechanlage erhalten blieb, erübrigten sich Telefone auf den Zimmern.

»Über die Sprechanlage können sie Hilfe herbeirufen«,

130

sagte Vater. »Oder wir können sie zur Frühstückszeit wecken. Und wenn sie telefonieren wollen, können sie das Telefon am Empfang benützen.« Aber mit Hilfe der Quatschkisten war es auch möglich, die Gäste auf ihren Zimmern zu belauschen.

»Vom *moralischen* Standpunkt ist es nicht möglich«, sagte Vater, aber Franny und ich konnten es kaum erwarten.

An dem Samstag, an dem wir einzogen, hatten wir noch nicht mal das Telefon am Empfang – und auch in unserer Wohnung war noch kein Telefon –, und wir waren ohne Wäsche, da die Firma, die sich um die Hotelwäsche zu kümmern hatte, vertraglich dazu verpflichtet worden war, sich auch der Wäsche unserer Familie anzunehmen. Sie begannen erst am Montag. Auch Ronda Ray begann erst am Montag, aber *sie* war da – im Hotel New Hampshire – und besichtigte gerade ihren Tagesraum, als wir ankamen.

»Den brauch ich einfach, verstehn Sie?« fragte sie Mutter. »Ich kann morgens, *nachdem* ich die Frühstücksesser bedient habe – und *bevor* ich den Mittagessern ihr Essen serviere –, unmöglich auch noch die Betten machen, wenn ich mich nicht mal kurz aufs Ohr legen kann. Und zwischen Mittag- und Abendessen, wenn ich mich da nicht aufs Ohr lege, dann werd ich ganz ekelhaft. Und wenn Sie da wohnten, wo ich wohne, dann würden Sie bestimmt nicht heim wollen.«

Ronda Ray wohnte in Hampton Beach, wo sie für die Sommerfrischler kellnerte und Betten machte. Sie hatte nach einem Hoteljob fürs ganze Jahr gesucht – und, so nahm meine Mutter an, nach einer Möglichkeit, ein für allemal aus Hampton Beach rauszukommen. Sie war ungefähr so alt wie meine Mutter und behauptete sogar, sie erinnere sich, Earls Auftritte seinerzeit im Kasino gesehen zu haben. Es waren allerdings nicht seine Auftritte als Tänzer im Ballsaal, die sie gesehen hatte; vielmehr erinnerte sie sich an den Musikpavillon und die Szene mit dem Titel ›Auf dem Arbeitsamt‹.

»Aber ich hab nie geglaubt, es sei ein echter Bär«, erzählte sie Franny und mir, während wir zuschauten, wie sie in ihrem Tagesraum einen kleinen Koffer auspackte. »Weil«, sagte

Ronda Ray, »ich sagte mir einfach, es kann doch keiner scharf drauf sein, einen *echten* Bären auszuziehen.«

Wir fragten uns, warum sie wohl *Nacht*zeug auspackte, wenn sie nicht vorhatte, die Nacht in diesem *Tages*raum zu verbringen; sie war eine Frau, die Franny neugierig machte – und ich fand sie sogar exotisch. Sie hatte gefärbte Haare; ich kann nicht sagen, welche Farbe sie hatten, denn es war keine richtige Farbe. Sie waren nicht rot, sie waren nicht blond; sie hatten die Farbe von Plastik oder Metall, und ich hätte gern gewußt, wie sie sich anfühlten. Ronda Ray hatte einen Körper, der wohl früher einmal so stark war wie Frannys Körper, doch er war ein wenig dick geworden – immer noch voller Kraft, aber nicht mehr so leicht. Es ist schwer zu sagen, wie sie roch, obschon Franny nachher – nachdem wir Ronda Rays Zimmer verlassen hatten – einen Versuch machte.

»Sie hat sich vor zwei Tagen Parfüm aufs Handgelenk gesprüht«, sagte Franny. »Kannst du mir folgen?«

»Ja«, sagte ich.

»Aber sie hatte zu der Zeit ihr Uhrenarmband nicht an – ihr Bruder trug ihre Uhr, oder ihr Vater«, sagte Franny. »Ein Mann jedenfalls, und er hat unheimlich viel *geschwitzt*.«

»Ja«, sagte ich.

»Dann zog Ronda das Armband wieder an, über das parfümierte Handgelenk, und sie trug es einen Tag lang, während sie Betten abzog«, sagte Franny.

»Was für Betten denn?« fragte ich.

Franny dachte einen Augenblick nach. »Betten, in denen sehr seltsame Menschen geschlafen hatten«, sagte sie.

»Der Zirkus, der sich Fritzens Nummer nennt, hat darin geschlafen!« sagte ich.

»Genau!« sagte Franny.

»Den ganzen Sommer!« sagten wir wie mit einer Stimme.

»Genau«, sagte Franny. »Und was *wir* riechen, wenn wir Ronda riechen, ist der Geruch von Rondas Uhrenarmband – nach all dem.«

Das kam der Sache ziemlich nahe, aber ich fand den Geruch

ein klein wenig besser – nur ein klein wenig. Ich dachte an Ronda Rays Strümpfe, die sie in den Schrank ihres Tagesraumes hängte; ich dachte mir, wenn ich an den Strümpfen, die sie anhatte, direkt hinter dem Knie schnupperte, würde ich ihren wahren Geruch einfangen.

»Du weißt doch, warum sie sie trägt?« fragte mich Franny.

»Nein«, sagte ich.

»Irgendein Mann hat ihr heißen Kaffee über die Beine gegossen«, sagte Franny. »Er hat es absichtlich getan. Er wollte sie verbrühen.«

»Woher weißt du das?« fragte ich.

»Ich hab die Narben gesehen«, sagte Franny. »Und sie hat es mir erzählt.«

An der Steuertafel für die Quatschkisten schalteten wir alle anderen Zimmer ab und belauschten Ronda Ray in ihrem Tagesraum. Sie summte. Dann hörten wir sie rauchen. Wir malten uns aus, wie sie sich anhörte, wenn sie mit einem Mann zusammen war.

»Schön laut«, sagte Franny. Wir horchten auf Rondas Atemzüge, vermischt mit dem Knistern der Sprechanlage – ein uraltes Ding, das von einer Autobatterie gespeist wurde, wie ein raffinierter elektrisch geladener Weidezaun.

Als Lilly und Egg und Vater vom Spiel nach Hause kamen, setzten Franny und ich Egg in den Speiseaufzug und ließen ihn in dem über vier Stockwerke gehenden Aufzugsschacht rauf- und runterfahren, bis Frank uns verpfiff und Vater uns klarmachte, daß der Aufzug nur dazu verwendet werden würde, Wäsche und Geschirr und andere *Dinge* – nicht Menschen – aus den Zimmern nach unten zu bringen.

Es sei nicht ungefährlich, sagte Vater. Wenn wir das Seil losließen, dann rase der Aufzug mit der Geschwindigkeit nach unten, die durch seine Reaktion auf die Schwerkraft bestimmt werde. Und das sei schnell – vielleicht nicht für *Dinge,* auf jeden Fall aber für einen Menschen.

»Aber Egg ist doch leicht«, wandte Franny ein. »Ich meine, wir versuchen's ja nicht mit *Frank.*«

»Ihr werdet es *gar* nicht mehr versuchen«, sagte Vater.

Dann war Lilly verschwunden, und wir ließen das Auspacken fast eine Stunde lang sein, um nach ihr zu suchen. Sie saß in der Küche bei Mrs. Urick, die mit ihren Geschichten Lillys ganze Aufmerksamkeit gewonnen hatte; sie erzählte ihr von den verschiedenen Methoden, mit denen sie als kleines Mädchen bestraft worden war. Ganze Haarbüschel hatten sie ihr abgeschnitten, um sie zu demütigen, wenn sie vergaß, vor dem Essen die Hände zu waschen; sie mußte sich barfuß in den Schnee stellen, wenn sie einmal geflucht hatte; hatte sie etwas zu essen »stibitzt«, wurde sie gezwungen, einen Eßlöffel Salz hinunterzuschlucken.

»Wenn du und Mutter weggeht«, sagte Lilly zu Vater, »dann laßt ihr uns aber nicht bei Mrs. Urick zurück, oder?«

Frank hatte das beste Zimmer, und Franny beschwerte sich; sie mußte sich ein Zimmer mit Lilly teilen. Eine Türöffnung ohne Tür verband mein Zimmer mit dem Eggs. Max Urick demontierte seine Sprechanlage; wenn wir in sein Zimmer lauschten, bekamen wir nur ein Rauschen zu hören – als sei der alte Seemann immer noch draußen auf hoher See. Mrs. Uricks Zimmer blubberte wie die Töpfe hinten auf ihrem Herd – das Geräusch eines Lebens, das stets auf Sparflamme kochte.

Wir warteten so aufgeregt darauf, daß mehr Gäste kamen und das Hotel New Hampshire offiziell eröffnet wurde, daß wir nicht stillhalten konnten.

Vater scheuchte uns durch zwei Feueralarmübungen, um uns müde zu machen, aber es stimulierte uns eher und weckte unseren Erlebnishunger. Als es dunkel wurde, begriffen wir, daß der Strom im Haus noch nicht eingeschaltet war – und so versteckten wir uns voreinander oder geisterten mit Kerzen durch die leeren Räume und suchten einander.

Ich versteckte mich in Ronda Rays Tagesraum im ersten Stock. Ich blies meine Kerze aus und ortete mit Hilfe meines Geruchsinnes die Schubladen, in denen sie ihre Wäsche für die Nacht verstaut hatte. Im zweiten Stock hörte ich einen Aufschrei Franks – er hatte im Dunkeln mit der Hand in eine

Pflanze gegriffen – und in der Echokammer des Treppenhauses ein Lachen, das nur von Franny stammen konnte.

»Tobt euch nur aus!« dröhnte Vaters Stimme aus unserer Wohnung. »Wenn erst *Gäste* hier sind, könnt ihr nicht mehr überall rumrennen.«

Lilly fand mich in Ronda Rays Zimmer und half mir, Rondas Wäsche wieder in der Kommode zu verstauen. Vater erwischte uns, wie wir aus Rondas Zimmer kamen, und nahm Lilly mit in unsere Wohnung und brachte sie zu Bett; er war gereizt, weil er gerade versucht hatte, sich bei der Elektrizitätsgesellschaft telefonisch zu beschweren, daß sie uns noch keinen Strom lieferten, und dabei entdeckt hatte, daß auch unsere Telefone noch nicht angeschlossen waren. Mutter hatte sich bereit erklärt, mit Egg einen Spaziergang zu machen und vom Bahnhof aus anzurufen.

Ich machte mich auf die Suche nach Franny, aber sie hatte sich unbemerkt in die Eingangshalle geschlichen; sie schaltete das ganze Haus auf ›Sendung‹ und machte eine Durchsage.

»Achtung, Achtung!« tönte Franny. »Achtung, Achtung! Alles aus den Betten und zur Sexkontrolle!«

Was ist denn eine Sexkontrolle? fragte ich mich, während ich die Treppen hinunter zur Eingangshalle lief.

Frank bekam zum Glück die Durchsage nicht mit; er hatte sich in der Besenkammer im dritten Stock versteckt, wo keine Quatschkiste installiert war: von Frannys Aufforderung verstand er kein Wort. Wahrscheinlich dachte er, Vater scheuche uns noch einmal durch eine Feuerlöschübung; in seiner eifrigen Eile trat Frank beim Verlassen der Besenkammer in einen Eimer und machte eine Bauchlandung; er schlug mit dem Kopf auf dem Boden auf, und seine Hand erwischte diesmal eine tote Maus.

Wir hörten ihn wieder kreischen, und im dritten Stock machte hinten im Flur Max Urick seine Tür auf und brüllte, als sei er draußen auf dem Meer und versinke in den Fluten.

»Laß endlich das verfluchte Gekreische, sonst häng ich dich an den kleinen Fingern an der Feuerleiter auf!«

Das verdarb Frank die Laune; er erklärte, unsere Spiele seien »kindisch«, und ging auf sein Zimmer. Franny und ich nahmen den Elliot Park ins Visier; wir standen am großen Eckfenster in 2 F, eigentlich Coach Bobs Schlafzimmer, aber Bob war noch auf einem Sportlerbankett, einer Siegesfeier für alle bisherigen Spiele – nur eines stand noch aus.

Der Elliot Park war verlassen, wie gewohnt, und die unbenutzten Einrichtungen auf dem Kinderspielplatz wirkten im trüben Schein der einzigen Straßenlaterne wie abgestorbene Bäume. Es stand immer noch einiges herum, was an den Umbau erinnerte, die Dieselmaschinen und die Baracke der Bauarbeiter, doch die Arbeiten am Hotel New Hampshire waren – bis auf die Gartenarbeiten – abgeschlossen, und die einzige Maschine, die in den vergangenen Tagen noch eingesetzt worden war, war der Löffelbagger, der wie ein hungriger Dinosaurier neben dem mit Platten ausgelegten Weg kauerte. Es waren immer noch einige Stümpfe von abgestorbenen Ulmen auszugraben, und am Rand des neu angelegten Parkplatzes waren noch einige Löcher zu füllen. Ein schwacher Lichtschimmer kam aus den Fenstern unserer Wohnung, wo Vater bei Kerzenschein Lilly zu Bett brachte und wo sich Frank bestimmt in seiner Musikeruniform im Spiegel betrachtete.

Franny und ich sahen den Streifenwagen in den Elliot Park einbiegen – ähnlich einem Hai, der in einsamen Gewässern Jagd auf imaginäre Beute macht. Wir stellten uns vor, daß der alte Polizist, Howard Tuck, Mutter und Egg auf dem Rückweg vom Bahnhof verhaften würde. Wir stellten uns vor, daß das Kerzenlicht im Hotel New Hampshire den guten Tuck überzeugen würde, daß die Geister ehemaliger Schülerinnen des Thompson Female Seminary im Hotel umgingen. Doch Howard parkte den Streifenwagen hinter dem augenfälligsten Haufen Bauschutt und schaltete den Motor und die Scheinwerfer aus.

Wir sahen die Glut seiner Zigarre wie das schimmernde rote Auge eines wilden Tieres in dem dunklen Wagen aufleuchten.

Wir sahen Mutter und Egg, wie sie unentdeckt den Spielplatz überquerten. Sie kamen aus dem Dunkel und aus dem kärglichen Licht, als sei ihr irdisches Dasein ebenso kurz und ebenso spärlich beleuchtet; sie so zu sehen, gab mir einen Stich, und ich spürte, wie Franny neben mir schauderte.

»Laß uns überall die Lichter anmachen«, schlug Franny vor. »In allen Räumen.«

»Aber der Strom ist doch weg«, sagte ich.

»Im Augenblick schon, du Dummi«, sagte sie, »aber wenn wir alle Lichter andrehen, dann leuchtet das ganze Hotel auf, sobald sie den Strom einschalten.«

Das schien eine glänzende Idee, und so half ich ihr, überall – selbst auf dem Flur vor Max Uricks Zimmer – die Lichter anzumachen, auch die Scheinwerfer an der Außenwand, die eines Tages eine Terrasse vor dem Restaurant anstrahlen würden, im Moment allerdings nur den Löffelbagger und einen gelben Schutzhelm, der an seinem Kinnband an einem kleinen Baum hing, den der Bagger verschont hatte. Der Arbeiter, dem der Schutzhelm gehörte, schien auf immer verschwunden.

Der verlassene Helm erinnerte mich an Struthers, stark und langweilig; ich wußte, daß sich Franny in letzter Zeit nicht mehr mit ihm traf. Ich wußte auch, daß sie keine speziellen Freunde hatte, und das Thema schien sie zu verdrießen. Sie war, wie sie mir selbst erzählt hatte, noch Jungfrau, nicht weil sie das so wollte, sondern weil es an der Dairy School keinen Jungen gab, der es (wie sie sich ausdrückte) »wert« war.

»Das soll nicht heißen, daß ich *mich* so toll finde«, sagte sie zu mir, »aber ich will nicht, daß es mir irgendein Tölpel verdirbt, und ich will auch keinen, der mich auslachen könnte. Es ist sehr wichtig, John«, erzählte sie mir, »vor allem das erste Mal.«

»Warum?« fragte ich.

»Es ist nun mal so«, sagte Franny. »Es ist *das erste Mal*, deshalb. Das bleibt dir immer.«

Ich hatte meine Zweifel; ich hoffte, daß es nicht so war. Ich dachte an Ronda Ray: was hatte das erste Mal für sie bedeutet? Ich dachte an ihre Nachtwäsche, die – unbestimmbar –

roch wie ihr Handgelenk unter dem Armband, wie ihre Knie-
kehle.

Howard Tuck und der Streifenwagen hatten sich nicht gerührt, während Franny und ich alle Lichtschalter angedreht
hatten. Wir schlichen uns ins Freie, denn wir wollten das
ganze Hotel aufflammen sehen, wenn der Strom eingeschaltet
wurde. Wir kletterten in die Fahrerkabine des Löffelbaggers
und warteten.

Howard Tuck saß so still in dem Streifenwagen, daß es aussah, als warte er auf seine Pensionierung. Nicht umsonst sagte
Iowa-Bob öfter, Howard Tuck sehe immer aus, als stehe er
»an der Schwelle des Todes«.

Als Howard Tuck den Zündschlüssel drehte, um den Motor
des Streifenwagens anzulassen, erstrahlte plötzlich das Hotel,
als habe *er* das bewirkt. Als am Streifenwagen die Scheinwerfer angingen, erwachten sämtliche Lichter im Hotel zum
Leben, und Howard Tuck schien erst ruckartig anzufahren
und dann den Motor abzuwürgen – als habe ihn der Anblick
des strahlenden Hotels so geblendet, daß sein Fuß vom Gas
oder von der Kupplung glitt. Tatsächlich war der Umstand,
daß das Hotel New Hampshire in dem Augenblick im hellsten
Licht erstrahlte, als er seinen Wagen startete, für den alten
Howard Tuck zuviel gewesen. Sein Leben im Elliot Park war
nicht so strahlend gewesen – nur gelegentliche Entdeckungen
sexueller Natur, unerfahrene Teenager im Lichtkegel seiner
Scheinwerfer und der eine oder andere Vandale, der damit
beschäftigt war, dem Thompson Female Seminary unerheb-
liche Schäden zuzufügen. Einmal hatten die Schüler der Dairy
School eine der Pro-forma-Kühe der Schule gestohlen und sie
auf dem Hockeyplatz an ein Tor gebunden.

Was Howard Tuck sah, als er seinen Wagen startete, war
ein viergeschossiger Lichtschock gewesen – ein Anblick, wie
ihn das Hotel New Hampshire exakt in der Sekunde bieten
mochte, in der es von einer Bombe getroffen wurde. Max
Uricks Radio setzte ein mit schmetternder Musik und erschreckte Max so sehr, daß er einen gellenden Schrei ausstieß;

ein Summer meldete sich an einem Herd in Mrs. Uricks unterirdischer Küche; Lilly schrie laut auf im Schlaf; Frank erwachte in dem dunklen Spiegel plötzlich zum Leben; Egg schloß aus Angst vor der summenden, durchs ganze Hotel pulsierenden Elektrizität die Augen; Franny und ich hielten uns in dem Löffelbagger die Ohren zu – als müsse dieser gewaltigen plötzlichen Helligkeit zwangsläufig eine Explosion folgen. Und der alte Polizist Howard Tuck spürte, wie sein Fuß in dem Moment von der Kupplung rutschte, als sein Herz stehenblieb und er eine Welt verließ, in der Hotels so schlagartig zum Leben erwachen konnten.

Franny und ich waren als erste am Streifenwagen. Wir sahen den aufs Lenkrad gekippten Körper des Polizisten und hörten das durchdringende Hupen. Vater und Mutter und Frank kamen aus dem Hotel New Hampshire gelaufen, als gebe das Polizeiauto das Signal zu einer weiteren Feuerlöschübung.

»Jessas, Howard, du bist *tot*«, sagte Vater zu dem alten Mann und hörte nicht auf ihn zu schütteln.

»Das haben wir nicht gewollt, das haben wir nicht gewollt«, sagte Franny.

Vater gab dem alten Howard Tuck einen Schlag auf die Brust und legte ihn flach auf die Vordersitze des Polizeiwagens; dann versetzte er ihm noch einen Schlag gegen die Brust.

»Ruft doch jemand an!« sagte Vater, aber in unserem unwahrscheinlichen Haus gab es kein Telefon, das funktionierte. Vater blickte auf das verwirrende Labyrinth aus Kabeln und Schaltern und Hör- und Sprechmuscheln in dem Streifenwagen. »Hallo? Hallo!« rief er irgendwo hinein und drückte irgendwo drauf. »Himmel Arsch, wie funktioniert denn dieses Scheißding?« schrie er.

»Wer spricht da?« fragte eine Stimme irgendwo im Gewirr der Kabel.

»Schickt einen Krankenwagen in den Elliot Park«, sagte mein Vater.

»Halloween-Alarm?« sagte die Stimme. »Halloween-Probleme? Hallo, hallo.«

»Jessas Gott, wir haben *Halloween!*« sagte Vater. »Gottverdammte blöde Technik!« rief er und schlug mit einer Hand auf das Armaturenbrett des Streifenwagens ein; gleichzeitig versetzte er der regungslosen Brust Howard Tucks mit der anderen Hand einen ziemlich kräftigen Schlag.

»Wir können einen Krankenwagen herschaffen!« sagte Franny. »Den Krankenwagen der *Schule!*«

Und ich lief mit ihr durch den Elliot Park, durch das überwältigende Licht, das dem Hotel New Hampshire entströmte. »Heiliger Strohsack«, sagte Iowa-Bob, als wir ihm am Rand des Parks auf der Pine Street begegneten; er blickte auf das hell erleuchtete Hotel, als habe die Eröffnung ohne ihn stattgefunden. In dem unnatürlichen Licht kam mir Coach Bob viel älter vor, aber wahrscheinlich sah er nur so alt aus, wie er war – ein Großvater und ein abdankender Coach mit einem noch ausstehenden Spiel.

»Howard Tuck hatte einen Herzschlag!« rief ich ihm zu, und Franny und ich liefen weiter zur Dairy School – die immer schon ihre eigenen, für einen Herzschlag ausreichenden Tricks auf Lager hatte, insbesondere an Halloween.

4.

Franny verliert einen Kampf

An Halloween schickte die Polizei der Stadt Dairy den alten Howard Tuck wie gewöhnlich zum Elliot Park, doch die staatliche Polizei ließ zwei Wagen auf dem Schulgelände der Dairy School Streife fahren; außerdem verdoppelte die Schule die Zahl ihrer eigenen Sicherheitskräfte: die sonst nicht gerade traditionsreiche Dairy School war wegen ihrer Halloween-Geschichten ganz schön berüchtigt.

Es war Halloween gewesen, als eine der Pro-forma-Kühe auf dem Gelände des Thompson Female Seminary an einen Torpfosten gebunden worden war. Und es war ein anderes Halloween gewesen, als eine andere Kuh in die Dairy-Sporthalle gebracht und dort ins Schwimmbecken geführt wurde und auf das Chlor im Wasser so heftig reagierte, daß sie ertrank.

Es war Halloween gewesen, als vier kleine Kinder aus dem Ort den Fehler gemacht hatten, mit ihrem »Belohnst du mich, verschon ich dich« ausgerechnet in einem der Dairy-Wohnheime Klinkenputzen zu gehen. Die Kinder wurden die ganze Nacht festgehalten; von einem als Henker verkleideten Schüler wurden ihnen die Köpfe glattrasiert, und eines der Kinder brachte anschließend eine Woche lang keinen Ton heraus.

»Ich *hasse* Halloween«, sagte Franny, als uns auffiel, daß nur wenige Klinkenputzer unterwegs waren; die Kinder in Dairy hatten Angst vor Halloween. Die paar verschüchterten Kinder mit einer Tüte oder einer Maske über dem Kopf duckten sich, als Franny und ich vorbeiliefen; und eine Gruppe kleiner Kinder – eines als Hexe verkleidet, eines als Gespenst und zwei als Roboter aus einem neuen Film über eine Invasion von Marsbewohnern – suchte in einem hellbeleuchteten Türeingang Zuflucht, als wir auf dem Gehweg direkt auf sie zu-stürmten.

Hier und da parkten am Straßenrand Autos mit besorgten Eltern, die nach potentiellen Angreifern Ausschau hielten, während ihre Kinder vorsichtig auf eine Haustür zugingen, um zu läuten. Es waren zweifellos die üblichen Ängste vor Rasierklingen in Äpfeln oder Arsen in Schokoladeplätzchen, die den parkenden Eltern durch den Kopf gingen. Einer dieser besorgten Väter richtete seine Scheinwerfer auf Franny und mich und stürzte aus seinem Wagen, um uns zu verfolgen. »He, ihr da!« brüllte er.

»Howard Tuck hatte einen Herzschlag!« rief ich ihm zu, und das schien zu wirken – er erstarrte. Franny und ich liefen durch das offene Tor, das an ein Friedhofstor erinnerte, aber zu den Sportplätzen der Dairy School führte; als wir an den spitz zulaufenden Eisenstäben vorbeiliefen, versuchte ich mir das Tor am Exeter-Wochenende vorzustellen – wenn sie Fähnchen und wärmende Decken und lärmende Kuhglocken für das Spiel verkaufen würden. Im Augenblick war es ein ziemlich trostloses Tor, und während wir hineinrannten, stürmte eine kleine Horde Kinder an uns vorbei, *hinaus* – in die andere Richtung. Sie liefen um ihr Leben, wie es schien, und die angsterfüllten Gesichter der einen waren ebenso erschreckend wie die Halloween-Masken, die andere Kinder noch anhatten. Ihre schwarzweißen und kürbisfarbenen Kunststoffkostüme waren zerrissen und zerfetzt, und sie heulten wie ein Krankensaal in der Kinderklinik – ein heftiges, würgendes Schluchzen voller Angst.

»Jessas Gott«, sagte Franny, und sie nahmen Reißaus – als trüge *sie* ein Kostüm und *ich* die schlimmste aller Masken.

Ich schnappte mir einen kleinen Jungen und fragte ihn: »Was ist denn los?« Aber er wand sich in meinem Griff und brüllte und versuchte mich ins Handgelenk zu beißen – er war naß und zitterte am ganzen Leib, und er roch seltsam, und sein Skelett-Kostüm löste sich unter meinen Händen auf, wie durchweichtes Klopapier oder ein zerfallender Schwamm.

»Riesenspinnen!« schrie er, völlig kopflos. Ich ließ ihn laufen.

»Was ist denn los?« rief Franny den Kindern nach, aber so plötzlich, wie sie aufgetaucht waren, waren sie nun verschwunden. Vor uns erstreckten sich die Spielfelder, dunkel und leer; am anderen Ende schienen die Wohnheime und Bauten der Dairy School – wie große Schiffe in einem nebelverhangenen Hafen – nur schwach beleuchtet, als seien alle früh zu Bett gegangen und nur ein paar gute Schüler machten, wie man so sagt, die Nacht zum Tage. Aber Franny und ich wußten, daß es sehr wenige »gute« Dairy-Schüler gab, und wir bezweifelten sogar im Fall der guten, daß sie in der Samstagnacht an Halloween über ihren Büchern saßen – und wir bezweifelten, daß irgendeines der dunklen Fenster bedeutete, daß irgend jemand schlief. Vielleicht tranken sie in der Schwärze ihrer Zimmer; vielleicht taten sie sich und einigen gefangenen Kindern Gewalt an in ihren dunklen Schlafsälen. Vielleicht gab es als letzten Schrei an der Schule eine neue Religion, die für ihre Rituale totale Finsternis vorschrieb – und Halloween war für sie der Tag der Abrechnung.

Irgend etwas stimmte nicht. Die weißen Holzbalken des Tores an diesem Ende des Fußballplatzes schienen mir *zu* weiß, obwohl dies die dunkelste Nacht war, die ich je erlebt hatte. Irgend etwas an dem Tor war zu kahl und offensichtlich.

»Ich wollte, wir hätten Kummer bei uns«, sagte Franny.

Kummer wird *unter* uns sein, dachte ich – denn ich wußte etwas, was Franny nicht wußte: daß Vater an eben diesem Tag mit Kummer zum Tierarzt gegangen war, um den alten Hund einschläfern zu lassen. Über die Notwendigkeit dieses Schrittes war – in Frannys Abwesenheit – nüchtern gesprochen worden. Auch Lilly und Egg waren nicht dabei. Vater hatte es Mutter, Frank und mir – und Iowa-Bob – erklärt. »Franny wird es nicht verstehen«, hatte Vater gesagt. »Und Lilly und Egg sind zu jung. Es hat keinen Sinn, sie um ihre Meinung zu fragen. Sie wären nicht vernünftig.«

Frank hatte für Kummer nichts übrig, aber selbst Frank schien das Todesurteil zu betrüben. »Ich weiß, er riecht übel«, sagte er, »aber das ist ja keine tödliche Krankheit.«

»In einem Hotel schon«, sagte Vater. »Der Hund leidet an Flatulenz im Endstadium.«

»Und er ist wirklich alt«, sagte Mutter.

»Wenn *ihr* alt werdet«, sagte ich zu Mutter und Vater, »werden wir euch nicht einschläfern lassen.«

»Und was ist mit *mir?*« sagte Iowa-Bob. »Ich bin ja wohl als nächster dran. Muß aufpassen mit meinem Furzen, sonst heißt's: ab ins Pflegeheim!«

»Du bist wieder mal eine große Hilfe«, sagte Vater zu Coach Bob. »Franny ist die einzige, die den Hund wirklich liebt. Sie ist die einzige, die das *wirklich* treffen wird, und wir müssen es so leicht für sie machen, wie nur irgend möglich.«

Vater war zweifellos der Meinung, die Vorausempfindung mache neun Zehntel des Leidens aus: es geschah eigentlich nicht aus Feigheit, daß er Franny *nicht* um ihre Meinung fragte; er wußte natürlich, wie ihre Meinung ausfallen würde, und er wußte, daß Kummer gehen mußte.

Und so fragte ich mich nun, wie lange es nach unserem Einzug ins Hotel New Hampshire dauern würde, bis Franny den alten Furzer vermißte, bis sie anfing, überall nach Kummer zu schnuppern – und dann würde Vater seine Karten offen auf den Tisch legen müssen.

»Tja, Franny«, hörte ich Vater anfangen. »Du weißt doch, Kummer wurde nicht jünger – und er konnte sich immer weniger beherrschen.«

Als ich an dem Fußballtor vorbeiging – weiß wie der Tod unter dem schwarzen Himmel –, mußte ich schaudernd daran denken, wie Franny es aufnehmen würde. »Mörder!« würde sie uns alle nennen. Und uns würde allen die Schuld im Gesicht stehen. »Franny, Franny«, würde Vater sagen, aber Franny würde sich fürchterlich aufregen. Ich bedauerte die Fremden im Hotel New Hampshire, die von der Vielfalt an Tönen, deren Franny fähig war, aufgeweckt würden.

Dann wurde mir plötzlich klar, was an dem Fußballtor nicht stimmte: das Netz war weg. Ende der Saison? dachte ich. Aber nein, wenn es noch eine Woche Football gab, dann gab es gewiß auch noch eine Woche Fußball. Und ich erinnerte mich, daß die Netze immer bis zum ersten Schnee an den Toren blieben, als falle dem Platzwart frühestens beim ersten Schneesturm ein, was er vergessen hatte. Die Tornetze hielten den vom Wind verwehten Schnee fest – wie Spinnennetze, die fein genug gewoben sind, um Staub einzufangen.

»Das Netz ist weg – das Tornetz«, sagte ich zu Franny.

»Na und«, sagte sie, und wir bogen ab in den Wald. Selbst im Dunkeln konnten Franny und ich die Abkürzung finden, den Weg, den die Footballspieler immer benutzten und den – eben deshalb – alle anderen mieden.

Ein Halloween-Jux? dachte ich. Ein Tornetz klauen ... und natürlich liefen dann Franny und ich geradewegs hinein. Plötzlich war das Netz über uns und unter uns, und es waren noch zwei Leute darin gefangen: ein ganz junger Dairy-Schüler namens Firestone – sein Gesicht war rund wie ein Autoreifen und schwammig wie Weichkäse – und ein kleiner Klinkenputzer aus dem Ort. Der Klinkenputzer trug ein Gorillakostüm, obwohl seine Größe eher der eines Klammeraffen entsprach. Die Gorillamaske hatte er rücklings auf dem Kopf: wenn man seinen Hinterkopf vor sich hatte, sah man einen Affen, und wenn man in sein schreiendes Gesicht blickte, sah man den verängstigten kleinen Jungen, der er tatsächlich war.

Es war eine Dschungelfalle, und der Affe zappelte entsprechend. Firestone versuchte stillzuliegen, aber das ruckende Netz ließ eine ruhige Lage nicht zu – er prallte gegen mich und sagte: »Entschuldigung«, und dann prallte er gegen Franny und sagte: »O Gott, bitte vielmals um Entschuldigung.« Immer wenn ich versuchte, wieder auf die Beine zu kommen, riß das Netz die Füße unter mir weg, oder das Netz über mir riß mir den Kopf nach hinten, und ich fiel wieder hin. Franny kauerte auf allen vieren und hielt so das Gleichgewicht. Mit uns im Netz war eine große braune Tüte, aus der sich die Halloweenbeute des kleinen Jungen im Gorillakostüm ergoß – überzuckerter Mais und klebrige Klumpen aus Popcorn, die unter uns zerbröselten, und in knisterndes Zellophan gewickelte Lutscher. Der Junge im Gorillakostüm kreischte atemlos und hysterisch, als sei er kurz vor dem Ersticken, und Franny legte die Arme um ihn und versuchte ihn zu beruhigen. »Ist ja gut, es ist nur ein fieser Scherz«, sagte sie zu ihm. »Die lassen uns schon wieder laufen.«

»Riesenspinnen!« schrie das krampfhaft zuckende Kind und schlug dabei auf sich selber ein.

»Nein, nein«, sagte Franny. »Keine Spinnen. Es sind nur *Menschen.*«

Aber ich glaubte zu wissen, *was* für Menschen es waren; die Spinnen wären mir lieber gewesen.

»Wir haben *vier* erwischt!« sagte jemand – eine Stimme, die ich aus dem Umkleideraum kannte. »Gleich vier von diesen Fickern auf einmal!«

»Wir haben einen kleinen und drei große erwischt«, sagte eine andere vertraute Stimme, die Stimme eines Ballträgers oder eines Abwehrspielers – es war schwer zu sagen.

Taschenlampen blinkten uns an wie die Augen von ziemlich mechanischen Spinnen in der Nacht.

»Sieh mal an, wen haben wir denn da«, sagte die Stimme, die das Kommando führte, sagte der Spielmacher namens Chipper Dove.

»Hübsche kleine Füße«, sagte Harold Swallow.

»Einen wunderschönen Teint«, sagte Chester Pulaski.

»Ein hübsches Lächeln hat sie auch«, sagte Lenny Metz.

»Und den besten Arsch der ganzen Schule«, sagte Chipper Dove. Franny war auf den Knien.

»Howard Tuck hatte einen Herzschlag!« erzählte ich ihnen allen. »Wir müssen einen Krankenwagen holen!«

»Laßt den Scheißaffen laufen«, sagte Chip Dove. Das Netz verschob sich. Der dünne schwarze Arm Harold Swallows schnappte den kleinen Jungen im Gorillakostüm aus dem Spinnennetz und entließ ihn in die Nacht. »Belohnst du mich, verschon ich dich!« sagte Harold, und der kleine Gorilla war verschwunden.

»Bist du das, Firestone?« fragte Dove, und die Taschenlampe erfaßte den weichen Jungen namens Firestone, der unten im Netz lag und aussah, als wolle er einschlafen: die Knie hatte er wie ein Embryo an die Brust gezogen, die Augen geschlossen, die Hand vor dem Mund.

»Firestone, du Tunte«, sagte Lenny Metz. »Was machst du da?«

»Er lutscht am Daumen«, sagte Harold Swallow.

»Laßt ihn laufen«, sagte der Spielmacher, und Chester Pulaskis verwüsteter Teint blühte im Licht der Taschenlampe einen Augenblick auf; er zerrte den schlafenden Firestone aus dem Netz. Nach einem kurzen Patschen, von Fleisch gegen Fleisch, hörten wir den aufgewachten Firestone davontraben.

»Nun seht mal, wer noch übrig ist«, sagte Chipper Dove.

»Ein Mann hatte einen Herzschlag«, sagte Franny. »Wir gehen *wirklich* einen Krankenwagen holen.«

»Im Moment geht ihr nirgendwo hin«, sagte Dove. »He, Kleiner«, sagte er zu mir und leuchtete mir mit einer Taschenlampe ins Gesicht. »Weißt du, was ich von dir erwarte, Kleiner?«

»Nein«, sagte ich. Und jemand trat mit dem Fuß nach mir.

»Ich erwarte von dir, Kleiner«, sagte Chipper Dove, »daß du dableibst in unserem riesigen Spinnennetz, bis eine der Spinnen sagt, daß du gehen kannst. Verstanden?«

»Nein«, sagte ich, und wieder gab mir jemand einen Tritt, diesmal etwas kräftiger.

»Sei vernünftig«, sagte Franny zu mir.

»Ganz richtig«, sagte Lenny Metz. »Sei vernünftig.«

»Und du weißt, was ich von *dir* erwarte, Franny?« fragte Chipper Dove, aber Franny reagierte nicht. »Ich erwarte von dir, daß du mir noch einmal dieses Plätzchen zeigst«, sagte er, »das Plätzchen, wo wir allein sein können. Erinnerst du dich?«

Ich versuchte, näher an Franny heranzukriechen, aber jemand zog das Netz noch enger um mich herum.

»Sie bleibt bei mir!« brüllte ich. »Franny bleibt bei mir.«

Ich lag zu dem Zeitpunkt flach auf der Hüfte, das Netz um mich wurde immer enger, und jemand kniete in meinem Rücken.

»Laßt ihn in Frieden«, sagte Franny. »Ich geh ja mit.«

»Bleib doch einfach hier und rühr dich nicht, Franny«, sagte ich, aber sie ließ sich von Lenny Metz unter dem Netz hervorziehen. »Denk dran, was du mir erzählt hast, Franny!« rief ich ihr zu. »Weißt du noch – vom ersten Mal?«

»Wahrscheinlich stimmt das gar nicht«, sagte sie dumpf. »Wahrscheinlich ist das gar nichts Besonderes.«

Dann muß sie versucht haben, auszureißen, denn ich hörte ein Handgemenge im Dunkeln, und Lenny Metz schrie: »*Aufhören!* Saukerl, du Sau!« Und dann kam wieder dieses Patschen – Fleisch gegen Fleisch –, und ich hörte Franny sagen: »Schon gut! Schon gut! Du Dreckskerl.«

»Lenny und Chester werden dir *helfen,* mich zu dem Plätzchen zu führen, Franny«, sagte Chipper Dove. »Okay?«

»Du Furz im Sturzflug«, sagte Franny zu ihm. »Du Rattenarsch«, sagte sie, doch dann hörte ich wieder Fleisch gegen Fleisch, und Franny sagte: »Okay! Okay.«

Es war Harold Swallow, der in meinem Rücken kniete. Wenn mich das Netz nicht so eingeschnürt hätte, wäre ich ihm vielleicht gewachsen gewesen, aber ich konnte mich nicht rühren.

»Wir holen dich dann, Harold«, rief Chipper Dove.

»Nur Geduld, Harold!« sagte Chester Pulaski.

»Du kommst auch noch zum Zug, Harold!« sagte Lenny Metz, und alle lachten.

»Will keinen Zug«, sagte Harold Swallow. »Will keine Schwierigkeiten«, sagte er. Aber sie waren schon weg, nur Franny hörte man noch ein paarmal fluchen – doch jedesmal ein wenig weiter weg von mir.

»Du *kommst* aber in Schwierigkeiten, Harold«, sagte ich. »Du weißt, was die mit ihr machen.«

»Ich will es nicht wissen«, sagte er. »Ich komm nicht in

Schwierigkeiten. Ich bin überhaupt bloß an dieser Scheißarsch-Schule, um *raus*zukommen aus den Schwierigkeiten.«

»Jedenfalls steckst du jetzt in Schwierigkeiten, Harold«, sagte ich. »Die werden sie *vergewaltigen*, Harold.«

»So was passiert schon mal«, sagte Harold Swallow. »Aber mir nicht.« Ich versuchte noch einmal, gegen ihn anzukämpfen unter dem Netz, aber er hatte keine Mühe, mich festzuhalten. »Und kämpfen mag ich auch nicht«, sagte er.

»Die denken, du bist ein verrückter Nigger«, sagte ich zu ihm. »Das denken die. Drum sind sie jetzt bei ihr, und du bist hier, Harold. Aber das gibt die gleichen Schwierigkeiten«, sagte ich zu ihm. »Du steckst in den gleichen Schwierigkeiten wie sie.«

»Die kommen nie in Schwierigkeiten«, sagte Harold. »Die verpfeift doch nie einer.«

»Franny wird sie verpfeifen«, sagte ich, aber ich spürte den gezuckerten Mais, der gegen mein Gesicht und in den feuchten Boden gedrückt wurde. Es war wieder mal ein Halloween, an das man sich lange erinnern würde, keine Frage, und ich fühlte mich so schwach und klein wie eh und je – an jedem Halloween in Dairy, soweit ich zurückdenken konnte, in panischer Angst vor größeren, immer *größeren* Jungen, die mir den Kopf in meine Beutetüte stopften und rüttelten und schüttelten, so daß ich nur noch das Zellophan hörte, bis dann die Tüte platzte und mir um die Ohren flog.

»Wie haben sie ausgesehen?« fragte uns Vater immer.

Aber jedes Jahr sahen sie aus wie Gespenster, Gorillas, Gerippe, und manche natürlich noch schlimmer; sie waren alle vermummt an Halloween, und keiner wurde je erwischt. Auch die nicht, die Frank am größten Wohnheim oben an die Feuerleiter banden, wo er in die Hosen machte; nie haben sie die erwischt. Auch die Typen nicht, die drei Pfund kalte, nasse Spaghetti auf Franny und mich warfen und schrien: »Lebende Aale! Lauft um euer Leben!« Und wir wanden uns auf dem dunklen Gehweg, voller klebriger Spaghetti, und schlugen aufeinander ein und kreischten.

»Die werden meine Schwester *vergewaltigen*, Harold!«
sagte ich. »Du mußt ihr helfen.«

»Ich kann keinem helfen«, sagte Harold.

»*Irgendwer* kann helfen«, sagte ich. »Wir könnten loslaufen und jemand holen. Daß du *laufen* kannst, weiß ich,
Harold.«

»Schon«, sagte er. »Aber wer wird dir schon bei *den* Typen
helfen?«

Howard Tuck nicht, das wußte ich, und aus dem Aufheulen
der Sirenen, das jetzt vom Schulgebäude und der Stadt her zu
hören war, schloß ich, daß Vater das Funkgerät in dem Polizeiauto soweit begriffen hatte, daß er Hilfe herbeirufen
konnte. Also war auch bei der örtlichen Behörde niemand
mehr greifbar, der Franny helfen konnte. Ich fing an zu heulen, und Harold Swallow verlagerte sein Gewicht auf meiner
Schulter.

Eine Sekunde lang war es still zwischen den langen Atemzügen der Sirenen, und wir hörten Franny. Fleisch gegen
Fleisch, dachte ich – aber es klang jetzt anders. Franny gab
einen Ton von sich, der Harold Swallow plötzlich an jemanden denken ließ, der ihr *möglicherweise* helfen würde.

»Junior Jones könnte diese Typen fertigmachen«, sagte
Harold. »Junior Jones läßt sich von *keinem* nichts gefallen.«

»Ja!« sagte ich. »Und er ist dein Freund, nicht wahr? Dich
mag er doch lieber als die anderen, oder?«

»Er mag *überhaupt* keinen«, sagte Harold Swallow bewundernd; aber plötzlich befreite er mich von seinem Gewicht und
fummelte an dem Netz herum, um mich herauszuwickeln.
»Setz deinen Arsch in Bewegung«, sagte er. »Junior Jones mag
doch jemand.«

»Wen denn?« fragte ich.

»Er mag jedem seine Schwester«, sagte Harold Swallow,
aber ich fand den Gedanken nicht gerade beruhigend.

»Wie meinst du das?« fragte ich ihn.

»Nun komm schon auf die Beine!« sagte Harold Swallow.
»Junior Jones mag jedem seine Schwester – er hat es mir selbst

gesagt, Mann. Er sagte: ›Jedem seine Schwester ist ein gutes Mädchen‹, genau das hat er gesagt.«

»Aber wie *meint* er das?« sagte ich und versuchte nun, mit ihm Schritt zu halten, denn er war die *schnellste* Zusammenballung menschlichen Fleisches an der ganzen Schule. Harold Swallow konnte fliegen, wie Coach Bob immer sagte.

Wir liefen auf das Licht am Ende des Fußwegs zu, vorbei an der Stelle, wo ich mit Sicherheit Franny zuletzt noch gehört hatte – wo die Farne waren, wo Iowa-Bobs Rückraumspieler abwechslungsweise »zum Zug« kamen. Ich blieb stehen; ich wollte in den Wald rennen und sie finden, aber Harold Swallow zog mich fort.

»Du kannst nichts ausrichten gegen die Typen, Mann«, sagte er. »Wir müssen Junior holen.«

Warum Junior uns helfen sollte, wußte ich immer noch nicht. Ich dachte nur, ich würde sterben, bevor ich es erfuhr – beim Versuch, mit Harold Swallow Schritt zu halten –, und ich dachte mir, wenn Jones tatsächlich »jedem seine Schwester« mochte, wie er offenbar behauptete, dann war das für Franny nicht unbedingt gut.

»*Wie* mag er jedem seine Schwester?« japste ich.

»Er mag sie, wie er seine *eigene* Schwester mag«, sagte Harold Swallow. »Mann!« sagte er zu mir. »Warum bist du so *langsam*? Junior Jones hat *selber* eine Schwester, Mann«, sagte Harold. »Und irgendwelche Typen haben sie vergewaltigt. Scheiße, Mann«, sagte er, »ich dachte, das weiß jeder!«

»Es entgeht einem eine Menge, wenn man nicht in den Wohnheimen lebt«, sagte Frank immer.

»Hat man sie erwischt?« fragte ich Harold Swallow. »Hat man die Burschen erwischt, die Juniors Schwester vergewaltigt haben?«

»Scheiße, Mann«, sagte Harold Swallow. »*Junior* hat sie erwischt! Ich dachte, das weiß jeder.«

»Was hat er mit ihnen gemacht?« fragte ich Harold Swallow, aber Harold hatte mich abgehängt und war schon an

Junior Jones' Wohnheim. Er flog die Treppen hinauf, und ich war gut und gern ein Stockwerk hinter ihm.

»Frag nicht!« brüllte Harold Swallow zu mir herab. »Scheiße«, sagte er. »Keiner weiß, was er mit ihnen gemacht hat, Mann. Und keiner fragt.«

Wo zum Teufel *wohnt* Junior Jones? fragte ich mich, als es am dritten Stock vorbeiging und immer weiter; mir zerriß es bald die Lunge, und Harold Swallow war nicht mehr zu sehen. Aber Harold wartete am Treppenabsatz des fünften und obersten Stockwerks auf mich.

Junior Jones wohnt in den *Wolken*, dachte ich, aber Harold erklärte mir, daß die meisten schwarzen Sportler der Dairy School im obersten Stockwerk dieses einen Wohnheims einquartiert waren. »Wo uns keiner sieht, ist doch klar«, sagte Harold. »Wie beknackte Vögel in ihren Nestern ganz zuoberst auf den Bäumen, Mann«, sagte Harold Swallow. »Da verstecken sie die Schwarzen an dieser Scheißarsch-Schule.«

Im fünften Stock des Wohnheimes war es dunkel und heiß. »Klar Mann, die heiße Luft geht nach oben«, sagte Harold Swallow. »Willkommen in unserem Scheißdschungel.«

In keinem der Zimmer brannte Licht, aber *Musik* lief überall und strömte unter den Türen durch auf den Flur; das fünfte Stockwerk dieses Wohnheims war wie eine kleine Straße mit Nachtklubs und Bars in einer Stadt, wo totale Verdunklung angeordnet war; und aus den Zimmern drang das unverkennbare Geräusch schlurfender Schritte – da drin wurde in völliger Dunkelheit getanzt.

Harold Swallow hämmerte an eine Tür.

»Was willst du?« sagte die furchterregende Stimme von Junior Jones. »Bist du lebensmüde?«

»Junior, Junior!« sagte Harold Swallow und hämmerte noch wilder.

»Da ist einer tatsächlich lebensmüde«, sagte Junior Jones, und wir hörten, wie nacheinander mehrere Schlösser aufgesperrt wurden, wie an der Tür einer Gefängniszelle.

»Wenn irgend so'n Arschficker lebensmüde ist«, sagte Junior

Jones, »dann kann ich *nachhelfen.*« Weitere Schlösser wurden aufgesperrt; Harold Swallow und ich traten einen Schritt zurück: »Wer von euch will zuerst sterben?« sagte Junior Jones. Heiße Luft und Saxophontöne brodelten aus seinem Zimmer; hinter ihm brannte eine Kerze auf dem Schreibtisch, der – wie der Sarg eines Präsidenten – mit der amerikanischen Flagge drapiert war.

»Wir brauchen deine Hilfe, Junior«, sagte Harold Swallow.

»Das glaub ich auch!« sagte Junior Jones.

»Sie haben meine Schwester«, sagte ich zu ihm. »Sie haben Franny«, sagte ich. »Und sie vergewaltigen sie.«

Junior Jones packte mich unter den Armen und hob mich zu sich hoch und sah mir in die Augen; er drückte mich sanft gegen die Wand. Meine Füße waren bestimmt einen halben Meter über dem Boden; ich wehrte mich nicht.

»Was sagst du da, Mann, *vergewaltigen?*« fragte er.

»Ja doch, vergewaltigen, ja!« sagte Harold Swallow und umschwirrte uns wie eine Biene. »Sie vergewaltigen seine Schwester, Mann. Sie tun es wirklich.«

»Deine *Schwester?*« fragte mich Junior und ließ mich an der Wand herunter zu Boden gleiten.

»Meine Schwester Franny«, sagte ich, und einen Moment lang fürchtete ich, er würde wieder sagen: »Für mich ist sie einfach ein weißes Mädchen.« Aber er sagte gar nichts; er *weinte* – und sein großes Gesicht war so glänzend und naß wie der Schild eines Kriegers im Regen.

»Bitte«, sagte ich zu ihm. »Wir müssen schnell machen.« Aber Junior Jones begann den Kopf zu schütteln, und seine Tränen bespritzten Harold Swallow und mich.

»Wir schaffen es nicht mehr *rechtzeitig*«, sagte Junior. »Unmöglich schaffen wir das rechtzeitig.«

»Die sind zu dritt«, sagte Harold Swallow. »Dreimal – das dauert seine Zeit.« Und ich fühlte mich hundeelend – ich fühlte mich von Halloween überwältigt, immer und immer wieder, mit einem Bauch voll Abfall und Plunder.

»Und ich weiß, *welche* drei das sind, stimmt's?« sagte Junior

Jones. Ich bemerkte, daß er sich anzog: ich hatte *nicht* bemerkt, daß er nackt gewesen war. Er zog eine graue ausgebeulte Trainingshose an, er zog seine hohen weißen Basketballstiefel über die riesigen nackten Füße. Er setzte eine Baseballmütze auf, mit dem Schirm nach hinten. Das war offenbar alles, was er tragen wollte, denn dann stand er im fünften Stock des Wohnheims auf dem Flur und ließ plötzlich einen Schrei los. »Schwarzer Arm des Gesetzes!« sagte er. Türen gingen auf. »Löwenjagd!« brüllte Jones. Die schwarzen Sportler, unter Quarantäne im obersten Stockwerk, spähten aus ihren Zimmern. »Macht euch fertig«, sagte Junior Jones.

»Löwenjagd!« schrie Harold Swallow und flog den Gang auf und ab. »Macht euch fertig! Schwarzer Arm des Gesetzes!«

Mir wurde auf einmal bewußt, daß ich nicht einen schwarzen Dairy-Schüler kannte, der *kein* Sportler war – natürlich nicht: unsere Scheißarsch-Schule würde sie erst gar nicht aufnehmen, wenn sie nicht irgendwie von *Nutzen* waren.

»Was ist eine Löwenjagd?« fragte ich Junior Jones.

»Deine Schwester ist ein gutes Mädchen«, sagte Jones. »Das weiß ich. Jedem seine eigene Schwester ist ein gutes Mädchen«, sagte er, und ich stimmte ihm natürlich zu, und Harold Swallow stieß mich an und sagte: »Da hast du's, Mann. Jedem seine Schwester ist ein gutes Mädchen.«

Und wir stürmten die Treppen hinunter, erstaunlich leise, wenn man bedenkt, wie viele wir waren. Harold Swallow lief vorneweg und erwartete uns ungeduldig an jedem Treppenabsatz. Junior Jones war überraschend flink für seine Größe. Am Treppenabsatz zum zweiten Stock stießen wir auf zwei weiße Schüler, die von irgendwoher nach Hause kamen; sie sahen die schwarzen Sportler die Treppen herabkommen und retteten sich in den Flur ihres Stockwerks. »Scheiß-Löwenjagd!« riefen sie. »Der schwarze Arm des Gesetzes!«

Nicht eine Tür ging auf; zwei Lichter erloschen. Und dann waren wir draußen in der Halloween-Nacht, unterwegs zum Wald und dem Versteck gleich neben dem Fußweg, das mir ein Leben lang in Erinnerung bleiben würde. Es gibt keinen

Tag, an dem ich diese Farne nicht vor mir sehen würde, wo Franny und ich erstmals und für immer allein waren.

»Franny!« rief ich laut, doch es kam keine Antwort. Ich führte Jones und Harold Swallow in den Wald; hinter uns verteilten sich die schwarzen Sportler auf dem Fußweg, bevor sie auf dessen ganzer Länge in den Wald eindrangen – sie schüttelten Bäume, wirbelten mit den Füßen das dürre Laub auf, einige von ihnen summten eine kleine Melodie, und *alle* trugen (wie mir plötzlich auffiel) diese Baseballmützen mit dem Schirm nach hinten, und alle waren mit entblößtem Oberkörper losgezogen; zwei von ihnen trugen Gesichtsmasken, wie die Fänger im Baseball. Das Geräusch, das sie beim Vordringen durch den Wald machten, war wie das Schwirren einer großen Mähmaschine bei der Arbeit. Taschenlampen blinkten, und wie ein Schwarm großer Leuchtkäfer gelangten wir zu den Farnen, wo Lenny Metz – der seine Hosen noch nicht wieder angezogen hatte – den Kopf meiner Schwester zwischen seine Knie eingeklemmt festhielt. Metz kniete auf Frannys Armen und war über ihren Kopf gebeugt, während Chester Pulaski – der zweifellos als dritter zum Zug gekommen war – gerade fertig wurde.

Chipper Dove war schon fort; er war natürlich als erster drangewesen. Und als vorsichtiger Spielmacher hatte er den Ball nicht zu lange behalten.

»Natürlich wußte ich, was er tun würde«, erzählte mir Franny, viel später. »Ich war auf ihn vorbereitet, ich hatte es mir sogar vorgestellt – mit ihm. Irgendwie wußte ich immer schon, daß er es sein würde – das erste Mal. Aber ich hätte nie geglaubt, daß er die anderen auch nur *zusehen* lassen würde. Ich *sagte ihm* sogar, daß sie mich nicht zu zwingen brauchten, *ihn* würde ich machen lassen. Aber als er mich den *anderen* überließ – also darauf war ich überhaupt nicht vorbereitet. Das hatte ich mir nicht einmal vorgestellt.«

Nach ihrem Empfinden hatte meine Schwester unangemessen teuer bezahlt für ihren Streich mit den Lichtern des Hotels New Hampshire und ihren unbeabsichtigten Beitrag zu

Howard Tucks Abgang aus dieser Welt. »*Mein lieber Mann,* so einen kleinen Spaß mußt du echt teuer bezahlen«, sagte sie.

Nach meinem Empfinden hatten Lenny Metz und Chester Pulaski kaum teuer genug bezahlt für den »Spaß«, den sie gehabt hatten. Metz gab die Arme meiner Schwester sofort frei, als er Junior Jones erblickte; er zog seine Hosen hoch und versuchte abzuhauen – aber er war es als Ballträger gewohnt, gut abgeschirmt zu werden und relativ freie Bahn zu haben. In dem dunklen Wald konnte er die dunklen Leiber der summenden schwarzen Sportler kaum sehen, und obwohl er kraftvoll sprintete, prallte er gegen einen Baum, der etwa den Umfang seines Oberschenkels hatte und ihm das Schlüsselbein brach. Er war daraufhin ziemlich rasch umzingelt und wurde zu der heiligen Stätte in den Farnen zurückgeschleppt, wo sie ihm auf Junior Jones' Anordnung sämtliche Kleider auszogen; dann wurde er an einen Lacrosseschläger gebunden und nackt zum Studienleiter getragen. Später erfuhr ich, daß die Löwenjäger ihre Beute immer mit einem gewissen Flair ablieferten.

Einmal hatten sie einen Exhibitionisten erwischt, der die Mädchen in ihrem Wohnheim belästigt hatte. Sie hängten ihn im meistbesuchten Badezimmer der Mädchen mit dem Kopf nach unten an eine Dusche – nackt in einen durchsichtigen Duschvorhang gewickelt. Dann riefen sie den Studienleiter an. »Hier spricht der Schwarze Arm des Gesetzes«, sagte Junior Jones. »Hier spricht der Sheriff vom verfickten fünften Stock.«

»Nun, Junior, was gibt's?« fragte der Studienleiter.

»Im Mädchenwohnheim ist ein nackter Mann; Sie finden ihn im Bad im ersten Stock, rechts«, sagte Jones. »Die Löwenjäger haben ihn dabei ertappt, wie er sich entblößte.«

So wurde also Lenny Metz zum Studienleiter für die Jungen geschleppt. Chester Pulaski kam vor ihm dort an. »Löwenjagd!« hatte Harold Swallow durch den Wald gebrüllt, und als Lenny Frannys Arme losließ, glitt Chester Pulaski aus meiner Schwester und versuchte ebenfalls abzuhauen. Da er sich aber völlig ausgezogen hatte, trabte er auf seinen empfindlichen nackten Fußsohlen nur langsam zwischen den Bäumen durch, ohne sie zu rammen. Alle zwanzig Meter oder so wurde er zu Tode erschreckt vom Schwarzen Arm des Gesetzes, den schwarzen Sportlern, die durch den Wald pirschten und dabei Zweige schwirren ließen, Äste knackten und ihre Melodie summten. Es war Chester Pulaskis erster Bandenstich gewesen, und das Dschungelritual hatte die ganze Nacht für ihn geprägt – er dachte, der Wald sei plötzlich voll von *Eingeborenen!* (Kannibalen! stellte er sich vor) – und so stolperte er winselnd und vornübergebeugt durch den Wald, etwa so, wie ich mir die Menschen der Frühzeit vorstellte, nicht ganz aufgerichtet, meistens auf allen vieren. Nackt und von Ästen zerkratzt und meistens auf allen vieren kriechend erreichte er schließlich die Tür des Studienleiters im Wohnheim.

Der Studienleiter für die Jungen war an der Dairy School nicht mehr glücklich, seit die Schule auch Mädchen aufnahm. Vorher war er einfach Studienleiter gewesen – ein untadeliger, durchtrainierter Pfeifenraucher mit einer Vorliebe für Tennis und verwandte Sportarten; er hatte eine lebhafte, durchtrainierte Frau von der jugendfrischen Cheerleader-Sorte, deren wahres Alter nur von den alarmierenden Säcken unter den Augen verraten wurde; Kinder hatten sie nicht. »Die Jungs«, hatte der Studienleiter gern gesagt, »sind alles meine Kinder.«

Als dann die »Mädchen« kamen, brachte er ihnen nicht die gleichen Gefühle entgegen und machte seine Frau rasch zu seiner Assistentin, zur Studienleiterin für die Mädchen. Sein neuer Titel, Studienleiter für die Jungen, gefiel ihm zwar, aber er verzweifelte über all den neuen Schwierigkeiten, in die seine Jungs gerieten, seit es Mädchen an der Dairy School gab.

»O nein«, sagte er wahrscheinlich, als er Chester Pulaski an seiner Tür kratzen hörte. »Ich hasse Halloween.«

»Ich seh schon nach«, sagte seine Frau, und die Studienleiterin für die Mädchen ging zur Tür. »Ich weiß, ich weiß«, sagte sie fröhlich, »belohnst du mich, verschon ich dich!«

Und da war ein nackter, sich krümmender Chester Pulaski, der Abwehrspieler aus dem Rückraum – von flammenden Furunkeln übersät und voller Sexgerüche.

Das Kreischen der Studienleiterin soll in dem Wohnheim, wo die beiden Studienleiter wohnten, die unteren zwei Stockwerke aufgeweckt haben – und sogar Mrs. Butler, die Nachtschwester, die im Nebenhaus in der Krankenstation an ihrem Schreibtisch schlief. »Ich hasse Halloween«, sagte sie wahrscheinlich zu sich selbst. Sie ging an die Tür und sah Junior Jones und Harold Swallow und mich; Junior trug Franny.

Ich hatte Franny in den Farnen beim Anziehen geholfen, und Junior Jones hatte versucht, ihr Haar zu entwirren, während sie weinte und weinte, und schließlich hatte er zu ihr gesagt: »Willst du zu Fuß gehen oder mit mir?« Genau mit diesen Worten hatte Vater vor Jahren immer uns Kinder gefragt, ob wir zu Fuß gehen oder mit dem Auto fahren wollten. Junior meinte natürlich, er würde Franny tragen, und das wollte sie – und so trug er sie.

Er trug sie an der Stelle in den Farnen vorbei, wo Lenny Metz an einen Lacrosseschläger gefesselt wurde, um auf eine andere Art befördert zu werden. Franny weinte und weinte, und Junior sagte: »Hör mal, du bist ein *gutes* Mädchen, ich kann das sehr gut beurteilen.« Aber Franny weinte weiter. »He, paß auf«, sagte Junior Jones. »Ich will dir mal was sagen. Wenn dich jemand anfaßt, und du *willst* nicht angefaßt werden, dann wirst du nicht *wirklich* angefaßt – du mußt mir das glauben. Das bist dann gar nicht *du,* was die da anfassen; so *erwischen* sie dich nicht wirklich, verstehst du? Du hast immer noch *dich* in dir drin. Keiner hat dich angefaßt – nicht wirklich. Du bist ein wirklich gutes Mädchen, glaubst du mir das? Du hast immer noch *dich* in dir drin, glaubst du mir das?«

»Ich weiß nicht«, flüsterte Franny und weinte weiter. Der eine ihrer Arme baumelte an Juniors Seite, und ich ergriff ihre Hand; sie drückte meine Finger; ich drückte zurück. Harold Swallow, pfeilschnell zwischen den Bäumen durchhuschend, eilte voraus, fand die Krankenstation und öffnete die Tür.

»Was soll das alles?« sagte die Nachtschwester, Mrs. Butler.

»Ich bin Franny Berry«, sagte meine Schwester, »ich bin verprügelt worden.«

»Verprügelt« blieb auch künftig Frannys beschönigender Ausdruck dafür, obwohl jeder wußte, daß sie vergewaltigt worden war. Sie sei »verprügelt« worden – mehr ließ Franny nicht zu, obwohl keinem verborgen blieb, was tatsächlich gewesen war; doch so wurde es nie *offiziell*.

»Sie meint damit, sie ist vergewaltigt worden«, sagte Junior Jones zu Mrs. Butler. Doch Franny schüttelte nur den Kopf. Ich glaube, sie interpretierte Juniors Freundlichkeit und seine Bemerkung, daß sie nicht in ihrem *Innersten* angefaßt worden sei, so, daß sie die sexuelle Mißhandlung einfach in einen Kampf umdeutete, den sie verloren hatte. Sie flüsterte ihm etwas ins Ohr – sie lag immer noch in seinen Armen und an seiner Brust –, und dann stellte er sie auf ihre eigenen Beine und sagte zu Mrs. Butler: »Also gut, sie ist verprügelt worden.« Mrs. Butler wußte, was gemeint war.

»Sie ist verprügelt *und* vergewaltigt worden«, sagte Harold Swallow, der nicht stillstehen konnte, aber Junior Jones bremste ihn mit einem Blick und forderte ihn auf: »Flieg doch los, Harold. Flieg doch los und such *Mr. Dove!*« Da funkelten Harolds Augen wieder, und er flog davon.

Ich wollte Vater anrufen, doch dann fiel mir ein, daß im Hotel New Hampshire noch kein Telefon funktionierte. Daraufhin rief ich beim Wachdienst der Schule an und bat sie, Vater auszurichten: Franny und ich seien in der Krankenstation der Dairy School; Franny sei »verprügelt« worden.

»So ist das nun mal an Halloween, Kleiner«, sagte Franny, die wieder meine Hand hielt.

»So schlimm war's noch nie, Franny«, sagte ich ihr.

»Bis jetzt noch nie«, sagte sie.

Mrs. Butler nahm Franny mit, um ihr – unter anderem – ein Bad einzulassen, und Junior Jones erklärte mir, wenn Franny sich wasche, verwische sie die Spuren der Vergewaltigung, und ich ging Mrs. Butler nach, um es ihr zu erklären, aber Mrs. Butler hatte bereits mit Franny darüber gesprochen, und die wollte es auf sich beruhen lassen. »Ich bin verprügelt worden«, sagte sie, obwohl sie auf Mrs. Butlers Rat einging, bei einer späteren Untersuchung feststellen zu lassen, ob sie schwanger war (sie war es nicht) – oder ob sie sich vielleicht eine Geschlechtskrankheit eingehandelt hatte (einer hatte ihr eine kleinere Sache angehängt, die mit der Zeit geheilt wurde).

Als Vater in die Krankenstation kam, war Junior Jones schon gegangen, um mitzuhelfen, wenn sie Lenny Metz beim Studienleiter ablieferten, Harold Swallow suchte das ganze Schulgelände ab, wie ein Habicht auf der Jagd nach einer Taube – und ich saß in einem völlig weißen Krankenzimmer, zusammen mit Franny, die frisch aus der Badewanne kam, die Haare in einem Handtuch, den linken Backenknochen unter einem Eisbeutel, den rechten Ringfinger bandagiert (der Fingernagel war herausgerissen); sie hatte einen weißen Krankenkittel an und saß aufrecht im Bett. »Ich möchte nach Hause«, erklärte sie Vater. »Sag Mutter, ich brauch nur was Sauberes zum Anziehen.«

»Was haben sie mit dir gemacht, mein Liebling?« fragte Vater und setzte sich neben sie aufs Bett.

»Sie haben mich verprügelt«, sagte Franny.

»Und wo warst *du*?« fragte er mich.

»Er hat Hilfe geholt«, sagte Franny.

»Hast du gesehen, was passiert ist?« fragte Vater mich.

»Er hat gar nichts gesehen«, sagte Franny.

Ich habe den Dritten Akt gesehen, wollte ich Vater erzählen, aber obwohl wir *alle* wußten, was »verprügelt« bedeutete, hielt ich mich gewissenhaft an den Ausdruck, den Franny dafür haben wollte.

»Ich möchte einfach nach Hause«, sagte Franny, obschon mir das Hotel New Hampshire zu groß und ungewohnt vorkam für jemand, der ein schützendes Nest sucht. Vater machte sich auf den Weg, um ihre Kleider zu holen.

Es war ein Jammer, daß er nicht zu sehen bekam, wie der an den Lacrosseschläger festgebundene Lenny Metz wie ein unzureichend präpariertes Stück Fleisch an einem Bratspieß quer durchs Schulgelände zum Studienleiter getragen wurde. Ein Jammer auch, daß Vater die Cleverness nicht erleben konnte, mit der Harold Swallow nach Dove suchte; wie ein Schatten glitt er im Wohnheim von Zimmer zu Zimmer, bis er sicher war, daß Chipper Dove nur im Mädchenwohnheim sein konnte. Nun, so dachte er, würde es nur noch eine Frage der Zeit sein, bis er herausgefunden hatte, in wessen Zimmer sich Dove versteckt hielt.

Der Studienleiter hatte Chester Pulaski mit dem Kamelhaarmantel seiner Frau – sonst war nichts Brauchbares in Reichweite – bedeckt und rief: »Chester, Chester, mein Junge! *Warum?* Und das eine Woche vor dem Exeter-Spiel!«

»Der Wald ist voller Nigger«, sagte Chester Pulaski düster. »Die übernehmen die Macht. Laufen Sie um Ihr Leben.«

Die Studienleiterin hatte sich im Badezimmer eingeschlossen, und als zum zweiten Mal kratzende Geräusche und ein lautes Klopfen an ihre Ohren drangen, rief sie nach draußen zu ihrem Mann: »*Dies*mal kannst *du* die gottverdammte Tür aufmachen!«

»Das sind die *Nigger*, nicht reinlassen!« schrie Chester Pulaski und zog den Mantel der Studienleiterin noch fester um sich. Der Studienleiter machte tapfer die Tür auf. Seit einiger Zeit hatte er ein Abkommen mit Junior Jones' Geheimpolizei – mit Dairys tief im Untergrund und sehr wirkungsvoll arbeitendem Arm des Gesetzes.

»Also wirklich, Junior«, sagte der Studienleiter. »Das geht zu weit.«

»Wer *ist* es?« rief die Studienleiterin für die Mädchen aus dem Badezimmer, als Lenny Metz in das Wohnzimmer der Studienleiter getragen und vor dem offenen Kamin auf den Boden gelegt wurde; sein gebrochenes Schlüsselbein tat höllisch weh, und als er das Feuer sah, muß er geglaubt haben, es sei für ihn bestimmt.

»Ich gestehe!« schrie er.

»Das will ich meinen«, sagte Junior Jones.

»Ich hab's getan!« schrie Lenny Metz.

»Allerdings«, sagte Junior Jones.

»Ich hab's auch getan!« schrie Chester Pulaski.

»Und wer war der *erste?*« fragte Junior Jones.

»Chipper Dove!« sangen die Rückraumspieler. »Dove war der erste!«

»Da haben Sie's«, sagte Junior Jones zum Studienleiter. »Sehen Sie's vor sich?«

»*Was* haben sie getan – und *wem?*« fragte der Studienleiter für die Jungen.

»Es war ein Bandenstich an Franny Berry«, sagte Junior Jones just in dem Augenblick, als die Studienleiterin für die Mädchen aus dem Badezimmer kam; sie sah die schwarzen Sportler in der Tür stehen, sich wiegend wie eine Singgruppe aus einem afrikanischen Land, und sie ließ erneut einen Schrei los; sie schloß sich sofort wieder im Badezimmer ein.

»Jetzt bringen wir noch Dove«, sagte Junior Jones.

»Sachte, Junior!« rief der Studienleiter. »Um Gottes willen, *sachte!*«

Ich blieb bei Franny; Mutter und Vater brachten ihre Kleider in die Krankenstation. Coach Bob war als Babysitter bei Lilly und Egg geblieben – wie in den *alten Zeiten,* dachte ich. Aber wo war Frank?

Frank sei mit einem »Auftrag« unterwegs, sagte Vater geheimnisvoll. Als Vater gehört hatte, daß Franny »verprügelt« worden war, hatte er ohne Zögern das Schlimmste angenommen. Und er wußte, wenn sie erst zuhause im eigenen Bett lag, würde sie als erstes nach Kummer fragen. »Ich möchte nach Hause«, würde sie sagen; und dann: »Ich möchte, daß Kummer bei mir schläft.«

»Vielleicht ist es noch nicht zu spät«, hatte Vater gesagt; er hatte Kummer noch vor dem Footballspiel zum Tierarzt gebracht. Falls der Tierarzt an dem Tag viel zu tun gehabt hatte, lebte der alte Furzer vielleicht noch in irgendeinem Käfig. Frank hatte den Auftrag übernommen, beim Tierarzt nachzusehen.

Aber es war wie die Rettungsaktion von Junior Jones: Frank kam zu spät. Er trommelte an die Tür, bis der Tierarzt aufwachte. »Ich hasse Halloween«, sagte der Tierarzt wahrscheinlich, aber seine Frau berichtete ihm, daß es einer der Berry-Jungs sei und daß er nach Kummer frage. »O-o«, sagte der Tierarzt. »Tut mir leid, mein Sohn«, sagte der Tierarzt dann zu Frank, »aber dein Hund ist heute nachmittag eingeschlafen.«

»Ich will ihn sehen«, sagte Frank.

»O-o«, sagte der Tierarzt. »Der Hund ist tot, mein Sohn.«

»Haben Sie ihn begraben?« fragte Frank.

»Nein, wie süß«, sagte die Frau des Tierarztes zu ihrem Mann. »Laß doch den Jungen seinen Hund begraben, wenn er das will.«

»O-o«, sagte der Tierarzt, aber er ging mit Frank in den hintersten Raum des Zwingers und präsentierte ihm den Anblick dreier toter Hunde auf einem Haufen, unmittelbar neben einem Haufen mit drei toten Katzen. »An Wochenenden begraben wir nichts«, erklärte der Tierarzt. »Welcher ist Kummer?«

Frank hatte den alten Stinker mit einem Blick erkannt; Kummer war schon ziemlich steif, aber es gelang Frank dennoch, den toten schwarzen Labrador in einen großen Müllsack zu stopfen. Der Tierarzt und seine Frau konnten nicht ahnen, daß Frank weit davon entfernt war, Kummer zu *begraben*.

»Zu spät«, flüsterte Frank Vater zu, als Mutter und Vater und Franny und ich zuhause – im Hotel New Hampshire – ankamen.

»Jessas Gott, ich kann wirklich alleine gehen«, sagte Franny, weil wir alle versuchten, unmittelbar neben ihr zu gehen. »Hierher, Kummer!« rief sie. »Komm schon, alter Junge!«

Mutter begann zu weinen, und Franny griff nach ihrem Arm. »Ich bin *okay*, Mutter«, sagte sie. »Wirklich. In mir drin hab ich immer noch *mich*, soviel ich weiß.« Vater fing an zu weinen, und Franny griff auch nach seinem Arm. Mir selbst war, als heulte ich schon den ganzen Abend, und nun hatte ich mich irgendwie leer geweint.

Frank zog mich beiseite.

»Verfickt nochmal, Frank, was ist denn?« sagte ich.

»Komm, sieh selber«, sagte er.

Kummer – immer noch in dem Müllsack – lag unter dem Bett in Franks Zimmer.

»Jessas Gott, Frank!« sagte ich.

»Ich werde ihn *herrichten* für Franny«, sagte er. »Bis Weihnachten schaff ich das!«

»*Weihnachten*, Frank?« sagte ich. »Ihn *herrichten*?«

»Ich werde Kummer *ausstopfen!*« sagte Frank. Franks Lieblingsfach an der Dairy School war Biologie, und sein Lehrer war ein merkwürdiger Hobby-Präparator namens Foit. Mit Foits Hilfe hatte Frank bereits ein Eichhörnchen und einen komischen orangefarbenen Vogel ausgestopft.

»Heiliger Strohsack, Frank«, sagte ich, »ich weiß nicht, ob das Franny gefallen wird.«

»Es kommt dem Lebendigsein noch am nächsten«, sagte Frank.

Ich hatte meine Zweifel. Als wir Franny plötzlich in Tränen ausbrechen hörten, wußten wir, daß Vater mit der Nachricht herausgerückt war. Für eine vorübergehende Ablenkung von Frannys Schmerz sorgte Iowa-Bob. Er wollte unbedingt selber losziehen und Chipper Dove finden, und er war nur mit einiger Überredungskunst davon abzubringen. Franny wollte noch ein Bad, und ich lag im Bett und hörte zu, wie die Wanne vollief. Dann stand ich auf und ging an die Tür zum Bad und fragte sie, ob ich ihr irgend etwas bringen könne.

»Danke«, flüsterte sie. »Geh einfach raus und bring mir gestern und den größten Teil von heute«, sagte sie. »Ich will sie zurückhaben.«

»Ist das alles?« sagte ich. »Nur gestern und heute?«

»Das ist alles«, sagte sie. »Danke.«

»Ich würd's tun, wenn ich könnte, Franny«, sagte ich ihr.

»Ich weiß«, sagte sie. Ich hörte sie langsam ins Wasser eintauchen. »Ich bin okay«, flüsterte sie. »Das verfickte *ich* in mir hat keiner erwischt.«

»Ich liebe dich«, flüsterte ich.

Sie gab mir keine Antwort, und ich ging zurück ins Bett.

Ich hörte Coach Bob in seinen Zimmern über uns – wie er Liegestützen machte, dann einige Sit-ups und dann noch die Arbeit mit den Gewichten (das rhythmische Klirren der Hanteln beim einarmigen ›Wickeln‹ und das wütende Schnauben des alten Mannes) –, und ich wünschte mir, sie hätten ihn tatsächlich Chipper Dove suchen lassen, denn dem alten Footballveteranen aus Iowa wäre er nie gewachsen gewesen.

Leider *war* Dove Junior Jones und dem Schwarzen Arm des Gesetzes gewachsen. Dove war geradewegs zum Mädchenwohnheim und in das Zimmer eines schmachtenden Cheerleader-Mädchens namens Melinda Mitchell gegangen. Mindy, wie sie genannt wurde, war bis über beide Ohren in Dove verknallt. Er erzählte ihr, er habe mit Franny Berry ein bißchen »rumgemacht«, aber als sie dann auch mit Lenny Metz und Chester Pulaski rumgemacht habe, sei es bei ihm aus gewesen. »Eine Schwanztrieze« nannte er meine Schwester, und Mindy Mitchell stimmte ihm zu. Sie war auf Franny schon immer eifersüchtig gewesen.

»Aber jetzt hetzt mir Franny die ganze schwarze Sippschaft auf den Hals«, sagte Dove zu Mindy. »Sie hat mit denen angebändelt, vor allem mit Junior Jones«, sagte Dove, »– diesem Nigger-Saubermann, der den Spitzel spielt für den Studienleiter.« Mindy nahm also Dove zu sich ins Bett, und als Harold Swallows Flüstern durch ihre Tür drang (»Dove, Dove – hast du Dove gesehen? Der Schwarze Arm des Gesetzes sucht ihn.«), sagte sie, sie lasse *keinen* Jungen in ihr Zimmer, und das gelte auch für Harold.

Sie fanden ihn also nicht. Er wurde am nächsten Morgen von der Schule ausgeschlossen – zusammen mit Chester Pulaski und Lenny Metz. Als die Eltern der Bandenstecher die Geschichte hörten, waren sie dafür, daß auf Strafanzeigen verzichtet wurde, immerhin so dankbar, daß sie den Ausschluß von der Schule einigermaßen gnädig hinnahmen. Ein Teil des Lehrkörpers und die meisten Mitglieder des Verwaltungsrats waren verstimmt, weil man den Vorfall nicht geheimgehalten hatte, bis nach dem Exeter-Spiel, aber ihnen wurde klargemacht, daß es noch viel peinlicher gewesen wäre, statt Iowa-Bobs Rückraumspieler Iowa-Bob selbst zu verlieren – denn der alte Mann hätte sich mit Sicherheit geweigert, bei dem Spiel als Coach aufzutreten, wenn die drei noch zu seinem Team gehört hätten.

Es war ein Vorfall, der in der besten Tradition der Privatschulen totgeschwiegen wurde; es war wirklich bemerkenswert, daß es eine so unbedarfte Schule wie die Dairy School bei der Bewältigung unangenehmer Dinge zuweilen verstand, dieses an feineren Schulen zu einer wahren Wissenschaft entwickelte vornehme Stillhalten perfekt nachzuahmen.

Weil sie Franny Berry »verprügelt« hatten – im Grunde, so wurde zu verstehen gegeben, war es nicht mehr gewesen als eine leichte Übertreibung der an der Dairy School immer schon rauhen Halloween-Sitten –, wurden Chester Pulaski, Lenny Metz und Chipper Dove von der Schule verwiesen. Dove war meiner Meinung nach ungestraft davongekommen. Aber es war nicht das letzte Mal, daß Franny und ich ihn sahen, und vielleicht wußte das Franny damals schon. Es war auch nicht das letzte Mal, daß wir Junior Jones sahen; er blieb für den Rest seiner Zeit an der Dairy School ein Freund von Franny, um nicht zu sagen ihr Leibwächter. Sie gingen überall zusammen hin, und mir war klar, daß es in erster Linie an Junior Jones lag, wenn Franny das Gefühl hatte, daß sie in der Tat ein gutes Mädchen war – wie er ihr immer wieder versicherte. Wir hatten Jones auch nicht zum letzten Mal gesehen, als wir aus Dairy fortgingen, obwohl sich seine Rettungsaktion für Franny erneut durch sein verspätetes Eintreffen auszeichnen sollte. Junior Jones spielte bekanntlich als Student im Football-Team der Penn State University und als Profi für die Cleveland Browns – bis ihm einer das Knie kaputtmachte. Er begann dann Jura zu studieren und wurde in einer New Yorker Organisation aktiv – die sich, auf seinen Vorschlag hin, Schwarzer Arm des Gesetzes nannte. Wie Lilly sagen würde – und eines Tages machte sie uns klar, was sie meinte –: Alles ist ein Märchen.

Chester Pulaskis rassistische Alpträume verfolgten *ihn* praktisch sein ganzes Leben – das in einem Auto endete. Die Polizei sagte später, er müsse seine Hände überall gehabt haben, nur nicht am Lenkrad. Die Frau kam ebenfalls ums Leben, und Lenny Metz sagte aus, er habe sie gekannt. Sobald sein Schlüsselbein verheilt war, rannte Metz wieder mit dem Ball über den Platz; er spielte an einem College irgendwo in Virginia und stellte Chester Pulaski die Frau vor, die dieser dann während der Weihnachtsferien umbrachte. Metz wurde nie als Profi eingekauft – weil es ihm eindeutig an Geschwindigkeit fehlte –, aber dafür zog ihn die U.S. Army ein, der seine Langsamkeit egal war, und so starb er – wie es heißt, für sein Vaterland – in Vietnam. Genaugenommen wurde er nicht vom Feind erschossen; er trat auch nicht auf eine Mine. Es war eine andere Art von Kampf, in dem Lenny Metz unterlag: er wurde vergiftet – von einer Prostituierten, die er betrogen hatte.

Harold Swallow war zu verrückt und zu schnell, als daß ich ihn hätte im Auge behalten können. Gott allein weiß, was aus ihm geworden ist. Viel Glück, Harold, wo immer du bist!

Vielleicht weil Halloween war und meine Erinnerung an Iowa-Bobs erfolgreiche Saison von dieser Halloween-Stimmung durchdrungen ist, sind sie alle für mich zu Gespenstern und Zauberern und Teufeln und sonstigen magischen Wesen geworden. Und nicht zu vergessen: wir schliefen in dieser Nacht zum erstenmal im Hotel New Hampshire – auch wenn wir kaum ein Auge zutaten. Eine Nacht in neuer Umgebung ist immer ein wenig unruhig – es gibt da die verschiedenen Geräusche der Betten, an die man sich gewöhnen muß. Und Lilly, die immer mit dem gleichen trockenen Husten aufwachte, als sei sie eine sehr alte Person – es überraschte uns dann immer wieder, wie klein sie wirklich war –, wachte mit einem anderen Husten auf, als ärgere sie sich über ihre schlechte Gesundheit ebensosehr wie Mutter. Egg wachte nie auf, bevor man ihn weckte, und dann tat er, als sei er schon stundenlang wach. Aber am Morgen nach Halloween wachte Egg von selber auf – beinahe friedlich. Und ich hatte Frank seit Jahren in seinem Zimmer onanieren hören, aber es war etwas anderes, ihm im Hotel New Hampshire zuzuhören – vielleicht weil ich wußte, daß Kummer in einem Müllsack unter seinem Bett lag.

Am Morgen nach Halloween schaute ich zu, wie es im Elliot Park hell wurde. Über Nacht war es kalt geworden, und ich sah, wie Frank – auf der Schulter den Müllsack mit Kummer – durch die gefrorenen Reste einer zermanschten Kürbismaske zum Biologielabor stapfte. Vater sah ihm durch dasselbe Fenster zu.

»Wo zum Teufel bringt Frank den Müll hin?« fragte er.

»Wahrscheinlich hat er die Mülleimer nicht gefunden«, sagte ich, um Frank den Rücken freizuhalten. »Ich meine, wir haben noch kein Telefon, das funktioniert, und zuerst hatten wir auch keinen Strom. Und wahrscheinlich gibt es auch keine Mülltonnen.«

»Klar gibt es die«, sagte Vater. »Sie stehen am Lieferanteneingang.« Er blickte Frank nach und schüttelte den Kopf. »Der verdammte Trottel geht bestimmt bis ganz hinaus zum Müllabladeplatz«, sagte Vater. »Jessas, der Junge ist irgendwie anders als die meisten.«

Ich schauderte, weil ich wußte, daß Vater keine Ahnung hatte, *wie* anders Frank war.

Als Egg endlich das Bad freigab, wollte Vater die Gelegenheit nutzen, mußte aber feststellen, daß Franny schneller gewesen war. Sie ließ sich *noch* ein Bad ein, und Mutter sagte zu Vater: »Du sagst kein Wort zu ihr. Sie kann so oft baden, wie sie will.« Und im Weggehen stritten sie sich weiter – was sehr selten vorkam. »Ich hab dir ja gleich gesagt, wir brauchen ein zweites Badezimmer«, sagte Mutter.

Ich hörte zu, wie Franny das Badewasser einlaufen ließ. »Ich liebe dich«, flüsterte ich vor der verschlossenen Tür. Doch es ist unwahrscheinlich, daß Franny mich – beim Rauschen des heilenden Wassers – überhaupt gehört hat.

5.

Fröhliche Weihnachten, 1956

Ich erinnere mich an den Rest des Jahres 1956, von Halloween
bis Weihnachten, als an die Zeit, die Franny brauchte, um von
ihrem dreimaligen Baden pro Tag wegzukommen – und zu-
rückzufinden zu ihrer natürlichen Vorliebe für ihren eigenen
guten, reifen Körpergeruch. Für mich roch Franny immer
gut – auch wenn sie bisweilen einen sehr starken Geruch aus-
strömte –, aber zwischen Halloween und Weihnachten 1956
fand Franny ihren Geruch nicht gut. Und deshalb badete sie
so oft, daß sie überhaupt nicht mehr roch.

Im Hotel New Hampshire übernahmen wir mit der Familie
ein weiteres Badezimmer und wurden immer fähigere Mit-
arbeiter in Vaters erstem Familienunternehmen. Mutter kümmerte sich um den absonderlichen Stolz von Mrs. Urick und
die schlichten-aber-guten Erzeugnisse aus Mrs. Uricks Küche;
Mrs. Urick kümmerte sich um Max, obwohl er sich im dritten
Stock gut vor ihr versteckte. Vater befaßte sich mit Ronda
Ray – »nicht buchstäblich«, wie Franny betonte.

Ronda besaß eine merkwürdige Energie. Sie schaffte es, an
einem einzigen Vormittag sämtliche Betten neu zu beziehen;
sie konnte im Restaurant an vier Tischen bedienen, ohne die
Bestellungen durcheinanderzubringen oder jemanden warten
zu lassen; sie konnte Vaters Schicht an der Bar übernehmen
(jeden Abend, außer Montag, war bis elf Uhr geöffnet) und
rechtzeitig alle Tische zum Frühstück (sieben Uhr) gedeckt
haben. Aber wenn sie sich zurückzog, in ihren »Tagesraum«,
schien sie in eine Art Winterschlaf oder in eine tiefe Bewußt-
losigkeit zu sinken, und selbst auf dem Gipfel ihrer Tatkraft –
wenn sie sämtliche Arbeiten rechtzeitig erledigte – *wirkte* sie
müde.

»Warum reden wir eigentlich von einem *Tagesraum?*« fragte Iowa-Bob. »Ich meine, wenn Ronda nach Hampton Beach zurückgeht – wann tut sie das eigentlich? Ich meine, es ist ja in Ordnung, daß sie hier wohnt, aber warum *sagen* wir dann nicht, daß sie hier wohnt – warum sagt *sie* es nicht?«

»Sie leistet gute Arbeit«, sagte Vater.

»Aber sie *wohnt* in ihrem Tagesraum«, sagte Mutter.

»Was ist ein Tagesraum?« fragte Egg. Das hätten wohl alle gern gewußt.

Franny und ich horchten mit der Sprechanlage stundenlang Ronda Rays Zimmer ab, aber es sollten noch Wochen vergehen, ehe *wir* mitbekamen, was ein Tagesraum war. Am späten Vormittag schalteten wir immer Rondas Zimmer ein, und Franny sagte, nachdem sie sich die Atemzüge eine Weile angehört hatte: »Schläft.« Oder auch: »Raucht eine Zigarette.«

Spät abends hörten Franny und ich ihr wieder zu, und ich sagte: »Vielleicht liest sie.«

»Mach keine Witze«, sagte dann Franny.

Gelangweilt hörten wir die anderen Zimmer ab, eins nach dem anderen oder alle gleichzeitig. Wir überprüften Max Uricks Rauschen, durch das wir – gelegentlich – sein Radio hören konnten. Wir überprüften die brodelnden Suppentöpfe in Mrs. Uricks Küche im Untergeschoß. Wir wußten, daß 2 F Iowa-Bob war, und von Zeit zu Zeit schalteten wir uns in das Klirren seiner Hanteln ein – und unterbrachen ihn oft mit Kommentaren wie: »Auf, Opa, ein bißchen schneller! Hoch damit! Ruck, zuck muß das gehen – du läßt schon wieder nach.«

»Ihr verdammten Gören!« grunzte dann Bob, oder er knallte zwei der Eisengewichte unmittelbar vor der Sender-Empfänger-Box gegeneinander, so daß wir aufsprangen und uns die schmerzenden Ohren hielten. »Ha!« rief Coach Bob. »*Dies*mal hab ich euch drangekriegt, ihr Nervensägen!«

»Wahnsinniger in 2 F«, funkte Franny durch das ganze Hotel. »Alle Türen verriegeln. Wahnsinniger in 2 F.«

»Ha!« grunzte Iowa-Bob – und stemmte schon wieder Gewichte aus der Rückenlage, machte seine Liegestützen, seine

Sit-ups, seine einarmigen Hantelübungen. »Das ist ein Hotel *für* Wahnsinnige.«

Es war Iowa-Bob, der mich zum Gewichtheben animierte. Was Franny zugestoßen war, hatte mich irgendwie dazu angespornt, mich selbst stärker zu machen. Schon um Thanksgiving lief ich täglich meine zehn Kilometer, obwohl die Cross-Strecke bei der Dairy School nur dreieinhalb Kilometer lang war. Bob setzte mich auf eine Diät mit gewaltigen Mengen an Bananen, Milch und Orangen. »Und Teigwaren, Reis, Fisch, jede Menge Grünzeug, Haferbrei und Eiskrem«, sagte mir der alte Coach. Zweimal am Tag arbeitete ich mit den Gewichten; und zusätzlich zu meinen zehn Kilometern lief ich jeden Morgen Sprintserien im Elliot Park.

Anfänglich nahm ich nur zu.

»Laß die Bananen weg«, sagte Vater.

»Und die Eiskrem«, sagte Mutter.

»Nein, nein«, sagte Iowa-Bob. »Muskeln wachsen nicht von heute auf morgen.«

»Muskeln?« sagte Vater. »Er ist fett.«

»Du siehst aus wie ein Barockengel«, sagte mir Mutter.

»Du siehst aus wie ein Teddybär«, sagte mir Franny.

»Iß weiter wie bisher«, sagte Iowa-Bob. »Bei all dem Gewichtheben und Laufen wirst du schon bald den Erfolg sehen.«

»Noch bevor er *explodiert?*« sagte Franny.

Ich ging mittlerweile auf fünfzehn zu und hatte zwischen Halloween und Weihnachten fast zehn Kilo zugenommen; ich wog 80 Kilo, war aber noch nicht mal einssiebzig groß.

»Mann«, sagte Junior Jones zu mir, »wenn wir dich schwarz und weiß anstreichen und dir Ringe um die Augen malen, kannst du als *Panda* gehen.«

»Du wirst sehen«, sagte Iowa-Bob, »bald hast du die zehn Kilo wieder runter und bist am ganzen Leib hart.«

Franny tat übertrieben erregt und trat mich unter dem Tisch ins Schienbein. »Am ganzen Leib hart!« rief sie.

»Das ist alles so unappetitlich«, sagte Frank. »Das Gewichtheben, die Bananen, das ewige Keuchen, treppauf und treppab.« Wenn es vormittags regnete, mochte ich die Sprintserien nicht im Elliot Park machen; ich rannte dann statt dessen die Treppen im Hotel New Hampshire rauf und runter.

Max Urick sagte, er werde demnächst Handgranaten ins Treppenhaus werfen. Und an einem völlig verregneten Morgen stellte mich Ronda Ray auf dem Treppenabsatz im ersten Stock; sie hatte eins ihrer Nachthemden an und sah besonders verschlafen aus. »Glaub mir, das klingt, wie wenn im Zimmer nebenan ein Liebespaar zu Sache geht«, sagte sie. Ihr Tagesraum lag gleich an der Treppe. Sie nannte mich gern John-O. »Das Getrampel ist mir egal, John-O«, erklärte sie mir. »Was mir zusetzt, ist das Schnaufen. Ich weiß nie, bist du am Sterben, oder geht dir gleich einer ab; aber ich spür dabei ein Kribbeln bis in die Haarspitzen, das kannst du mir glauben.«

»Hör ihnen einfach nicht zu«, sagte Iowa-Bob. »Du bist der erste in dieser Familie, der sich richtig um seinen Körper kümmert. Du mußt besessen *werden* und besessen *bleiben*«, sagte mir Bob. »Und wir müssen erst Gewicht draufpacken, bevor wir dich trimmen können.«

So war das, und so ist es: meinen Körper, diese Besessenheit, die mich nie mehr losgelassen hat, verdanke ich Iowa-Bob – und Bananen.

Es sollte noch eine Weile dauern, bis ich die überschüssigen zehn Kilo loswurde, aber dann hatte ich sie los – und dabei ist es bis heute geblieben. Ich wiege gleichbleibend meine siebzig Kilo.

Und erst mit siebzehn sollte ich noch einmal fünf Zentimeter wachsen, ehe dann endgültig Schluß war. Das bin ich heute: ein Meter fünfundsiebzig groß und siebzig Kilo schwer. Und am ganzen Leib hart.

Demnächst werde ich vierzig, aber selbst heute noch denke ich bei meinem Krafttraining an die Vorweihnachtszeit 1956. Heute hat man so raffinierte Kraftmaschinen; man braucht nicht mehr erst die Hantelscheiben auf die Eisenstange zu schieben und kann deshalb auch nicht mehr vergessen, die Schrauben anzuziehen, so daß die Scheiben zusammenrutschen und einem die Finger zerquetschen, und sie können auch nicht mehr ab- und einem auf die Zehen fallen. Aber der Kraftraum oder die Geräte mögen noch so modern sein, schon die ersten leichten Übungen versetzen mich zurück in Iowa-Bobs Zimmer – ins gute alte 2 F zu den Scheibenhanteln auf dem abgewetzten Perserteppich, auf dem Kummer immer geschlafen hatte: nach der Kraftarbeit auf diesem Teppich waren Bob und ich immer über und über mit den Haaren des toten Hundes bedeckt. Und habe ich dann mit den Gewichten eine Weile gearbeitet und dieser lang anhaltende köstliche Schmerz breitet sich langsam in meinem Körper aus, dann kann ich mir noch viel mehr ins Gedächtnis zurückrufen: all die Jammergestalten und all die Flecken auf dem Segeltuchüberzug der Roßhaarmatten im Kraftraum der Dairy-Sporthalle, wo wir immer warteten, bis Junior Jones *seine* Übungen beendete. Jones trug alle Scheiben zusammen und schob sie auf eine einzige Hantel, während wir mit unseren leeren Hantelstangen dastanden und warteten und warteten. Als Junior Jones für die Cleveland Browns spielte, wog er 130 Kilo und brachte im Bankdrücken 250 Kilo zur Hochstrecke. Damals an der Dairy School war er noch nicht *ganz* so stark, aber doch stark genug, um mir fürs Bankdrücken ein ordentliches Ziel zu setzen.

»Was wiegst du?« fragte er. »Weißt du das überhaupt?« Und als ich ihm sagte, wie schwer ich war, schüttelte er den Kopf und sagte: »Okay, nimm das Doppelte.« Und als ich das zusammengetragen und 140 Kilo oder so auf der Hantel hatte, sagte er: »Okay, runter auf die Matte, auf den Rücken.« Es gab für das Bankdrücken in der Dairy-Turnhalle keine geeigneten Bänke; also legte ich mich auf die Bodenmatte, und Junior Jones nahm die 140 Kilo schwere Hantel und legte sie mir vorsichtig quer über den Hals – da war gerade so viel Platz, daß mir die Hantelstange nur leicht auf den Adamsapfel drückte. Ich packte die Stange mit beiden Händen und spürte, wie meine Ellbogen in die Matte sanken. »Und jetzt drückst du sie hoch, über den Kopf«, sagte Junior Jones, und dann ging er aus dem Kraftraum, um einen Schluck Wasser zu trinken oder zu duschen, und ich lag unter der Hantel – gefangen. Nichts rührte sich, wenn ich versuchte, die 140 Kilo zu heben. Andere, kräftiger gebaute Leute kamen in den Kraftraum, und als sie mich unter den 140 Kilo liegen sahen, fragten sie mich respektvoll: »Eh, das geht bei dir wohl noch ne Weile?«

»Nein, nein, bin nur kurz am Verschnaufen«, sagte ich dann und blähte mich auf wie eine Kröte. Und sie gingen weg und kamen später wieder zurück.

Auch Junior Jones kam immer wieder zurück.

»Wie läuft's?« fragte er. Er nahm zehn Kilo weg, dann zwanzig, dann fünfzig.

»Versuch's jetzt«, sagte er jedesmal und ging fort und kam wieder, so lange, bis ich mich schließlich von der Hantel befreien konnte.

Und mit meinen 70 Kilo habe ich die 140 Kilo natürlich nie geschafft, aber immerhin ist es mir zweimal in meinem Leben gelungen, 100 Kilo im Bankdrücken zu bewältigen, und ich glaube, es ist für mich nicht *unmöglich*, das Doppelte meines Körpergewichts zu stemmen. Ich kann unter all dem Gewicht in eine wunderbare Trance geraten.

Manchmal, wenn ich mich so richtig reinknie, seh ich den Schwarzen Arm des Gesetzes, wie sie durch die Bäume streichen und ihre Melodie summen, und manchmal erinnere ich mich an den Geruch im fünften Stock des Wohnheimes, in dem Junior Jones wohnte – dieser heiße Dschungel-Nachtklub in den Wolken –, und wenn ich laufe, fängt etwa nach fünf oder sechs und manchmal auch erst nach neun Kilometern meine Lunge an, sich lebhaft zu erinnern, wie das damals war, als ich versuchte, mit Harold Swallow Schritt zu halten. Und der Anblick einer Strähne von Frannys Haar, über ihren offenen Mund hängend – aus dem kein Ton kam –, während Lenny Metz auf ihren Armen kniete und ihren Kopf zwischen seinen schweren Footballerschenkeln eingeklemmt hielt. Und Chester Pulaski, der auf ihr lag: eine mechanische Gliederpuppe. Manchmal kann ich seinen Rhythmus exakt kopieren, wenn ich bei meinen Liegestützen laut mitzähle (»*fünf*undsiebzig, *sechs*undsiebzig, *sieben*undsiebzig«). Oder bei den Sit-ups (»hundert*ein*undzwanzig, hundert*zwei*undzwanzig, hundert-*drei*undzwanzig«).

Iowa-Bob machte mich einfach mit den Geräten vertraut; Junior Jones steuerte seinen Rat bei und sein eigenes prächtiges Beispiel; Vater hatte mir schon beigebracht, wie man läuft – und Harold Swallow, wie man härter läuft. Die Technik und die Routine – und selbst Coach Bobs Diät – waren kein Problem. Das Schwierige, für die meisten Leute, ist die Disziplin. Wie Coach Bob sagte: man muß besessen werden und besessen bleiben. Aber für mich war auch das leicht – weil ich alles für Franny tat. Ich beklage mich nicht, aber es war alles für Franny – und sie wußte es.

»Hör zu, Kleiner«, sagte sie zu mir – 1956, zwischen Halloween und Weihnachten, »dir wird speiübel werden, wenn du nicht aufhörst, Bananen zu essen. Und wenn du nicht aufhörst, Orangen zu essen, bekommst du von all den Vitaminen eine Überdosis ab. Wofür zum Teufel quälst du dich so? Du wirst nie so schnell sein wie Harold Swallow, und nie so stark wie Junior Jones.

Kleiner, ich durchschau dich doch«, sagte mir Franny. »Es wird nicht *nochmal* passieren, unmöglich. Und wenn – und wenn du *tatsächlich* stark genug wärst, mich zu retten –, glaubst du denn, daß du einfach *da* sein würdest? Wenn es nochmal passiert, werde ich irgendwo weit weg von dir sein – und dann hoffe ich sowieso, daß du nie davon erfährst. Das versprech ich dir.«

Aber Franny sah den Zweck meines Krafttrainings zu einseitig. Ich wollte Kraft, Ausdauer und Schnelligkeit – oder wenigstens die Illusion, sie zu haben. Ich wollte mich nie wieder so hilflos fühlen wie an Halloween.

Da und dort lag immer noch ein zermanschter Kürbis herum, als Exeter zum letzten Spiel von Iowa-Bobs erfolgreicher Saison in Dairy antrat – einer lag im Rinnstein an der Ecke Pine Street und Elliot Park, ein anderer war von den Zu-

schauerrängen aus geschmissen worden und auf der Aschenbahn um das Footballfeld zerplatzt. Halloween lag immer
noch in der Luft, auch wenn Chipper Dove, Lenny Metz und
Chester Pulaski nicht mehr da waren.

Die Ersatzspieler im Rückraum schienen irgendwie verhext
zu sein: sie bewegten sich durchweg in Zeitlupe. Sie liefen in
die von Junior Jones geschaffenen Lücken – wenn die sich wieder geschlossen hatten; ihre Pässe warfen sie hoch in den Himmel, so daß sie erst nach einer Ewigkeit wieder runterkamen.
In Erwartung eines solchen Passes wurde Harold Swallow so
heftig gerammt, daß er bewußtlos liegenblieb, und Iowa-Bob
ließ ihn für den Rest des langen Tages nicht mehr aufs Spielfeld.

»Da hat jemand deine Glocke geläutet, Harold«, sagte
Coach Bob zu dem Sprinter.

»Ich hab keine Glocke«, beschwerte sich Harold Swallow.
»Wer hat geläutet?« fragte er. »Was für ein Jemand?«

Zur Halbzeit führte Exeter 24:0. Junior Jones, der sowohl
im Angriff als auch in der Abwehr spielte, war an einem
Dutzend Karambolagen beteiligt gewesen; drei Ballverluste
gingen auf sein Konto, und zweimal erkämpfte er sich den Ball
sofort wieder; doch Dairys Ersatzspieler im Rückraum hatten
sich dreimal den Ball abjagen lassen, und zwei dieser hohen
Pässe waren abgefangen worden. In der zweiten Spielhälfte
setzte Coach Bob Junior Jones als Ballschlepper im Rückraum ein, und der schaffte tatsächlich drei *first downs* nacheinander, bevor die Abwehr Exeters sich umgestellt hatte. Zur
Umstellung genügte die Erkenntnis, daß Junior Jones mit
Sicherheit den Ball bekam, solange er im Rückraum spielte.
Iowa-Bob stellte Junior daraufhin wieder in die Abwehrkette,
wo er ohnehin lieber spielte, und Dairys einzige Punkte, gegen
Ende des letzten Viertels, wurden mit vollem Recht Jones gutgeschrieben. Er brach in Exeters Rückraum ein, nahm einem
Exeter-Stürmer den Ball ab und trug ihn – und zwei, drei
Exeter-Spieler, die an ihm hingen – in die Endzone. Der an-
schließende Torschuß um den Zusatzpunkt ging links am Pfo-

sten vorbei, und am Ende hatte dann Exeter mit 45:6 gegen Dairy gewonnen.

Franny verpaßte Juniors Touchdown: sie war nur seinetwegen zum Spiel gegangen, und wenn sie beim Exeter-Spiel noch einmal als Cheerleader mitwirkte, dann nur, um sich für Junior Jones die Lunge aus dem Hals zu schreien. Aber Franny bekam mit einem der anderen Cheerleader Streit, und Mutter mußte sie nach Hause bringen. Dieses andere Mädchen war Chipper Doves Unterschlupf, Mindy Mitchell.

»Schwanztrieze«, hatte Mindy Mitchell meine Schwester genannt.

»Dumme Fotze«, sagte Franny und schlug mit dem Cheerleader-Megaphon nach Mindy. Es war aus Pappe, und es sah aus wie eine große scheißbraune Eistüte, auf die ein leichengraues *D* für Dairy aufgemalt war, oder auch für den Tod, wie Franny meinte: »*D* für *death*«, sagte sie immer.

»Voll in die Titten«, erzählte mir eines der anderen Mädchen. »Franny knallte Mindy Mitchell das Megaphon voll in die Titten.«

Natürlich erzählte ich Junior Jones nach dem Spiel, warum Franny nicht da war, um mit ihm zur Turnhalle zurückzugehen.

»Ein wirklich gutes Mädchen!« sagte Junior. »Du sagst ihr das, okay?«

Und natürlich sagte ich es ihr. Franny hatte schon *wieder* gebadet und hatte sich richtig herausgeputzt, um Ronda Ray beim Bedienen zu helfen; sie war ziemlich gut aufgelegt. Trotz des Debakels, mit dem Iowa-Bobs erfolgreiche Saison zu Ende gegangen war, schienen fast alle gutgelaunt. Es war Eröffnungsabend im Hotel New Hampshire!

Mrs. Urick hatte sich im Bemühen um Schlichtes-aber-Gutes selbst übertroffen; sogar Max trug ein weißes Hemd mit Krawatte, und Vater strahlte geradezu hinter der Bar – und unter seinen flinken Ellenbogen und über seinen Schultern blitzten die Flaschen im Spiegel wie ein Sonnenaufgang, an dessen Kommen Vater immer geglaubt hatte.

Elf Paare und sieben Einzelpersonen verbrachten die Nacht im Hotel, und ein geschiedener Mann aus Texas hatte die lange Reise gemacht, nur um seinen Sohn gegen Exeter spielen zu sehen; der Junge hatte sich gleich im ersten Viertel den Fuß verstaucht und war ausgeschieden, aber selbst der Texaner schien gutgelaunt. Verglichen mit ihm, wirkten die Paare und die Einzelpersonen ein wenig schüchtern – sie kannten einander nicht, die einzige Gemeinsamkeit war, daß ihre Kinder die Dairy School besuchten; als aber die Kinder in die Wohnheime zurückgekehrt waren, brachte der Texaner die Leute im Restaurant und in der Bar dazu, miteinander zu reden. »Ist es nicht *großartig*, Kinder zu haben?« fragte er. »Gott, und wie sie alle groß werden, ist das nicht ein Ding?« Alle stimmten ihm zu. Der Texaner sagte: »Kommen Sie doch alle mit Ihren Stühlen rüber an meinen Tisch; ich geb einen aus!« Und Mutter stand ängstlich gespannt in der Küchentür, zusammen mit Mrs. Urick und Max, und Vater stand abwägend aber zuversichtlich, hinter der Bar; Frank rannte hinaus; Franny nahm meine Hand, und wir hielten den Atem an; Iowa-Bob sah aus, als unterdrücke er ein gewaltiges Niesen. Und einer nach dem anderen standen die Leute auf und versuchten ihre Stühle an den Tisch des Texaners zu rücken.

»Meiner steckt fest!« sagte eine Frau aus New Jersey, die ein bißchen zuviel getrunken hatte; ihr spitzes, quiekendes Kichern erinnerte in seiner Geistlosigkeit an Hamster, die in den kleinen Rädern in ihren Käfigen Meile um Meile laufen.

Ein Mann aus Connecticut lief dunkelrot an beim Versuch, seinen Stuhl anzuheben, bis seine Frau sagte: »Der ist festgenagelt. Die Nägel gehen direkt in den Boden.«

Ein Mann aus Massachusetts kniete sich neben seinen Stuhl auf den Boden. »Schrauben«, sagte er. »Das sind *Schrauben* – vier oder fünf Stück, für jeden Stuhl!«

Der Texaner kniete sich ebenfalls hin und starrte auf seinen Stuhl.

»*Alles* hier ist festgeschraubt!« rief Iowa-Bob plötzlich. Er hatte mit keinem mehr ein Wort gewechselt, seit er nach dem

Spiel dem Späher von der Penn State University gesagt hatte, Junior Jones könne überall spielen. Sein Gesicht war ungewöhnlich rot und glänzend, als habe er ein Glas mehr getrunken, als er sich selbst normalerweise gestattete – oder als sei ihm die Tatsache seines Ruhestandes nun doch bewußt geworden. »Wir sind alle auf einem großen Schiff!« sagte Iowa-Bob. »Wir sind alle auf einer großen Kreuzfahrt, rund um die Welt!«

»Ja-*huu!*« schrie der Texaner. »Darauf trink ich!«

Die Frau aus New Jersey umklammerte die Lehne ihres festgeschraubten Stuhls. Einige der anderen setzten sich wieder.

»Wir laufen Gefahr, fortgespült zu werden, jederzeit!« sagte Coach Bob, und Ronda Ray rutschte hin und her zwischen Bob und den Dairy-Eltern, die etwas steif auf den wohlbefestigten Stühlen saßen; sie verteilte wieder die Untersetzer und die kleinen Cocktail-Servietten und wischte mit dem feuchten Handtuch kurz über die Tischkanten. Frank riskierte vom Flur aus einen Blick; Mutter und die Uricks standen wie gelähmt in der Küchentür; Vater hatte von dem Glanz der Spiegel hinter der Bar nichts eingebüßt, aber er behielt seinen Vater, den alten Iowa-Bob, im Visier, als fürchte er, der pensionierte Coach könnte demnächst etwas Verrücktes von sich geben.

»*Natürlich* sind die Stühle festgeschraubt!« sagte Bob und reckte einen Arm zum Himmel, als halte er seine letzte Kabinenpredigt – und als sei dies das Spiel seines Lebens. »Im Hotel New Hampshire«, sagte Iowa-Bob, »geht keiner unter, auch wenn uns die Scheiße um die Ohren fliegt!«

»Ja-*huu!* Gottsei*dank* sind die Stühle festgeschraubt!« rief der großherzige Texaner. »Darauf müssen wir trinken!«

»Ihr braucht euch nur an euren Sitzen festzuhalten!« sagte Coach Bob. »Dann kann euch hier überhaupt nichts passieren.«

»Ja-*huu!*« rief der Texaner wieder, aber die anderen schienen alle die Luft anzuhalten.

Die Frau des Mannes aus Connecticut reagierte mit einem hörbaren Seufzer der Erleichterung.

»Also wenn das so ist, müssen wir eben alle ein wenig lauter sprechen, damit wir hier wie Freunde richtig miteinander *reden* können«, sagte der Texaner.

»Genau!« sagte die Frau aus New Jersey, ein wenig außer Atem.

Vater hatte immer noch Iowa-Bob im Auge, aber Bob war groß in Form – er drehte sich um und zwinkerte dem in der Tür stehenden Frank zu und verbeugte sich vor Mutter und den Uricks, und Ronda Ray ging wieder durch den Raum und strich dem alten Coach frech über die Wange, und der Texaner betrachtete Ronda, als habe er die Stühle längst vergessen – festgeschraubt oder nicht festgeschraubt. Wen stört es schon, daß sich die Stühle nicht bewegen lassen? dachte er bei sich – denn bewegungsmäßig war bei Ronda Ray noch mehr los als bei Harold Swallow, und der Eröffnungsabend brachte sie und alle anderen immer mehr in Schwung.

»Ja-huu«, flüsterte mir Franny ins Ohr, aber ich saß an der Bar und sah zu, wie Vater die Drinks mixte. Noch nie hatte ich ihn so konzentriert und energiegeladen gesehen, und das lauter werdende Stimmengewirr ergriff mich – und ließ mich nicht mehr los: so wie ich mich erinnere, waren Restaurant und Bar in *diesem* Hotel New Hampshire immer erfüllt von lauten Stimmen, selbst wenn nicht viele Leute da waren. Wie der Texaner sagte: man mußte eben ein wenig lauter sprechen, wenn man so weit auseinander saß.

Und selbst als das Hotel New Hampshire schon längere Zeit bestand, so daß aus der Stadt viele Stammgäste zu uns kamen – Leute, die jeden Abend in der Bar saßen, wenn in der letzten halben Stunde noch der alte Iowa-Bob auf einen Schlummertrunk herunterkam –, selbst an diesen vertrauten Abenden in dem vertrauten kleinen Kreis konnte Bob immer noch seinen Lieblingsscherz anbringen. »He, rück mal ein bißchen näher mit deinem Stuhl!«, sagte er zu irgendeinem der Gäste, und einer fiel immer drauf rein. Für einen Augenblick vergaßen die Leute, wo sie waren, zerrten kurz, grunzten kurz, machten kurz ein verdutztes Gesicht, und dann lachte Iowa-Bob und rief: »*Nichts* bewegt sich im Hotel New Hampshire! Wir sind hier festgeschraubt – *lebenslänglich!*«

Nachdem an diesem Eröffnungsabend Bar und Restaurant geschlossen worden waren und alle sich auf ihre Zimmer zurückgezogen hatten, trafen Franny, Frank und ich uns am Schaltkasten und führten mit den einmaligen Quatschkisten in allen Zimmern eine Bettenkontrolle durch. Wir konnten hören, wer ruhig schlief und wer schnarchte; wir konnten feststellen, wer noch auf war (und las), und wir machten die überraschende (und enttäuschende) Entdeckung, daß kein Paar miteinander redete oder sich gerade liebte.

Iowa-Bob schlief wie eine U-Bahn, die rumpelnd ihre unterirdische Strecke abfährt. Mrs. Urick hielt über Nacht einen Suppentopf am Köcheln, und Max sendete sein übliches Rauschen. Das Ehepaar aus New Jersey las noch, oder jedenfalls einer der beiden: das langsame Umblättern der Seiten, die kurzen Atemzüge des Nichtschläfers. Das Ehepaar aus Connecticut schnaufte und wieherte und keuchte im Schlaf; ihr Zimmer klang wie ein Kesselraum. Massachusetts, Rhode Island, Pennsylvania, New York und Maine gaben geräuschvoll Aufschluß über ihre verschiedenen Schlafgewohnheiten.

Dann schalteten wir den Texaner ein. »Ja-huu«, sagte ich zu Franny.

»Juch-he«, flüsterte sie zurück.

Gleich, dachten wir, würden wir hören, wie seine Cowboystiefel auf den Boden knallten; gleich würden wir hören, wie er aus seinem Hut trank oder schlief wie ein Pferd – seine langen Beine unter der Decke im leichten Galopp, das Bett im Würgegriff seiner großen Hände. Aber wir hörten nichts.

»Er ist tot!« sagte Frank, und Franny und ich zuckten zusammen.

»Jessas, Frank«, sagte Franny. »Vielleicht ist er nur mal eben aus dem Zimmer gegangen.«

»Es war bestimmt ein Herzschlag«, sagte Frank. »Er ist zu dick, und er hat zuviel getrunken.«

Wir horchten. Nichts. Kein Pferd. Keine knarrenden Stiefel. Kein Atemzug.

Franny schaltete das Zimmer des Texaners von Empfang auf Sendung. »Ja-huu?« flüsterte sie.

Und dann kapierten wir – schlagartig ging uns allen (selbst Frank) ein Licht auf. Nicht mehr als eine Sekunde brauchte Franny, um auf Ronda Rays »Tagesraum« umzuschalten.

»Wolltest du nicht wissen, was ein *Tagesraum* ist, Frank?« fragte sie.

Und dann kamen die unvergeßlichen Laute.

Es ist schon so, wie Iowa-Bob sagte: Wir *sind* alle auf einer großen Kreuzfahrt um die Welt, und wir laufen Gefahr, fortgespült zu werden, jederzeit.

Frank und Franny und ich umklammerten unsere Stühle.

»*Uuuuuuuuuh!*« keuchte Ronda Ray.

»*Huh, huh, huh!*« rief der Texaner.

Und später sagte er: »Ich bin Ihnen mächtig dankbar.«

»Ach Unsinn«, sagte Ronda.

»Doch, ganz *ehrlich*«, sagte er. Wir hörten ihn pinkeln – wie ein Pferd, es ging ewig. »Sie wissen ja nicht, wie schwierig es für mich ist, in diese winzig kleine Toilette im dritten Stock zu treffen«, sagte er. »Sie ist so weit unten«, sagte der Texaner. »Da muß ich gut zielen, bevor ich abdrücke.«

»Ha!« rief Ronda Ray.

»Ja-*huu!*« sagte der Texaner.

»*Wi-der-lich*«, sagte Frank und ging schlafen, doch Franny und ich blieben auf, bis die einzigen Geräusche in der Quatschkiste die Geräusche des Schlafes waren.

Am nächsten Morgen regnete es, und ich gab mir Mühe, bei meinen Treppenläufen jedesmal die Luft anzuhalten, wenn ich am ersten Stock vorbeikam – denn ich wußte ja, was Ronda von meinem »Schnaufen« hielt und wollte sie nicht aufscheuchen.

Blau im Gesicht lief ich an dem Texaner vorbei, der auf dem Weg von zwei nach drei war.

»Ja-huu!« sagte ich.

»Morgen! Morgen!« rief er. »Willst in Form bleiben, was?« sagte er. »Gut für dich! Dein Körper muß schließlich dein ganzes Leben lang vorhalten.«

»Stimmt«, sagte ich und lief noch eine Weile rauf und runter.

Etwa beim dreißigsten Mal begann ich, den Schwarzen Arm des Gesetzes vor mir zu sehen, und Frannys abgerissenen Fingernagel – wie soviel Schmerz sich in dieser blutenden Fingerspitze zu konzentrieren schien und sie vielleicht von ihrem übrigen Körper ablenkte –, da stellte sich mir auf dem Treppenabsatz im ersten Stock Ronda Ray in den Weg.

»Brr, mein Pferdchen«, sagte sie, und ich blieb stehen. Sie hatte eins ihrer Nachthemden an, und wenn die Sonne geschienen hätte, wäre das Licht glatt durch den Stoff gedrungen und hätte sie für mich beleuchtet – aber das Licht war trübe an diesem Morgen, und das dunkle Treppenhaus enthüllte mir sehr wenig von ihr. Nur ihre Art, sich zu bewegen, und ihren packenden Geruch.

»Guten Morgen«, sagte ich. »Ja-huu!«

»Selber Ja-huu, John-O«, sagte sie. Ich lächelte und lief auf der Stelle.

»Du *schnaufst* wieder«, sagte mir Ronda.

»Ich habe versucht, die Luft für dich anzuhalten«, keuchte ich, »aber dann wurde ich zu müde.«

»Ich hör sogar dein Herz bumsen«, sagte sie.

»Das tut mir gut«, sagte ich.

»*Mir* aber nicht«, sagte Ronda. Sie legte mir ihre Hand auf die Brust, als wolle sie meinen Herzschlag studieren. Ich lief nicht weiter auf der Stelle; ich mußte spucken.

»John-O«, sagte Ronda Ray, »wenn es dir *Spaß* macht, so heftig zu schnaufen und dein Herz zum Rasen zu bringen, dann solltest du das nächste Mal, wenn es regnet, *mich* besuchen.«

Und ich lief noch etwa vierzigmal die Treppen rauf und runter. Es wird wahrscheinlich nie wieder regnen, dachte ich. Ich war so erschöpft, daß ich beim Frühstück nichts essen konnte.

»Nur eine Banane«, sagte Iowa-Bob, aber ich konnte nicht hinsehen. »Und ein, zwei Orangen«, sagte Bob. Ich bat, mich zu entschuldigen, und verließ den Tisch.

Egg war im Badezimmer, und er ließ Franny nicht rein.

»Warum baden Franny und Egg nicht zusammen?« fragte Vater. Egg war sechs, und in einem Jahr würde es ihm wahrscheinlich peinlich sein, mit Franny zusammen zu baden. Zur Zeit badete er sehr gerne, weil er jede Menge Spielzeug für die Badewanne hatte; wenn man das Badezimmer benutzte, nachdem Egg dringewesen war, sah die Badewanne aus wie ein Kinderstrand – verlassen nach einem Luftangriff. Nilpferde, Schiffe, Froschmänner, Gummivögel, Eidechsen, Alligatoren, ein Aufzieh-Hai mit einem Schnapp-Maul, einen Aufzieh-Seehund mit beweglichen Flossen, eine gräßliche gelbe Schildkröte – jede nur vorstellbare Nachahmung amphibischen Lebens, triefend und tropfend am Wannenboden und – unter den Fußsohlen knirschend – auf der Badematte.

»Egg!« brüllte ich dann. »Räum sofort deine Scheiße auf!«

»*Welche* Scheiße?« schrie Egg.

»Also wirklich, eure *Ausdrücke*«, sagte Mutter – nicht zum erstenmal.

Frank hatte es sich angewöhnt, morgens an die Mülltonnen beim Lieferanteneingang zu pinkeln; er behauptete, er könne nie ins Badezimmer, wenn er wolle. Ich ging die Treppe rauf und benutzte das Bad in Iowa-Bobs Zimmer, und natürlich benutzte ich auch die dort liegenden Gewichte.

»Von so einem Krach muß man sich wecken lassen!« schimpfte der alte Bob. »So habe ich mir den Ruhestand bestimmt nicht vorgestellt, als Zuhörer beim Pinkeln und Gewichtheben. Ein sauberer Wecker ist das!«

»Du stehst doch sowieso gern früh auf«, sagte ich zu ihm.

»Mich stört nicht, *wann* ich geweckt werde«, sagte der alte Coach, »sondern *wie*.«

Und so rutschten wir durch den November – zu Beginn des Monats ein unpassendes Schneegestöber: eigentlich hätte es Regen sein müssen, das war mir klar. Was hatte es zu bedeuten, daß es *kein* Regen war? fragte ich mich und dachte dabei an Ronda Ray und ihren Tagesraum.

Es war ein trockener November.

Egg hatte eine Serie von Ohrenentzündungen; er schien die meiste Zeit an partieller Taubheit zu leiden.

»Egg, was hast du mit meinem grünen Pullover gemacht?« fragte Franny.

»Was?« sagte Egg.

»Mein grüner Pullover!« schrie Franny.

»Ich hab keinen grünen Pullover«, sagte Egg.

»Es ist *mein* grüner Pullover!« rief Franny. »Er hat ihn gestern seinem Bären angezogen – ich hab's gesehen«, sagte Franny zu Mutter. »Und jetzt kann ich ihn nicht finden.«

»Egg, wo ist dein Bär?« fragte Mutter.

»Franny hat keinen Bären«, sagte Egg. »Das ist *mein* Bär.«

»Wo ist meine Rennmütze?« fragte ich Mutter. »Gestern abend lag sie noch auf dem Heizkörper im Flur.«

»Eggs Bär hat sie wahrscheinlich auf«, sagte Frank. »Und er ist gerade draußen und läuft seine Sprintserien.«

»Was?« sagte Egg.

Auch Lilly hatte medizinische Probleme. Kurz vor Thanksgiving gingen wir wie jedes Jahr zu unserem Hausarzt – einem alten Knacker namens Dr. Brand, bei dem es, wie Franny bemerkte, kaum noch flackerte –, und der entdeckte bei seiner Routine-Untersuchung, daß Lilly im letzten Jahr nicht mehr gewachsen war. Sie hatte kein Pfund, keinen Millimeter zugelegt. Sie war genau so klein, wie sie mit neun gewesen war, und damit kaum größer als mit acht – oder (wie ein Blick in die Aufzeichnungen ergab) mit sieben.

»Sie wächst nicht?« fragte Vater.

»Ich hab's ja schon immer gesagt, seit Jahren«, sagte Franny. »Lilly *wächst* nicht – sie *ist* einfach.«

Auf Lilly schien die Analyse keinen Eindruck zu machen; sie zuckte mit den Achseln. »Dann bin ich eben klein«, sagte sie. »Das sagt man mir die ganze Zeit. Ist das vielleicht schlimm, wenn man klein ist?«

»Überhaupt nicht, mein Schatz«, sagte Mutter. »Du darfst so klein sein wie du willst, aber du solltest schon noch wachsen – wenigstens ein bißchen.«

»Sie gehört zu denen, die eines Tages plötzlich in die Höhe schießen«, sagte Iowa-Bob, aber selbst er schien daran zu zweifeln. Lilly wirkte nicht wie eine, die plötzlich »in die Höhe schießt«.

Wir stellten sie Rücken an Rücken mit Egg; mit seinen sechs Jahren war Egg fast so groß wie Lilly mit ihren zehn, und er wirkte erheblich robuster.

»Halt doch still!« sagte Lilly zu Egg. »Und stell dich nicht dauernd auf die Zehen!«

»Was?« sagte Egg.

»Stell dich nicht auf die Zehen, Egg!« sagte Franny.

»Das sind *meine* Zehen!« sagte Egg.

»Vielleicht bin ich am Sterben«, sagte Lilly, und alle erschauerten, besonders Mutter.

»Du bist *nicht* am Sterben«, sagte Vater streng.

»Bloß Frank ist am Sterben«, sagte Franny.

»Nein«, sagte Frank. »Ich bin schon gestorben. Und die Lebenden langweilen mich zu Tode.«

»Aufhören«, sagte Mutter.

Ich ging zum Gewichtheben in Iowa-Bobs Zimmer. Jedesmal wenn die Gewichte vom Ende der Hantelstange rollten, fiel eines von ihnen gegen die Schranktür, und die ging auf, und irgend etwas fiel heraus. In Coach Bobs Schrank sah es furchtbar aus, denn er warf unbekümmert alles hinein. Und als eines Morgens wieder mal ein paar Scheiben von Iowa-Bobs Hantel rutschten, rollte eine von ihnen in den Schrank, und heraus rollte Eggs Bär. Der Bär trug meine Rennmütze, Frannys grünen Pullover und ein Paar von Mutters Nylonstrümpfen.

»Egg!« schrie ich.

»Was?« schrie Egg.

»Ich hab deinen verdammten Bären gefunden!« brüllte ich.

»Das ist *mein* Bär!« brüllte Egg zurück.

»Jessas Gott«, sagte Vater, und Egg ging zu Dr. Brand, um, noch einmal, seine Ohren überprüfen zu lassen, und Lilly ging zu Dr. Brand, um, noch einmal, ihre Größe überprüfen zu lassen.

»Wenn sie in den letzten zwei Jahren nicht gewachsen ist«, sagte Franny, »dann bezweifle ich, daß sie in den letzten zwei Tagen gewachsen ist.« Aber es gab Tests, die man an Lilly vornehmen konnte, und der alte Dr. Brand versuchte anscheinend herauszufinden, was das für Tests waren.

»Du ißt nicht genug, Lilly«, sagte ich. »Mach dir keine Sorgen, aber versuch mal, ein wenig mehr zu essen.«

»Ich esse aber nicht gern«, sagte Lilly.

Und es wollte nicht regnen – nicht einen Tropfen! Oder wenn es regnete, dann immer nachmittags oder abends. Ich saß in Algebra II oder in der Geschichte Englands zur Zeit der Tudors oder in Latein für Anfänger, und ich hörte es regnen und verzweifelte. Oder ich lag im Bett, und es war dunkel – in meinem Zimmer und überall im Hotel New Hampshire und im ganzen Elliot Park –, und ich hörte es regnen und regnen, und ich dachte mir: *Morgen!* Doch am Morgen war der Regen zu Schnee geworden, oder er hatte ganz aufgehört; oder es war wieder trocken und windig, und ich lief meine Sprintserien im Elliot Park – und begegnete Frank auf seinem Weg ins Biologie-Labor.

»Spinner, Spinner, Spinner«, brummte Frank vor sich hin.

»Wer spinnt?« fragte ich.

»Du spinnst«, sagte er. »Und Franny spinnt *immer*. Und Egg ist taub, und Lilly ist komisch«, sagte Frank.

»Und du bist vollkommen normal, Frank?« fragte ich und lief auf der Stelle.

»Zumindest spiele ich nicht mit meinem Körper, als wäre ich ein Gummiband«, sagte Frank. Ich wußte natürlich, daß Frank mit seinem Körper spielte – ganz schön oft sogar –, aber Vater hatte mir in einem seiner freimütigen Gespräche über Jungen und Mädchen bereits klargemacht, daß jeder onanierte (und von Zeit zu Zeit onanieren *sollte*), und deshalb versuchte ich nett zu sein und Frank wegen seiner Wichserei nicht zu triezen.

»Wie kommst du mit dem Hund voran, Frank? Ist er bald ausgestopft?« fragte ich ihn, und sofort wurde er ernst.

»Na ja«, sagte er. »Es gibt da ein paar Probleme. Die *Pose* zum Beispiel ist sehr wichtig. Ich bin immer noch am Überlegen, welches die bestmögliche Pose ist«, sagte er. »Der Körper ist sachgemäß vorbehandelt worden, aber die Pose macht mir wirklich Sorgen.«

»Die *Pose?*« sagte ich und versuchte mir vorzustellen, welche Posen Kummer je eingenommen hatte. Er schien in allerlei zufälligen Stellungen geschlafen und gefurzt zu haben.

»In der Taxidermie«, erklärte Frank, »gibt es nun mal gewisse klassische Posen.«

»Aha«, sagte ich.

»Zum Beispiel die ›Bedrängnis‹-Pose«, sagte Frank, und er wich plötzlich vor mir zurück, hob seine Vorderpfoten, um sich zu verteidigen, und sträubte das Fell. »Alles klar?« fragte er.

»Du lieber Gott, Frank«, sagte ich. »Ich glaube, *die* Stellung würde nicht so recht zu Kummer passen.«

»Sie gehört aber zu den klassischen«, sagte Frank. »Und *die* auch«, sagte er und stellte sich seitlich zu mir, als schleiche er einen Ast entlang, und fauchte mich dabei über die Schulter an. »Das ist die ›Lauer‹-Pose«, sagte er.

»Aha«, sagte ich und fragte mich, ob der arme Kummer zum Lauern wohl einen Ast bekommen würde. »Eigentlich war er ja ein *Hund*, Frank«, sagte ich, »und kein Puma.«

Frank blickte mich mißbilligend an. »Ich persönlich«, sagte er, »neige zur ›Angriff‹-Pose.«

»Zeig mir's nicht«, sagte ich. »Ich laß mich überraschen.«

»Keine Sorge«, sagte er. »Du wirst ihn nicht erkennen.«

Genau *das* war es, was mir Sorgen machte – daß niemand den armen Kummer erkennen würde, am allerwenigsten Franny. Ich glaube, Frank hatte vergessen, warum er das alles tat – so sehr faszinierte ihn die *Aufgabe,* die er sich gestellt hatte. In Biologie wurden ihm dafür drei Punkte für selbständiges Arbeiten gutgeschrieben, und Kummer hatte die Bedeutung einer ganzen Semesterarbeit gewonnen. Ich konnte mir Kummer unmöglich in einer ›Angriff‹-Pose vorstellen.

»Roll doch Kummer einfach zu einem Knäuel zusammen, in seiner üblichen Schlafstellung«, sagte ich, »mit seinem Schwanz vor dem Gesicht und seiner Schnauze im Arschloch.«

Frank sah angewidert aus, wie üblich, und ich war lange genug auf der Stelle getreten; ich machte noch einige schnelle Sprints durch den Elliot Park.

Ich hörte Max Urick, der aus seinem Fenster im dritten Stock des Hotels New Hampshire zu mir herunterbrüllte. »Du gottverdammter Trottel!« schrie Max über den gefrorenen Boden, das welke Laub und die aufgeschreckten Eichhörnchen im Park hinweg. An der Feuerleiter, auf *ihrer* Seite des ersten Stocks, flatterte ein blaßgrünes Nachthemd in der grauen Luft: Ronda Ray schlief an diesem Morgen offenbar in dem blauen, oder dem schwarzen – oder dem grell orangeroten. Das blaßgrüne flatterte für mich wie eine Fahne, und ich machte noch ein paar Sprints.

Als ich ins 2 F ging, war Iowa-Bob schon auf; er stemmte gerade aus der Nackenbrücke und hatte sich dazu auf dem Perserteppich auf den Rücken gelegt und sich ein Kissen unter den Kopf geschoben. Er machte eine hohe Nackenbrücke – und hielt die ungefähr siebzig Kilo schwere Hantel mit gestreckten Armen genau über dem Kopf. Beim alten Bob war der Hals so dick wie bei mir der Oberschenkel.

»Guten Morgen«, flüsterte ich, und er verdrehte die Augen nach mir, und die Hantel kippte, und er hatte die kleinen Dinger, die die Gewichte sichern, nicht richtig festgeschraubt, so daß ein paar der Gewichte erst von dem einen und dann von dem anderen Ende herunterrollten, und Coach Bob machte die Augen zu und zuckte zusammen, als die Hantelscheiben links und rechts von seinem Kopf herunterfielen und in alle Richtungen davonrollten. Ich hielt ein paar von ihnen mit meinen

Füßen auf, aber eine rollte gegen die Schranktür, und die ging natürlich auf, und heraus kamen verschiedene Dinge: ein Besen, ein Sweatshirt, Bobs Rennschuhe und ein Tennisschläger, um dessen Griff er sein Schweißband gewickelt hatte.

»Jessas Gott«, sagte Vater unten in unserer Küche.

»Guten Morgen«, sagte Bob zu mir.

»Findest du Ronda Ray attraktiv?« fragte ich ihn.

»Mannomann«, sagte Coach Bob.

»Nein, wirklich«, sagte ich.

»Wirklich?« sagte er. »Frag lieber deinen Vater. Ich bin zu alt. Ich habe aufgehört, den Mädchen nachzuschauen, als ich, das letztemal, das Nasenbein brach.«

Mir war klar, daß das in seiner aktiven Footballerzeit in Iowa gewesen sein mußte, denn die Nase des alten Bob wies so manchen Knick auf. Dazu kam, daß er seine falschen Zähne immer erst zum Frühstück rein machte, so daß sein Kopf frühmorgens erstaunlich kahl wirkte – wie der eines seltsamen federlosen Vogels, und sein leerer Mund klaffte wie die untere Hälfte eines Schnabels unter seiner gebogenen Nase. Iowa-Bob hatte den Kopf eines Wasserspeiers auf dem Körper eines Löwen.

»Also, findest du sie *hübsch?*« fragte ich ihn.

»Das hab ich mir noch nie überlegt«, sagte er.

»Dann überleg's dir jetzt!« sagte ich.

»Nicht direkt ›hübsch‹«, sagte Iowa-Bob. »Aber irgendwie anziehend.«

»Anziehend?« fragte ich.

»Sexy!« sagte eine Stimme aus Bobs Sprechanlage – Frannys Stimme natürlich; sie hatte die Quatschkisten abgehört, wie üblich.

»Verdammte Gören«, sagte Iowa-Bob.

»Verdammt nochmal, Franny!« sagte ich.

»Du müßtest *mich* mal fragen«, sagte Franny.

»Mannomann«, sagte Iowa-Bob.

Daraufhin erzählte ich auch Franny die Geschichte von Ronda Rays offensichtlichem Angebot im Treppenhaus, von ihrem Interesse an meinem heftigen Schnaufen und meinem klopfenden Herzen – und dem Plan für einen Regentag.

»Na und? Tu's doch«, sagte Franny. »Und warum erst auf einen Regentag warten?«

»Glaubst du, daß sie eine Hure ist?« fragte ich Franny.

»Du meinst, ob ich glaube, daß sie Geld dafür verlangt?« sagte Franny.

Der Gedanke war mir nie gekommen – denn mit dem Wort ›Hure‹ ging man an der Dairy School reichlich großzügig um.

»Geld?« sagte ich. »Wieviel wird sie denn verlangen?«

»Ich weiß ja nicht, *ob* sie Geld verlangt«, sagte Franny, »aber wenn ich du wäre, würde ich das rauszukriegen versuchen.« An der Sprechanlage schalteten wir Rondas Zimmer ein und hörten ihr beim Atmen zu. Es war ihr »Ich-bin-wach-liege-aber-nur-da-und-atme«-Geräusch. Wir hörten ihr lange zu, als könnten wir so ihren *Preis* ausmachen. Franny zuckte schließlich mit den Achseln.

»Ich geh jetzt baden«, sagte sie, und sie drehte an der Nummernscheibe, und die Anlage horchte in die leeren Zimmer hinein. 1 A, kein Ton; 2 A, nichts; 3 A, gar nichts; 3 B, Max Urick und sein Rauschen. Franny wandte sich vom Schaltkasten ab, um raufzugehen und sich ein Bad einlaufen zu lassen, und ich drehte noch einmal an der Nummernscheibe: 1 C, 2 C, 3 C, dann rasch zu 1 E, 2 E ... *und da war es* ... und weiter zu 3 E, wo nichts war.

»Moment mal«, sagte ich.

»Was war denn *das?*« sagte Franny.

»Zwei E, glaube ich«, sagte ich.

»Versuch's nochmal«, sagte sie. Es war auf dem Stockwerk über Ronda Ray, doch am anderen Ende des Ganges, gegenüber von Iowa-Bob, der nicht da war.

»Mach schon«, sagte Franny. Wir fürchteten uns. Wir hatten *keine* Gäste im Hotel New Hampshire, aber aus 2 E war ein ungeheuerliches Geräusch gekommen.

Es war Sonntagnachmittag. Frank war im Biologie-Labor und Egg und Lilly waren in der Nachmittagsvorstellung im

Kino. Ronda Ray saß einfach da in ihrem Zimmer, und Iowa-Bob war ausgegangen. Mrs. Urick war in der Küche, und Max Urick hatte hinter dem Rauschen sein Radio laufen.

Ich schaltete auf 2 E, und Franny und ich hörten es wieder.

»Uuuuuuuuh!« machte die Frau.

»Huh, huh, huh!« machte der Mann.

Doch der Texaner war längst abgereist, und in 2 E wohnte keine Frau.

»Jaik, jaik, jaik!« sagte die Frau.

»Maff, maff, maff!« sagte der Mann.

Es war, als habe die verrückte Sprechanlage sie erfunden! Franny hielt meine Hand umklammert. Ich wollte abschalten oder zu einem anderen, ruhigeren Zimmer weitergehen, aber Franny ließ mich nicht.

»Iiiep!« schrie die Frau.

»Napp!« sagte der Mann. Eine Lampe fiel um. Dann lachte die Frau, und der Mann begann zu murmeln.

»Jessas Gott«, sagte mein Vater.

»Noch eine Lampe«, sagte Mutter und lachte weiter.

»Wenn wir Gäste wären«, sagte Vater, »müßten wir dafür zahlen!«

Sie lachten darüber, als hätten sie noch nie so was Komisches gehört.

»Schalt ab!« sagte Franny. Ich tat es.

»Irgendwie komisch, nicht?« sagte ich unsicher.

»Sie müssen das Hotel benützen«, sagte Franny, »nur um von *uns* wegzukommen!«

Ich konnte ihren Gedanken nicht folgen.

»Mein Gott!« sagte Franny. »Sie *lieben* sich wirklich – sie *lieben* sich!« Und ich fragte mich, warum ich das für selbstverständlich gehalten hatte und warum es meine Schwester so sehr zu überraschen schien. Franny ließ meine Hand los und schlug sich die Arme um den Leib; sie umarmte sich selbst, als wolle sie sich aufwecken oder wärmen. »Was werde *ich* denn machen?« sagte sie. »Wie wird es wohl bei *mir* sein? Was kommt als nächstes?« fragte sie.

Aber ich konnte nie so weit vorausblicken wie Franny. Im Grunde blickte ich nicht über diesen Augenblick hinaus; ich hatte sogar Ronda Ray vergessen.

»Du wolltest ein Bad nehmen«, erinnerte ich Franny, die einen solchen Hinweis – oder irgendeinen anderen Rat – zu brauchen schien.

»Was?« sagte sie.

»Ein Bad«, sagte ich. »*Das* kommt als nächstes. Du wolltest ein Bad nehmen.«

»Ha!« rief Franny. »Zum Teufel damit!« sagte sie. »Ich scheiß auf das Bad!« sagte Franny und hielt sich weiter umschlungen und bewegte sich auf der Stelle, als versuche sie, mit sich selbst zu tanzen. Ich war mir nicht sicher, ob sie glücklich oder durcheinander war, aber als ich anfing, mit ihr herumzualbern – mit ihr zu tanzen und sie zu schubsen und sie unter den Armen zu kitzeln, da schubste und kitzelte und tanzte sie zurück, und wir liefen aus dem Raum mit dem Schaltkasten und die Treppe hinauf, bis zum Absatz im ersten Stock.

»Regen, Regen, Regen!« begann Franny zu brüllen, und ich wurde schrecklich verlegen; Ronda Ray öffnete die Tür ihres Tagesraumes und blickte uns stirnrunzelnd an.

»Wir machen gerade einen Regentanz«, erklärte ihr Franny. »Willst du mittanzen?«

Ronda lächelte. Sie hatte ihr grell orangerotes Nachthemd an. In der Hand hielt sie eine Illustrierte.

»Im Augenblick nicht«, sagte sie.

»Regen, es wird Regen geben!« Franny tanzte davon.

Ronda blickte mich kopfschüttelnd – aber nett – an und machte dann ihre Tür zu.

Ich lief hinter Franny her nach draußen und jagte sie in den Elliot Park. Wir sahen Mutter und Vater am Fenster neben der Feuerleiter in 2 E. Mutter hatte das Fenster aufgemacht, um uns etwas zuzurufen.

»Holt Egg und Lilly vom Kino ab!« sagte sie.

»Was macht ihr denn in *dem* Zimmer?« rief ich zurück.

»Wir putzen es!« sagte Mutter.

»Regen, Regen, Regen!« kreischte Franny, und wir liefen zum Kino.

Egg und Lilly kamen mit Junior Jones aus der Nachmittagsvorstellung.

»Das ist ein *Kinder*film«, sagte Franny zu Jones. »Wieso bist *du* da hingegangen?«

»Ich bin halt ein großes Kind«, sagte Junior. Auf dem Heimweg hielt er ihre Hand, und dann bummelte Franny mit ihm noch durch das Schulgelände; ich ging mit Egg und Lilly nach Hause.

»Liebt Franny Junior Jones?« fragte Lilly, ganz ernst.

»Nun ja, sie *mag* ihn jedenfalls«, sagte ich. »Er ist ein Freund von ihr.«

»Was?« sagte Egg.

Es war kurz vor Thanksgiving. Junior verbrachte die Feiertage bei uns, da ihm seine Eltern nicht genug Geld für die Heimreise schickten. Und mehrere ausländische Dairy-Schüler – für die sich die weite Reise wegen der paar schulfreien Tage nicht lohnte – sollten an Thanksgiving bei uns essen. Junior hatten alle gern im Haus, aber die ausländischen Schüler, die keiner kannte, waren Vaters Idee gewesen – und Mutter hatte zugestimmt, weil das, wie sie uns sagte, zum eigentlichen Sinn von Thanksgiving paßte. Das mochte ja sein, aber wir Kinder hielten nicht viel von der Invasion. Hotelgäste waren etwas anderes – im Augenblick hatten wir einen – einen berühmten finnischen Arzt, angeblich, der da war, um seine Tochter an der Dairy School zu besuchen. Sie gehörte zu den Ausländern, die zum Essen kamen. Auch ein Japaner, den Frank von seinem taxidermischen Projekt her kannte, gehörte dazu; der Japaner hatte geschworen, die Ausstopfung von Kummer geheimzuhalten – das wußte ich von Frank –, doch der Junge sprach ein so greuliches Englisch, daß er mit der Wahrheit ruhig hätte herausplatzen können – es hätte ihn ohnehin keiner verstanden. Außerdem waren da noch zwei koreanische Mädchen, deren Hände so hübsch und klein waren, daß Lilly keinen Blick von ihnen wandte – während des ganzen Essens. Vielleicht weckten sie aber in Lilly ein bisher schlummerndes Interesse am Essen, denn mit ihren kleinen Fingern aßen sie alles mögliche – und das sah so zierlich und fein aus, daß auch Lilly in dieser Weise mit ihrem Essen zu spielen begann und schließlich sogar etwas aß. Egg verbrachte natürlich den Tag damit, daß er dem beklagenswert unverständlichen japanischen Jungen sein »Was?« entgegenschrie. Und Junior aß und aß – bis Mrs. Urick vor Stolz schier platzte.

»Also *das* nenn ich einen Appetit«, sagte Mrs. Urick bewundernd.

»Wenn ich so gebaut wäre, würde ich auch so essen«, sagte Max.

»Nein, das würdest du nie«, sagte Mrs. Urick. »Du hast nicht das Format dazu.«

Ronda Ray war nicht als Kellnerin gekleidet; sie saß bei der Familie am Tisch und sprang immer wieder auf, um abzutragen und Dinge aus der Küche zu holen, unterstützt von Franny und Mutter und dem kräftigen blonden Mädchen aus Finnland, dessen berühmter Vater zu Besuch war.

Das finnische Mädchen war riesig, und ihre Raubvogelbewegungen bei Tisch ließen Lilly immer wieder zusammenzucken. Sie war ein großes Mädchen, Typ blau-weißer Skipullover, das immer wieder seinen Vater, einen großen Mann, Typ blau-weißer Skipullover, umarmte.

»Ho!« rief er jedesmal aus, wenn neue Speisen aus der Küche gebracht wurden.

»Ja-huu«, flüsterte Franny.

»Heiliger Strohsack«, sagte Junior Jones.

Iowa-Bob saß neben Jones an dem Tischende, das dem Fernseher über der Bar am nächsten war, so daß sie beim Essen das Footballspiel verfolgen konnten.

»Wenn das eine Beinfessel war, freß ich einen Besen«, sagte Jones.

»Friß einen Besen«, sagte Coach Bob.

»Was ist eine ›Beinfessel‹?« fragte der berühmte finnische Arzt, nur daß es sich anhörte wie »Boinfossel«.

195

Iowa-Bob bot daraufhin an, an der bereitwilligen Ronda eine Beinfessel zu demonstrieren, und die Koreanerinnen kicherten schüchtern in sich hinein, und der Japaner kämpfte sich ab – mit seinem Truthahn, mit seinem Buttermesser, mit Franks gemurmelten Erklärungen, mit Eggs ständigem »Was!«, mit (offenbar) allem.

»Das ist das lauteste Essen meines Lebens«, sagte Franny.

»Was?« schrie Egg.

»Jessas Gott«, sagte Vater.

»Lilly«, sagte Mutter. »*Bitte* iß. Dann wächst du auch.«

»Wie, was?« sagte der berühmte finnische Arzt, nur daß es sich anhörte wie: »Wo, wos?« Er blickte Mutter und Lilly an. »Wer wächst nicht?« fragte er.

»Ach, es ist nichts«, sagte Mutter.

»Ich«, sagte Lilly. »Ich habe aufgehört zu wachsen.«

»Das hast du nicht, mein Schatz«, sagte Mutter.

»Ihr Wachstum ist gehemmt, wie es scheint«, sagte Vater.

»Ho, *gehemmt!*« sagte der Finne und starrte Lilly an. »Du wächst nicht, eh?« fragte er sie. Sie nickte auf ihre kleine Art. Der Doktor legte ihr die Hände auf den Kopf und spähte ihr in die Augen. Alle hörten auf zu essen, außer dem japanischen Jungen und den koreanischen Mädchen.

»Wie sagt man?« fragte der Doktor und sagte dann etwas Unaussprechliches zu seiner Tochter.

»Maßband«, sagte sie.

»Ho, ein Maßband?« rief der Doktor. Max Urick sprang auf und holte eins. Der Doktor maß Lilly um die Brust, um die Hüfte, um die Hand- und Fußgelenke, um die Schultern, um den Kopf.

»Es geht ihr gut«, sagte Vater. »Es ist nichts.«

»Sei still«, sagte Mutter.

Der Doktor schrieb all die Zahlen auf.

»Ho!« sagte er.

»Iß deinen Teller leer, Schatz«, sagte Mutter zu Lilly, doch Lilly starrte auf die Zahlen, die der Doktor auf seiner Serviette notiert hatte.

»Wie sagt man?« fragte der Doktor seine Tochter, und wieder folgte ein unaussprechliches Wort. Diesmal mußte die Tochter passen. »Du *weißt* es nicht?« fragte sie der Vater. Sie schüttelte den Kopf. »Wo ist das Wörterbuch?« fragte er sie.

»Im Wohnheim«, sagte sie.

»Ho!« sagte er. »Lauf und hol es.«

»Jetzt?« sagte sie und blickte sehnsüchtig auf ihre zweite Portion Gans und Truthahn und Füllung, die auf ihrem Teller gehäuft war.

»Lauf, lauf!« sagte ihr Vater. »*Natürlich* jetzt. Lauf! *Ho!* Lauf!« sagte er, und das große Mädchen, Typ blau-weißer Skipullover, war fort.

»Es ist – wie sagt man? – ein krankhafter Zustand«, sagte der berühmte finnische Arzt in aller Ruhe.

»Ein krankhafter Zustand?« sagte Vater.

»Ein krankhafter Zustand von Wachstumshemmung«, sagte der Doktor. »Es kommt oft vor, und es kann verschiedene Ursachen haben.«

»Ein krankhafter Zustand von Wachstumshemmung«, wiederholte Mutter.

Lilly zuckte mit den Achseln; sie versuchte gerade, in der Art der Koreanerinnen einen Schenkel zu häuten.

Das große, blonde, atemlose Mädchen kam zurück, und es traf sie sichtlich schwer, daß Ronda Ray inzwischen ihren Teller abgetragen hatte; sie gab ihrem Vater das Wörterbuch.

»Ho!« flüsterte mir Franny über dem Tisch zu, und ich trat unter dem Tisch nach ihr. Daraufhin trat sie nach mir und ich wieder nach ihr, doch aus Versehen erwischte ich Junior Jones.

»Au«, sagte er.

»Entschuldigung«, sagte ich.

»Ho!» sagte der Doktor aus Finnland und tippte mit dem Finger auf das Wort. »Zwergwuchs!« rief er aus.

Es war still am Tisch, nur der Japaner kämpfte geräuschvoll mit seinem gebutterten Maiskolben.

»Wollen Sie damit sagen, sie ist ein *Zwerg?*« fragte Vater den Doktor.

»Ho, *ja!* Ein Zwerg«, sagte der Doktor.

»*Scheißdreck*«, sagte Iowa-Bob. »Das ist kein Zwerg – das ist ein kleines Mädchen! Das ist ein *Kind,* Sie Schwachkopf!«

»Was ist ein ›Schwachkopf‹?« fragte der Doktor seine Tochter, aber sie sagte es ihm nicht.

Ronda Ray brachte die Kuchen herein.

»Du bist kein Zwerg, mein Schatz«, flüsterte Mutter Lilly zu, aber Lilly zuckte nur mit den Achseln.

»Und wenn schon?« sagte sie tapfer. »Ich bin ein gutes Kind.«

»Quark«, sagte Iowa-Bob, und keiner wußte, ob er damit eine Diät vorschlagen wollte – »Ihr müßt sie nur mit Quark füttern!« – oder ob es nur eine Beschönigung für »Scheißdreck« war.

Das war jedenfalls Thanksgiving 1956, und so befrachtet trieben wir auf Weihnachten zu: in Gedanken über die richtige Größe, die Liebe belauschend, das Baden aufgebend, auf die passende Pose für Tote hoffend – rennend, Gewichte hebend und in Erwartung des Regens.

Es war an einem Morgen Anfang Dezember, als Franny mich weckte. In meinem Zimmer war es noch dunkel, und durch die offene Verbindungstür drang das schnorchelnde Geräusch von Eggs Atemzügen – Egg schlief also noch. Da war aber auch ein leiseres, kontrolliertes Atmen viel näher bei mir, und dann hatte ich Frannys Geruch in der Nase – einen Geruch, den ich schon länger nicht mehr wahrgenommen hatte: kräftig und doch nie ranzig, ein bißchen salzig, ein bißchen süß, stark und doch nie sirupartig. Und im Dunkeln wußte ich, daß Franny vom ewigen Baden geheilt war. Als wir meine Mutter und meinen Vater belauscht hatten, war es geschehen; daraufhin, glaube ich, empfand Franny ihren eigenen Geruch wieder als etwas vollkommen Natürliches.

»Franny?« flüsterte ich, da ich sie nicht sehen konnte. Ihre Hand strich mir über die Wange.

»Hier drüben«, sagte sie. Sie lag zusammengerollt an der

Wand und am Kopfbrett meines Bettes; wie sie sich da hineinzwängen konnte, ohne mich aufzuwecken, wird mir ewig ein Rätsel bleiben. Ich drehte mich zu ihr hin und roch, daß sie sich die Zähne geputzt hatte. »Hör mal«, flüsterte sie. Ich hörte Frannys Herzschlag und meinen Herzschlag und Eggs Tiefseetauchen im Zimmer nebenan. Und da war noch etwas, so gedämpft wie Frannys Atem.

»*Regen*, du Dummi«, sagte Franny und bohrte mir einen Knöchel in die Rippen. »Es regnet, Kleiner«, sagte sie mir. »Heute ist dein großer Tag!«

»Es ist noch dunkel«, sagte ich. »Ich schlafe noch.«

»Es dämmert«, zischte mir Franny ins Ohr; dann biß sie mich in die Wange und fing an, mich unter der Decke zu kitzeln.

»Laß das, Franny!« sagte ich.

»Regen, Regen, Regen«, sang sie. »Sei kein Schlappschwanz. Frank und ich sind schon stundenlang auf.«

Sie sagte, Frank sei am Schaltkasten und spiele an den Quatschkisten herum. Franny zerrte mich aus dem Bett und sorgte dafür, daß ich mir die Zähne putzte und meine Sportsachen anzog, als hätte ich vor, meine Sprintserien, wie üblich, im Treppenhaus zu machen. Dann ging sie mit mir zu Frank in den Schaltraum, und die beiden zählten mir das Geld hin und sagten mir, ich solle es in einem meiner Rennschuhe verstecken – ein dickes Bündel, fast alles Ein- und Fünfdollarscheine.

»Wie soll ich denn laufen, mit dem Zeug in meinem Schuh?« fragte ich.

»Heute *läufst* du doch nicht, du Dummi«, sagte Franny.

»Wieviel ist das?« fragte ich.

»Schau erst mal, *ob* sie was verlangt«, sagte Franny. »Dann kannst du immer noch sehen, ob es reicht.«

Frank bediente die Knöpfe am Schaltkasten wie der wahnsinnig gewordene Flugleiter im Kontrollturm eines Flughafens unter Beschuß.

»Und was macht *ihr* in der Zwischenzeit?« fragte ich.

»Wir passen einfach auf dich auf«, sagte Frank. »Wenn du dich allzu sehr blamierst, geben wir eine Feueralarmübung durch oder so.«

»Na großartig!« sagte ich. »Darauf verzichte ich.«

»Sieh mal, Kleiner«, sagte Franny. »Wir haben das Geld besorgt, wir haben ein Recht aufs Zuhören.«

»O Mann«, sagte ich.

»Du machst das schon«, sagte Franny. »Nur nicht nervös werden.«

»Und wenn nun alles ein Mißverständnis ist?« fragte ich.

»Genau das ist es, da bin ich überzeugt«, sagte Frank. »In dem Fall«, sagte er, »nimmst du einfach das Geld aus deinem Schuh und sprintest die Treppen rauf und runter.«

»Alter Miesmacher«, sagte Franny. »Sei still und gib uns die Bettenkontrolle.«

»Klick, klick, klick, klick: Iowa-Bob war wieder eine U-Bahn, Kilometer unter der Erde; Max Urick schlief hinter seinem Rauschen und fügte sein ganz persönliches Rauschen hinzu; Mrs. Urick und ein, zwei Suppentöpfe köchelten vor sich hin; der Gast in 2 H – die grimmige Tante eines Dairy Schülers namens Bower – schlief mit einem Schnarchen, das sich anhörte, als werde ein Meißel geschliffen.

»Und ... guten Morgen, Ronda!« flüsterte Franny, als Frank *ihr* Zimmer einschaltete. Wie köstlich sich das anhörte, wenn Ronda Ray schlief! Wie eine Seebrise, die durch ein Seidengewand weht! Ich spürte, wie meine Achselhöhlen zu schwitzen anfingen.

»Mach, daß du da raufkommst«, sagte Franny zu mir, »bevor der Regen aufhört.«

Die Chance war gleich null, wie mir ein Blick aus den kleinen Fenstern im Treppenhaus klarmachte: der Elliot Park war überschwemmt, das Wasser strömte über die Bordsteine und grub sich Rinnen zwischen den Geräten auf dem Spielplatz; aus dem grauen Himmel schüttete es. Ich überlegte, ob ich ein paarmal die Treppen rauf- und runterlaufen sollte – nicht unbedingt zur Erinnerung an die alten Zeiten, sondern weil ich mir dachte, für Ronda sei dies die vertrauteste Art, geweckt zu werden. Aber als ich im Flur vor ihrer Tür stand, kribbelten mir die Fingerspitzen, und ich atmete schon heftig – heftiger als mir bewußt war, wie ich später von Franny erfuhr; sie sagte, sie und Frank hätten mich bereits über die Sprechanlage gehört, bevor Ronda aufstand und die Tür öffnete.

»Das ist entweder John-O oder ein durchgebrannter Eisenbahnzug«, flüsterte Ronda, bevor sie mich einließ, doch ich konnte nicht reden. Ich war ganz außer Atem, als sei ich schon den ganzen Morgen durchs Treppenhaus gerannt.

Es war dunkel in ihrem Zimmer, aber ich konnte erkennen, daß sie das Blaue anhatte. Ihr Morgenatem war leicht sauer – aber ich fand, daß er gut roch und daß *sie* gut roch, obschon ich mir später sagte, daß ihr Geruch einfach wie Frannys Geruch war, nur ein paar Stufen zu weit getrieben.

»Meine Güte, hast du kalte Knie – das kommt von diesen Hosen ohne Beine!« sagte Ronda Ray. »Komm rein und wärm dich auf.«

Ich stieg stolpernd aus meinen kurzen Hosen, und sie sagte: »Meine Güte, hast du kalte Arme – das kommt von diesem Unterhemd ohne Ärmel!« Und ich zog es mir ungeschickt über den Kopf. Ich schlüpfte aus meinen Rennschuhen, ohne daß die zusammengerollten Geldscheine zum Vorschein kamen – ich stopfte sie in den Zeh des einen Schuhs.

Und ich frage mich, ob nicht die Tatsache, daß wir uns unter der Quatschkiste liebten, meine persönliche Einstellung zum Geschlechtsverkehr von diesem Augenblick an bestimmt hat. Selbst heute noch – und ich bin fast vierzig – neige ich zum Flüstern. Ich kann mich erinnern, daß ich auch Ronda Ray bat, nur zu flüstern.

»Am liebsten hätte ich dir zugerufen: ›Lauter reden!‹«, erzählte mir Franny später. »Es machte mich ganz rasend – all das alberne *Flüstern!*«

Aber ich hätte Ronda Ray vielleicht ganz andere Dinge gesagt, wenn ich nicht gewußt hätte, daß Franny mich hören konnte. An Frank habe ich eigentlich nie gedacht, auch wenn ich ihn später immer wieder vor mir sah – unser ganzes Leben lang, ob wir nun zusammen waren oder nicht –: irgendwo an einer Sprechanlage sitzend und die Liebe belauschend. In meiner Vorstellung belauschte Frank die Liebe mit der gleichen mißvergnügten Miene, mit der er fast alle seine Aufgaben erledigte: einer unbestimmten, aber ausgeprägten Angewidertheit, die bis zum Ekel gehen konnte.

»Du bist schnell, John-O, du bist sehr schnell«, sagte mir Ronda Ray.

»Nur flüstern, bitte«, sagte ich mit gedämpfter Stimme in ihr unbändig farbenprächtiges Haar.

Dieser Einführung verdanke ich meine Nervosität in Sexdingen – ein Gefühl, dem ich mich nie ganz entziehen konnte: daß ich mit allem, was ich sage und tue, vorsichtig sein muß, weil ich sonst Gefahr laufe, Franny zu verraten. Geht es auf Ronda Ray in diesem ersten Hotel New Hampshire zurück, daß ich mir *immer* vorstelle, Franny belausche mich?

»Es hat sich ein bißchen zahm angehört«, sagte mir Franny später. »Aber das ist bestimmt okay so – beim ersten Mal.«

»Danke, daß du keine taktischen Anweisungen gegeben hast, vom Spielfeldrand«, sagte ich zu ihr.

»Hast du wirklich geglaubt, sowas würde ich tun?« fragte sie, und ich entschuldigte mich; aber ich wußte nie, was Franny tun oder nicht tun würde.

»Wie kommst du voran mit dem Hund, Frank?« fragte ich immer wieder, als Weihnachten über uns hereinzubrechen begann.

»Wie kommst du voran mit dem Flüstern?« fragte Frank. »Mir ist aufgefallen, daß es in letzter Zeit oft regnet.«

Und wenn es nicht ganz so oft regnete – in dem Jahr, kurz vor Weihnachten –, dann nahm ich mir die Freiheit, das gebe ich zu, Schnee als Beinahe-Regen zu deuten; notfalls reichten mir auch Wolken am Vormittag, aus denen – irgendwann später – Regen oder Schnee zu werden drohte. Und es war bei einer dieser Gelegenheiten, unmittelbar vor Weihnachten – als

ich Frank und Franny längst die in meinen Rennschuh ge-
stopfte Geldrolle zurückgegeben hatte –, daß mich Ronda Ray
fragte: »Weißt du eigentlich, John-O, daß es üblich ist, einer
Kellnerin *Trinkgeld* zu geben?« Und ich war im Bilde; ich
fragte mich, ob Franny mir an dem Morgen zuhörte – oder ob
sie danach das Knistern von Geldscheinen mitbekam.

Ich gab mein Weihnachtsgeld für Ronda Ray aus.

Ich kaufte natürlich eine Kleinigkeit für Mutter und Vater.
Weihnachtsgeschenke waren bei uns keine große Sache – es
ging darum, irgend etwas Albernes zu verschenken. Ich glaube,
ich kaufte Vater eine Schürze, die er hinter der Bar im Hotel
New Hampshire tragen sollte; es war eine dieser Schürzen mit
einem dämlichen Spruch drauf. Ich glaube, ich kaufte Mutter
einen Porzellanbären. Frank kaufte Vater immer eine Krawatte und Mutter ein Halstuch, und Mutter gab die Hals-
tücher an Franny weiter, die sie sich auf jede nur denkbare
Weise umband, und Vater gab die Krawatten Frank zurück,
der gerne Krawatten trug.

1956 bekam Iowa-Bob ein besonderes Weihnachtsgeschenk
von uns: eine gerahmte und vergrößerte Aufnahme von Junior
Jones, wie er gerade Dairys einzigen Touchdown gegen Exeter
erzielt. Das war nicht so albern, aber alles andere um so mehr.
Franny kaufte Mutter ein sexy Kleid, das Mutter nie anziehen
würde. Franny hoffte, Mutter würde es ihr geben, aber Mutter
hätte es auch Franny nie tragen lassen.

»Sie kann es ja für Vater tragen, wenn sie mal wieder Zwei
E besuchen«, sagte mir Franny in mürrischer Stimmung.

Vater kaufte Frank eine Busfahreruniform, weil Frank eine
Vorliebe für Uniformen hatte; Frank trug sie, wenn er im
Hotel New Hampshire den Türsteher spielte. Bei den selte-
nen Gelegenheiten, wenn wir mehr als einen Übernachtungs-
gast hatten, tat Frank gern so, als gebe es im Hotel New
Hampshire einen ständigen Türsteher. Die Busfahreruniform
hatte das gute alte Leichengrau der Dairy School; die Hosenbeine und die Ärmel waren zu kurz für Frank, und die Mütze
war zu groß, so daß Frank bedenklich an den Angestellten

eines schäbigen Bestattungsinstituts erinnerte, wenn er die Gäste empfing.

»Willkommen im Hotel New Hampshire«, übte er als Begrüßung ein, aber es klang immer, als meine er das Gegenteil.

Keiner von uns wußte, was er Lilly schenken sollte – jedenfalls keinen Zwerg oder Kobold oder sonst etwas Kleines.

»Gebt ihr was zu *essen!*« schlug Iowa-Bob ein paar Tage vor Weihnachten vor. Meine Familie hielt auch nie was von sorgfältig geplanten Weihnachtseinkäufen und diesem ganzen Quatsch. Wir ließen es immer auf die allerletzte Minute ankommen, auch wenn Coach Bob viel Theater um den Baum machte, den er eines Morgens im Elliot Park geschlagen hatte: er war so groß, daß er halbiert werden mußte, ehe er im Restaurant des Hotels New Hampshire aufgestellt werden konnte.

»Du hast diesen schönen Baum im Park umgemacht!« sagte Mutter.

»Der Park gehört doch uns, oder?« sagte Coach Bob. »Was willst du schon anderes machen mit Bäumen?« Er kam eben aus Iowa, wo man kilometerweit in die Ferne blicken kann – und manchmal ist weit und breit kein Baum zu sehen.

Egg wurde als einziger mit Geschenken überhäuft, denn er war derjenige von uns, der in diesem Jahr das ideale Weihnachtsalter hatte. Und Egg war ganz versessen auf *Dinge*. Alle schenkten ihm Tiere und Bälle und Spielzeug für die Badewanne und Spielsachen für den Sommer – fast alles Ramsch, der noch im Laufe des Winters verloren- oder kaputtging, für Egg zu kindisch oder vom Schnee zugedeckt wurde.

In einem Antiquitätenladen in Dairy fanden Franny und ich einen Glasbehälter mit Schimpansenzähnen, und wir kauften die Zähne für Frank.

»Er kann sie bei einem seiner Ausstopfexperimente verwenden«, sagte Franny.

Ich war heilfroh, daß wir Frank die Zähne nicht schon *vor* Weihnachten gaben, denn ich fürchtete, Frank könnte versuchen, sie bei seiner Version von Kummer zu verwerten.

»Kummer!« schrie Iowa-Bob in einer Nacht kurz vor Weihnachten laut auf, und uns allen sträubten sich die Haare, als wir in unseren Betten hochfuhren. »Kummer!« rief der alte Mann in seinem Zimmer; seine Hanteln rollten lärmend über den Boden. Seine Tür ging auf, und wir hörten ihn auf den verlassenen Flur im zweiten Stock hinausbrüllen. »Kummer!« rief er.

»Der alte Schwachkopf hat einen bösen Traum«, sagte Vater und polterte in seinem Bademantel die Treppe hinauf, doch ich ging zu Frank ins Zimmer und starrte ihn an.

»Schau mich nicht so an«, sagte Frank. »Kummer ist immer noch drüben im Labor. Er ist noch nicht fertig.«

Und wir gingen alle nach oben, um nachzusehen, was Iowa-Bob hatte.

Er hatte Kummer »gesehen«, sagte er. Coach Bob hatte den alten Hund im Schlaf gerochen, und als er aufwachte, stand Kummer auf dem alten Perserteppich – seinem Lieblingsplätzchen – in Bobs Zimmer. »Aber er hat mich dermaßen *drohend* angesehen«, sagte der alte Bob. »Er sah aus, als wolle er mich *angreifen!*«

Ich starrte Frank wieder an, aber Frank zuckte mit den Achseln. Vater verdrehte die Augen.

»Du hast eben einen Alptraum gehabt«, sagte er zu seinem alten Vater.

»Kummer stand in diesem Zimmer!« sagte Coach Bob. »Aber er hat nicht *ausgesehen* wie Kummer. Er hat ausgesehen, als wolle er mich *umbringen.*«

»Ist ja gut«, sagte Mutter, und Vater schickte uns mit einer Handbewegung aus dem Zimmer; ich hörte, daß er mit Iowa-Bob so zu reden anfing, wie ich ihn sonst mit Egg oder mit Lilly hatte reden hören – und wie er mit uns allen geredet hatte, als wir jünger waren –, und mir ging auf, daß Vater mit Bob oft so redete – als glaube er, sein Vater sei ein Kind.

»Es ist dieser alte Teppich«, sagte Mutter flüsternd zu uns Kindern. »Da sind so viele Hundehaare drauf, daß euer Großvater auch im Schlaf noch Kummer riechen kann.«

Lilly sah erschreckt aus, aber Lilly sah oft erschreckt aus. Egg taumelte umher, als schlafe er im Stehen.

»Kummer ist tot, nicht wahr?« fragte Egg.

»Ja, ja«, sagte Franny.

»Was?« sagte Egg, so laut, daß Lilly einen Satz machte.

»Na schön, Frank«, flüsterte ich im Treppenhaus. »Welche *Pose* hast du jetzt Kummer gegeben?«

»Die ›Angriff‹-Pose«, sagte er, und ich schauderte.

Ich dachte, der alte Hund sei aus Wut über die fürchterliche Pose, zu der er verdammt worden war, zurückgekommen, um im Hotel New Hampshire zu spuken. Er war in Iowa-Bobs Zimmer gegangen, weil Bob Kummers Teppich hatte.

»Legen wir doch Kummers alten Teppich in Franks Zimmer«, schlug ich beim Frühstück vor.

»Ich will den alten Teppich nicht«, sagte Frank.

»Und ich *will* den alten Teppich«, sagte Coach Bob. »Er ist ideal für meine Hanteln.«

»Das war ja vielleicht ein schlimmer Traum letzte Nacht, was?« sagte Franny vorsichtig.

»Das war kein Traum, Franny«, sagte Bob finster. »Das war Kummer – wie er leibt und lebt«, sagte der alte Coach, und bei seinen letzten Worten begann Lilly so heftig zu zittern, daß sie ihren Haferflockenlöffel klirrend zu Boden fallen ließ.

»Was heißt *leibt?*« fragte Egg.

»Hör mal zu, Frank«, sagte ich ihm, draußen im eisigen Elliot Park – am Tag vor Weihnachten. »Ich glaube, es ist besser, du läßt Kummer drunten im Labor.«

Frank ging bei diesem Vorschlag in ›Angriff‹-Pose. »Er steht bereit«, sagte Frank, »und heute abend kommt er nach Hause.«

»Tu mir einen Gefallen und wickle ihn nicht in Geschenkpapier, okay?« sagte ich.

»In Geschenkpapier?« fragte Frank, nur mäßig angewidert. »Glaubst du, ich spinne?«

Darauf gab ich ihm keine Antwort, und er sagte: »Begreifst

du denn nicht, was los ist? Ich habe Kummer so gut hingekriegt, daß Großvater eine *Vorahnung* davon hatte, daß
Kummer heimkommen wird«, sagte Frank.

Es war und blieb erstaunlich, wie Frank es immer wieder
schaffte, daß auch der reine Schwachsinn irgendwie logisch
klang.

Und so kam die letzte Nacht vor Weihnachten, alles schlief,
wie es heißt, einsam wachte nur der eine oder andere Suppentopf. Max Uricks stetiges Rauschen. Ronda Ray war in ihrem
Zimmer. Und in 1 B war ein Türke – ein türkischer Diplomat,
der seinen Sohn an der Dairy School besuchte; er war der einzige Dairy-Schüler, der über Weihnachten nicht nach Hause
(oder *zu jemand* nach Hause) gefahren war. Alle Geschenke
waren sorgfältig versteckt. Es war in unserer Familie Tradition, am Weihnachtsmorgen alles herzuholen und unter den
nackten Baum zu legen.

Mutter und Vater, das wußten wir, hatten unsere ganzen
Geschenke in 2 E versteckt – in einem Raum, den sie oft und
mit Freuden besuchten. Iowa-Bob hatte seine Geschenke im
dritten Stock versteckt in einem der winzigen Badezimmer,
von denen keiner sagte, sie seien passend für Zwerge – keiner
mehr, seit der zweifelhaften Diagnose von Lillys möglichem
Leiden. Franny zeigte mir all die Geschenke, die sie besorgt
hatte – und führte mir auch das sexy Kleid vor, das sie für
Mutter gekauft hatte. Das brachte mich dazu, ihr das Nachthemd zu zeigen, das ich für Ronda Ray gekauft hatte, und
Franny führte mir auch das bereitwillig vor. Als ich sie darin
sah, wußte ich, ich hätte es für Franny kaufen sollen. Es war
schneeweiß, eine Farbe, die in Rondas Kollektion nicht vorkam.

»Das hättest du für *mich* kaufen sollen!« sagte Franny. »Es
gefällt mir unheimlich!«

Aber bei Franny kam ich nie rechtzeitig drauf, was ich tun
sollte; wie Franny sich ausdrückte: »Dir werd ich immer ein
Jahr voraus sein, Kleiner.«

Lilly versteckte ihre Geschenke in einer kleinen Schachtel;

ihre Geschenke waren alle klein. Egg hatte für niemand Geschenke, aber er war im ganzen Hotel New Hampshire endlos auf der Suche nach all den Geschenken, die die anderen für ihn besorgt hatten. Und Frank versteckte Kummer in Coach Bobs Schrank.

»*Warum?*« fragte ich ihn später immer wieder.

»Es war doch nur für eine Nacht«, sagte Frank. »Und ich wußte, daß Franny dort nie nachsehen würde.«

Am Heiligabend 1956 gingen alle früh ins Bett, und keiner schlief – auch das eine Familientradition. Wir hörten das Eis ächzen unter dem Schnee im Elliot Park. Es gab Zeiten, da knarrte der Elliot Park bei einem Temperatursturz wie ein Sarg, der in die Erde gesenkt wird. Wie kam es, daß 1956 sogar an Weihnachten eine Spur von Halloween in der Luft lag?

Sogar ein Hund bellte mitten in der Nacht, und obwohl es nicht Kummer sein konnte, dachte jeder von uns, der noch wachlag, an Iowa-Bobs Traum – oder seine »Vorahnung«, wie Frank das genannt hatte.

Und dann kam der Weihnachtsmorgen – klar, windig und kalt –, und ich lief meine vierzig oder fünfzig Sprints durch den Elliot Park. Nackt war ich längst nicht mehr so rundlich, wie ich in meinem Trainingsanzug wirkte – was mir Ronda Ray immer wieder bestätigte. Die Bananen waren dabei, hart zu werden. Und Weihnachtsmorgen hin oder her, ein Programm ist ein Programm: ich ging zu Iowa-Bob, um ein bißchen mit den Gewichten zu arbeiten, bevor sich die Familie zum weihnächtlichen Frühstück versammelte.

»Nimm du die Kugelhanteln, und ich mach meine Nackenbrücken«, sagte Iowa-Bob zu mir.

»Ist gut, Großvater«, sagte ich und folgte seinen Anweisungen. Die Füße gegeneinander gestemmt, machten wir auf Kummers altem Teppich unsere Sit-ups, Kopf an Kopf unsere Liegestützen. Es gab nur die eine lange Scheibenhantel und die zwei kurzen Kugelhanteln für die Übungen mit einem Arm.

Wir wechselten uns ständig ab mit den Gewichten – für uns war das so etwas wie ein wortloses Morgengebet.

»Deine Oberarme, deine Brust, dein Hals – das sieht alles ziemlich gut aus«, sagte mir Opa Bob, »aber deine Unterarme könnten ein bißchen mehr Training vertragen. Und vielleicht legst du dir so'n Zwanzigpfünder auf die Brust, wenn du deine Sit-ups machst – sie sind sonst zu leicht für dich. Und die Knie anziehen.«

»Mach ich«, schnaufte ich in meiner Ronda-Ray-Manier.

Bob nahm sich die Scheibenhantel vor; er brachte sie mühelos etwa zehnmal zur Hochstrecke und drückte sie dann noch ein paarmal von der Schulter nach oben – nach meiner Schätzung hatte er 70 oder 80 Kilo draufgepackt, als die Gewichte von dem einen Ende der Hantel rutschten, und ich sprang zur Seite; und dann rutschten vielleicht 25 oder 30 Kilo vom anderen Ende der Hantel, und Iowa-Bob schrie: »Scheiße! Verdammtes Scheißding!« Die Gewichte rollten durchs Zimmer. Von unten schimpfte Vater zu uns herauf.

»Jessas Gott«, ihr verrückten Gewichtheber!« brüllte er. »Zieht doch mal diese *Schrauben* an!«

Und eine der Scheiben rollte gegen Bobs Schrank, und natürlich ging die Tür auf, und heraus kamen der Tennisschläger, Bobs Wäschesack, ein Staubsaugerschlauch, ein Squash-Ball – und Kummer, ausgestopft.

Ich versuchte etwas zu sagen, obwohl mich der Hund fast ebenso sehr erschreckte, wie er Iowa-Bob erschreckt haben mußte; ich wußte wenigstens, was es war: Kummer in Franks ›Angriff‹-Pose. Es war tatsächlich eine recht gut gelungene Angriffsstellung, und vom Ausstopfen schwarzer Labradors verstand Frank offenbar mehr, als ich ihm zugetraut hätte. Kummer war auf einem Kiefernbrett festgeschraubt – wie Coach Bob gesagt hätte »Alles ist festgeschraubt im Hotel New Hampshire; im Hotel New Hampshire sind wir *lebenslänglich* festgeschraubt!« Der grimmige Hund glitt beinahe elegant aus dem Schrank, landete sicher auf allen vier Füßen und schien drauf und dran loszuspringen. So wie sein schwarzes Fell glänzte, war es wohl kurz zuvor noch geölt worden; seine gelben Augen fingen das helle Morgenlicht ein, und im Licht blitzten auch seine alten gelben Zähne, die Frank zur Feier des Tages weiß poliert hatte. Die Lefzen des alten Hundes waren weiter nach hinten gezogen, als ich das je zu Lebzeiten des alten Kummer gesehen hatte, und eine speichelähnliche Flüssigkeit – sehr überzeugend – glitzerte auf dem Zahnfleisch des alten Hundes. Seine schwarze Schnauze sah feucht und gesund aus, und ich konnte fast riechen, wie Iowa-Bob und mir sein übler Mundgeruch entgegenschlug. Doch *dieser* Kummer sah viel zu gefährlich aus für einen Furzer.

Diesem Kummer war es bitter ernst, und bevor ich die Sprache wiederfand und meinem Großvater sagen konnte, daß es nur ein Weihnachtsgeschenk für Franny war – daß es nur eines von den schrecklichen Projekten war, mit denen sich Frank drüben im Biologie-Labor abgab –, schleuderte der alte Coach seine Hantel gegen den wilden Angreifer und warf seinen prächtigen Footballerkörper zurück auf mich (um mich zu beschützen, ohne Frage; das muß seine Absicht gewesen sein).

»Heiliger Strohsack!« sagte Iowa-Bob mit einer merkwürdig kleinen Stimme, und die Eisengewichte landeten links und rechts von Kummer krachend auf dem Boden. Der knurrende Hund ließ sich nicht irritieren; er war nach wie vor bereit zum todbringenden Sprung. Und Iowa-Bob, der seine letzte Saison hinter sich hatte, sank tot in meine Arme.

»Jessas Gott, schmeißt ihr eure Gewichte jetzt *absichtlich* durch die Gegend?« brüllte Vater zu uns herauf. »Jessas Gott!« schrie Vater. »Setzt mal einen Tag aus, ja? Es ist immerhin Weihnachten, Herr Gott noch mal. Fröhliche Weihnachten! Fröhliche Weihnachten!«

»Fröhliche verfickte Weihnachten!« rief Franny, von unten.

»Fröhliche Weihnachten!« sagten Lilly, und Egg – und sogar Frank.

»Fröhliche Weihnachten!« rief Mutter mit sanfter Stimme. Und hörte ich nicht auch Ronda Ray einstimmen? Und die

Uricks – die bereits das Weihnachtsfrühstück im Hotel New Hampshire auftischten? Und ich hörte etwas Unaussprechliches – es könnte der Türke in 1 B gewesen sein.

In meinen Armen, die – wie ich jetzt merkte – sehr stark geworden waren, hielt ich den ehemaligen Star aus der Liga der ›Großen Zehn‹, der für mich ebensoviel Gewicht und Bedeutung hatte wie unser Familienbär, und ich starrte in den kleinen Zwischenraum, der uns von Kummer trennte.

6.

Vater hört von Freud

Coach Bobs Weihnachtsgeschenk – die gerahmte, vergrößerte Aufnahme von Junior Jones, wie er Dairys einzigen Touchdown gegen Exeter erzielt – ging an Franny, die auch 2 F, Iowa-Bobs altes Zimmer, erbte. Franny wollte mit Franks Version von Kummer nichts zu tun haben, und so verschleppte ihn Egg in sein Zimmer; er versteckte den ausgestopften Hund unter seinem Bett, wo Mutter ihn einige Tage nach Weihnachten, mit einem gellenden Schrei, entdeckte. Ich wußte, daß Frank Kummer im Grunde gern zurückgehabt hätte – um weiter mit dem Gesichtsausdruck oder der Pose zu experimentieren –, aber Frank hatte sich zurückgezogen und war meistens in seinem Zimmer, seit er seinen Großvater zu Tode erschreckt hatte.

Iowa-Bob war achtundsechzig, als er starb, aber der alte Footballer war in erstklassiger Verfassung; ohne einen Schreck von Kummers Kaliber hätte er leicht noch zehn Jahre leben können. Unsere Familie gab sich alle Mühe, die Verantwortung für den Zwischenfall nicht allzu schwer auf Frank lasten zu lassen. »Auf Frank lastet nie etwas zu schwer«, sagte Franny, aber selbst sie versuchte ihn aufzuheitern. »Kummer auszustopfen, war eine reizende *Idee*, Frank«, sagte Franny, »aber du mußt dir im klaren darüber sein, daß nicht jeder deinen *Geschmack* hat.«

Was sie ihm hätte sagen können, war, daß die Taxidermie – wie Sex – etwas sehr Persönliches ist; wenn wir sie anderen näherbringen, sollten wir das behutsam tun.

Franks Schuldbewußtsein – falls es das war, was er fühlte – zeigte sich nur in seiner übertriebenen Abwesenheit; Frank war zwar immer schon öfter abwesend als wir anderen, aber nun wurde sein übliches Schweigen noch stiller. Und doch hatten Franny und ich das Gefühl, daß nur seine schlechte Laune ihn davon abhielt, nach Kummer zu fragen.

Mutter gab, trotz Eggs Protesten, Max Urick den Auftrag, Kummer loszuwerden, was Max erledigte, indem er das gelähmte Biest einfach kopfüber in eine der Mülltonnen beim Lieferanteneingang steckte. Und als ich an einem verregneten Morgen bei Ronda Ray aus dem Fenster sah, erschrak ich beim Anblick von Kummers aufgeweichtem Schwanz und Hinterleib, die aus der Mülltonne ragten; ich konnte mir vorstellen, wie der Müllmann mit seinem Lastwagen von der Städtischen Müllabfuhr ähnlich erschrecken und sich sagen würde: Mein Gott, wenn die im Hotel New Hampshire mit ihren Haustieren fertig sind, schmeißen sie sie einfach in den Müll!

»Komm zurück ins Bett, John-O«, sagte Ronda Ray, aber ich starrte hinaus in den Regen, der langsam in Schnee überging und auf die aufgereihten Mülltonnen fiel, die vollgestopft waren mit Geschenkpapier, bunten Bändern und Lametta, mit den Flaschen und Kartons und Dosen vom Restaurantbetrieb, mit allerlei Speiseresten, an denen Hunde und Vögel interessiert waren, und mit einem toten Hund, an dem niemand interessiert war. Das heißt: fast niemand. Frank hätte es das Herz gebrochen, dieses entwürdigende Ende von Kummer mitansehen zu müssen, und während ich in den dichter werdenden Schnee über dem Elliot Park hinausblickte, sah ich ein anderes Mitglied unserer Familie, das an Kummer immer noch stark interessiert war. Ich sah Egg mit seinem Skianorak und seiner Skimütze, wie er, seinen Schlitten hinter sich herziehend, auf den Lieferanteneingang zuging. Er bewegte sich flink über die glatte Schneedecke, und dann knirschte sein Schlitten auf dem Zufahrtsweg, der noch schneefrei und mit kleinen Pfützen übersät war. Egg wußte, wo er hin wollte – ein rascher Blick in die Fenster im Untergeschoß, und schon hatte er Mrs. Uricks strenge Kontrolle sicher hinter sich gebracht; ein Blick zum dritten Stock, aber Max schenkte den Mülltonnen keine Beachtung. Von den Räumen unserer Familie aus war der Lieferanteneingang nicht zu sehen, und Egg wußte, daß ihn jetzt nur noch Ronda Ray sehen konnte. Doch sie lag im Bett, und als Egg zu ihrem Fenster heraufblickte, duckte ich mich rasch.

»Wenn du lieber draußen beim Laufen wärst, John-O«, stöhnte Ronda, »dann geh eben laufen.«

Und als ich wieder aus dem Fenster blickte, war Egg verschwunden – und Kummer mit ihm. Die Bemühungen, Kummer aus dem Grab zurückzuholen, waren noch nicht zu Ende, das wußte ich; ich konnte aber nur raten, wo das Biest wiederauftauchen würde.

Als Franny in Iowa-Bobs Zimmer zog, teilte Mutter die anderen Zimmer neu ein. Sie legte Egg und mich zusammen in das Zimmer, wo Franny und Lilly gewesen waren, und sie gab Lilly mein altes Zimmer *und* Eggs Zimmer nebenan – als müsse Lillys sogenannter Zwergwuchs unsinnigerweise nicht nur mit Ungestörtheit, sondern auch noch mit mehr Raum versorgt werden. Ich beklagte mich, aber Vater sagte, mein Einfluß würde Egg rascher »reifen« lassen. An Franks geheimer Unterkunft änderte sich nichts, und die Hanteln hatten ihren Platz nach wie vor in Iowa-Bobs Zimmer, so daß ich um so mehr Veranlassung hatte, Franny zu besuchen, die mir beim Gewichtheben gerne zusah. Nun dachte ich also bei der Gewichtarbeit nicht nur an Franny – mein ganzes Publikum! –, sondern konnte, wenn ich mir ein wenig Mühe gab, auch Coach Bob zurückholen. Ich stemmte für uns beide.

Ich nehme an, die Aktion, mit der Egg Kummer die unvermeidliche Fahrt zur Müllhalde ersparte, war die einzige Möglichkeit für Egg, Iowa-Bob wiederauferstehen zu lassen. Wie mein Einfluß dazu beitragen konnte, daß Egg rascher »reifte«, blieb mir ein Rätsel, auch wenn es erträglich war, mit ihm das Zimmer zu teilen. Seine Kleider störten mich am meisten, oder nicht so sehr seine Kleider als vielmehr sein Umgang mit Kleidern: Egg zog sich nicht an, er kostümierte sich. Er wechselte die Kostümierung mehrmals am Tag, und die abgelegten Kleider nahmen immer einen zentralen Platz ein in unserem

Zimmer und häuften sich dort an, bis dann wieder mal Mutter in unserem Zimmer wütete und mich fragte, ob ich Egg nicht dazu anhalten könne, ordentlicher zu sein. Vielleicht meinte Vater »ordentlicher werden«, wenn er »reifen« sagte.

Während der ersten Woche, in der ich mit Egg das Zimmer teilte, war mir seine Schlamperei egal; dafür brannte ich darauf, herauszufinden, wo er Kummer versteckt hatte. Ich wollte mich nicht noch einmal von dieser Gestalt des Todes erschrecken lassen, obwohl ich glaube, daß uns der Tod in jeder Gestalt erschreckt – er *soll* uns erschrecken – und daß wir auch mit dem besten Vorauswissen nicht genügend darauf gefaßt sind. Jedenfalls war das bei Egg und Kummer so.

Am Abend vor Silvester, als Iowa-Bob noch keine Woche tot und Kummer erst seit zwei Tagen aus dem Abfall verschwunden war, flüsterte ich in unserem dunklen Zimmer zu Egg hinüber; ich wußte, daß er noch nicht schlief.

»Okay, Egg«, flüsterte ich. »Wo ist er?« Aber es war immer ein Fehler, mit Egg zu *flüstern.*

»Was?« sagte Egg. Mutter und Dr. Brand sagten, Eggs Gehör werde besser, während Vater immer von Eggs »Taubheit« und nicht von seinem »Gehör« sprach und so zum Schluß kam, Dr. Brand müsse selber taub sein, wenn er glaube, Eggs Zustand werde »besser«. So ähnlich war es ja auch bei Lillys Zwergwuchs: Dr. Brand sah auch bei ihr eine Besserung, weil sie tatsächlich (ein bißchen) gewachsen war. Aber alle anderen waren sehr viel mehr gewachsen, und deshalb entstand der Eindruck, Lilly werde immer *kleiner.*

»Egg«, sagte ich lauter. »Wo ist Kummer?«

»Kummer ist tot«, sagte Egg.

»Ich weiß, daß er tot ist, verdammt nochmal«, sagte ich, »aber *wo,* Egg? Wo ist Kummer?«

»Kummer ist bei Opa Bob«, sagte Egg, der damit natürlich recht hatte, und ich wußte, es war unmöglich aus Egg herauszubekommen, wo er den ausgestopften Schrecken versteckt hielt.

»Morgen ist Silvester«, sagte ich.

»Wer?« sagte Egg.

»Silvester!« sagte ich. »Wir werden eine Party feiern.«

»Wo?« fragte er.

»Hier«, sagte ich. »Im Hotel New Hampshire.«

»In welchem Zimmer?« sagte er.

»Im *Haupt*zimmer«, sagte ich. »Im großen Zimmer. Im Restaurant, du Dummi.«

»In unserem Zimmer feiern wir keine Party«, sagte Egg.

Mit Eggs Kostümen, die überall herumlagen, war in unserem Zimmer schlicht und einfach kein Platz für eine Party, das war klar, aber ich sagte nichts mehr. Als ich fast schon eingeschlafen war, fing Egg wieder an.

»Wie würdest du etwas trocknen, das naß ist?« fragte Egg.

Und ich stellte mir den wahrscheinlichen *Zustand* Kummers vor, nach weiß Gott wie vielen Stunden in der offenen Mülltonne, in Regen und Schnee.

»*Was* ist naß, Egg?« fragte ich.

»Haare«, sagte er. »Wie würdest du Haare trocknen?«

»*Deine* Haare, Egg?«

»Einfach Haare«, sagte Egg. »Eine Menge Haare. Mehr Haare, als ich habe.«

»Na ja, wahrscheinlich mit einem Haartrockner«, sagte ich.

»Mit diesem Ding, das Franny hat?« fragte Egg.

»Mutter hat auch einen«, sagte ich ihm.

»Schon«, sagte er, »aber der von Franny ist größer. Ich glaube, der ist auch *heißer*.«

»Du hast wohl eine Menge Haare zu trocknen, was?« fragte ich ihn.

»Was?« sagte Egg. Aber es lohnte sich nicht, die Frage zu wiederholen; zu Eggs Taubheit gehörte auch seine Fähigkeit, zu wählen, wann er hören wollte und wann nicht.

Am Morgen schaute ich zu, wie er seinen Schlafanzug auszog, und stellte fest, daß er darunter voll angezogen war und in seinen Kleidern geschlafen hatte.

»Es ist immer gut, wenn man vorbereitet ist – was, Egg?« fragte ich.

»Auf was denn vorbereitet?« fragte er. »Wir haben heute keine Schule – es sind immer noch Ferien.«

»Warum hast du dich dann in deinen Kleidern ins Bett gelegt?« fragte ich ihn, aber er ging nicht darauf ein; er war damit beschäftigt, verschiedene Kostümhaufen zu durchwühlen. »Was suchst du eigentlich?« fragte ich ihn. »Du bist doch schon angezogen.« Aber sobald Egg an meinem Tonfall merkte, daß ich ihn hänseln wollte, ignorierte er mich.

»Bis später, auf der Party«, sagte er.

Egg liebte das Hotel New Hampshire, vielleicht sogar mehr, als Vater es liebte, denn Vaters Liebe galt in erster Linie der Idee dahinter; tatsächlich schien Vater von Tag zu Tag mehr am greifbaren Erfolg seines Unternehmens zu zweifeln. Egg liebte all die Räume, die Treppen, die menschenleere Weite der ehemaligen Mädchenschule. Vater wußte, daß es bei uns ein bißchen zu menschenleer war, aber Egg hatte nichts dagegen.

Gäste brachten manchmal merkwürdige Dinge, die sie in ihren Zimmern gefunden hatten, zum Frühstück mit herunter. »Das Zimmer war sehr sauber«, begannen sie, »aber irgend jemand muß dieses ... dieses *Ding da* vergessen haben.« Der rechte Gummiarm eines Cowboys; der runzlige, mit einer Schwimmhaut versehene Fuß einer vertrockneten Kröte. Eine Spielkarte, auf der dem Karobuben ein neues Gesicht gezeichnet worden war; die Kreuz-Fünf, auf die jemand »Puh!« geschrieben hatte. Eine kleine Socke mit sechs Murmeln drin. Ein ganzes Kostüm (Eggs Polizeimarke, an seiner Baseball-Uniform festgemacht) aus dem Schrank in 3 G.

An Silvester herrschte eine Art Tauwetter – ein leichter Nebel legte sich über den Elliot Park, und der Schnee vom Tag vorher schmolz schon wieder und brachte den acht Tage alten grauen Schnee zum Vorschein. »Wo warst du heute morgen, John-O?« fragte mich Ronda Ray, als wir das Restaurant für die Silvesterparty herrichteten.

»Es hat nicht geregnet«, erklärte ich. Eine fadenscheinige Ausrede, das war mir klar – und ihr auch. Ich war Ronda nicht etwa untreu – mit wem auch –, aber ich träumte die ganze Zeit von einer imaginären »anderen«, die etwa so alt war wie Franny. Ich hatte Franny sogar um eine Verabredung mit einer ihrer Freundinnen gebeten, die sie empfehlen konnte – obwohl Franny mir neuerdings sagte, ihre Freundinnen seien zu alt für mich; das hieß, sie waren sechzehn.

»Kein Gewichttraining heute?« fragte mich Franny. »Hast du nicht Angst um deine gute Form?«

»Ich trainiere für die Party«, sagte ich.

Für die Party rechneten wir damit, daß drei oder vier Dairy-Schüler ihre Weihnachtsferien abkürzen und die Nacht im Hotel verbringen würden, darunter auch Junior Jones, der mit Franny zur Party ging, und eine Schwester von Junior Jones, die *keine* Dairy-Schülerin war. Junior brachte sie für mich mit – und ich hatte Angst, Junior Jones' Schwester könnte so riesig sein wie Junior Jones selber, und ich hätte zu gern gewußt, ob es sich um die Schwester handelte, die vergewaltigt worden war, wie mir Harold Swallow erzählt hatte; es schien mir unverhältnismäßig wichtig, das zu wissen. Würde ich mit einem großen, vergewaltigten Mädchen zur Party gehen oder mit einem großen, *nicht* vergewaltigten Mädchen? – denn riesig war sie in jedem Fall, da war ich sicher.

»Sei nicht nervös«, sagte Franny zu mir.

Wir räumten den Weihnachtsbaum ab; Vater hatte dabei Tränen in den Augen, denn es war Iowa-Bobs Baum gewesen; Mutter mußte hinausgehen. Die Beerdigung war uns Kindern so gedämpft vorgekommen – es war die erste Beerdigung, die wir je erlebt hatten, denn wir waren zu jung, als daß wir uns hätten erinnern können, wie es bei Latein-Emeritus und der Mutter meiner Mutter zugegangen war; der Bär namens State o' Maine hatte keine Beerdigung bekommen. Ich glaube, nach dem Lärm, der Iowa-Bobs Tod begleitet hatte, erwarteten wir, daß auch die Beerdigung lauter sein würde – »wenigstens mit dem Gepolter von Hanteln«, sagte ich zu Franny.

»Sei nicht kindisch«, sagte sie. Sie glaubte offenbar, daß sie viel schneller erwachsen wurde als ich, und ich fürchtete, sie hatte recht.

»Ist es die Schwester, die vergewaltigt worden ist?« fragte ich Franny unvermittelt. »Ich meine, welche Schwester bringt Junior mit?« Aus der Art, wie Franny mich ansah, schloß ich, daß auch diese Frage Jahre zwischen uns legte.

»Er hat nur eine Schwester«, sagte Franny und blickte mir direkt in die Augen. »Macht es dir etwas aus, daß sie vergewaltigt worden ist?«

Natürlich wußte ich nicht, was ich sagen sollte: *daß* es mir etwas ausmachte? Daß man mit einer Vergewaltigten nicht über das Thema Vergewaltigung sprach, während man mit Nicht-Vergewaltigten sofort eine Diskussion darüber begann? Daß man nach den bleibenden Narben in der Persönlichkeit suchte, oder daß man nicht danach suchte? Daß man bleibende Narben in der Persönlichkeit *annahm* und mit der Person wie mit einem Invaliden sprach? (Und wie sprach man mit einem Invaliden?) Daß es mir nichts ausmachte? Aber es machte mir etwas aus. Ich wußte auch, warum. Ich war vierzehn. In meiner Unerfahrenheit (und in bezug auf Vergewaltigung würde ich immer unerfahren bleiben) stellte ich mir vor, daß man eine Vergewaltigte ein wenig anders *anfassen* würde, oder etwas weniger, oder überhaupt nicht. Schließlich sagte ich das Franny, und sie starrte mich an.

»Du irrst dich«, sagte sie, aber es klang, wie wenn sie zu Frank sagte: »Du bist ein Arschloch«, und dazu hatte ich das Gefühl, daß ich wahrscheinlich ewig vierzehn bleiben würde.

»Wo ist Egg?« brüllte Vater. »Egg!«

»Egg arbeitet nie etwas«, beschwerte sich Frank, der die trockenen Nadeln von dem Weihnachtsbaum ziellos durch das Restaurant kehrte.

»Egg ist ein kleiner Junge, Frank«, sagte Franny.

»Egg könnte schon ein wenig reifer sein«, sagte Vater. Und ich (dessen Einfluß die Reifung beschleunigen sollte) ... ich wußte ganz genau, warum Egg außer Hörweite war. Er war in irgendeinem leeren Raum des Hotels New Hampshire und betrachtete die fürchterliche Masse eines nassen schwarzen Labradorhundes namens Kummer.

Als die letzten Spuren von Weihnachten aus dem Hotel New Hampshire gekehrt und gezerrt waren, überlegten wir uns eine passende Dekoration für Silvester.

»Keiner ist so richtig in Silvesterstimmung«, sagte Franny. »Lassen wir doch die Dekoration ganz weg.«

»Eine Party ist eine Party«, sagte Vater entschlossen, obwohl er vermutlich von uns allen am wenigsten Lust zu einer Party hatte. Jeder wußte, wessen Idee die Silvesterparty gewesen war: sie stammte von Iowa-Bob.

»Es wird sowieso niemand kommen«, sagte Frank.

»Für dich vielleicht, Frank«, sagte Franny. »Ich erwarte jedenfalls ein paar Freunde.«

»Und wenn hundert Leute kämen, würdest du trotzdem in deinem Zimmer bleiben, Frank«, sagte ich.

»Geh, iß noch eine Banane«, sagte Frank. »Oder mach einen Dauerlauf – zum Mond.«

»Also ich freu mich auf die Party«, sagte Lilly, und jeder blickte sie an – weil wir sie natürlich nicht gesehen hatten, ehe sie den Mund aufmachte; sie wurde immer kleiner. Lilly war fast elf, aber sie schien nun wesentlich kleiner als Egg; sie reichte mir kaum bis zur Hüfte, und sie wog keine zwanzig Kilo.

Wir rissen uns also alle zusammen: wenn Lilly sich auf eine Party freute, dann wollten wir versuchen, in Stimmung zu kommen.

»Wie sollen wir also das Restaurant dekorieren, Lilly?« fragte Frank; er hatte die Angewohnheit, sich weit vorzubeugen, wenn er mit Lilly sprach, so als rede er mit einem Baby in einem Kinderwagen und gebe nur unsinniges Zeug von sich.

»Wir brauchen überhaupt nicht zu dekorieren«, sagte Lilly. »Wir amüsieren uns einfach so.«

Wir standen alle reglos da, als treffe uns diese Aussicht wie ein Todesurteil, doch Mutter sagte: »Das ist eine großartige Idee! Ich rufe gleich die Matsons an!«

»Die Matsons?« sagte Vater.

»Und die Foxes, und vielleicht die Calders«, sagte Mutter.

»Bloß nicht die Matsons!« sagte Vater. »Und die Calders haben bereits *uns* zu einer Party eingeladen – die machen jedes Jahr eine Silvesterparty.«

»Nun, wir werden einfach ein paar Freunde hier haben«, sagte Mutter.

»Und die Stammgäste werden sicher auch kommen«, sagte Vater, aber er sah nicht sehr überzeugt aus, und wir blickten von ihm weg. Die »Stammgäste« waren nur ein Grüppchen alter Kumpane; größtenteils waren sie Coach Bobs Zechgenossen. Wir fragten uns, ob sie überhaupt noch einmal kommen würden – und an Silvester bezweifelten wir das.

Mrs. Urick wußte nicht, wie viele Essen sie vorbereiten sollte; Max überlegte, ob er den ganzen Parkplatz vom Schnee räumen sollte oder nur die üblichen paar Stellplätze. Ronda Ray schien in der richtigen Stimmung für eine ganz eigene Silvesterparty; sie hatte ein Kleid, das sie anziehen wollte – sie hatte mir ausführlich davon erzählt. Ich kannte das Kleid bereits: es war das sexy Kleid, das Franny Mutter zu Weihnachten geschenkt hatte; Mutter hatte es an Ronda weitergegeben. Nachdem ich es an Franny gesehen hatte, hätte ich zu gerne gewußt, wie Ronda sich da hineinzwängen wollte.

Mutter hatte für den Abend eine Live-Band organisiert. »Von wegen *Live*-Band«, sagte Franny, »mir kommen die eher scheintot vor« – sie hatte die Band schon gehört. Im Sommer spielten sie für die Urlauber in Hampton Beach, doch in der übrigen Zeit gingen die meisten von ihnen noch zur Schule. Die elektrische Gitarre spielte ein halbstarker Pennäler namens Sleazy Wales; seine Mutter war die Sängerin und spielte akustische Gitarre – eine massige, laute Frau namens Doris, »eine Schlampe«, wie Ronda Ray giftig bemerkte. Die Band hatte ihren Namen entweder von Doris oder von dem schwachen Hurrikan, der schon ein paar Jahre zurücklag und der ebenfalls Doris getauft worden war. Die Band hieß natürlich Hurricane Doris, und sie bestand aus Sleazy Wales und seiner Mutter und zwei von Sleazys Schulkameraden: akustischer Baß und Schlagzeug. Ich glaube, die Jungs arbeiteten nach der Schule alle in derselben Reparaturwerkstatt, denn als Band-Uniform trugen sie die Arbeitskleidung von Automechanikern; auf der Brust hatten sie ihre Namen aufgenäht, gleich neben dem GULF-Emblem. Danny, Jake und Sleazy – GULF. Doris trug, wozu sie gerade Lust hatte – Kleider, die selbst Ronda Ray zu unverschämt gewesen wären. Frank fand Hurricane Doris natürlich »widerlich«.

Die Band spielte am liebsten Presley-Songs – »jede Menge langsamen Schmus, wenn wir 'n Haufen Erwachsene haben«, erzählte Doris meiner Mutter am Telefon, »und das schnellere Zeug, wenn viel junges Volk da ist.«

»O Mann«, sagte Franny. »Ich bin bloß gespannt, was Junior zu Hurricane Doris sagen wird.«

Und ich ließ mehrere gläserne Aschenbecher fallen, die ich auf den Tischen verteilen sollte, denn *ich* war gespannt, was Junior Jones' Schwester zu *mir* sagen würde.

»Wie alt ist sie?« fragte ich Franny.

»Wenn du Glück hast, Kleiner«, zog mich Franny auf, »ist sie nicht über zwölf.«

Frank hatte den Mop und den Besen in die Besenkammer im Erdgeschoß zurückgestellt und war dort auf eine Spur von Kummer gestoßen. Es war das Brett, zugeschnitten auf die richtige Größe, auf dem Kummer in seiner ›Angriff‹-Pose montiert gewesen war. In dem Brett waren vier sauber gebohrte Schraubenlöcher, und es gab Spuren von den Pfotenabdrücken des Hundes; er war mit den Pfoten am Brett festgeschraubt gewesen.

»Egg!« brüllte Frank. »Du fieser kleiner Dieb, Egg!«

Egg hatte also Kummer von seinem Podest abgeschraubt und war vielleicht in diesem Augenblick dabei, Kummers Pose so umzumodeln, daß sie seiner eigenen Version von unserem alten Familienhund näherkam.

»Nur gut, daß Egg nie State o' Maine in die Finger gekriegt hat«, sagte Lilly.

»Nur gut, daß *Frank* nicht State o' Maine in die Finger gekriegt hat«, bemerkte Franny.

»Zum Tanzen wird's nicht gerade viel Platz geben«, sagte Ronda Ray mißmutig. »Wir können die Stühle nicht aus dem Weg räumen.«

»Wir tanzen um die Stühle herum!« rief Vater optimistisch.

»Lebenslänglich festgeschraubt«, murmelte Franny, aber Vater hörte sie, und er war noch nicht ganz soweit, sich Iowa-Bobs alte Sprüche wieder anhören zu können. Er sah sehr verletzt aus, dann blickte er weg. Silvester 1956 ist mir in Erinnerung als ein Tag, an dem eine Menge »weggeblickt« wurde.

»O verdammt«, flüsterte mir Franny zu, und es war ihr anzusehen, daß sie sich – tatsächlich – schämte.

Ronda Ray drückte Franny kurz an sich. »Du mußt einfach noch ein bißchen erwachsener werden, Schätzchen«, sagte sie zu ihr. »Das mußt du erst noch lernen: Erwachsene kommen nicht so schnell wieder hoch wie Kinder.«

Wir hörten Frank, wie er auf der Suche nach Egg im Treppenhaus herumtobte. Frank kam auch nicht so schnell wieder hoch, dachte ich. Aber Frank war in gewisser Hinsicht nie ein Kind.

»Schluß jetzt mit dem Geschrei!« brüllte Max Urick vom dritten Stock herunter.

»Kommt runter und helft uns mit der Party – alle beide!« rief Vater nach oben.

»Verdammte Gören!« schimpfte Max.

»Gören! Was weiß der schon davon?« brummte Mrs. Urick.

Dann rief Harold Swallow aus Detroit an. Er kam nun doch nicht früher nach Dairy. Er verzichte auf die Party, sagte er, denn ihm sei gerade eingefallen, daß ihn der Silvesterabend immer deprimiere und daß er sich das Ganze dann jedesmal im Fernsehen anschaue. »Und das kann ich genausogut in Detroit«, sagte er. »Was soll ich nach Boston fliegen und mit Junior Jones und einem Haufen anderer Leute im Auto fahren, nur um dann in einem komischen Hotel zu sitzen und Silvester im Fernsehen anzugucken.«

»Wir machen den Fernseher gar nicht an«, sagte ich ihm. »Das geht schon wegen der Band nicht.«

»Na ja«, sagte er. »Dann würde mir etwas fehlen. Da bleib ich lieber in Detroit.« In den Unterhaltungen mit Harold Swallow steckte nie viel Logik; ich wußte nie, was ich ihm sagen sollte.

»Tut mir leid wegen Bob«, sagte Harold, und ich dankte ihm und berichtete dann den anderen.

»Nasty kommt auch nicht«, sagte Franny. Nasty war der Bostoner Freund einer Freundin Frannys: Ernestine Tuck aus Greenwich in Connecticut. Ernestine nannten – bis auf Franny und Junior Jones – alle nur »Bitty«. Offenbar hatte ihre Mutter sie einmal an einem schrecklichen Abend *a little bitty* genannt, einen kleinen Winzling, und der Name blieb, wie man so schön sagt, an ihr hängen. Ernestine schien das nichts auszumachen, und sie ließ sich auch Junior Jones' Version ihres Namens gefallen: sie hatte wundersame Brüste, und Junior nannte sie *Tittie* Tuck, und auch Franny nannte sie so. Bitty Tuck verehrte Franny dermaßen, daß sie jede Beleidigung von ihr hingenommen hätte; und die ganze Welt, dachte ich oft, würde Beleidigungen von Junior Jones einfach einstecken müssen. Bitty Tuck war reich und hübsch und achtzehn und kein übler Mensch – sie ließ sich nur so leicht auf den Arm nehmen –, und sie kam an Silvester, weil sie das war, was Franny ein Party-Mädchen nannte, und weil sie Frannys einzige Freundin an der Dairy School war. Mit ihren achtzehn Jahren war Bitty – nach Frannys Meinung – sehr weltgewandt. Wie Franny mir erklärte, war geplant, daß Junior Jones und seine Schwester in ihrem eigenen Wagen von Philadelphia herfuhren; sie sollten unterwegs Tittie Tuck in Greenwich abholen und danach Titties Freund Peter (Nasty) Raskin in Boston. Doch nun, sagte Franny, durfte Nasty nicht mitkommen – weil er bei einer Hochzeit in der Familie eine Tante beleidigt hatte. Tittie hatte sich aber entschlossen, trotzdem mit Junior und seiner Schwester nach Dairy zu fahren.

»Dann bleibt ja ein Mädchen übrig – für Frank«, sagte Vater in seiner wohlmeinenden Art, und mancherlei Gestalten des Todes zogen schweigend über uns hin.

»Hauptsache, für mich bleibt kein Mädchen übrig«, sagte Egg.

»Egg!« brüllte Frank so plötzlich, daß wir alle zusammenfuhren. Keiner von uns hatte bemerkt, daß Egg hereingekommen war, aber er hatte sein Kostüm gewechselt und tat so, als sei er vollauf damit beschäftigt, das Restaurant in Ordnung zu bringen, und als habe er den ganzen Tag in unserer Mitte verbracht und mitgearbeitet.

»Ich muß mit dir reden, Egg«, sagte Frank.

»Was?« sagte Egg.

»Schrei Egg nicht so an!« sagte Lilly und nahm in ihrer aufreizenden mütterlichen Art Egg zur Seite. Es war uns aufgefallen, daß Lilly Egg zu bemuttern begann, als Egg ihr über den Kopf wuchs. Frank folgte ihnen in eine Ecke des Raumes und ging zischend wie ein Faß voll Schlangen auf Egg los.

»Ich weiß, daß du ihn hast, Egg«, zischte Frank.

»Was?« sagte Egg.

Frank traute sich nicht, »Kummer« zu sagen, solange Vater im Raum war, und keiner von uns hätte zugelassen, daß er Egg zu sehr bedrängte; Egg war in Sicherheit, und er wußte es. Egg trug seinen Infanterie-Kampfanzug; Franny hatte mir erzählt, sie glaube, daß Frank wahrscheinlich selber gern so eine Uniform hätte und daß es ihn immer wütend mache, wenn Egg eine Uniform trage – und Egg hatte gleich mehrere. So seltsam Franks Liebe für Uniformen wirkte, so natürlich schien diese Liebe bei Egg; zweifellos ärgerte das Frank.

Dann fragte ich Franny, wie Junior Jones' Schwester nach Philadelphia zurückkam, wenn Neujahr erst vorbei war und die Dairy School wieder anfing. Franny sah verwundert aus, und ich erklärte ihr, daß Junior wohl nicht vorhatte, mit seiner Schwester die lange Fahrt nach Philadelphia zurück zu machen und dann gleich wieder umzukehren, um zum Schulbeginn in Dairy zu sein, und außerdem durfte er in Dairy kein Auto haben. Das ließ die Schulordnung nicht zu.

»Dann wird sie eben selber zurückfahren«, sagte Franny. »Schließlich ist es ihr Wagen – glaub ich wenigstens.«

Da dämmerte es mir, daß Junior Jones' Schwester – wenn sie in *ihrem* Wagen kamen – alt genug sein mußte, um selber fahren zu können. »Sie muß ja mindestens sechzehn sein!« sagte ich zu Franny.

»Keine Angst«, sagte Franny. »Was glaubst du, wie alt Ronda ist?« flüsterte sie.

Aber der Gedanke an ein älteres Mädchen war einschüchternd genug, auch ohne daß ich mir ein *riesiges* älteres Mädchen vorstellte: ein größeres, älteres, einmal vergewaltigtes Mädchen.

»Außerdem ist wohl anzunehmen, daß sie schwarz sein wird«, sagte Franny. »Oder hast du da auch nicht dran gedacht?«

»Das stört mich nicht«, sagte ich.

»Ach was, *alles* stört dich«, sagte Franny. »Tittie Tuck ist achtzehn und stört dich unheimlich, und sie wird auch dasein.«

Das stimmte: Tittie Tuck nannte mich in aller Öffentlichkeit »niedlich« – in ihrer ziemlich herablassenden Reiche-Leute-Art. Aber das meine ich eigentlich gar nicht; sie war nett – nur daß sie mir nie die geringste Beachtung schenkte, außer wenn sie einen Scherz mit mir machen wollte; sie schüchterte mich ein, wie dich Leute einschüchtern, die sich nie an deinen Namen erinnern. »Es ist einfach so in dieser Welt«, stellte Franny einmal fest, »wenn du dir endlich mal bemerkenswert vorkommst, ist immer einer da, der sich nicht erinnert, dich überhaupt je kennengelernt zu haben.«

Es war ein Auf-und-Ab-Tag im Hotel New Hampshire mit den ganzen Vorbereitungen für den Silvesterabend: ich erinnere mich, daß über uns allen etwas zu hängen schien, das die gewohnte Mischung von Albernheit und Traurigkeit noch übertraf, als werde uns von Zeit zu Zeit bewußt, daß wir um Iowa-Bob kaum trauerten, und manchmal auch, daß wir – nicht etwa *trotz*, sondern *wegen* Iowa-Bob – vor allem eine Verpflichtung hatten: uns zu amüsieren. Das war vielleicht unsere erste Erprobung einer Maxime, die der alte Iowa-Bob an meinen Vater weitergegeben hatte; es war eine Maxime, die

Vater uns immer und immer wieder predigte. Sie war uns so vertraut, daß wir nicht im Traum daran dachten, uns anders zu verhalten, als glaubten wir daran – auch wenn uns wahrscheinlich erst sehr viel später klar wurde, ob wir daran glaubten oder nicht.

Die Maxime hatte mit Iowa-Bobs Theorie zu tun, daß wir alle auf einem großen Schiff waren – »auf einer großen Kreuzfahrt, rund um die Welt.« Und trotz der Gefahr, jederzeit fortgespült zu werden, oder vielleicht *wegen* dieser Gefahr, war es uns nicht *erlaubt*, deprimiert oder unglücklich zu sein. Der Lauf der Welt war kein Anlaß zu Blanko-Zynismus und pubertärem Weltschmerz; nach meinem Vater und Iowa-Bob war der Lauf der Welt in seiner Beschissenheit gerade ein Ansporn dafür, sich im Leben ein Ziel zu setzen und voller Entschlossenheit *gut* zu leben.

»Fröhlicher Fatalismus«, sagte Frank später von dieser Philosophie; Frank war in seinen geplagten Jugendjahren nicht der Typ, der an irgend etwas glaubte.

Und eines Abends, als wir uns im Fernseher über der Bar im Hotel New Hampshire ein erbärmliches Melodrama anschauten, sagte meine Mutter: »Den Schluß will ich gar nicht erst sehen. Ich mag Happy-Ends.«

Und Vater sagte: »Es gibt keine Happy-Ends.«

»Genau!« rief Iowa-Bob – mit einer seltsamen Mischung aus Überschwenglichkeit und Gleichmut in seiner rauhen Stimme. »Der Tod ist schrecklich und endgültig und kommt oft zu früh«, erklärte Coach Bob.

»Na und?« sagte mein Vater.

»Genau!« rief Iowa-Bob. »Darauf kommt's an: Na und?«

Und so war es unsere Familien-Maxime, daß ein unglückliches Ende ein reiches und ausgefülltes Leben nicht untergraben kann. Sie beruhte auf dem Glauben, daß es keine Happy-Ends gab. Mutter ließ das nicht gelten, und Frank reagierte verdrießlich, und Franny und ich waren wahrscheinlich gläubige Anhänger dieser Religion – und wenn wir zuweilen doch Zweifel hatten an Iowa-Bob, dann wartete die Welt immer wieder mit etwas auf, das dem alten Footballer recht zu geben schien. Wir wußten nie, was Lillys Religion war (zweifellos eine kleine Idee, die sie für sich behielt), und Egg war schließlich derjenige, der Kummer barg – in mehr als einer Hinsicht. Kummer zu bergen, ist auch eine Art von Religion.

Das Brett, das Frank gefunden hatte und das mit den Pfotenabdrücken und den Kummerlöchern aussah wie das verlassene Kruzifix eines vierfüßigen Christus, schien mir ominös. Ich überredete Franny zu einer Bettenkontrolle, obwohl sie sagte, Frank und ich seien verrückt – Egg, sagte sie, habe wahrscheinlich das *Brett* behalten wollen und den *Hund* weggeschmissen. Natürlich half die Sprechanlage nicht weiter, da Kummer – egal ob weggeschmissen oder versteckt – nicht mehr atmete. Ein merkwürdiges Blasgeräusch, das sich wie strömende Luft anhörte, kam aus 3 A – vom anderen Ende des Flurs als Max Uricks Rauschen –, aber Franny sagte, wahrscheinlich sei da einfach ein Fenster offen: Ronda Ray hatte das Bett für Bitty Tuck hergerichtet, und wahrscheinlich war es in dem Zimmer muffig gewesen.

»Warum muß Bitty eigentlich ganz hinauf in den dritten Stock?« fragte ich.

»Weil Mutter meinte, Nasty käme mit«, sagte Franny, »und da oben hätten sie ein bißchen Ruhe gehabt vor euch Kindern.«

»Vor *uns* Kindern, meinst du«, sagte ich. »Und wo schläft Junior?«

»Nicht bei mir«, sagte Franny kurz. »Junior und Sabrina haben ihre eigenen Zimmer im ersten Stock.«

»Sa-*bri*-na?« sagte ich.

»Ja, so heißt sie«, sagte Franny.

Sabrina Jones! dachte ich und spürte, wie mir ruckartig die Kehle zugeschnürt wurde. Siebzehn Jahre alt und zwei Meter groß, stellte ich mir vor; wiegt etwa 85 Kilo, ohne Kleider und gut abgetrocknet – und im Bankdrücken schafft sie zwei Zentner.

»Sie sind da«, berichtete uns Lilly, die in den Schaltraum gelaufen kam, mit ihrer dünnen Stimme. Wenn Lilly Junior Jones in seiner ganzen Größe sah, verschlug es ihr immer den Atem.

»Wie groß ist sie?« fragte ich Lilly, aber für Lilly sahen natürlich alle riesig aus; ich mußte mir Sabrina Jones schon selber ansehen.

Frank, der wieder einmal seine Gehemmtheit offen ausleben wollte, hatte seine Busfahreruniform angezogen und spielte für das Hotel New Hampshire den Türsteher. Er trug gerade Bitty Tucks Gepäck in die Eingangshalle; Bitty Tuck gehörte zu der Sorte Mädchen, die Gepäck haben. Sie trug eine Art Herrenanzug, der aber für eine Frau geschneidert war, und selbst eine Art Herrenhemd, mit Button-Down-Kragen und Krawatte und allem drum und dran – bis auf die Brüste, die fielen aus dem Rahmen, wie Junior Jones bemerkt hatte: die ließen sich auch in der männlichsten Kleidung unmöglich verstecken. Gleich hinter Frank, der sich schwitzend mit ihrem Gepäck abmühte, stürmte sie in die Eingangshalle.

»Hallo, John-John!« sagte sie.

»Hallo, Tittie«, rutschte mir heraus; dabei hatte ich sie gar nicht mit ihrem Spitznamen anreden wollen, denn nur Junior und Franny konnten sie Tittie nennen, ohne von ihr mit Verachtung bestraft zu werden. Sie warf mir einen verächtlichen Blick zu und rauschte an mir vorbei, um Franny zu umarmen, mit dem merkwürdigen Gekreische, mit dem Mädchen wie sie wahrscheinlich schon auf die Welt kommen.

»Die Koffer kommen auf 3 A, Frank«, sagte ich.

»Herrgott, aber nicht jetzt gleich«, sagte Frank und ging mit Bittys Gepäck zu Boden. »Einer allein schafft das nie«, sagte er. »Vielleicht bringt die Party ein paar von euch Trotteln so in Stimmung, daß euch das Gepäckschleppen sogar *Spaß* macht.«

Junior Jones erschien in seiner ganzen Größe in der Eingangshalle, und er sah aus, als könne er Bitty Tucks Gepäck drei Stockwerke hoch *schleudern* – mitsamt Frank, dachte ich.

»Hier ist der Spaß«, sagte Junior Jones. »He, Mann, der Spaß ist hier.«

Ich versuchte, an ihm vorbei oder um ihn herum zur Tür zu blicken. Eine Schrecksekunde lang suchte ich tatsächlich *über* seinem Kopf, als könnte seine Schwester, Sabrina, dort aufragen.

»He, Sabrina«, sagte Junior Jones. »Hier ist dein Gewichtheber.«

In der Tür stand eine schlanke Negerin, etwa so groß wie ich; ihr hoher Schlapphut ließ sie vielleicht ein wenig größer erscheinen – und sie trug Schuhe mit hohen Absätzen. Ihr Kostüm war Zoll für Zoll so elegant wie Bitty Tucks Aufmachung; sie trug eine cremefarbene Seidenbluse mit breitem Kragen, und sie war so weit aufgeknöpft, daß man ihren langen Hals hinunter bis zu dem roten Spitzenbesatz an ihrem BH sehen konnte; sie hatte Ringe an allen Fingern, und sie trug Armbänder, und sie hatte eine wunderbare Farbe, wie Zartbitter-Schokolade, große strahlende Augen und einen breiten lächelnden Mund voll eigenartiger, aber hübscher Zähne; sie roch so gut und von so weit weg, daß selbst Bitty Tucks Gekreische durch Sabrina Jones' Duft gedämpft wurde. Sie war zwischen achtundzwanzig und dreißig, schätzungsweise, und als sie mit mir bekannt gemacht wurde, schien sie ein wenig überrascht. Junior Jones, der für seine Größe unheimlich flink war, ging schnell ganz weit von uns weg.

»*Du* bist der Gewichtheber?« sagte Sabrina Jones.

»Ich bin erst fünfzehn«, log ich; aber schließlich war es nicht mehr lange bis zu meinem fünfzehnten Geburtstag.

»Heiliger Strohsack«, sagte Sabrina Jones; sie war so hübsch, ich konnte gar nicht hinsehen. »Junior!« rief sie, aber Junior Jones versteckte sich vor ihr – in seiner ganzen Größe.

Er hatte offensichtlich eine Mitfahrgelegenheit gebraucht, und da er Franny nicht enttäuschen wollte, durch sein Fehlen bei der Silvesterparty, hatte er seine *ältere* Schwester mitsamt ihrem Auto angeheuert und ihr dafür einen Abend mir mir in Aussicht gestellt.

»Er hat mir erzählt, Franny habe einen *älteren* Bruder«, sagte Sabrina bekümmert. Ich nehme an, Junior könnte dabei an Frank gedacht haben. Sabrina Jones war Sekretärin in einer Anwaltskanzlei in Philadelphia; sie war neunundzwanzig.

»*Fünf*zehn«, pfiff sie durch ihre Zähne, die nicht so weiß strahlten wie das funkelnde Gebiß ihres Bruders; Sabrinas Zähne waren absolut ebenmäßig, aber sie hatten irgendwie eine perlenartige Tönung, wie Austernschalen. Nicht daß die Zähne unschön gewesen wären, aber sie waren der einzige sichtbare Makel an ihr. In meiner Unsicherheit brauchte ich sowas. Ich kam mir so tolpatschig vor – voller Bananen, wie Frank einmal sagte.

»Es kommt noch eine Live-Band«, sagte ich und bereute sofort, daß ich das gesagt hatte.

»Ist ja ungeheuer«, sagte Sabrina Jones, aber sie war nett; sie lächelte. »Tanzt du?« fragte sie.

»Nein«, gestand ich.

»Macht nichts«, sagte sie; sie gab sich wirklich Mühe, kein Spielverderber zu sein. »Aber Gewichte hebst du wirklich?«

»Nicht so viel wie Junior«, sagte ich.

»Dem sollten mal ein paar Gewichte auf den Kopf fallen«, sagte sie.

Frank wankte durch die Eingangshalle, er schleppte einen Überseekoffer mit Junior Jones' Wintersachen; er schaffte es nicht so recht, an Bitty Tucks Gepäck am Fuß der Treppe vorbeizukommen, und so ließ er dort den Koffer einfach fallen – womit er Lilly aufschreckte, die auf der untersten Stufe saß und Sabrina Jones beobachtete.

»Das ist meine Schwester Lilly«, sagte ich zu Sabrina, »und das war Frank«, fügte ich mit einem Blick auf Franks Rücken hinzu, denn der schlich sich schon wieder davon. Irgendwo konnten wir Franny und Bitty Tuck kreischen hören, und ich war sicher, daß Junior Jones bei meinem Vater war – um ihm sein Beileid wegen Coach Bob auszusprechen.

»Tag, Lilly« sagte Sabrina.

»Ich bin ein Zwerg«, sagte Lilly. »Ich werde nie mehr größer, als ich jetzt bin.«

Diese Auskunft muß – aus Sabrina Jones' Sicht – genau zu der Enttäuschung über mein tatsächliches Alter gepaßt haben; Sabrina schien nicht schockiert.

»Ach, das ist ja interessant«, sagte sie zu Lilly.

»Du *wirst* noch größer, Lilly«, sagte ich. »Wenigstens noch ein *bißchen*, und du bist *kein* Zwerg.«

Lilly zuckte mit den Achseln. »Macht mir nichts aus«, sagte sie.

Eine Gestalt huschte oben über den Treppenabsatz – sie hatte einen Tomahawk und trug Kriegsbemalung und sonst nicht viel (einen schwarzen Lendenschurz mit bunten Perlen um die Hüften).

»Das war Egg«, sagte ich, als ich die Verblüffung in Sabrina Jones' Augen sah; ihre hübschen Lippen öffneten sich – als versuchten sie zu reden.

»Das war ein kleiner Indianerjunge«, sagte sie. »Warum heißt er Egg?«

»Ich weiß, warum!« meldete sich Lilly; auf der Treppe sitzend, hob sie die Hand – als sei sie in der Schule und erwarte, aufgerufen zu werden. Ich war froh, daß sie da war; ich erklärte Eggs Namen nicht gern. Egg war von Anfang an Egg gewesen, seit Mutter mit ihm schwanger war und Franny sie fragte, welchen Namen das neue Baby bekommen würde. »Im Augenblick ist es nur ein *Ei*«, hatte Frank dunkel verkündet – Franks biologische Weisheiten waren für uns alle immer ein Schock. »Just an *egg*«, hatte er gesagt, und als Mutter dann dicker und dicker wurde, wurde das Ei mit wachsender Selbstverständlichkeit *Egg* genannt. Mutter und Vater hofften auf ein drittes Mädchen, nur weil es ein Aprilkind werden würde und weil sie beide gerne ein Mädchen namens »April« gehabt hätten; über einen Jungennamen waren sie sich noch nicht einig, denn Vater hatte für seinen eigenen Namen, Win, nichts übrig, und Mutter konnte sich – so sehr sie Iowa-Bob mochte – nicht recht mit der Vorstellung von einem »Robert junior«

anfreunden. Als dann feststand, daß das Ei ein Junge war, hieß er – in unserer Familie – längst Egg, und der Name blieb (wie man so schön sagt) an ihm hängen. Egg *hatte* keinen anderen Namen.

»Er hat angefangen als Ei und ist immer noch ein Ei«, erklärte Lilly Sabrina Jones.

»Heiliger Strohsack«, sagte Sabrina, und ich wünschte mir, irgend etwas Unverhofftes, Faszinierendes möge im Hotel New Hampshire passieren ... und mich ablenken, damit ich mich nicht mehr genieren mußte – so wie ich das immer tat, wenn ich mir vorstellte, wie unsere Familie wohl auf Außenstehende wirkte.

»Versteh doch«, erklärte mir Franny Jahre später, »wir *sind* nicht exzentrisch, wir sind *nicht* bizarr. Für einander«, sagte Franny, »sind wir so alltäglich wie Regen.« Und sie hatte recht: für einander waren wir so normal und angenehm wie der Duft von frischem Brot, wir waren einfach eine Familie. In einer Familie sind selbst Übertreibungen völlig einleuchtend; es sind immer *logische* Übertreibungen, und sonst gar nichts.

Aber als ich mich vor Sabrina Jones genierte, da genierte ich mich für uns alle. Ich genierte mich sogar für Leute außerhalb meiner Familie. Ich genierte mich jedesmal für Harold Swallow, wenn ich mit ihm redete; ich hatte immer Angst, jemand könnte sich über ihn lustig machen und ihn verletzen. Und an Silvester im Hotel New Hampshire genierte ich mich für Ronda Ray, weil sie das Kleid trug, das Franny für Mutter gekauft hatte; ich genierte mich sogar für die scheintote Live-Band, die fürchterliche Rockgruppe namens Hurricane Doris.

Ich erkannte in Sleazy Wales einen Schlägertypen wieder, der mich Jahre vorher in einer Samstagnachmittagsvorstellung im Kino bedroht hatte. Er hatte ein Stück Brot zu einer Kugel geknetet, die ganz grau war, voller Öl und Schmutz aus seinem Dasein als Automechaniker; er hatte mir die Brotkugel unter die Nase gehalten.

»Willste was essen, Kleiner?« fragte er.

»Nein danke«, sagte ich. Frank sprang auf und lief hinaus

auf den Gang, aber Sleazy Wales packte mich am Arm und drückte mich in meinen Sitz. »Keine Bewegung«, sagte er. Ich versprach es, und er holte einen langen Nagel aus seiner Tasche und stieß ihn durch die Brotkugel. Dann schloß er seine Faust so um das Brot herum, daß der Nagel zwischen Mittel- und Ringfinger brutal hervorstand.

»Soll ich dir deine Glotzaugen ausstechen?« fragte er mich.

»Nein danke«, sagte ich.

»Dann verpiß dich, aber'n bißchen fix!« sagte er; schon damals genierte ich mich für ihn. Ich stand auf, um Frank zu suchen – der sich, wenn ihn im Kino was erschreckte, immer neben den Wasserkühler stellte. Auch für Frank genierte ich mich oft.

An diesem Silvesterabend im Hotel New Hampshire sah ich sofort, daß Sleazy Wales mich nicht wiedererkannte. Zu viele Sprints, zuviel Gewichtarbeit, zu viele Bananen lagen zwischen uns; wenn er mich wieder mit Brot und Nägeln bedrohte, konnte ich ihn einfach zu Tode umarmen. Er schien seit der Samstagnachmittagsvorstellung nicht mehr gewachsen zu sein. Hager und grauhäutig, das Gesicht die Farbe eines schmutzigen Aschenbechers, drückte er in seinem GULF-Hemd die Schultern nach vorn und versuchte so zu gehen, als wiege jeder seiner Arme einen Zentner. Ich schätzte den ganzen Mann, mitsamt den Schraubenschlüsseln und dem anderen schweren Werkzeug, auf nicht mehr als sechzig Kilo. Im Bankdrücken hätte ich ihn spielend ein halbes dutzendmal hochstemmen können.

Bei Hurricane Doris schien man über die geringe Zahl der Zuhörer nicht sonderlich enttäuscht; und vielleicht waren die Jungs sogar dankbar, daß nicht mehr Leute sie anstarrten, als sie ihre bunte, billige Ausrüstung von Steckdose zu Steckdose schleppten, um sie anzuschließen.

Das erste, was ich Doris Wales sagen hörte, war: »Geh zurück mit dem Mikro, Jake, und sei kein Arschloch.« Jake, der Junge mit dem akustischen Baß – auch er eine halbe Portion in einem ölverschmierten GULF-Hemd – krümmte sich über dem Mikrofon, als habe er schreckliche Angst davor, einen elektrischen Schlag abzubekommen – oder ein Arschloch zu sein. Sleazy Wales versetzte dem anderen Jungen in der Band einen freundschaftlichen Schlag in die Nieren; Danny, der fette Schlagzeuger, steckte den Schlag mit Würde – aber mit offensichtlichen Schmerzen – ein.

Doris Wales war eine Frau mit strohblondem Haar, deren Körper aussah, als sei er in Salatöl getunkt worden; daraufhin mußte sie sich das Kleid über den nassen Leib gezogen haben. Das Kleid packte zu, wo es was zu packen gab, und versackte in den Falten und Klüften ihres Körpers; ein ganzer Rattenschwanz von Knutschflecken oder Liebesbissen – »Sauger« nannte sie Franny – überzog Doris' Brust und Hals, als hätte sie einen heftigen Ausschlag; die Flecken waren wie Peitschenstriemen. Von ihrem pflaumenblauen Lippenstift hatten auch die Zähne etwas abbekommen, und sie sagte zu Sabrina Jones und mir: »Wollt ihr was Heißes zum Tanzen oder was Schwüles zum Schmusen? Oder beides?«

»Beides«, sagte Sabrina Jones, ohne zu zögern, aber ich war mir sicher: wenn die Welt aufhören würde, sich Kriege und Hungersnöte und andere Gefahren zu leisten, so wären die Menschen immer noch in der Lage, einander in tödliche Verlegenheit zu stürzen. Unsere Selbstvernichtung würde auf die Weise vielleicht etwas länger dauern, aber ich bin überzeugt, sie wäre nicht weniger vollkommen.

Als Doris Wales einige Monate nach dem Hurrikan, dessen Namensschwester sie war, zum erstenmal Elvis Presleys ›Heartbreak Hotel‹ hörte, war sie selbst gerade in einem Hotel. Sie erzählte Sabrina und mir, das sei ein religiöses Erlebnis gewesen.

»Versteht ihr?« sagte Doris. »Ich bin da wirklich gerade mit einem Typ in einem Hotelzimmer, und dann kommt dieser *Song* im Radio. Der Song hat mir klargemacht, was ich *fühlen* soll«, erklärte Doris. »Das ist vielleicht ein halbes Jahr her«, sagte sie. »Seither bin ich nicht mehr dieselbe.«

Ich mußte an den Typ denken, der mit Doris in dem Hotelzimmer gewesen war, als sie ihr Erlebnis hatte; wo war er jetzt? War *er* noch derselbe?

Doris Wales sang *nur* Songs von Elvis Presley; wo es paßte, machte sie aus einem *er* ein *sie* (und umgekehrt); dieses Improvisieren und die Tatsache, daß sie »keine Negerin« war, wie Junior Jones feststellte, machten das Zuhören fast unerträglich.

Als Versöhnungsangebot für seine Schwester forderte Junior Jones Sabrina zum ersten Tanz auf; die Musik, daran erinnere ich mich, war ›Baby, Let's Play House‹, und Sleazy Wales schaffte es mehrmals, mit seiner Elektrizität die Stimme seiner Mutter zu übertönen. »Jessas Gott«, sagte Vater. »Wieviel zahlen wir denen?«

»Laß mal gut sein«, sagte Mutter. »Jeder kann sich amüsieren.«

Das schien nicht wahrscheinlich, obschon Egg sich zu amüsieren schien; er trug eine Toga und Mutters Sonnenbrille, und er hielt sich in sicherer Entfernung von Frank, der außerhalb des Lichtscheins zwischen den leeren Tischen und Stühlen lauerte – und bestimmt angewidert vor sich hinbrummte.

Ich sagte Bitty Tuck, es tue mir leid, sie Tittie genannt zu haben – es sei mir nur so herausgerutscht.

»Okay, John-John«, sagte sie und tat so, als sei es ihr gleichgültig – oder schlimmer noch: ich war ihr *wirklich* gleichgültig.

Lilly wollte mit mir tanzen, aber ich war zu schüchtern; dann forderte mich Ronda Ray auf, und ich war zu schüchtern, sie abzuweisen. Lilly sah verletzt aus, und als Vater sie galant aufforderte, lehnte sie ab. Ronda Ray drehte mich ungestüm über die Tanzfläche.

»Ich weiß, ich bin dabei, dich zu verlieren«, sagte mir Ronda. »Eins rat ich dir: wenn du wieder mal eine abhängen willst, dann sag es ihr zuerst.«

Ich hoffte, Franny würde mich abklatschen, aber Ronda steuerte uns auf Junior und Sabrina zu, die offensichtlich eine Auseinandersetzung hatten.

»Wechsel!« rief Ronda fröhlich und zog Junior fort.

In einem unvergeßlichen Übergang mit zusammengepanschten Klängen, mißhandelten Instrumenten und Doris' schriller Stimme legte Hurricane Doris einen anderen Gang ein und präsentierte uns ›I Love You Because‹ – eine langsame Nummer zum engen Tanzen, die ich in Sabrina Jones stetigen Armen durchzitterte.

»Gar nicht so schlecht, wie du dich anstellst«, sagte sie. »Warum machst du dich nicht an die kleine Tuck ran – die Freundin deiner Schwester?« fragte sie mich. »Die ist doch in deinem Alter.«

»Sie ist achtzehn«, sagte ich, »und ich weiß nicht, wie man sich an jemand ranmacht.« Ich hätte Sabrina gern erklärt, daß ich aus meiner Beziehung zu Ronda Ray, auch wenn sie körperlich gewesen war, kaum etwas gelernt hatte. Bei Ronda gab es kein Vorspiel; bei ihr war der Sex unmittelbar und genital, Ronda ließ nicht zu, daß ich sie auf den Mund küßte.

»So breiten sich die schlimmsten Bazillen aus«, versicherte mir Ronda. »*Von Mund zu Mund.*«

»Ich weiß nicht mal, wie man jemand küßt«, sagte ich zu Sabrina Jones, und diese – aus ihrer Sicht – zusammenhanglose Feststellung schien sie zu verwirren.

Franny, der die Art, wie Ronda Ray die langsame Nummer mit Junior tanzte, nicht besonders paßte, klatschte Junior ab, und ich hielt den Atem an – ich hoffte, Ronda hatte es nicht auf mich abgesehen.

»Nicht so verkrampft«, sagte Sabrina Jones. »Du kommst mir vor wie ein Hochspannungskabel.«

»Tut mir leid«, sagte ich.

»Entschuldige dich nie beim anderen Geschlecht«, sagte sie. »Jedenfalls nicht, wenn du wo hinkommen willst.«

»Wohin kommen?« sagte ich.

»Über das Küssen hinaus«, sagte Sabrina.

»Ich komm nicht mal *bis* zum Küssen«, erklärte ich ihr.

»Das ist leicht«, sagte Sabrina. »Um bis zum Küssen zu kommen, brauchst du nur so zu tun, als wüßtest du, wie's geht: dann läßt dich auch jemand den Anfang machen.«

»Aber ich *weiß* nicht, wie's geht«, sagte ich.

»Das ist leicht«, sagte Sabrina. »Du mußt nur üben.«

»Niemand, mit dem ich üben könnte«, sagte ich, aber ich dachte – wenn auch nur flüchtig – an Franny.

»Probier's doch mal mit Bitty Tuck«, flüsterte Sabrina und lachte.

»Aber ich muß doch aussehen, als wüßte ich, wie's geht«, sagte ich. »Und das weiß ich nicht.«

»So weit waren wir schon mal«, sagte Sabrina. »Jedenfalls bin ich zu alt, als daß du mit mir üben könntest. Es wäre für uns beide nicht gut.«

Ronda Ray, die sich suchend über die Tanzfläche bewegte, entdeckte Frank hinter den leeren Tischen, aber Frank flüchtete, bevor sie ihn zum Tanzen auffordern konnte. Egg war verschwunden, und Frank hatte wahrscheinlich nur auf einen Vorwand gewartet, um Egg irgendwo allein stellen zu können. Lilly tanzte stoisch mit einem von Vaters und Mutters Freunden, Mr. Matson, einem unglücklicherweise recht großen Mann – aber auch als kleiner Mann wäre er für Lilly nicht klein *genug* gewesen. Es sah aus wie die unbeholfene, um nicht zu sagen, unanständige Nummer zweier Tiere.

Vater tanzte mit Mrs. Matson, und Mutter unterhielt sich an der Bar mit einem von Coach Bobs alten Trinkgenossen, der fast jeden Abend ins Hotel New Hampshire kam; er hieß Merton und war der Vorarbeiter auf dem Holzplatz. Merton, der beim Gehen hinkte, war ein breiter, schwerer Mann mit mächtigen, geschwollenen Händen; er hörte meiner Mutter nur halbherzig zu, sein Gesicht verriet, daß er Iowa-Bob vermißte; seine Augen weideten sich an Doris Wales und schienen sagen zu wollen, daß die Band so kurz nach Bobs endgültiger Pensionierung fehl am Platz sei.

»Abwechslung«, sagte mir Sabrina Jones ins Ohr. »Das ist das Geheimnis beim Küssen«, sagte sie.

»›Ich liebe dich aus hunderttausend Gründen!‹« sang Doris Wales mit schmachtender Stimme.

Egg war wieder da; er trug das Große-Huhn-Kostüm; dann

war er wieder weg; Bitty Tuck sah gelangweilt aus; sie schien unsicher, ob sie Junior, der mit Franny tanzte, abklatschen sollte. Und sie war, wie Franny immer sagte, so weltgewandt, daß sie nicht wußte, was sie mit Ronda Ray reden sollte, die sich an der Bar einen Drink gemacht hatte. Ich sah Max Urick in der Küchentür stehen und hereinglotzen.

»Kleine Bisse, und ein klein bißchen Zunge«, sagte Sabrina Jones, »aber es kommt vor allem darauf an, daß du den Mund herumbewegst.«

»Möchtest du was trinken?« fragte ich sie. »Ich meine, du bist schließlich alt genug. Vater hat einen Kasten Bier in den Schnee gestellt, neben den Lieferanteneingang, für uns Kinder. Er hat gesagt, er könne uns nicht an der Bar trinken lassen, aber bei *dir* ist das etwas anderes.«

»Zeig mir den Lieferanteneingang«, sagte Sabrina Jones. »Ich trink ein Bier mit dir. Aber nicht frech werden.«

Wir gingen von der Tanzfläche, zum Glück gerade noch rechtzeitig vor Doris Wales' schmetterndem Übergang zu ›I Don't Care If the Sun Don't Shine‹ – dessen Tempo Bitty Tuck veranlaßte, zu Franny zu gehen und ihr Junior für einen Tanz zu entführen. Ronda blickte finster hinter mir her.

Sabrina und ich schreckten Frank auf, der beim Lieferanteneingang gegen die Mülltonnen pinkelte. Mit einer Geste von Frankscher Unbeholfenheit tat er so, als wolle er uns das Bier zeigen. »Hast du einen Öffner, Frank?« fragte ich, aber er war bereits im Nebel des Elliot Parks verschwunden – in dem ewig-trübseligen Nebel, der unser Winterwetter beherrschte.

Sabrina und ich machten unsere Bierflaschen in der Eingangshalle auf, wo Frank am Empfangspult einen Flaschenöffner mit einem Stück Schnur aufgehängt hatte; damit öffnete er immer seine Pepsi-Colas, wenn er Telefondienst hatte. Beim ungeschickten Versuch, mich neben Sabrina zu setzen, auf den Überseekoffer mit Juniors Wintersachen, goß ich etwas Bier über Bitty Tucks Gepäck.

»Du kannst sie vielleicht für dich einnehmen«, sagte Sabrina,

»wenn du ihr anbietest, all diese Koffer in ihr Zimmer zu bringen.«

»Und wo sind *deine* Koffer?« fragte ich Sabrina.

»Für eine Nacht«, sagte Sabrina, »packe ich keinen Koffer. Und es ist nicht nötig, daß du mir *mein* Zimmer zeigst. Ich finde es auch so.«

»Ich könnte es dir trotzdem zeigen«, sagte ich.

»Dann tu's«, sagte sie. »Ich hab ein Buch zum Lesen dabei. Auf *die* Party kann ich gut verzichten«, fügte sie hinzu. »Ich will mich lieber schon mal vorbereiten auf eine lange Rückfahrt nach Philadelphia.«

Ich ging mit ihr zu ihrem Zimmer im ersten Stock. Ich dachte nicht im Traum daran, mich an sie ranzumachen, wie sie das nennen würde; ich hätte gar nicht den Mut dazu gehabt. »Gute Nacht«, murmelte ich vor ihrer Tür und ließ sie entwischen. Sie blieb nicht lange weg.

»He«, sagte sie; sie hatte die Tür wieder aufgemacht, noch ehe ich am Ende des Ganges war. »Du kommst nirgendwohin, wenn du's nicht mal versuchst. Du hast nicht mal *versucht*, mich zu küssen«, fügte sie hinzu.

»Tut mir leid«, sagte ich.

»Entschuldige dich nie!« sagte Sabrina. Sie stellte sich im Gang dicht vor mich hin und ließ sich küssen. »Zuerst das Wichtigste«, sagte sie. »Dein Atem riecht angenehm – das ist schon mal was. Aber hör auf zu zittern, und du solltest nicht gleich am Anfang auf Zahnkontakt gehen; und versuch nicht, deine Zunge in mich *reinzustopfen*.« Wir machten einen neuen Versuch. »Laß die Hände in den Taschen«, wies sie mich an. »Paß auf mit dem Zahnkontakt. Schon besser«, sagte sie, während sie rückwärts in ihr Zimmer ging; sie bedeutete mir, ihr zu folgen. »Aber nicht frech werden«, sagte sie. »Die Hände bleiben unter allen Umständen in den Taschen; und beide Füße bleiben am Boden.« Ich stolperte auf sie zu. Es kam zu einem ziemlich heftigen Zahnkontakt; sie riß den Kopf zurück, weg von mir, und als ich sie anblickte, sah ich ungläubig, daß sie ihre oberen Schneidezähne in der Hand hielt. »Scheiße!« rief sie. »Paß doch auf mit dem Zahnkontakt!« Einen schrecklichen Augenblick lang dachte ich, ich hätte ihr die Zähne ausgeschlagen, aber sie kehrte mir den Rücken zu und sagte: »Guck mich nicht an. Falsche Zähne. Mach das Licht aus.« Ich machte das Licht aus, und es war dunkel in ihrem Zimmer.

»Tut mir leid«, sagte ich, verzweifelt.

»Entschuldige dich nie«, murmelte sie. »Man hat mich vergewaltigt.«

»Ja«, sagte ich und hatte die ganze Zeit gewußt, daß das noch kommen würde. »Franny auch.«

»Das hab ich gehört«, sagte Sabrina. »Aber ihr haben sie nicht mit einem Leitungsrohr die Zähne eingeschlagen. Hab ich recht?«

»Ja«, sagte ich.

»Immer beim Küssen erwischt es mich, verfickt nochmal«, sagte Sabrina. »Immer wenn's gut wird, lockern sich die oberen Zähne – oder irgendein Trampel übertreibt den Zahnkontakt.«

Ich entschuldigte mich nicht; ich streckte die Hand nach ihr aus, aber sie sagte: »Laß die Hände in den Taschen.« Dann kam sie ganz dicht heran und sagte: »Ich helfe dir, wenn du mir hilfst. Ich bringe dir alles übers Küssen bei«, sagte sie, »aber du mußt mir etwas sagen, was ich immer schon wissen wollte. Ich war noch mit keinem zusammen, bei dem ich mich getraut hätte, zu fragen. Ich möchte es möglichst geheimhalten.«

»Einverstanden«, sagte ich und hatte fürchterliche Angst – denn ich wußte ja nicht, *womit* ich einverstanden war.

»Ich möchte wissen, ob es *ohne* meine verdammten Zähne nicht *besser* ist«, sagte sie. »Ich dachte immer, es wäre unappetitlich, drum hab ich's noch nie probiert.« Sie ging ins Badezimmer, und ich wartete auf sie, im Dunkeln, den Blick auf den Lichtstreifen gerichtet, der die Badezimmertür einrahmte – bis das Licht ausging und Sabrina wieder neben mir stand.

Ihr Mund, warm und beweglich, war eine Höhle im Herzen der Welt. Ihre Zunge war lang und rund, und ihr Zahnfleisch war fest, doch ihre kleinen Bisse taten nicht weh. »Ein bißchen weniger Lippe«, murmelte sie, »ein bißchen mehr Zunge. Nein, *so* viel doch nicht. Das ist widerlich! Ja, ein bißchen Beißen ist gut. So ist es schön. Die Hände zurück in die Taschen – *das meine ich ernst.* Gefällt es dir so?«

»O ja«, sagte ich.

»Wirklich?« fragte sie. »Ist es wirklich besser?«

»Es ist *tiefer!*« sagte ich.

Sie lachte. »Aber auch *besser?*« fragte sie.

»Wunderbar«, bekannte ich.

»Die Hände zurück in die Taschen«, sagte Sabrina. »Nicht schludern. Nicht so unkontrolliert. Autsch!«

»Entschuldigung.«

»Entschuldige dich nicht. Du darfst nur nicht so *fest* zubeißen. Hände in die Taschen. Das meine ich ernst. Werd nicht frech. *In die Taschen!*«

Und so fort, bis ich für eingeweiht befunden wurde: reif für Bitty Tuck und den Rest der Welt wurde ich losgeschickt aus dem Zimmer von Sabrina Jones; immer noch die Hände in den Taschen, stieß ich gegen die Tür von 1 B. »Vielen Dank!« rief ich Sabrina zu. Obwohl das Licht im Flur brannte, hatte sie auch ohne ihr Gebiß den Mut, mir zuzulächeln – und dieses rosig-braune, rosig-blaue Lächeln war so viel schöner als die seltsame Perlenreihe ihrer falschen Zähne.

Sie hatte an meinen Lippen gelutscht, um sie anschwellen zu lassen, wie sie sagte, und so ging ich nun mit aufgeworfenen Lippen ins Restaurant des Hotels New Hampshire, der Macht meines Mundes bewußt und bereit, mit Bitty Tuck die Geschichte des Küssens neu zu schreiben. Doch Hurricane Doris quälte sich stöhnend durch ›I Forgot to Remember to Forget‹; Ronda Ray hing benommen an der Bar, und Mutters neues Kleid war hochgerutscht bis zu dem Muskelknoten an Rondas Hüfte, von wo mich ein blauer Fleck in der Form eines Daumenabdrucks anstarrte. Merton, der Vorarbeiter vom Holzplatz, tauschte mit meinem Vater Geschichten aus – ich wußte, daß sich diese Geschichten um Iowa-Bob drehten.

»›Ich vergaß, mich zu erinnern zu vergessen!‹« stöhnte Doris Wales.

Die arme Lilly, die immer zu klein sein würde, um sich auf einer Party richtig wohlzufühlen – obwohl sie sich vorher immer mächtig darauf freute –, war zu Bett gegangen. Egg, der jetzt gewöhnliche Kleider trug, saß trotzig auf einem der festgeschraubten Stühle; sein kleines Gesicht war grau, als habe er etwas gegessen, was ihm nicht bekommen war, als *zwinge* er sich dazu, bis Mitternacht aufzubleiben – als habe er Kummer verloren.

Frank, so stellte ich mir vor, war draußen und trank das kalte Bier, das im Schnee neben dem Lieferanteneingang stand, oder er schlürfte Pepsi-Colas am Empfang in der Eingangshalle, oder er saß vielleicht vor dem Schaltkasten – und belauschte Sabrina Jones, die ein Buch las und mit ihrem prächtigen Mund vor sich hinsummte.

Mutter und die Matsons hatten ohne jede Zurückhaltung Doris Wales im Visier. Nur Franny kam als Tanzpartnerin in Frage – Bitty Tuck tanzte mit Junior Jones.

»Tanz mit mir«, sagte ich zu Franny und griff nach ihr.

»Du kannst nicht tanzen«, sagte Franny, aber sie ließ sich von mir zur Tanzfläche schleppen.

»Aber *küssen* kann ich«, flüsterte ich Franny zu und versuchte es, doch sie stieß mich weg.

»Wechsel!« rief sie Junior und Bitty Tuck zu, und schon hatte ich Bitty in den Armen, und schon langweilte sie sich.

»Du mußt nur darauf achten, daß du mit ihr tanzt, wenn es Mitternacht wird«, hatte Sabrina Jones mir geraten. »Um Mitternacht darf jeder seinen Tanzpartner küssen. Und wenn du sie erst mal küßt, hast du sie an der Angel. Sieh zu, daß dir der erste nicht danebengeht.«

»Hast du getrunken, John-John?« fragte mich Bitty. »Du hast ja ganz dicke Lippen.«

Und Doris Wales, heiser und schwitzend, sang »Ich versuche, an dich ranzukommen« – ›Tryin' to Get to You‹, eine dieser ungeschickten – weder schnellen noch langsamen – Num-

243

mern, so daß sich Bitty Tuck entscheiden mußte, ob sie eng tanzen wollte oder nicht. Bevor sie sich entschließen konnte, sprang Max Urick mit seiner Matrosenmütze aus der Küche, eine Schiedsrichterpfeife zwischen den Zähnen; und der Pfiff war so schrill, daß selbst Ronda Ray an der Bar eine kleine Bewegung machte. »Glückliches Neues Jahr!« schrie Max, und Franny stellte sich auf die Zehenspitzen und gab Junior Jones einen richtig süßen Kuß, und Mutter hielt nach Vater Ausschau. Merton, der Vorarbeiter vom Holzplatz, warf einen kurzen Blick auf die dösende Ronda Ray; dann besann er sich eines Besseren. Und Bitty Tuck, gelangweilt die Achsel zuckend, zeigte mir wieder ihr überlegenes Lächeln, und ich erinnerte mich an all die üppigen Freuden in Sabrina Jones' Höhlenmund; ich ging ran und schritt, wie es so schön heißt, zur Tat. Ein wenig Zahnkontakt, aber nichts Ungehöriges; das Vordringen der Zunge durch die Zähne, aber nur eine kurze Andeutung weiterer Möglichkeiten; und dann die Zähne unter die Oberlippe gleiten lassen. Da waren Bitty Tucks wundersame, vielzitierte Brüste, die wie weiche Fäuste meine Brust wegschoben, aber ich behielt meine Hände in den Taschen, wollte nichts erzwingen; es stand ihr jederzeit frei, sich von mir zu lösen, aber sie war nicht geneigt, den Kontakt abreißen zu lassen.

»Heiliger Strohsack«, bemerkte Junior Jones und störte damit vorübergehend Bitty Tucks Konzentration.

»Tittie!« sagte Franny. »Was stellst du mit meinem Bruder an?« Aber ich hielt Tittie Tuck noch ein bißchen länger auf Tuchfühlung, widmete mich ihrer Unterlippe und knabberte an ihrer Zunge, von der sie mir, plötzlich, zuviel gegeben hatte. Mit einer gewissen Verlegenheit nahm ich schließlich die Hände aus den Taschen, weil Bitty beschlossen hatte, daß sich ›Tryin' to Get to You‹ zum engen Tanzen eignete.

»Wo hast du das bloß gelernt?« flüsterte sie, und ihre Brüste schmiegten sich wie zwei warme Kätzchen an meine Brust. Wir verließen die Tanzfläche, bevor Hurricane Doris das Tempo wechseln konnte.

In der Eingangshalle zog es, weil Frank die Tür zum Lieferanteneingang offenstehen hatte; wir hörten ihn draußen im dunklen Schneematsch, wo er – mit gewaltigem Druck – gegen eine Mülltonne urinierte. Der Boden unter dem Flaschenöffner an der Schnur war mit Verschlußkapseln von Bierflaschen übersät. Als ich mir Bitty Tucks Gepäck unter die Arme klemmte, sagte sie: »Willst du das nicht auf zweimal machen?« Ich hörte Franks kräftiges Rülpsen, einen primitiven Gong, der verkündete, daß die Jahreswende hinter uns lag, und ich umklammerte die Gepäckstücke noch fester und stieg die Treppen hoch – drei Stockwerke, Bitty unmittelbar hinter mir.

»Mein Gott«, sagte sie. »Daß du stark bist, wußte ich ja, John-John, aber du hättest beim *Fernsehen* Chancen – so wie du küßt.« Ich wußte nicht recht, was sie sich vorstellte: meinen Mund als Reklame, wie er, volles Rohr, eine Kamera abknutschte?

So lenkte ich mich von dem Schmerz in meinem Kreuz ab, war froh, daß ich mir an diesem Morgen das Bankdrücken und die einarmigen Gewichtübungen geschenkt hatte, und brachte Bitty Tucks Gepäck auf 3 A. Die Fenster standen offen, aber ich konnte dieses Geräusch wie von strömender Luft, das Stunden vorher über die Sprechanlage gekommen war, jetzt nicht mehr hören; ich nahm an, daß der Wind abgeflaut war. Die Koffer fielen explosionsartig aus meinen Armen, die mir gleich ein paar Pfund leichter vorkamen, und Bitty Tuck bugsierte mich zu ihrem Bett.

»Mach's nochmal«, sagte sie. »Ich wette, du schaffst es nicht. Ich wette, das war Anfängerglück.« Und so küßte ich sie wieder, ermunterte sie zu etwas mehr Zahnkontakt und zu neuen schelmischen Zungenspielen.

»O mein Gott«, murmelte Bitty Tuck und faßte mich an. »Nimm die Hände aus den Taschen!« sagte sie. »Halt, warte, ich muß mal ins Badezimmer.« Und als sie im Bad das Licht angemacht hatte, sagte sie: »Wie nett von Franny, mir ihren Haartrockner zu überlassen!« Und zum erstenmal bemerkte ich den *Geruch* im Zimmer – sumpfartig, aber ausgeprägter: es roch verbrannt, aber auch etwas muffig Feuchtes war dabei, so als hätten sich Feuer und Wasser unliebsam vermischt. Mir war klar, daß das Luftstrom-Geräusch, das ich über die Sprechanlage gehört hatte, von dem Haartrockner gekommen war, doch bevor ich ins Bad gehen und verhindern konnte, daß Bitty Tuck noch mehr entdeckte, sagte sie: »Was ist denn da in den Duschvorhang gewickelt? *Gaaaaaaaaaa!*« Ihr Schrei ließ mich erstarren, auf halbem Weg zwischen ihrem Bett und der Badezimmertür. Selbst Doris Wales, die sich drei Stockwerke tiefer gerade durch ›You're a Heartbreaker‹ heulte, mußte es gehört haben. Sabrina Jones erzählte mir später, das Buch sei ihr aus den Händen geflogen. Ronda Ray fuhr hoch und saß mindestens eine Sekunde lang kerzengerade auf ihrem Barhocker; Sleazy Wales dachte, wie Junior Jones mir erzählte, der Schrei sei aus seinem Verstärker gekommen, aber sonst ließ sich niemand täuschen.

»Tittie!« schrie Franny.

»Jessas Gott!« sagte Vater.

»Heiliger Strohsack!« sagte Junior Jones.

Ich holte Bitty erst einmal aus dem Bad. Sie war neben der Kindertoilette ohnmächtig zu Boden gesunken und lag nun unter dem Kinderwaschbecken eingekeilt. Die normal große Badewanne, zur Hälfte mit Wasser gefüllt, war ihr aufgefallen, als sie – was zu der Zeit sehr weltläufig war – ihr Pessar einführte. Im Badewasser schwamm der Duschvorhang, und Bitty hatte sich vorgebeugt und den Vorhang gerade so weit angehoben, daß sie den versunkenen grauen Kopf von Kummer erblickte – der aussah wie ein Mordopfer: ein ertränkter Hund, auf dessen Gesicht auch unter Wasser noch der grausige Grimm seines letzten Knurrens im Kampf mit dem Tod zu sehen war.

Der Entdecker der Leiche wird kaum je verschont. Zum Glück hatte Bitty ein junges und starkes Herz; ich spürte es in ihrem Busen schlagen, als ich sie aufs Bett legte. Da ich es für eine brauchbare Methode zur Wiederbelebung hielt, küßte ich sie, und obwohl ich damit erreichte, daß sie einen lichten

Moment lang die Augen aufschlug, fing sie nur wieder an zu schreien – noch lauter.

»Es ist doch nur Kummer«, sagte ich ihr, als ob damit alles erklärt sei.

Sabrina Jones war als erste in 3 A, da sie vom ersten Stock den kürzesten Weg hatte. Sie blickte mich durchdringend an, als liege hier ganz klar ein Fall von Vergewaltigung vor, und sie sagte zu mir: »Du mußt etwas getan haben, was ich dir nicht beigebracht habe!« Sie dachte zweifellos, Bitty sei das Opfer schlechten Küssens geworden.

Der Missetäter war natürlich Egg gewesen. Er hatte Kummer in Bittys Badezimmer mit dem Haartrockner behandelt, und der schreckliche Hund hatte Feuer gefangen. In seiner Panik hatte Egg das brennende Biest in die Badewanne geworfen und unter Wasser gesetzt. Nachdem das Feuer so gelöscht war, hatte Egg die Fenster aufgemacht, um den Brandgeruch aus dem Zimmer zu bekommen, und kurz vor Mitternacht, auf dem Gipfel seiner Müdigkeit – und aus Angst, von dem ständig lauernden Frank geschnappt zu werden – hatte Egg den Kadaver mit dem Duschvorhang zugedeckt, denn der aufgedunsene, mit Wasser vollgesogene Hund war so schwer geworden, daß Egg ihn nicht mehr aus der Badewanne heben konnte; Egg war auf unser Zimmer gegangen und hatte sich umgezogen, um in normaler Kleidung seine unausweichliche Bestrafung abzuwarten.

»Mein Gott«, sagte Frank geknickt, als er Kummer sah, »ich glaube, jetzt ist er endgültig ruiniert; ich glaube, der ist nicht mehr zu reparieren.«

Selbst die Jungs von Hurricane Doris pilgerten zu Bittys Badezimmer, um dem grausigen Kummer ihre Aufwartung zu machen.

»Ich wollte ihn wieder lieb machen!« heulte Egg. »Er *war* einmal lieb«, beteuerte Egg, »und ich wollte, daß er wieder lieb ist.«

Von plötzlichem Mitleid erfüllt, schien Frank zum erstenmal etwas von der Taxidermie zu begreifen.

»Egg, Egg«, ging Frank auf das schluchzende Kind ein. »*Ich* kann ihn wieder lieb machen. Du hättest das mir überlassen sollen. Ich kann *alles* aus ihm machen«, behauptete Frank. »Auch *jetzt* noch«, sagte er. »Du möchtest, daß er wieder lieb ist, Egg? Ich mach ihn dir wieder lieb.« Aber Franny und ich starrten in die Badewanne und hatten große Zweifel. Daß Frank einen harmlosen, furzenden Labradorhund genommen und einen Killer aus ihm gemacht hatte, war eine Sache; aber diesen wahrhaft widerlichen Kadaver, der da verfilzt und verbrannt und aufgedunsen in der Badewanne lag, wieder aufzumöbeln – das war ein Wunder an Perversion, das wir nicht einmal Frank so ohne weiteres zutrauten.

Vater dagegen war der ewige Optimist; er schien zu glauben, das alles sei eine ausgezeichnete »Therapie« für Frank – und zweifellos ein Einfluß, der Eggs Reifung beschleunigen würde.

»Wenn du den Hund wiederherstellen und ihn lieb machen kannst, mein Sohn«, sagte Vater mit unangemessener Feierlichkeit zu Frank, »dann würde das uns alle sehr glücklich machen.«

»Ich finde, wir sollten ihn wegschmeißen«, sagte Mutter.

»Dito«, sagte Franny.

»Ich hab's *versucht*«, beschwerte sich Max Urick.

Aber Egg und Frank begannen zu heulen und zu jammern. Vielleicht dachte Vater, Frank könnte mit Kummers Wiederherstellung Vergebung erlangen; Kummers Errettung könnte Franks Selbstachtung möglicherweise wiederherstellen; und wenn Kummer umgestaltet wurde, wenn Kummer für Egg »lieb« gemacht wurde, dann – dachte sich Vater vielleicht – würde uns allen etwas von Iowa-Bob zurückgegeben. Doch, wie Franny Jahre danach sagte, so etwas wie »lieben Kummer« hatte es nie gegeben; daß Kummer nichts Liebes sein konnte, lag in der Natur der Sache.

Konnte ich meinem Vater einen Vorwurf dafür machen, daß er es versuchte? Oder Frank dafür, daß er bei diesem deprimierenden Optimismus die wirkende Kraft war? Und Egg war natürlich ohnehin kein Vorwurf zu machen; Egg warfen wir nie etwas vor, keiner von uns.

Nur Lilly hatte das alles verschlafen, vielleicht lebte sie schon in einer Welt, die anders war als unsere. Doris Wales und Ronda Ray waren keine drei Treppen hinaufgestiegen, um einen Kadaver zu sehen, aber als wir sie im Restaurant wiederfanden, schienen sie – auch wenn sie den Vorfall nicht *miterlebt* hatten – ernüchtert. Und falls sich Junior Jones irgendwelche Hoffnungen auf eine – auch noch so kleine – Verführung gemacht hatte, so waren sie durch die Unterbrechung der Musik zunichte gemacht; Franny gab Junior einen Gutenachtkuß und ging auf ihr eigenes Zimmer. Und Bitty Tuck konnte, obwohl sie meine Küsse liebte, nicht verwinden, daß sie im Badezimmer bei einer intimen Angelegenheit gestört worden war – von Kummer *und* mir. Ich vermute, daß sie sich am meisten über die nicht sehr graziöse Stellung ärgerte, in der ich sie gefunden hatte – »Beim Pessar-Einlegen umgekippt!« wie Franny die Szene charakterisierte.

Ich stand schließlich allein mit Junior Jones am Lieferanteneingang; wir tranken das übriggebliebene kalte Bier und hielten Ausschau im Elliot Park nach weiteren Überlebenden des Silvesterabends. Sleazy Wales und die Jungs aus der Band waren nach Hause gegangen; Doris und Ronda hingen über dem Tresen – in dem ganzen Dusel war zwischen ihnen plötzlich eine Art von Kameradschaft aufgekommen. Und Junior Jones sagte: »Nichts gegen deine Schwester, Mann, aber ich bin mächtig scharf.«

»Dito«, sagte ich, »und auch nichts gegen deine Schwester.«

Das Lachen der Frauen im Restaurant drang an unsere Ohren, und Junior sagte: »Was meinst du, sollen wir die zwei Ladies an der Bar anmachen?« Ich traute mich nicht, Junior zu sagen, wie sehr *mich* diese Idee abstieß – hatte mich doch eine der beiden bereits angemacht –, aber später kam ich mir gemein vor, weil ich so schnell bereit war, Ronda Ray zu verraten. Ich sagte Junior, sie lasse sich sehr leicht anmachen, er brauche dazu nur Geld.

Später trank ich noch ein Bier und hörte zu, wie Junior am anderen Ende des Ganges Ronda zur Treppe und von mir wegtrug. Und nach dem nächsten oder übernächsten Bier hörte ich, wie Doris Wales ganz allein anfing ›Heartbreak Hotel‹ zu singen, ohne Musik, und mal vergaß sie die Worte ihrer Religion und mal verlor sich der Rest in Genuschel. Und zum Schluß – das Geräusch war unverkennbar – erbrach sie sich ins Waschbecken hinter der Bar.

Nach einer Weile fand sie mich in der Eingangshalle, an der offenen Tür zum Lieferanteneingang, und ich bot ihr das letzte kalte Bier an. »Klar, warum auch nicht?« sagte sie. »Hilft mir den Rotz runterspülen. Dieses verfluchte ›Heartbreak Hotel‹«, fügte sie hinzu. »Das wirft mich immer um.«

Doris Wales hatte ihre kniehohen Cowboy-Stiefel an, und in der Hand hielt sie ihre grünen Stöckelschuhe an den dünnen Riemen; in der anderen Hand schwang sie ihren Mantel, einen beklagenswert fleckigen Tweedmantel mit einem mickrigen Pelzkragen. »Es ist nur Bisam«, sagte sie und fuhr mir damit über die Wange. Sie griff mit der Hand, in der sie die Stöckelschuhe hatte, nach dem Hals der Bierflasche und trank sie fast leer. Der Knutschfleck an ihrem nach hinten geneigten Hals sah aus, als stammte er von einer rotglühenden 50-Cent-Münze. Sie ließ die Bierflasche fallen und stieß sie mit dem Fuß zur Tür hinaus, wo sie zu den Mülltonnen beim Lieferanteneingang rollte. Sie trat näher an mich heran und rammte mir ihre Schenkel zwischen die Beine; sie küßte mich auf den Mund, und ihr Kuß hatte nichts von dem, was Sabrina Jones mir gezeigt hatte; es war, als werde mir ein Klumpen einer überreifen Frucht zwischen den Zähnen durch und über die Zunge weg gequetscht, bis ich würgte. Ihr Kuß hinterließ einen Nachgeschmack von Erbrochenem und Bier.

»Ich hol Sleazy von ner Party ab«, sagte sie. »Willste mitkommen?«

Das erinnerte mich an jenen Nachmittag im Kino, als Sleazy anbot, mir die Brotkugel reinzuwürgen oder mit dem Nagel meine Augen auszustechen. »Nein danke«, sagte ich.

»Scheiß die Wand an«, sagte sie und rülpste heftig. »Die Jungs heutzutage haben keinen *Saft* mehr.« Dann riß sie mich an sich und drückte mich gegen ihren Leib, der so hart war wie bei einem Mann, nur daß ihre Brüste zwischen uns glitten wie zwei frisch gefangene Fische in schlaffen Beuteln; ihre Zunge fuhr meine Kinnlade entlang, bevor sie in mein Ohr stieß. »Du Lämmerschwanz«, flüsterte sie, dann schob sie mich weg.

Sie fiel in den Matsch neben dem Lieferanteneingang, doch als ich ihr auf die Beine half, stieß sie mich gegen die Mülltonnen und ging ohne Hilfe hinaus in die Dunkelheit des Elliot Parks. Ich wartete darauf, daß sie aus dem Dunkeln in das trübe Licht der einzigen Straßenlaterne trat, bevor sie endgültig in der Dunkelheit verschwand; als sie kurz im Licht der Laterne auftauchte, rief ich ihr zu.

»Gute Nacht, Mrs. Wales, und vielen Dank für die Musik!« Als Antwort zeigte sie mir den ausgestreckten Mittelfinger, glitt aus, fiel beinahe wieder hin und torkelte aus dem Licht – und dabei fluchte sie über etwas oder jemanden, dem sie dort begegnete. »Verfickt und zugenäht«, sagte sie. »Steck dir's doch in den Arsch!«

Ich wandte mich ab vom Licht und erbrach mich in die am wenigsten volle Mülltonne. Als ich wieder zu der Straßenlaterne hinübersah, taumelte eine Gestalt in den Lichtkreis und ich dachte, Doris Wales komme noch einmal zurück, um mich weiter anzuranzen. Aber es war jemand, der von einer anderen Silvesterparty kam und dessen Zuhause in einer anderen Richtung lag. Es war ein Mann oder ein einigermaßen erwachsener Teenager, und obwohl auch ihm der Alkohol zu schaffen machte, kam er in dem Matsch ein wenig besser zurecht als Doris Wales.

»Steck's dir selber in den Arsch, Alte!« rief er ins Dunkel.

»Scheiß die Wand an!« kam Doris' Stimme aus der Dunkelheit und von weit her.

»Nutte!« brüllte der Mann und verlor im selben Augenblick das Gleichgewicht und setzte sich in den Matsch. »Scheiße«, sagte er, zu niemandem; mich konnte er jedenfalls nicht sehen.

Und da bemerkte ich, wie er angezogen war: schwarze Hosen und Schuhe, schwarzer Kummerbund und Frackschleife – und eine weiße Smokingjacke. Natürlich wußte ich, daß er nicht *der* Mann in der weißen Smokingjacke war; ihm fehlte die nötige Würde, und die Reise, die er gerade machte – oder unterbrach –, war bestimmt keine exotische Reise. Außerdem hatten wir Silvester, und das war – in Neuengland – nicht die Saison für weiße Smokingjacken. Der Mann war unpassend angezogen, und ich sah ihm an, daß er sich nicht exzentrisch kleidete, um aufzufallen. In Dairy in New Hampshire konnte das nur bedeuten, daß der Schwachkopf erst dann zu einem Smoking-Verleih gegangen war, als die *schwarzen* Smokingjacken alle schon weg waren. Oder dann wußte er nicht, daß man in unserer Stadt zwischen sommerlicher und winterlicher Gesellschaftskleidung unterschied; er war entweder ein junger Tölpel auf dem Nachhauseweg von einem Schul-Tanzfest oder ein älterer Tölpel auf dem Nachhauseweg von einem älteren Tanzfest (was wohl nicht weniger kläglich und überflüssig gewesen war als das, was Schulen so zu bieten haben). Jedenfalls war es nicht *unser* Mann in der weißen Smokingjacke, doch er erinnerte mich an ihn.

Dann bemerkte ich, daß sich der Mann im Schneematsch unter der Straßenlaterne ausgestreckt hatte und eingeschlafen war. Die Temperatur lag um den Gefrierpunkt.

Ich hatte endlich das Gefühl, daß der Silvesterabend doch noch etwas gebracht hatte: nun schien es doch noch einen Sinn zu bekommen, daß ich an all dem teilgenommen hatte – etwas, das über meine zugleich vagen und konkreten Begierden hinausging. Ich hob den Mann in der weißen Smokingjacke vom Boden auf und trug ihn in die Eingangshalle des Hotels New Hampshire; er war leichter zu tragen als Bitty Tucks Gepäck; er wog nicht viel, obwohl er ein ausgewachsener Mann und kein Teenager war – ja, er kam mir älter vor als mein Vater. Und als ich ihn nach irgendeinem Ausweis durchsuchte, stellte sich heraus, daß ich richtig vermutet hatte: die Kleidung war tatsächlich geliehen. EIGENTUM VON ›CHESTERS HERRENBEKLEI-

DUNG‹ stand auf dem Etikett in der weißen Smokingjacke. Obwohl der Mann – zumindest für Dairy, New Hampshire – einigermaßen vornehm aussah, hatte er keine Brieftasche bei sich, dafür aber einen silbernen Kamm.

Vielleicht hatte ihn Doris Wales im Dunkeln ausgeraubt, und deshalb hatten die beiden so rumgebrüllt. Nein, wohl doch nicht, dachte ich: Doris hätte auch den silbernen Kamm genommen.

Es schien mir ein guter Scherz, den Mann in der weißen Smokingjacke in der Eingangshalle des Hotels New Hampshire auf die Couch zu legen – so daß ich am frühen Morgen Vater und Mutter überraschen konnte. Ich würde sagen: »Gestern abend ist noch jemand gekommen, der den letzten Tanz mitmachen wollte, aber er war zu spät dran. Jetzt wartet er auf euch, unten in der Eingangshalle.«

Ich fand die Idee phantastisch, aber dann dachte ich – schließlich hatte ich einiges getrunken –, daß ich wohl Franny aufwecken und ihr den Mann in der weißen Smokingjacke zeigen sollte, der friedlich eingepennt auf der Couch lag; Franny würde mir schon sagen, ob sie die Idee *schlecht* fand. Aber ihr würde das gefallen, da war ich sicher.

Ich ordnete die schwarze Schleife des Mannes in der weißen Smokingjacke und faltete ihm die Hände über der Brust; ich machte den Knopf an seiner Jacke zu und zupfte seinen Kummerbund zurecht, damit er keinen schlampigen Eindruck machte. Das einzige, was fehlte, waren die Sonnenbräune und das schwarze Zigarettenetui – und die weiße Schaluppe draußen vor dem Arbuthnot-by-the-Sea.

Das war nicht das Geräusch des Meeres, draußen vor dem Hotel New Hampshire; es war das Geräusch des Matsches im Elliot Park, der gefror und taute und wieder gefror; und das waren keine Möwen, die ich hörte, sondern Hunde – streunende Hunde, die den Müll durchwühlten, den es überall gab. Erst als ich den Mann in der weißen Smokingjacke auf die Couch bettete, fiel mir auf, wie schäbig unsere Eingangshalle aussah – wie sehr sich in dem Gebäude die Atmosphäre einer reinen Mädchenschule erhalten hatte: das Ausgestoßensein, die Angst davor, als (sexuell) zweitrangig eingestuft zu werden, die überstürzten Ehen und andere Enttäuschungen, die die Zukunft bereithielt. Der beinahe elegante Mann in der weißen Smokingjacke sah – im Hotel New Hampshire – aus wie ein Wesen von einem anderen Planeten, und ich wollte plötzlich nicht mehr, daß mein Vater ihn sah.

Ich lief ins Restaurant, um kaltes Wasser zu holen; Doris Wales hatte an der Bar ein Glas zerbrochen, und Ronda Rays sonderbar geschlechtslose Arbeitsschuhe lagen ausgelatscht unter einem Tisch, wohin sie Ronda wohl geschleudert hatte – als sie anfing zu tanzen und sich an Junior Jones ranzumachen.

Wenn ich Franny weckte – ging es mir durch den Kopf –, könnte sie vielleicht mitbekommen, daß Junior mit Ronda zusammen war, und würde ihr das nicht weh tun?

Ich horchte ins Treppenhaus und spürte, wie mein Interesse an Bitty Tuck plötzlich wiedererwachte – die Vorstellung, sie schlafend vor mir zu sehen –, aber als ich sie an der Sprechanlage belauschte, schnarchte sie (mit einem satten Grunzen, wie ein Schwein, das sich im Schlamm suhlt). Das Buch für die Vorbestellungen enthielt nicht einen einzigen Namen; es war nichts eingetragen bis zum Sommer, wenn dann der Zirkus namens Fritzens Nummer kommen und uns alle (zweifellos) erbleichen lassen würde. Die Wechselgeldkasse am Empfangsschalter war nicht mal verschlossen – und Frank hatte irgendwann, als er sich während des Telefondienstes langweilte, das spitze Ende des Flaschenöffners dazu benutzt, seinen Namen in die Armlehne des Stuhls zu graben.

In dem grauen, von der Party zurückgebliebenen Mief am Neujahrstag schien es mir mittlerweile besser, meinem Vater den Anblick des Mannes in der weißen Smokingjacke zu ersparen. Ich dachte mir, wenn ich den Mann wachkriegte, könnte ich ihn von Junior Jones *verscheuchen* lassen; aber es wäre mir peinlich gewesen, Junior bei Ronda Ray zu stören.

»He, aufstehen!« zischte ich den Mann in der weißen Smokingjacke an.

»Schnorf!« rief er im Schlaf. »*Äck!* Eine Nutte!«

»Seien Sie still!« fuhr ich ihn flüsternd an.

»*Gick?*« sagte er. Ich packte ihn um die Brust und drückte zu. »*Faah!*« stöhnte er. »Himmel hilf!«

»Ihnen fehlt nichts«, sagte ich. »Aber Sie müssen jetzt gehen.«

Er öffnete die Augen und setzte sich auf.

»Ein junger Halsabschneider«, sagte er. »Wo haben sie mich hingeschleppt?«

»Sie sind umgekippt, draußen«, sagte ich. »Ich habe Sie hereingebracht, damit Sie nicht erfrieren. Und jetzt müssen Sie gehen.«

»Ich muß erst die Toilette aufsuchen«, sagte er, mit Würde.

»Machen Sie's draußen«, sagte ich. »Können Sie gehen?«

»Natürlich kann ich gehen«, sagte er. Er ging auf den Lieferanteneingang zu, blieb aber auf der Schwelle stehen. »Es ist dunkel da draußen«, sagte er. »Das ist doch eine Falle, oder? Wie viele sind es – da draußen?«

Ich ging mit ihm durch die Eingangshalle zur vorderen Tür und schaltete die Außenbeleuchtung ein. Ich fürchte, das Licht war schuld daran, daß Vater aufwachte. »Leben Sie wohl«, sagte ich zu dem Mann in der weißen Smokingjacke, »und ein Glückliches Neues Jahr.«

»Aber das ist ja der Elliot Park«, rief er entrüstet.

»Stimmt«, sagte ich.

»Dann bin ich ja in dem komischen Hotel«, folgerte er. »Wenn das ein Hotel ist, möchte ich jetzt ein Zimmer haben.«

Ich hielt es für das Beste, ihm nicht zu sagen, daß er kein Geld bei sich hatte, und so sagte ich statt dessen: »Wir sind voll. Alle Zimmer sind belegt.«

Der Mann in der weißen Smokingjacke starrte in die verlassene Eingangshalle, glotzte auf die leeren Postfächer und den liegengebliebenen Überseekoffer mit Junior Jones' Wintersachen, der am Fuß der schäbigen Treppe lag. »Sie sind *voll?*« sagte er, als sei ihm eben eine allgemeine Lebensweisheit erstmals aufgegangen. »Heiliger Strohsack«, sagte er. »Ich hatte gehört, der Laden mache Pleite.« Es war nicht gerade das, was ich hören wollte.

Ich bugsierte ihn wieder zum Haupteingang, aber er bückte sich und hob die Post auf und gab sie mir; in der Hetze der Party-Vorbereitungen hatte den ganzen Tag lang keiner nach der Post geschaut, die immer durch einen Schlitz in der vorderen Tür geworfen wurde, keiner hatte die Post aufgehoben.

Der Mann ging nur ein paar Schritte vom Haus weg und kam dann zurück.

»Ich will ein Taxi anrufen«, teilte er mir mit. »Es gibt zuviel Gewalttätigkeit da draußen«, sagte er mit einer Geste, die wieder dem Leben im allgemeinen galt; den Elliot Park konnte er nicht gemeint haben – jedenfalls nicht im Moment, denn Doris Wales war längst weg.

»Sie haben nicht genug Geld für ein Taxi«, ließ ich ihn wissen.

»Oh«, sagte der Mann in der weißen Smokingjacke. Er setzte sich in der kalten nebligen Luft auf die Stufen am Eingang. »Augenblick noch«, sagte er.

»Wozu?« fragte ich ihn.

»Muß mich erst erinnern. wo ich hingehe«, sagte er.

»Nach Hause?« schlug ich vor, aber der Mann fuhr mit der Hand durch die Luft.

Er dachte nach. Ich schaute mir die Post an. Die üblichen Rechnungen, das übliche Fehlen von Briefen, in denen Unbekannte wegen Zimmern nachfragten. Und ein Brief, der sich von den anderen abhob. Er war mit hübschen ausländischen Briefmarken beklebt; *Österreich* stand da drauf – und noch ein paar exotische Dinge. Der Brief kam aus Wien, und er war auf höchst merkwürdige Art an meinen Vater adressiert:

Win Berry
Harvard-Absolvent
Abschlußklasse 194?
U.S.A.

Der Brief hatte lange gebraucht, bis er zu meinem Vater kam, aber bei der Post hatten sie einen gefunden, der wußte, wo Harvard war. Mein Vater sagte später, daß er diesen Brief bekommen habe, sei das greifbarste Ergebnis, das ihm sein Harvard-Studium je gebracht habe; hätte er eine weniger bekannte Universität besucht, wäre ihm der Brief nie zugestellt worden. »Grund genug«, sagte Franny später, »zu wünschen, er hätte eine weniger bekannte Universität besucht.«

Aber die Organisation der ehemaligen Harvard-Studenten ist natürlich tüchtig und weit verzweigt. Mit dem Namen meines Vaters und der »Abschlußklasse 194?« hatten sie alles, was sie brauchten, um die richtige Abschlußklasse, 1946, und die richtige Anschrift herauszufinden.

»Was ist denn los?« hörte ich meinen Vater rufen; er war aus den von uns bewohnten Räumen im ersten Stock getreten und rief vom Treppenabsatz zu mir herunter.

»Nichts!« sagte ich und stieß den Betrunkenen auf den Stufen vor mir mit dem Fuß an, denn er war wieder am Einschlafen.

»Warum ist die Außenbeleuchtung an?« wollte Vater wissen.

»Nun gehen Sie schon!« sagte ich zu dem Mann in der weißen Smokingjacke.

»Schön, Sie kennenzulernen«, sagte der Mann herzlich. »Dann will ich mich jetzt mal trollen!«

»Gut, gut«, flüsterte ich.

Aber der Mann schaffte es nur bis zur untersten Stufe, ehe ihn das *Denken* wieder zu übermannen schien.

»Mit wem redest du denn?« rief Vater.

»Niemand! Bloß ein Besoffener!« sagte ich.

»Jessas Gott«, sagte Vater. »Ein Besoffener ist doch nicht niemand!«

»Ich pack das schon!« rief ich.

»Warte, bis ich angezogen bin«, sagte Vater. »Jessas Gott.«

»Nun gehen Sie schon!« brüllte ich den Mann in der weißen Smokingjacke an.

»Wiedersehen! Wiedersehen!« rief der Mann und winkte mir von der untersten Stufe des Hotels New Hampshire fröhlich zu. »Ich habe mich wunderbar unterhalten!«

Der Brief war natürlich von Freud. Ich wußte es, und ich wollte erst sehen, was drinstand, bevor ich ihn Vater gab. Ich wollte mit Franny darüber reden, stundenlang – und sogar mit Mutter –, bevor ich ihn Vater gab. Aber dazu blieb keine Zeit. Der Brief war kurz und ohne Umschweife.

> WENN DU DAS HIER ERHÄLTST, DANN BIST DU
> HARVARD-STUDENT GEWORDEN, WIE DU MIR VER-
> SPROCHEN HAST (schrieb Freud). DU BRAVER
> JUNGE, DU!

»Gute Nacht! Gott segne Sie!« rief der Mann in der weißen Smokingjacke. Aber er ging nicht weiter als bis zum Rand der beleuchteten Fläche; dort wo der dunkle Elliot Park begann, blieb er stehen und winkte.

Ich knipste das Licht aus, damit Vater, falls er herauskam, die Gestalt in Gesellschaftskleidung nicht sehen konnte.

»Ich seh nichts!« jammerte der Betrunkene, und ich machte das Licht wieder an.

»Hau endlich ab, oder ich schlag dich windelweich!« schrie ich ihn an.

»So packt man das nicht an!« hörte ich Vater brüllen.

»Gute Nacht, und Gott segne euch!« rief der Mann; er war immer noch innerhalb des Lichtscheins, als ich ihm erneut das Licht abdrehte, und diesmal protestierte er nicht. Ich ließ das Licht aus. Ich las Freuds Brief zu Ende.

> ICH HABE ENDLICH EINEN SCHLAUEN BÄREN
> GEFUNDEN (schrieb Freud). DA SIEHT ALLES ANDERS
> AUS! ICH HATTE EIN GUTGEHENDES HOTEL, ABER ICH
> BIN ALT GEWORDEN. ES KÖNNTE IMMER NOCH EIN
> KLASSE-HOTEL WERDEN (fügte Freud hinzu),
> WENN DU UND MARY KOMMT UND MIR DABEI HELFT.

ICH HABE ZWAR EINEN SCHLAUEN BÄREN, ABER ICH BRAUCHE DAZU NOCH EINEN SCHLAUEN HARVARD-JUNGEN WIE DICH!

Vater stürmte in die jämmerliche Eingangshalle des Hotels New Hampshire; in seinen Pantoffeln stolperte er über eine Bierflasche, der er einen Tritt versetzte, und sein Bademantel flatterte im Wind, der zur offenen Haustür hereinblies.

»Er ist weg«, sagte ich zu Vater. »Nur irgendein Besoffener.« Aber Vater schaltete die Außenbeleuchtung ein – und da, am Rand der beleuchteten Fläche, winkte der Mann in der weißen Smokingjacke. »Wiedersehen!« rief er hoffnungsvoll. »Wiedersehen! Viel Glück! Wiedersehen!« Die Wirkung war verblüffend: der Mann in der weißen Smokingjacke trat aus dem Lichtkreis und war weg – weg, als sei er aufs Meer hinausgefahren – und mein Vater starrte ihm nach in die Dunkelheit.

»Hallo!« schrie Vater aus Leibeskräften. »Hallo? *Kommen Sie zurück! Hallo?«*

»Wiedersehen! Viel Glück! Wiedersehen!« rief die Stimme des Mannes in der weißen Smokingjacke, und mein Vater stand da und starrte in die Dunkelheit, bis der kalte Wind ihm so zusetzte, daß er – im Bademantel und in Pantoffeln – vor Kälte zitterte; er ließ sich von mir ins Haus zerren.

Wie jeder Geschichtenerzähler hatte ich die Macht, der Geschichte ein Ende zu machen, das war eine Gelegenheit. Aber ich ließ Freuds Brief nicht verschwinden; ich gab ihn Vater, als er die Vision des Mannes in der weißen Smokingjacke immer noch vor sich sah. Ich händigte ihm Freuds Brief aus, und mir war dabei – wie jedem Geschichtenerzähler – (mehr oder weniger) klar, wohin uns das alles führen würde.

7.
Kummer schlägt wieder zu

Sabrina Jones, die mir das Küssen beibrachte – und deren
tiefer und beweglicher Mund mich nie mehr loslassen wird –,
fand den Mann, der ihr Mit-oder-ohne-Zähne-Geheimnis er-
gründen konnte; sie heiratete einen Rechtsanwalt aus der
Firma, für die sie selbst als Sekretärin arbeitete, und brachte
drei gesunde Kinder zur Welt (»Peng, peng, peng«, wie
Franny gern sagte).

Bitty Tuck, die beim Pessar-Einlegen umkippte – und deren
wundersame Brüste und weltläufige Art mir eines Tages nicht
mehr annähernd so einmalig vorkommen würden wie damals,
1956 –, überlebte ihre Begegnung mit Kummer; sie ist, wie ich
neulich gehört habe, immer noch ledig und immer noch ein
Partymädchen.

Und ein Mann namens Frederick Worter, der nur um ein
Haar größer als eins zwanzig und einundvierzig Jahre alt war
und den unsere Familie besser unter seinem Namen »Fritz«
kannte – und dessen Zirkus namens Fritzens Nummer eine
Vorbestellung war für einen Sommer, dem wir voller Neugier und Grausen entgegensahen –, *kaufte* im Winter 1957
meinem Vater das erste Hotel New Hampshire ab.

»Für ein Butterbrot, da bin ich sicher«, sagte Franny. Aber
wir Kinder erfuhren nie, zu welchem Preis Vater das Hotel
New Hampshire verkaufte; da Fritzens Nummer die einzige
Vorbestellung für den Sommer 1957 war, hatte Vater zuerst
an Fritz geschrieben und den kleinen Zirkuskönig wissen lassen, daß unsere Familie vorhatte, nach Wien umzusiedeln.

»Nach Wien?« murmelte Mutter immer wieder und schüttelte den Kopf über Vater. »Was weißt du denn schon von
Wien?«

»Was wußte ich denn von Motorrädern? fragte Vater. »Oder von Bären? Oder Hotels?«

»Und was hast du *gelernt*?« fragte ihn Mutter, aber mein Vater hatte keine Bedenken. Schließlich hatte Freud gesagt, mit einem schlauen Bären sehe alles anders aus.

»Ich weiß, Wien ist nicht Dairy, New Hampshire«, sagte Vater zu Mutter; und er entschuldigte sich bei Fritz von Fritzens Nummer – er schrieb ihm, daß er das Hotel New Hampshire zum Verkauf anbiete und daß sich der Zirkus möglicherweise nach einem anderen Quartier umsehen müsse. Ich weiß nicht, ob der Zirkus namens Fritzens Nummer meinem Vater ein gutes Angebot machte, aber es war das erste Angebot, und Vater akzeptierte.

»Wien?« sagte Junior Jones. »Heiliger Strohsack!«

Aus Angst, Junior könne ihr fehlen, hätte Franny vielleicht gegen den Umzug protestiert, aber Franny hatte herausgefunden, daß Junior ihr (mit Ronda Ray in der Silvesternacht) untreu geworden war, und sie zeigte ihm die kalte Schulter.

»Sag ihr, ich war einfach scharf, Mann«, sagte mir Junior.

»Er war einfach scharf, Franny«, sagte ich.

»Offensichtlich«, sagte Franny. »Und du weißt natürlich ganz genau, wie *das* ist.«

»Wien«, sagte Ronda Ray, die unter mir seufzte – wahrscheinlich aus Langeweile. »*Ich* würde gern nach Wien gehen«, sagte sie. »Aber ich muß wohl hierbleiben – vielleicht ohne Job. Oder ich muß für diesen kahlen Zwerg arbeiten.«

Frederick »Fritz« Worter war dieser kahle Zwerg, eine kleine verwachsene Gestalt, die uns an einem schneereichen Wochenende besuchte; er war besonders beeindruckt von der Größe der Badezimmereinrichtungen im dritten Stock – und von Ronda Ray. Lilly war natürlich von Fritz stark beeindruckt. Er war nur wenig größer als Lilly, wobei wir Lilly (und vor allem uns selbst) einzureden versuchten, sie werde noch – ein bißchen – weiterwachsen, und (so hofften wir) ihre Gliedmaßen würden niemals so unproportioniert sein. Lilly war hübsch – winzig, aber hübsch. Fritz dagegen hatte einen

Kopf, der für seinen Rumpf mehrere Nummern zu groß war; seine Unterarme hingen wie schlaffe Wadenmuskeln herab, die obszön den falschen Körperteilen aufgepfropft worden waren; seine Finger waren abgeschnittene Salamiwürste; seine Knöchel über den kleinen Puppenfüßen waren geschwollen – wie Socken mit einem kaputten Gummizug.

»Was für eine Art von Zirkus haben Sie denn?« fragte ihn Lilly beherzt.

»Seltsame Nummern, seltsame Tiere«, flüsterte mir Franny ins Ohr, und ich schauderte.

»*Kleine* Nummern, *kleine* Tiere«, murmelte Frank.

»Wir sind nur ein kleiner Zirkus«, sagte Fritz zu Lilly, und es klang bedeutungsvoll.

»Das heißt«, sagte Max Urick, als Fritz weg war, »daß sie alle bestens in den verfickten dritten Stock reinpassen.«

»Wenn alle so sind wie er«, sagte Mrs. Urick, »dann essen sie nicht viel.«

»Wenn alle so sind wie *er*«, sagte Ronda Ray und verdrehte die Augen – aber sie redete nicht weiter; sie behielt den Rest lieber für sich.

»Ich finde ihn niedlich«, sagte Lilly.

Bei Egg jedoch löste Fritz von Fritzens Nummer Alpträume aus – fürchterliche Schreie, von denen ich einen steifen Rücken und Muskelzerrungen im Genick bekam; Eggs Arm schlug aus und zertrümmerte die Nachttischlampe; seine Beine strampelten unter der Bettdecke, als ertrinke er im Bettzeug.

»Egg!« rief ich. »Es ist doch nur ein Traum! Du hast bloß einen Traum!«

»Einen *was?*« kreischte er.

»Einen Traum!« brüllte ich.

»Zwerge!« schrie er. »Sie sind unter dem Bett! Sie kriechen überall herum! Überall sind sie, überall!« heulte er.

»Jessas Gott«, sagte Vater. »Wenn es nur Zwerge sind, warum regt er sich dann so auf?«

»Psst«, sagte Mutter, wie immer darauf bedacht, Lillys kleine Gefühle nicht zu verletzen.

Und ich lag morgens unter der Hantel, von wo ich verstohlen Franny beim Aufstehen und Anziehen beobachten konnte, und dachte an Iowa-Bob. Was hätte *er* zu dem geplanten Umzug nach Wien gesagt? Oder zu Freuds Hotel, das irgendwie einen schlauen Harvard-Jungen *brauchte*? Oder zu der Wahrscheinlichkeit, daß mit einem schlauen Bären tatsächlich alles anders aussah – jedermanns Erfolgsaussichten. Ich stemmte und überlegte. »Es spielt keine Rolle«, hätte Iowa-Bob gesagt. »Ob wir nach Wien gehen oder hierbleiben, spielt keine Rolle.« Unter dem ganzen Gewicht dachte ich: ja, so hätte Coach Bob das gesehen. »Ob hier oder da«, hätte Bob gesagt, »wir sind lebenslänglich festgeschraubt.« Es würde *Vaters* Hotel sein – ob in Dairy oder in Wien. Würde nichts uns jemals exotischer oder weniger exotisch machen? fragte ich mich, während ich die Hantel wunderbar stramm nach oben drückte und Franny aus dem Augenwinkel beobachtete.

»Wenn du doch nur mit deinen Hanteln in einen anderen Raum gehen würdest«, sagte Franny. »Dann könnte ich mich wenigstens ab und zu allein anziehen, Himmel nochmal.«

»Was hältst denn du davon, daß wir nach Wien gehen, Franny?« fragte ich sie.

»Ich glaube, es ist kultivierter, als hierzubleiben«, sagte Franny. Inzwischen war sie völlig angezogen und blickte auf ihre dreiste Art zu mir herunter, während ich mich bemühte, die Hantel langsam und waagrecht abzusetzen. »Vielleicht krieg ich dort sogar ein Zimmer ohne Hanteln«, fügte sie hinzu. »Vielleicht sogar eins ohne einen Gewichtheber«, sagte Franny und blies dann flink in die Achselhöhle meines linken (und schwächeren) Armes – und wich aus, als die Gewichte zuerst vom linken und dann vom rechten Ende der Stange rutschten.

»Jessas Gott!« rief Vater zu mir herauf, und ich mußte daran denken, daß Iowa-Bob – wäre er noch unter uns gewesen – Franny nicht recht gegeben hätte. Ob Wien nun kultivierter oder weniger kultiviert war – ob Franny nun ein Zimmer mit Hanteln oder ein Zimmer mit Spitzenvorhängen hatte – wir bewohnten jedenfalls ein Hotel New Hampshire nach dem anderen.

Freuds Hotel – oder unsere per Luftpost vermittelte unvollkommene Vorstellung von Freuds Hotel – nannte sich Gasthaus Freud; aus Freuds Briefen ging nicht hervor, ob der *andere* Freud je dort gewohnt hatte. Wir erfuhren von Freud nur, daß es »zentral gelegen« war – »im Ersten Bezirk!« –, aber auf der völlig grauen Schwarzweißfotografie, die Freud uns schickte, konnten wir kaum die eiserne Doppeltür erkennen, die von Schaufenstern eingerahmt war. KONDITOREI verkündete ein Schild, ZUCKERWAREN ein anderes, und SCHOKOLADEN versprach ein drittes; und darüber – größer als der verblaßte Schriftzug GASTHAUS FREUD – stand das Wort BONBONS.

»Was?« sagte Egg.

»*Bonbons*«, sagte Franny. »O Mann.«

»Welche Tür gehört zur Konditorei, und welche gehört zum Hotel?« fragte Frank; Frank dachte immer wie ein Türsteher.

»Ich glaube, das kann man nur wissen, wenn man dort wohnt«, sagte Franny.

Lilly holte eine Lupe und entzifferte den Namen der Straße, der in einer komischen Schrift unter der Hausnummer an der Doppeltür des Hotels stand.

»Krugerstraße«, entschied sie schließlich, und das stimmte zumindest mit dem Straßennamen in Freuds Adresse überein. Vater kaufte in einem Reisebüro eine Straßenkarte von Wien, und wir fanden die Krugerstraße – im Ersten Bezirk, wie Freud versprochen hatte; es schien eine sehr zentrale Lage.

»Bis zur Oper sind es nur ein, zwei Straßen!« rief Frank begeistert.

»O Mann«, sagte Franny.

Auf der Karte gab es kleine grüne Flächen für Parks, dünne rote und blaue Linien, wo die Straßenbahnen liefen, und reich verzierte Gebäude – in einem grotesken Mißverhältnis zur Größe der Straßen – zur Kennzeichnung der Sehenswürdigkeiten.

»Sieht aus wie eine Art Monopoly«, sagte Lilly.

Wir entdeckten Kirchen, Museen, das Rathaus, die Universität, das Parlament.

»Ich möchte bloß wissen, wo sich da die Banden rumtreiben«, sagte Junior Jones, der sich mit uns die Straßen ansah.

»Die *Banden?*« sagte Egg. »Die *was?*«

»Die schweren Jungs«, sagte Junior Jones. »Die mit den Kanonen und Messern, Mann.«

»Die Banden«, wiederholte Lilly, und wir starrten auf die Karte, als würden die Straßen uns verraten, wo sie am dunkelsten und verruchtesten waren.

»Das hier ist *Europa*«, sagte Frank angewidert. »Vielleicht *gibt* es da keine Banden.«

»Es ist schließlich eine Großstadt, oder?« sagte Junior Jones.

Doch auf der Karte sah es mir eher nach einer Spielzeugstadt aus – mit hübschen Sehenswürdigkeiten und all den grünen Fleckchen, wo die Natur dem Vergnügen der Menschen untergeordnet worden war.

»Wahrscheinlich in den Parks«, sagte Franny und biß sich auf die Unterlippe. »Die Banden treiben sich in den Parks rum.«

»Scheiße«, sagte ich.

»Es gibt keine Banden!« rief Frank. »Musik gibt es! Und feines Gebäck! Und die Leute verbeugen sich dauernd, und sie tragen ganz andere Kleider!« Wir starrten ihn an, aber wir wußten, daß er schon einiges über Wien gelesen hatte; er hatte sich vor uns an die Bücher gemacht, die Vater laufend nach Hause brachte.

»Feines Gebäck und Musik und Leute, die sich die ganze Zeit *verbeugen*, Frank?« sagte Franny. »So ist es dort also?« Mittlerweile untersuchte Lilly die Karte mit ihrer Lupe – als würden Menschen im Miniaturformat auf dem Papier zum Leben erwachen; und sie würden sich entweder verbeugen, in ganz anderen Kleidern, oder sie würden in Banden durch die Straßen ziehen.

»Nun ja«, sagte Franny. »Wir können jedenfalls ziemlich

sicher sein, daß es keine *schwarzen* Banden gibt.« Franny war immer noch wütend auf Junior Jones, weil er mit Ronda Ray geschlafen hatte.

»Scheiße, Mann«, sagte Junior. »Hoff lieber, *daß* es schwarze Banden gibt. Schwarze Banden sind die besten Banden, Mann. Diese weißen Banden haben Minderwertigkeitskomplexe«, sagte Junior. »Und es gibt nichts Schlimmeres als eine Bande mit einem Minderwertigkeitskomplex.«

»Einem *was*?« sagte Egg. Bestimmt dachte er, ein Minderwertigkeitskomplex sei eine Waffe; manchmal *ist* er das wohl auch.

»Ich jedenfalls bin überzeugt, daß es *schön* wird«, sagte Frank grimmig.

»Es *wird* schön«, sagte Lilly, ähnlich humorlos wie Frank.

»Ich kann es nicht sehen«, sagte Egg, ganz ernst. »Ich kann es nicht sehen, also weiß ich auch nicht, *wie* es wird.«

»Es wird bestimmt okay«, sagte Franny. »Ich glaube nicht, daß es überragend wird, aber es wird sicher ganz ordentlich.«

Es war merkwürdig, aber Franny schien von Iowa-Bobs Philosophie – die bis zu einem gewissen Grad auch Vaters Philosophie geworden war – am stärksten beeinflußt. Das war sonderbar, da Franny Vater – und vor allem Vaters Plänen – mit dem größten Sarkasmus begegnete. Doch als sie vergewaltigt wurde, hatte Vater – *unglaubhaft!* dachte ich damals – zu ihr gesagt, wenn *er* einen schlechten Tag habe, versuche er immer, ihn als den glücklichsten Tag seines Lebens zu sehen. »Vielleicht ist das der glücklichste Tag deines Lebens«, hatte er zu ihr gesagt; ich stellte zu meinem Erstaunen fest, daß sie dieses umgekehrte Denken offenbar nützlich fand. Auch andere Häppchen aus Vaters Philosophie schnappte sie papageienartig auf. »Es war nur ein kleiner Vorfall unter so vielen anderen«, hörte ich sie zu Frank sagen – als es darum ging, daß er Iowa-Bob zu Tode erschreckt hatte. Und einmal hörte ich Vater über Chipper Dove sagen: »Er hat wahrscheinlich ein ganz unglückliches Leben.« Und Franny stimmte ihm tatsächlich zu!

Beim Gedanken an Wien war ich viel nervöser als Franny, wie es schien, und ich war mir immer sehr bewußt, welche Gefühle Franny und ich nicht hundertprozentig teilten – weil es mir viel bedeutete, ihr nahezubleiben.

Wir alle wußten, daß Mutter die Idee für verrückt hielt, aber wir erreichten nie, daß sie Vater gegenüber anders als loyal gewesen wäre – obschon wir es versuchten.

»Wir werden die Sprache nicht verstehen«, sagte Lilly zu Mutter.

»Die *was?*« schrie Egg.

»Die Sprache!« sagte Lilly. »Die sprechen deutsch in Wien.«

»Ihr werdet alle eine englischsprachige Schule besuchen«, sagte Mutter.

»Das werden komische Typen sein, die auf so eine Schule gehen«, sagte ich. »Das sind doch lauter Ausländer.«

»*Wir* werden dort die Ausländer sein«, sagte Franny.

»In einer englischsprachigen Schule«, sagte ich, »wird es von Spinnern nur so wimmeln.«

»Und von Leuten, die mit der Regierung zu tun haben«, sagte Frank. »Diplomaten und Botschafter schicken da ihre Kinder hin. Die sind doch alle verkorkst.«

»Noch verkorkster als die Schüler an der Dairy School können die aber kaum sein, was Frank?« fragte Franny.

»Oha!« sagte Junior Jones. »Du kannst verkorkst sein, und du kannst ein verkorkster *Ausländer* sein.«

Franny zuckte mit den Achseln; Mutter auch.

»Wir werden immer noch eine *Familie* sein«, sagte Mutter. »Die Hauptsache in eurem Leben wird eure Familie sein – so wie jetzt auch.«

Und das schien alle zufriedenzustellen. Wir beschäftigten uns mit den Büchern, die Vater aus der Bücherei anschleppte, und studierten die Broschüren aus dem Reisebüro. Und immer wieder lasen wir die kurzen, aber überschwenglichen Botschaften Freuds:

GUT DASS DU KOMMST! ALLE KINDER UND HAUSTIERE
MITBRINGEN! HAUFENWEISE PLATZ. ZENTRAL
GELEGEN. GUTE EINKAUFSMÖGLICHKEIT FÜR
MÄDCHEN (WIE VIELE MÄDCHEN?) UND PARKS ZUM
SPIELEN, FÜR JUNGEN UND HAUSTIERE. BRING GELD
MIT. MUSS RENOVIEREN – MIT DEINER HILFE. DER BÄR
WIRD DIR GEFALLEN. MIT EINEM SCHLAUEN BÄREN
SIEHT ALLES GANZ ANDERS AUS. NUN KÖNNEN WIR
DEM *AMERIKANISCHEN* PUBLIKUM WAS BIETEN. WENN
ES GELINGT, DIE KUNDSCHAFT ZU VERBESSERN, DANN
HABEN WIR EIN HOTEL, AUF DAS WIR STOLZ SEIN
KÖNNEN. ICH HOFFE, DEIN ENGLISCH IMMER NOCH
GUT IST. HA HA! AM BESTEN LERNST DU EIN BISSCHEN
DEUTSCH, JA? NICHT VERGESSEN: WUNDER GESCHE-
HEN NICHT IN EINER NACHT, ABER IN ZWEI
NÄCHTEN KÖNNEN SOGAR BÄREN KÖNIGINNEN
WERDEN. HA HA! ICH BIN ALT GEWORDEN – DAS WAR
DAS PROBLEM. JETZT WIRD ALLES OKAY. JETZT ZEIGEN
WIR JEDEM DRECKSKERL, MISTSTÜCK UND ARSCH-
FICKER VON EINEM NAZI, WAS EIN GUTES HOTEL IST!
HOFFE, DIE KINDER SIND NICHT ERKÄLTET, UND
VERGISS NICHT, DIE HAUSTIERE IMPFEN ZU LASSEN.

Da Kummer das einzige Haustier in unserer Familie war –
und er brauchte Hilfe, aber bestimmt keine Impfung –, fragten wir uns, ob Freud der Meinung war, wir hätten immer
noch Earl.

»Natürlich nicht«, sagte Vater. »Er meint das ganz allgemein, er will uns einfach behilflich sein.«

»Sieh zu, daß Kummer geimpft wird, Frank«, sagte Franny,
aber Frank fand langsam eine bessere Einstellung zu Kummer;
er ließ sich wegen der erneuten Wiederherstellung gelegentlich
aufziehen, und er schien der Aufgabe verpflichtet, Kummer –
in einer fröhlicheren Pose – für Egg umzumodeln. Uns wurde
natürlich nicht erlaubt, die Verwandlung des greulichen Hundes mitzuerleben, aber Frank selbst wirkte immer fröhlich,

wenn er vom Biologie-Labor zurückkam, so daß wir nur hoffen konnten, diesmal werde Kummer »lieb« sein.

Vater las ein Buch über den österreichischen Antisemitismus und fragte sich, ob Freud die richtige Wahl getroffen hatte, als er dem Hotel den Namen Gasthaus Freud gab; Vater fragte sich nach allem, was er las, ob die Wiener den anderen Freud überhaupt *mochten*. Und er konnte nicht umhin, sich zu fragen, wer wohl mit »jedem Dreckskerl, Miststück und Arschficker von einem Nazi« gemeint war.

»*Ich* kann nicht umhin, mich zu fragen, wie *alt* Freud ist«, sagte Mutter.

Sie kamen zu dem Schluß, daß, wenn er 1939 Mitte oder Ende Vierzig gewesen war, er jetzt allenfalls ein Mittsechziger sein konnte. Aber Mutter sagte, er höre sich älter an. In seinen Botschaften an uns, meinte sie.

TAG! SCHNELLER EINFALL: WÄRE ES NICHT AM BESTEN, BESTIMMTE AKTIVITÄTEN AUF BESTIMMTE STOCK-WERKE ZU BESCHRÄNKEN? ZUM BEISPIEL EINE BE-STIMMTE ART VON KUNDSCHAFT IM DRITTEN STOCK UNTERZUBRINGEN, ANDERE ART IM UNTERGESCHOSS? HEIKLE SACHE, DIESE UNTERSCHEIDUNG, FINDEST DU? GEGENWÄRTIGE TAG- UND NACHTKUNDSCHAFT MIT UNTERSCHIEDLICHEN – ICH WILL NICHT SAGEN »WIDERSTREITENDEN« – INTERESSEN. HA HA! DAS ALLES WIRD ANDERS, WENN WIR RENOVIEREN. UND WENN DIE FICKER AUFHÖREN, DIE STRASSE AUFZU-REISSEN. BLOSS NOCH EIN PAAR JAHRE, DANN SIND DIE KRIEGSSCHÄDEN BEHOBEN, SAGEN SIE. WARTE NUR, BIS DU DEN BÄREN SIEHST: NICHT NUR SCHLAU, SONDERN AUCH *JUNG!* WAS FÜR EIN TEAM WIR ABGEBEN WERDEN! WAS MEINST DU MIT: »IST FREUD WIRKLICH EIN BELIEBTER NAME IN WIEN?« HAST DU HARVARD BESUCHT ODER NICHT??!! HA HA.

»Er hört sich nicht unbedingt *älter* an«, sagte Franny, »nur verrückt.«

»Er kann bloß nicht so gut Englisch«, sagte Vater. »Schließlich ist es nicht seine Sprache.«

Also lernten wir Deutsch. Franny, Frank und ich besuchten den Deutschunterricht an der Dairy School, und die Schallplatten nahmen wir mit nach Hause, um sie Lilly vorzuspielen. Mutter arbeitete mit Egg. Sie begann damit, daß sie ihn einfach an die Namen der Straßen und Sehenswürdigkeiten auf der Touristenkarte gewöhnte.

»Lobkowitzplatz«, sagte Mutter.

»Was?« sagte Egg.

Vater sollte selbständig lernen, aber er schien die geringsten Fortschritte zu machen. »Ihr als Kinder *müßt* es lernen«, sagte er oft. »*Ich* brauche nicht zur Schule zu gehen, Gleichaltrige kennenzulernen und all das.«

»Aber wir gehen doch auf eine englischsprachige Schule«, sagte Lilly.

»Trotzdem«, sagte Vater. »Ihr werdet öfter deutsch sprechen müssen als ich.«

»Aber *du* wirst ein Hotel leiten«, sagte Mutter zu ihm.

»Am Anfang werde ich ganz auf das amerikanische Publikum zielen«, sagte Vater. »Du weißt doch, wir wollen zuerst versuchen, *amerikanische* Stammgäste anzuwerben.«

»Eigentlich sollten wir alle auch unser Amerikanisch auffrischen«, sagte Franny.

Frank kam am schnellsten voran. Ihm schien das Deutsche zu liegen: jede Silbe wurde *ausgesprochen*, die Verben kamen am Satzende wie Kanonenschläge, die Umlaute waren eine Art vornehmer Verkleidung; und schon die Idee, daß Wörter ein *Geschlecht* haben, muß Frank zugesagt haben. Als der Winter seinem Ende zuging, plauderte Frank (angeberisch) auf deutsch, machte uns dabei bewußt kopfscheu und korrigierte unsere Antwortversuche, um uns dann mit dem Versprechen zu trösten, *er* werde sich »da drüben« schon um uns kümmern.

»O Mann«, sagte Franny. »*Das* macht mir am meisten

Bauchschmerzen. Wenn ich mir vorstelle, daß *Frank* uns alle zur Schule bringt, mit den Busfahrern redet, in den Restaurants die Bestellungen aufgibt, alle Telefonanrufe entgegennimmt. Mein Gott, jetzt wo ich endlich nach Übersee komme, will ich doch nicht von *ihm* abhängig sein!«

Doch Frank schien aufzublühen angesichts der Vorbereitungen für Wien. Daß er mit Kummer noch einmal eine Chance bekommen hatte, gab ihm zweifellos Auftrieb, aber er schien auch ernsthaft daran interessiert, Wien zu *erforschen*. Nach dem Abendessen las er uns laut vor – ausgewählte Abschnitte oder, wie Frank es nannte, »Rosinen« aus der Geschichte Wiens; auch Ronda Ray und die Uricks hörten zu – merkwürdigerweise, denn sie wußten, sie kamen *nicht* mit nach Wien, und ihre Zukunft bei Fritzens Nummer war ungewiß.

Nach zweimonatigem Geschichtsunterricht unterzog Frank uns einer mündlichen Prüfung über die interessanten Wiener Persönlichkeiten aus der Zeit, als Kronprinz Rudolf in Mayerling Selbstmord verübte (auch die Geschichte hatte Frank uns in aller Ausführlichkeit vorgelesen und Ronda Ray damit zu Tränen gerührt). Franny sagte, Prinz Rudolf werde zu Franks persönlichem Helden – »wegen seiner Kleidung«. Frank hatte in seinem Zimmer Porträts von Rudolf hängen: auf einem war er als Jäger gekleidet – ein schmalgesichtiger junger Mann mit einem übergroßen Schnurrbart, mit Pelzen behängt, eine fingerdicke Zigarette rauchend –, und auf einem anderen war er in Uniform und trug den Orden vom Goldenen Vlies, die Stirn so verwundbar wie die eines Säuglings, der Bart so spitz wie ein Dolch.

»Also gut, Franny«, begann Frank, »hier ist eine Frage für dich. Er war ein genialer Komponist, vielleicht der größte Organist der Welt, aber er war ein Hinterwäldler – ein ungehobelter Bauerntölpel in der Kaiserstadt –, und er hatte die dumme Angewohnheit, sich in junge Mädchen zu verlieben.«

»Warum ist das dumm?« fragte ich.

»Halt den Mund«, sagte Frank. »Es ist einfach dumm, und gefragt hab ich Franny.«

»Anton Bruckner«, sagte Franny. »Und der *war* dumm.«

»Sehr«, sagte Lilly.

»Du bist dran, Lilly«, sagte Frank. »Wer war ›die flämische Bäuerin‹?«

»Ach komm«, sagte Lilly, »das ist zu leicht. Das ist was für Egg.«

»Für Egg ist es zu schwer«, sagte Franny.

»*Was* denn?« sagte Egg.

»Prinzessin Stephanie«, sagte Lilly müde, »die Tochter des Königs von Belgien und Rudolfs Frau.«

»Nun du, Vater«, sagte Frank.

»O Mann«, sagte Franny, da Vater in Geschichte fast so schlecht war wie in Deutsch.

»Wessen Musik war so beliebt, daß sogar Bauern den Schnurrbart des Komponisten nachmachten?« fragte Frank.

»Jessas, bist du komisch, Frank«, sagte Franny.

»Brahms?« riet Vater, und wir stöhnten alle.

»Brahms hatte einen Bart *wie* ein Bauer«, sagte Frank. »Aber wessen Schnurrbart haben die Bauern *nachgemacht*?«

»Strauß!« schrien Lilly und ich.

»Der arme Trottel«, sagte Franny. »Und jetzt hab ich eine Frage für *Frank*.«

»Schieß los«, sagte Frank und kniff die Augen und das ganze Gesicht zusammen.

»Wer war Jeanette Heger?« fragte Franny.

»Sie war Schnitzlers ›Süßes Mädel‹«, sagte Frank errötend.

»Was ist ein ›Süßes Mädel‹, Frank?« fragte Franny, und Ronda Ray lachte.

»Du weißt schon«, sagte Frank mit rotem Kopf.

»Und wie viele Liebesakte haben Schnitzler und sein Süßes Mädel zwischen 1888 und 1889 geschafft?« fragte Franny.

»Jessas«, sagte Frank. »Eine Menge! Ich hab's vergessen.«

»Vierhundertundvierundsechzig!« schrie Max Urick, der bei all den historischen Lesungen dabeigewesen war und nie eine Tatsache vergaß. Wie Ronda Ray hatte auch Max nie eine richtige Schulbildung genossen; es war etwas Neues für Max und Ronda; sie folgten Franks Unterricht aufmerksamer als wir anderen.

»Ich hab noch was für Vater!« sagte Franny. »Wer war Mizzi Caspar?«

»Mizzi Caspar?« sagte Vater. »Jessas Gott.«

»Jessas Gott«, sagte Frank. »Franny behält nur, was mit *Sex* zu tun hat.«

»Wer war sie, Frank?« fragte Franny.

»Ich weiß!« sagte Ronda Ray. »Sie war Rudolfs Süßes Mädel; er verbrachte die Nacht mit ihr, bevor er sich das Leben nahm, mit Mary Vetsera, auf Schloß Mayerling.« Ronda hatte in ihrem Gedächtnis und in ihrem Herzen ein besonderes Plätzchen für Süße Mädels.

»*Ich* bin doch auch eins, oder?« hatte sie mich gefragt, nachdem Frank über Leben und Werk Arthur Schnitzlers berichtet hatte.

»Das süßeste von allen«, hatte ich ihr gesagt.

»Baah«, sagte Ronda Ray.

»*Wo* lebte Freud über seine Verhältnisse?« fragte Frank in die Runde.

»*Welcher* Freud?« fragte Lilly, und wir lachten alle.

»Im Sühnhaus«, beantwortete Frank seine eigene Frage. »Und die englische Übersetzung dafür?« fragte er. »*Atonement House*«, antwortete er.

»Frank, fick dich ins Knie«, sagte Franny.

»War nichts mit Sex, deshalb wußte sie's nicht«, sagte Frank zu mir.

»Wer hat als letzter Schubert angefaßt?« fragte ich Frank; die Frage machte ihn mißtrauisch.

»Wie meinst du das?« fragte er.

»Genau wie ich's gesagt habe«, sagte ich. »Wer hat als letzter Schubert *angefaßt*?« Franny lachte; ich hatte ihr von der Geschichte erzählt, und ich nahm nicht an, daß Frank sie kannte – weil ich die Seiten aus Franks Buch gerissen hatte. Es war eine kaputte Geschichte.

»Ist das so was wie eine Scherzfrage?« fragte Frank.

Sechzig Jahre nach Schuberts Tod war der arme Hinterwäldler Anton Bruckner dabei, als Schuberts Grab geöffnet
wurde. Nur Bruckner und ein paar Wissenschaftler waren zugelassen. Ein Herr aus dem Bürgermeisteramt hielt eine An-
sprache und ließ sich endlos über Schuberts grausige Überreste
aus. Schuberts Schädel wurde fotografiert; ein Schreiber no-
tierte die Untersuchungsergebnisse – und hielt fest, daß Schubert leicht orange gefärbt war und daß seine Zähne in einem
besseren Zustand als die Beethovens waren (Beethoven hatte
man schon vorher für ähnliche Studien auferstehen lassen). Die
Schubertsche Hirnschale wurde vermessen und die Maße auf-
geschrieben.

Nach fast zwei Stunden »wissenschaftlicher« Untersuchun-
gen konnte Bruckner nicht mehr länger an sich halten. Er
packte den Schädel Schuberts und drückte ihn an sich, bis er
aufgefordert wurde, ihn hinzulegen. Also war Bruckner der
letzte, der Schubert anfaßte. Eigentlich war das eine Geschichte
nach Franks Geschmack, und er war wütend, weil er sie nicht
kannte.

»Das war wieder Bruckner«, antwortete Mutter ruhig, und
Franny und ich waren verblüfft, daß *sie* Bescheid wußte; wir
lebten von einem Tag zum andern in der Überzeugung, daß
Mutter nichts wußte, und dann stellte sich heraus, daß sie alles
wußte. Auf Wien, das wußten wir, hatte sie sich heimlich vorbereitet – vielleicht weil sie wußte, daß Vater nichts dafür tat.

»Was für Belanglosigkeiten!« sagte Frank, als wir ihm die
Geschichte erklärt hatten. »Ehrlich, was für belangloses Zeug!«

»Die Geschichte der Menschheit besteht aus Belanglosigkeiten«, sagte Vater und war mal wieder ganz Iowa-Bob.

Aber normalerweise war Frank die Quelle für Belanglosigkeiten – und zumindest was Wien betraf, ließ er sich höchst
ungern übertrumpfen. Überall in seinem Zimmer hatte er
Zeichnungen von Soldaten in ihren Traditionsuniformen:
Husaren in hautengen rosaroten Hosen und maßgeschneider-
ten Jacken, die die blaue Farbe eines sonnenbeschienenen Sees
hatten, und die Offiziere der Tiroler Schützen im Hoffnungs-

grün. Bei der Pariser Weltausstellung von 1900 gewann Österreich den Preis für die schönste Uniform (für die Artillerie); da war es kein Wunder, daß das *Fin de siècle* in Wien auf Frank Eindruck machte. Beunruhigend war nur, daß das *Fin de siècle* der *einzige* Zeitabschnitt war, den Frank wirklich studierte – und uns beibrachte. Alles übrige war für ihn nicht so interessant.

»Wien ist was anderes als *Mayerling*, Himmel nochmal«, flüsterte Franny mir zu, während ich Gewichte stemmte. »Jedenfalls *heutzutage*.«

»Wer war der Meister des Liedes – als einer Kunstform?« fragte ich sie. »Aber in seinem Bart gab es kahlgerupfte Stellen, weil er so nervös war, daß er seine Haare nie in Ruhe ließ.«

»Hugo Wolf, du Arschloch«, sagte sie. »Begreifst du denn nicht? *So* ist Wien nicht mehr.«

TAG!

schrieb uns Freud.

DU FRAGST NACH EINEM LAGEPLAN FÜR DIE STOCK-
WERKE? ALSO HOFFENTLICH VERSTEH ICH DAS RICH-
TIG! DAS IST DIE LAGE: DAS JOURNAL DES SYMPOSIUMS
ÜBER OST-WEST-BEZIEHUNGEN BELEGT DEN ERSTEN
STOCK – FÜR BÜROARBEIT AM TAGE – UND DEN
PROSTITUIERTEN ÜBERLASSE ICH DEN ZWEITEN
STOCK, DENN DANN SIND SIE ÜBER DEN BÜRORÄUMEN,
UND DIE WERDEN NACHTS NICHT BENÜTZT. SO GIBT
ES KEINE KLAGEN (ODER NUR SELTEN). HA HA! DAS
ERDGESCHOSS GEHÖRT UNS, ICH MEINE MIR UND DEM
BÄREN – UND DIR UND EUCH ALLEN, WENN IHR
KOMMT. WIR HABEN ALSO DEN DRITTEN UND DEN
VIERTEN STOCK FÜR DIE GÄSTE, WENN WIR DIE GÄSTE
BEKOMMEN. WARUM FRAGST DU? HAST DU EINEN
PLAN? DIE PROSTITUIERTEN SAGEN, WIR BRAUCHEN

EINEN AUFZUG, ABER DIE SIND EBEN VIEL AUF ACHSE.
HA HA! WAS SOLL DAS HEISSEN, WIE ALT BIN ICH?
RUND HUNDERT JAHRE! ABER WIR WIENER HABEN
EINE BESSERE ANTWORT: »ICH BLEIBE IMMER WEG VON
OFFENEN FENSTERN.« EIN ALTER SCHERZ. ES GAB MAL
EINEN STRASSENCLOWN, DEN MÄUSEKÖNIG: ER
DRESSIERTE NAGETIERE, ER STELLTE HOROSKOPE, ER
KONNTE NAPOLEON NACHMACHEN, ER KONNTE
HUNDE AUF KOMMANDO FURZEN LASSEN. EINES
NACHTS SPRANG ER AUS SEINEM FENSTER, MIT ALLEN
SEINEN TIEREN IN EINER KISTE. AUF DER KISTE STAND
GESCHRIEBEN: »ERNST IST DAS LEBEN, HEITER IST DIE
KUNST!« ICH HABE GEHÖRT, SEINE BEERDIGUNG WAR
EIN FEST. EIN STRASSENKÜNSTLER HATTE SICH UMGE-
BRACHT. KEINER HATTE IHN UNTERSTÜTZT, ABER
JETZT VERMISSTEN IHN ALLE. WER WÜRDE VON NUN
AN DIE HUNDE MUSIK MACHEN UND DIE MÄUSE
JAPSEN LASSEN? DER BÄR WEISS DAS AUCH: ES IST EIN
HARTES STÜCK ARBEIT UND EINE GROSSE KUNST, DEM
LEBEN ETWAS VON SEINEM ERNST ZU NEHMEN.
PROSTITUIERTE WISSEN DAS AUCH.

»Prostituierte?« sagte Mutter.
»Was?« sagte Egg.
»Huren?« sagte Franny.
»In dem Hotel sind Huren?« fragte Lilly. Na, wenn das
alles ist, dachte ich, aber Max Urick schien bei dem Gedanken,
dableiben zu müssen, noch mürrischer als sonst; Ronda Ray
zuckte mit den Achseln.
»Süße Mädels!« sagte Frank.
»Jessas Gott, was soll's«, sagte Vater. »Wenn sie da sind,
setzen wir sie einfach raus.«
Wo bleibt die alte Zeit
und die Gemütlichkeit?
sang Frank auf deutsch und ging dazu auf und ab. Es war
das Lied, das Bratfisch auf dem Fiakerball sang; Bratfisch

war Kronprinz Rudolfs Leibfiaker gewesen – ein gefährlich aussehender Wüstling mit einer Peitsche.

Wo bleibt die alte Zeit?

Pfiat di Gott, mein schönes Wien!

sang Frank weiter. Bratfisch hatte das gesungen, nachdem Rudolf erst seine Geliebte ermordet und sich dann eine Kugel in den Kopf gejagt hatte.

TAG!

schrieb Freud.

MACHT EUCH KEINE SORGEN WEGEN DER PROSTI-TUIERTEN. DIE SIND HIER *LEGAL*. GESCHÄFT IST GESCHÄFT. DIE LEUTE VON DEN OST-WEST-BEZIEHUN-GEN, AUF *DIE* MUSS MAN AUFPASSEN. IHRE SCHREIB-MASCHINEN ÄRGERN DEN BÄREN. SIE BESCHWEREN SICH STÄNDIG, UND SIE BLOCKIEREN DIE TELEFON-LEITUNGEN. VERDAMMTE POLITIK, VERDAMMTE INTELLEKTUELLE, VERDAMMTE INTRIGEN.

»Intrigen?« sagte Mutter.

»Ein Sprachproblem«, sagte Vater. »Freud kann unsere Sprache nicht.«

»Nennt mir einen Antisemiten, nach dem ein Platz in der Stadt Wien benannt worden ist«, verlangte Frank. »Nennt mir nur einen.«

»Jessas Gott, Frank«, sagte Vater.

»Nein«, sagte Frank.

»Dr. Karl Lueger«, sagte Mutter, und ihre Stimme klang so dumpf, daß Franny und ich fröstelten.

»Sehr gut«, sagte Frank, sichtlich beeindruckt.

»Wer sagte von Wien, es sei ein großangelegter Versuch, die sexuelle Wirklichkeit zu verstecken?« fragte Mutter.

»Freud?« sagte Frank.

»*Unser* Freud bestimmt nicht«, sagte Franny.

Aber *unser* Freud schrieb uns:

GANZ WIEN IST EIN GROSSANGELEGTER VERSUCH,
DIE SEXUELLE WIRKLICHKEIT ZU VERSTECKEN. DES-
HALB IST DIE PROSTITUTION LEGAL. DESHALB GLAU-
BEN WIR AN BÄREN. ENDE DER DURCHSAGE!

Eines Morgens war ich bei Ronda Ray und dachte mißmutig daran, daß Arthur Schnitzler in vielleicht elf Monaten Jeanette Heger 464mal gefickt hatte, und Ronda Ray fragte mich: »Was meint er damit, daß es ›legal‹ ist – die Prostitution ist *legal* – was meint er damit?«

»Es ist nicht gegen das Gesetz«, sagte ich. »In Wien ist die Prostitution offenbar nicht gegen das Gesetz.«

Ronda schwieg lange; dann bewegte sie sich unbeholfen unter mir hervor.

»Ist es *hier* legal?« fragte sie mich; ich sah ihr an, daß sie es ernst meinte – sie sah verängstigt aus.

»Im Hotel New Hampshire ist *alles* legal!« sagte ich; es war ein Spruch wie von Iowa-Bob.

»Nein, *hier!*« sagte sie verärgert. »In Amerika. Ist es hier legal?«

»Nein«, sagte ich. »In New Hampshire nicht.«

»*Nein?*« rief sie. »Ist es gegen das *Gesetz?* Wirklich?« kreischte sie.

»Schon, aber es passiert trotzdem«, sagte ich.

»*Warum?*« brüllte Ronda. »Warum ist es gegen das Gesetz?«

»Ich weiß nicht«, sagte ich.

»Du gehst jetzt besser«, sagte sie. »Und du gehst nach Wien, und mich läßt du *hier?*« fügte sie hinzu, während sie mich aus der Tür drängte. »Du gehst jetzt besser«, sagte sie.

»Wer hat zwei Jahre an einem Deckengemälde gearbeitet und es dann *Schweinsdreck* genannt?« fragte mich Frank beim Frühstück.

»Herrgott, Frank, wir sitzen beim Frühstück«, sagte ich.

»Gustav Klimt«, sagte Frank selbstgefällig.

Und so verging der Winter 1957: ich arbeitete immer noch mit den Gewichten, hielt mich aber bei den Bananen zurück; ich besuchte immer noch Ronda Ray, träumte aber von der Kaiserstadt; ich lernte unregelmäßige Verben und die faszinierenden Belanglosigkeiten der Geschichte; ich versuchte, mir den Zirkus vorzustellen, der Fritzens Nummer hieß, und das Hotel, das Gasthaus Freud hieß. Unsere Mutter schien müde, aber sie zeigte sich loyal; sie und mein Vater schienen auf häufigere Besuche im alten 2 E zurückzugreifen, wo ihre Differenzen ihnen vielleicht leichter zu lösen schienen. Die Uricks waren auf der Hut; sie neigten immer mehr zu vorsichtiger Zurückhaltung, da sie sich zweifellos im Stich gelassen fühlten – »einem Zwerg ausgeliefert«, sagte Max, aber nur, wenn Lilly nicht in der Nähe war. Und eines Morgens, als sich schon das Frühjahr ankündigte und der immer noch halb gefrorene Boden im Elliot Park schwammig zu werden begann, weigerte sich Ronda Ray, Geld von mir zu nehmen – aber *mich* nahm sie an.

»Es ist nicht legal«, flüsterte sie verbittert. »Ich bin keine Verbrecherin.«

Später entdeckte ich, daß sie auf ein höheres Ziel setzte.

»Wien«, flüsterte sie. »Was willst du dort machen ohne mich?« fragte sie. Ich hatte tausend Ideen und fast so viele bildliche Vorstellungen, aber ich versprach Ronda, ich würde Vater bitten, sich zu überlegen, ob er sie nicht doch mitnehmen wollte.

»Sie schafft eine Menge«, sagte ich zu Vater. Mutter zog die Augenbrauen hoch. Franny verschluckte sich. Frank brummte über das Wetter in Wien: »Jede Menge Regen.« Und Egg wollte natürlich wissen, was wir redeten.

»Nein«, sagte Vater. »Ronda nicht. Das können wir uns nicht leisten.« Alle sahen erleichtert aus – selbst ich, das muß ich zugeben.

Ich brachte es Ronda bei, als sie gerade den Tresen der Bar einölte.

»Nun ja, nochmal fragen hat ja nichts geschadet, oder?« sagte sie.

»Nein, das nicht«, sagte ich. Aber als ich am nächsten Morgen vor ihrer Tür stehenblieb und ein bißchen schnaufte, schien es doch geschadet zu haben.

»Lauf ruhig weiter, John-O«, sagte sie. »Laufen ist legal. Laufen kostet nichts.«

Ich hatte daraufhin eine unbeholfene und vage Unterhaltung mit Junior Jones, bei der es um die ›Wollust‹ ging; es tröstete mich, daß er davon nicht mehr zu verstehen schien als ich. Es war für uns beide frustrierend, daß Franny zu dem Thema so ganz andere Ansichten hatte.

»Frauen«, sagte Junior Jones. »Die sind ganz anders als du und ich.« Ich nickte natürlich. Franny schien Junior seine ›Wollust‹ mit Ronda Ray verziehen zu haben, aber irgend etwas in ihr hielt ihn weiterhin auf Distanz; es schien ihr, zumindest nach außen, gleichgültig, daß sie Junior Jones zugunsten Wiens zurücklassen mußte. Vielleicht war sie hin- und hergerissen, weil sie einerseits nicht wollte, daß ihr Junior zu sehr fehlte, und sie andererseits hoffnungsvoll aber ruhig dem Abenteuer entgegensah, das Wien ihr bringen konnte.

Sie zeigte kein Interesse, wenn man sie danach fragte, und so mußte ich mich in diesem Frühjahr öfter als sonst mit Frank rumschlagen; Frank war aufgedreht: sein Schnurrbart war eine nervöse Variante der Ausschweifungen im Gesicht des verblichenen Kronprinzen Rudolf, auch wenn Franny und ich Frank gerne den Mäusekönig nannten.

»Da kommt er, der Mann, der Hunde auf Kommando furzen lassen kann! Wer ist der Mann?« rief ich.

»Ernst ist das Leben, heiter ist die Kunst!« brüllte dann Franny. »Hier ist er, der Held aller Straßenclowns! Haltet ihn fern von offenen Fenstern!«

»Mäusekönig!« rief ich.

»Ihr könnt mich mal, alle beide«, sagte Frank.

»Wie kommst du mit dem Hund voran, Frank?« fragte ich; damit ließ er sich immer wieder ködern.

»Na ja«, sagte Frank, und eine Vision von Kummer ließ seinen Schnurrbart erzittern, »ich glaube, Egg wird sich freuen – auch wenn uns anderen Kummer vielleicht ein bißchen zahm vorkommen wird.«

»Da hab ich meine Zweifel«, sagte ich. Wenn ich Frank ansah, konnte ich mir den Kronprinzen vorstellen, schwermütig auf dem Weg nach Mayerling – um seine Geliebte zu ermorden und sich selbst zu töten –, aber es war leichter, an Freuds Straßenkünstler zu denken, wie er mitsamt seiner Mäusekiste aus einem Fenster sprang: der am Boden zerschmetterte Mäusekönig und eine Stadt, die ihn immer ignoriert hatte und nun plötzlich um ihn trauerte. Irgendwie schien Frank der richtige Mann für diese Rolle.

»Wer wird die Hunde Musik machen und die Mäuse japsen lassen?« fragte ich Frank beim Frühstück.

»Geh du zu deinen Hanteln«, sagte er. »Vielleicht fällt dir mal eine auf den Kopf.«

Frank wanderte also zurück ins Biologie-Labor; wenn der Mäusekönig Hunde auf Befehl furzen lassen konnte, konnte Frank Kummer in mehr als einer Pose auferstehen lassen – vielleicht *war* er also eine Art Kronprinz, wie Rudolf, angehender Kaiser von Österreich, König von Böhmen, König von Siebenbürgen, Markgraf von Mähren, Herzog von Auschwitz (um nur ein paar von Rudolfs Titeln zu nennen).

»Wo ist der Mäusekönig?« fragte beispielsweise Franny.

»Bei Kummer«, sagte ich dann. »Er bringt Kummer bei, auf Kommando zu furzen.«

Und wenn wir in den Gängen des Hotels New Hampshire aneinander vorbeigingen, sagte ich etwa zu Lilly, oder Franny sagte zu Frank: »Bleib immer weg von offenen Fenstern.«

»Schweinsdreck«, sagte Frank auf deutsch.

»Angeber«, sagte Franny.

»Selber Schweinsdreck, Frank«, sagte ich.

»*Was?*« schrie Egg.

Und eines Morgens fragte Lilly Vater: »Reisen wir eigentlich ab, bevor der Zirkus namens Fritzens Nummer hier ist, oder bekommen wir die noch zu sehen?«

»Ich hoffe bloß, ich bekomme sie *nicht* zu sehen«, sagte Franny.

»Gibt es denn keine Überschneidung, wenigstens einen Tag?« fragte Frank. »Ich meine, zur Übergabe der Schlüssel und so.«

»Was denn für Schlüssel?« fragte Max Urick.

»Und für welche *Schlösser?*« sagte Ronda Ray, deren Tür mir verschlossen blieb.

»Wir werden vielleicht für zehn oder fünfzehn Minuten zusammentreffen«, sagte Vater.

»Ich will sie sehen«, sagte Lilly ernst. Und ich warf einen Blick auf Mutter, die müde aussah – aber liebenswert: sie war eine weiche Frau, mit vielen Fältchen, und Vater liebte es offensichtlich, sie anzufassen. Er grub immer sein Gesicht in ihren Hals, umschlang sie von hinten und barg ihre Brüste in seinen Händen – und Mutter tat nur so, als störe es sie (vor uns Kindern). Wenn Vater in Mutters Nähe war, erinnerte er an jene Hunde, die einem dauernd ihren Kopf in den Schoß drängen und die einem voller Wohlbehagen die Schnauze in die Achselhöhle oder zwischen die Beine schieben; das soll keineswegs heißen, daß Vater plump zu ihr war, aber er ging ständig auf Tuchfühlung: er drückte sie an sich und klammerte sich an sie.

Natürlich machte das auch Egg mit Mutter, und auch Lilly – bis zu einem gewissen Grad –, doch bei Lilly geschah es mit mehr Würde und Zurückhaltung, da ihre Kleinheit so viel Gewicht bekommen hatte. Es war, als wolle sie sich nicht zu kindlich verhalten, um nicht noch kleiner zu erscheinen, als sie ohnehin schon war.

»Der Durchschnittsösterreicher ist annähernd zehn Zentimeter kleiner als der Durchschnittsamerikaner, Lilly«, ließ Frank sie wissen, aber Lilly war das offenbar gleichgültig – sie zuckte mit den Achseln; es war Mutters Bewegung, selbständig und anmutig. In ihrer unterschiedlichen Art hatten sowohl Franny als auch Lilly diese Geste geerbt.

Manchmal sah ich sie in diesem Frühjahr bei Franny: nur ein einmaliges flinkes Achselzucken, als wolle sie einen lästigen Schmerz abschütteln – so als Junior Jones uns erzählte, er werde im Herbst das Footballstipendium der Penn State University annehmen.

»Ich schreibe dir dann«, sagte Franny zu ihm.

»Sicher, und *ich* schreibe *dir*«, sagte er zu ihr.

»Ich schreibe dir öfter«, sagte Franny. Junior Jones versuchte mit der Achsel zu zucken, aber es klappte nicht ganz.

»Scheiße«, sagte er mir, während wir im Elliot Park mit Steinen nach einem Baum schmissen. »Was will Franny eigentlich *tun*? Was glaubt sie denn, wird ihr da drüben passieren?«

»Drüben« – so nannten wir es. Bis auf Frank: er benützte nicht mehr das englische »Vienna«, sondern das deutsche *Wien*.

»*Wiiien*«, sagte Lilly schaudernd. »Das klingt, als würde eine Eidechse reden.« Und wir alle starrten sie an und warteten auf Eggs »Was?«.

Dann kam im Elliot Park das Gras heraus, und in einer warmen Nacht machte ich – als ich sicher war, daß Egg schlief – das Fenster auf und besah mir den Mond und die Sterne und hörte den Grillen und Fröschen zu, und Egg sagte: »Bleib immer weg von offenen Fenstern.«

»Du bist wach?« sagte ich.

»Ich kann nicht schlafen«, sagte Egg. »Ich sehe nicht, wo ich hingehe«, sagte er. »Ich weiß nicht, wie es sein wird.«

Es klang, als fange er gleich an zu weinen, und so sagte ich: »Ach komm, Egg. Es wird *klasse* sein. Du hast noch nie in einer *Großstadt* gelebt«, sagte ich.

»Ich weiß«, sagte er schniefend.

»Glaub mir, man kann da alles möglich tun, mehr als hier«, versprach ich ihm.

»Ich kann hier eine Menge tun«, sagte er.

»Aber da wird alles ganz *anders* sein«, sagte ich zu ihm.

»Warum springen die Menschen aus Fenstern?« fragte er.

Und ich erklärte ihm, es sei nur eine Geschichte – auch wenn er mit dem Sinn solcher Gleichnisse wahrscheinlich nichts anfangen konnte.

»Es gibt Spione in dem Hotel«, sagte er. »Das hat Lilly gesagt: ›Spione und Flittchen.‹«

Ich konnte mir denken, daß »Flittchen« in Lillys Vorstellung etwas Kleines waren wie sie selbst, und ich versuchte Egg zu beruhigen und ihm klarzumachen, daß man vor den Bewohnern des Freudschen Hotels keine Angst zu haben brauchte; ich sagte, Vater werde sich um alles kümmern – und hörte das Schweigen, mit dem wir beide, Egg und ich, *das* Versprechen hinnahmen.

»Wie werden wir da hinkommen?« fragte Egg. »Es ist so weit weg.«

»Mit einem Flugzeug«, sagte ich.

»Wie das ist, weiß ich auch nicht«, sagte er.

(Tatsächlich wollten wir mit *zwei* Flugzeugen fliegen, da sich Vater und Mutter nie in dasselbe Flugzeug setzten; viele Eltern sind so. Auch das erklärte ich Egg, aber er sagte nur immer wieder: »Ich weiß nicht, wie es sein wird.«)

Dann kam Mutter in unser Zimmer, um Egg zu trösten, und ich schlief ein, während sie noch miteinander redeten, und wachte wieder auf, als Mutter im Hinausgehen war; Egg schlief jetzt. Mutter kam an mein Bett und setzte sich neben mich; ihre Haare waren offen, und sie sah sehr jung aus; ja, im Halbdunkel hatte sie viel Ähnlichkeit mit Franny.

»Er ist erst sieben«, sagte sie von Egg. »Du solltest mehr mit ihm reden.«

»Okay«, sagte ich. »Willst *du* denn nach Wien?«

Und natürlich zuckte sie mit den Achseln – und lächelte – und sagte: »Dein Vater ist ein guter, guter Mann.« Es war eigentlich das erste Mal, daß ich sie im Sommer 1939 sehen konnte: wie Vater Freud versprach, er *werde* heiraten und er *werde* Harvard besuchen – und wie Freud Mutter nur um eines bat – Vater zu verzeihen. War es *das*, was sie ihm verzeihen mußte? Und war die Tatsache, daß er uns aus der schrecklichen Stadt Dairy herausriß, aus der erbärmlichen Dairy School und aus dem ersten Hotel New Hampshire, das nicht gerade ein Superhotel war (auch wenn das keiner aussprach) –, war *das* wirklich so schlimm, was Vater da machte?

»*Magst* du Freud?« fragte ich sie.

»Eigentlich *kenne* ich Freud gar nicht«, sagte Mutter.

»Aber Vater mag ihn«, sagte ich.

»Dein Vater mag ihn«, sagte Mutter, »aber er kennt ihn eigentlich auch nicht.«

»Was meinst du, wie wird der Bär sein?« fragte ich sie.

»Ich weiß nicht, *wofür* der Bär da ist«, flüsterte Mutter, »darum kann ich auch nicht raten, *wie* er sein könnte.«

»Wofür *könnte* er wohl dasein?« fragte ich, aber sie zuckte wieder mit den Achseln – vielleicht dachte sie daran, wie Earl gewesen war, und versuchte sich zu erinnern, *wofür* Earl dagewesen sein könnte.

»Das werden wir alle zusammen herausfinden«, sagte sie und gab mir einen Kuß. Es war ein Spruch wie von Iowa-Bob.

»Gute Nacht«, sagte ich zu Mutter und gab ihr einen Kuß.

»Bleib immer weg von offenen Fenstern«, flüsterte sie, und ich schlief.

Dann träumte ich, daß Mutter starb.

»Keine Bären mehr«, sagte sie zu Vater, aber er verstand sie falsch; er dachte, sie hätte das als Frage gemeint.

»Doch, *ein* Bär noch«, sagte er. »Nur noch einer, ich versprech es.«

Und sie lächelte und schüttelte den Kopf; sie war zu müde, um das Mißverständnis zu klären. Sie zeigte die leiseste Andeutung ihres berühmten Achselzuckens, und die Absicht dazu spiegelte sich auch in ihren Augen, die plötzlich nach oben gingen und aus dem Blickfeld verschwanden, und Vater wußte, daß der Mann in der weißen Smokingjacke Mutters Hand ergriffen hatte.

»Okay! Keine Bären mehr!« versprach Vater, aber Mutter war bereits an Bord der weißen Schaluppe und stach in See.

In meinem Traum war Egg nicht da; aber Egg war da, als ich aufwachte – er schlief immer noch, und da war jemand, der ihn bewachte.

Ich erkannte den glänzenden, schwarzen Rücken – das dichte, kurze, ölige Fell; die kantige Rückseite seines Dickschädels und die halb aufgerichteten untauglichen Ohren. Er saß auf seinem Schwanz, so wie er das – zu seinen Lebzeiten – immer getan hatte, und er blickte auf Egg herab. Frank hatte ihn wohl so hergerichtet, daß er einfältig grinste oder wenigstens hechelte, in dieser beknackten Art, mit der einem Hunde immer wieder Bälle und Prügel vor die Füße legen. Ach, die schwachsinnigen und doch glücklichen *Zuträger* der Welt – das war unser alter Kummer: ein Zuträger und ein Furzer. Ich kroch aus dem Bett, um mir das Biest von vorne, aus Eggs Blickwinkel, anzusehen.

Auf einen Blick sah ich, daß sich Frank im Bemühen, Kummer »lieb« zu machen, selbst übertroffen hatte. Kummer saß auf seinem Schwanz, wobei er mit den Vorderpfoten sittsam seinen Unterleib bedeckt hielt; auf seinem Gesicht lag eine läppische, glatte Glückseligkeit, und die heraushängende Zunge ließ ihn noch einfältiger aussehen. Er sah aus, als wolle er gleich furzen oder mit dem Schwanz wedeln oder sich blödsinnig auf dem Rücken wälzen; er sah aus, als warte er sehnsüchtig darauf, daß ihn jemand hinter den Ohren kraulte – er sah aus wie ein hoffnungslos unterwürfiges Tier, das immer nur gestreichelt und gehätschelt werden wollte. Wenn man außer acht ließ, daß er tot war und daß man Kummers *andere* Erscheinungsformen unmöglich aus dem Gedächtnis verbannen konnte, dann sah *dieser* Kummer so harmlos aus, wie Kummer je ausgesehen haben konnte.

»Egg?« flüsterte ich. »Wach auf.« Aber es war Samstag, der Tag, an dem Egg immer ausschlief – und ich wußte, daß Egg in der Nacht schlecht oder nur wenig geschlafen hatte. Ich blickte aus dem Fenster und sah unseren Wagen im Elliot Park um die Bäume herumfahren, als sei der sumpfige Park ein Slalomkurs – und an der langsamen Fahrt erkannte ich, daß

Frank am Steuer sitzen mußte; er hatte gerade erst seinen Führerschein gemacht, und er machte gern Übungsfahrten um die Bäume im Elliot Park. Außerdem hatte Franny gerade ihren befristeten Fahrschülerausweis bekommen, und Frank brachte ihr das Autofahren bei. Daß Frank am Steuer saß, sagte mir das gemächliche Tempo, mit dem der Wagen durch die Bäume fuhr, wie eine Staatskarosse, wie ein *Leichenwagen* – so fuhr Frank immer. Selbst wenn er Mutter zum Supermarkt brachte, konnte man meinen, er fahre mit dem Sarg einer Königin durch ein Spalier von Trauernden, die noch einen letzten Blick erhaschen wollten. Wenn Franny fuhr, wand sich Frank laut jammernd neben ihr auf dem Beifahrersitz; Franny fuhr gern schnell.

»Egg!« sagte ich lauter, und er bewegte sich ein wenig. Draußen wurden Türen zugeschlagen, in unserem Wagen im Elliot Park gab es einen Fahrerwechsel; ich sah gleich, daß Franny das Steuer übernommen hatte, als der Wagen schaukelnd um die Bäume kurvte und große Batzen des Frühlingsdrecks durch die Luft flogen – während Franks wild gestikulierende Arme auf dem vielzitierten Todessitz nur zu ahnen waren.

»Jessas Gott!« hörte ich Vater aus einem anderen Fenster brüllen. Dann machte er das Fenster wieder zu und beschwerte sich in allen Tönen bei Mutter – über Frannys Fahrweise und darüber, daß man im Elliot Park neues Gras pflanzen müsse und daß man den Dreck nur noch mit dem Meißel vom Auto wegbekomme –, und während ich noch immer Franny bei ihrer rasenden Fahrt zwischen den Bäumen zusah, machte Egg die Augen auf und sah Kummer. Sein Schrei ließ mich die Daumen gegen die Fensterbank rammen und mich auf die Zunge beißen. Mutter kam ins Zimmer gestürzt, um zu sehen, was los war, und begrüßte Kummer ihrerseits mit einem Aufschrei.

»Jessas Gott«, sagte Vater. »Warum muß Frank immer alle mit dem verdammten Hund *überrumpeln?* Warum kann er nicht einfach sagen: ›Jetzt zeig ich dir Kummer‹, und dann das verdammte Ding herbringen – wenn wir alle darauf vorbereitet sind, Himmel nochmal!«

»Kummer?« sagte Egg und lugte unter der Bettdecke hervor.

»Es ist nur Kummer, Egg«, sagte ich. »Sieht er nicht lieb aus?« Egg lächelte den einfältig dreinblickenden Hund vorsichtig an.

»Er sieht wirklich lieb aus«, sagte Vater, plötzlich ganz zufrieden.

»Er *grinst!*« sagte Egg.

Lilly kam in Eggs Zimmer und drückte Kummer an sich; sie setzte sich und lehnte sich an den aufrecht dasitzenden Hund. »Sieh mal, Egg«, sagte sie, »du kannst ihn als Rückenlehne benutzen.«

Frank kam herein und sah furchtbar stolz aus.

»Phantastisch, Frank«, sagte ich.

»Wirklich schön« sagte Lilly.

»Eine bemerkenswerte Leistung, mein Junge«, sagte Vater; Frank strahlte nur noch. Franny kam herein und redete schon, noch bevor sie ganz im Zimmer war.

»Also ehrlich, Frank ist so ein Hosenscheißer im Auto«, beklagte sie sich. »Man könnte meinen, er will einen Postkutscher aus mir machen!« Dann sah sie Kummer. »Wow!« rief sie. Und weshalb warteten wir eigentlich alle gespannt darauf, was Franny sagen würde? Obwohl sie noch nicht einmal sechzehn war, schien die ganze Familie sie als die eigentliche Autorität anzuerkennen – als das letzte Wort. Franny umkreiste Kummer, fast als sei sie selber ein Hund, und schnupperte an ihm. Dann legte sie Frank den Arm um die Schulter, und er wartete starr auf ihr Urteil. »Der Mäusekönig hat ein verficktes *Meisterwerk* geschaffen«, verkündete Franny; ein Lächeln zuckte über Franks angespanntes Gesicht. »Frank«, sagte Franny aufrichtig, »diesmal hast du's wirklich hingekriegt. Das da *ist* wirklich Kummer.« Und sie beugte sich über den Hund und tätschelte ihn – drückte seinen Kopf an sich, ganz wie früher, und kraulte ihn hinter den Ohren. Das schien Egg endgültig zu überzeugen, und er begann Kummer ohne Zurückhaltung zu hätscheln. »Du bist zwar ein Arschloch, wenn's ans Autofahren geht, Frank«, ließ Franny ihn wissen, »aber wie du Kummer hingekriegt hast, ist absolute Spitzenklasse.«

Frank sah aus, als würde er ohnmächtig werden oder einfach umfallen, und alle redeten durcheinander und klopften Frank auf den Rücken und knufften und kraulten Kummer – alle bis auf Mutter, wie uns plötzlich auffiel; sie stand am Fenster und blickte hinaus auf den Elliot Park.

»Franny?« sagte sie.

»Ja«, sagte Franny.

»Franny«, sagte Mutter, »so wirst du nie wieder durch den Park fahren – hast du mich verstanden?«

»Okay«, sagte Franny.

»Du kannst jetzt zum Lieferanteneingang gehen, *sofort*«, sagte Mutter, »und Max soll dir den Gartenschlauch hersuchen. Und füll ein paar Eimer mit *heißem Seifenwasser*. Du wirst den ganzen Dreck vom Auto waschen, bevor er festtrocknet.«

»Okay«, sagte Franny.

»Sieh dir mal den Park an«, sagte ihr Mutter. »Du hast das ganze neue Gras ausgerissen.«

»Es tut mir leid«, sagte Franny.

»Lilly?« sagte Mutter, immer noch mit Blick auf den Park – doch mit Franny war sie fertig.

»Ja?« sagte Lilly.

»Dein Zimmer, Lilly«, sagte Mutter. »Was werde ich wohl zu deinem Zimmer sagen?«

»Oh«, sagte Lilly. »Es ist ein Saustall.«

»Seit einer *Woche* ist es ein Saustall«, sagte Mutter. »Heute gehst du bitte nicht mehr aus deinem Zimmer, bis es dort besser aussieht.«

Ich bemerkte, daß sich Vater, zusammen mit Lilly, still davonschlich – und Franny ging hinaus, um das Auto zu waschen. Frank konnte es offenbar nicht fassen, daß sein Erfolg so schnell vorbei sein sollte! Er schien nicht bereit,

Kummer jetzt, da er ihn neu geschaffen hatte, schon wieder zu verlassen.

»Frank?« sagte Mutter.

»Ja!« sagte Frank.

»Da du ja jetzt mit Kummer fertig bist, könntest vielleicht auch *du* dein Zimmer aufräumen?« fragte Mutter.

»Äh, ja, sicher«, sagte Frank.

»Es tut mir leid, Frank«, sagte Mutter.

»Was denn?« sagte Frank.

»Es tut mir leid, aber ich mag Kummer nicht, Frank«, sagte Mutter.

»Du *magst* ihn nicht?« sagte Frank.

»Nein, weil er nämlich *tot* ist, Frank«, sagte Mutter. »Er wirkt sehr *echt*, Frank, aber er ist tot, und ich finde tote Dinge nicht lustig.«

»Es tut mir leid«, sagte Frank.

»Jessas Gott!« sagte ich.

»Und *du*, bitte«, sagte Mutter zu mir, »paß auf, wie du *sprichst*. Du hast fürchterliche Ausdrücke«, sagte sie mir. »Vor allem wenn man bedenkt, daß du dein Zimmer mit einem siebenjährigen Kind teilst. Ich hab das ewige ›verfickt‹ und die ewigen ›Ficker‹ satt«, sagte Mutter. »Wir leben hier nicht in einem Umkleideraum.«

»Ja«, sagte ich und bemerkte, daß Frank gegangen war – der Mäusekönig hatte sich verdrückt.

»Egg«, sagte Mutter – und in ihrer Stimme war keine Kraft mehr.

»Was?« sagte Egg.

»Kummer kommt mir nicht mehr aus deinem Zimmer, Egg«, sagte Mutter. »Ich laß mich nicht gern *erschrecken*«, sagte sie, »und wenn Kummer dieses Zimmer noch einmal verläßt, wenn ich ihn anderswo finde als in diesem Zimmer – dann ist es passiert, dann kommt er endgültig weg.«

»Gut«, sagte Egg. »Aber kann ich ihn nach Wien mitnehmen? Wenn wir gehen, mein ich – kann Kummer dann mit?«

»Ich fürchte, er *muß* mitkommen«, sagte Mutter. Ihre

Stimme klang genauso resigniert wie sie in meinem Traum geklungen hatte, als Mutter gesagt hatte: »Keine Bären mehr«, ehe sie an Bord der weißen Schaluppe entschwunden war.

»Heiliger Strohsack«, sagte Junior Jones, als er Kummer auf Eggs Bett sitzen sah, eines von Mutters Halstüchern um Kummers Schultern, Eggs Baseballmütze auf Kummers Kopf. Franny hatte Junior ins Hotel gebracht, damit er Franks Wunderwerk sehen konnte. Harold Swallow war auch mitgekommen, aber Harold irrte irgendwo herum; er war im ersten Stock falsch abgebogen, und anstatt in unsere Wohnung zu kommen, irrte er durch das Hotel. Ich versuchte an meinem Schreibtisch zu lernen – ich lernte auf meine Deutsch-Prüfung und versuchte, Frank *nicht* um Hilfe zu bitten. Franny und Junior Jones machten sich auf die Suche nach Harold, und Egg war mit Kummers Kostümierung nicht mehr zufrieden; er zog den Hund aus und begann von vorne.

Dann fand Harold Swallow den Weg zu unserer Tür und blickte zu uns herein – und sah den nackten Kummer auf Eggs Bett sitzen. Harold hatte Kummer noch nie gesehen – weder tot noch lebendig –, und er rief den Hund zu sich an die Tür.

»Hierher, Hundchen!« rief er. »Komm her!«

Kummer grinste Harold an, als wolle er gleich loswedeln – ohne sich zu rühren.

»Nun komm schon! Hier, mein Hundchen!« rief Harold. »Guter Hund, liebes Hundchen!«

»Er muß in diesem Zimmer bleiben«, ließ Egg Harold Swallow wissen.

»Ach so«, sagte Harold mit einem eindrucksvollen Augenaufschlag in meine Richtung. »Also wirklich, der ist sehr gut erzogen«, sagte Harold Swallow. »Der rührt sich nicht vom Fleck, was?«

Und ich ging mit Harold Swallow hinunter ins Restaurant, wo Junior und Franny nach ihm suchten; ich sah keinen Grund, weshalb ich Harold sagen sollte, daß Kummer tot war.

»Das dein kleiner Bruder?« fragte mich Harold nach Egg.

»Genau«, sagte ich.

»Und einen netten Hund habt ihr auch«, sagte Harold.

»Scheiße, Mann«, sagte Junior Jones später zu mir; wir standen vor der Turnhalle, die man wie ein Parlamentsgebäude zu schmücken versucht hatte – für das Wochenende, an dem Juniors Abschlußfeier stattfand. »Scheiße«, sagte Junior, »ich mach mir echt Sorgen wegen Franny.«

»Wieso?« fragte ich.

»Es stimmt was nicht mit ihr«, sagte Junior. »Sie will nicht mit mir schlafen«, sagte er. »Nicht mal zum Abschied oder so. Sie tut's einfach nicht, auch nicht dies *eine Mal!* Manchmal hab ich den Eindruck, sie *traut* mir nicht«, sagte Junior.

»Na ja«, sagte ich. »Franny ist doch erst sechzehn.«

»Ich weiß, aber sie ist schon sehr weit für ihr Alter«, sagte er. »Kannst du nicht mal mit ihr reden?«

»*Ich?*« sagte ich. »Was soll ich denn sagen?«

»Kannst du sie nicht mal fragen, warum sie nicht mit mir schlafen will?« sagte Junior Jones.

»Scheiße«, sagte ich, aber ich fragte sie – später, als die Dairy School leer war, als Junior Jones für den Sommer heimgefahren war (um sich für das Penn-State-Footballteam in Form zu bringen), als das alte Schulgelände und vor allem der Weg durch den Wald, den die Footballspieler immer benutzten, Franny und mich an eine Zeit erinnerten, die (für uns) schon *Jahre* zurückzuliegen schien. »Warum hast du eigentlich nie mit Junior Jones geschlafen?« fragte ich sie.

»Ich bin doch erst sechzehn, John«, sagte Franny.

»Ich weiß, aber du bist schon sehr weit für dein Alter«, sagte ich und war mir nicht ganz sicher, was das heißen sollte. Franny zuckte natürlich mit den Achseln.

»Nimm's mal von der Seite«, sagte sie. »Ich werde Junior wiedersehen; wir werden einander schreiben, und so weiter. Wir bleiben Freunde. Irgendwann einmal – wenn ich älter bin, und wenn wir tatsächlich Freunde bleiben – wird es vielleicht genau das Richtige sein: mit ihm zu schlafen. Dann möcht ich es nicht schon aufgebraucht haben.«

»Warum könntest du denn nicht *zweimal* mit ihm schlafen?« fragte ich sie.

»Du hast es nicht begriffen«, sagte sie.

Ich dachte mir, es könnte damit zu tun haben, daß sie vergewaltigt worden war, aber für Franny war ich immer schon ein offenes Buch.

»Nein, Kleiner«, sagte sie. »Mit dem Vergewaltigtwerden hat das nichts zu tun. Mit jemand zu schlafen ist ganz was anderes – vorausgesetzt, es *bedeutet* einem etwas. Ich weiß einfach nicht, was es mir *bedeuten* würde – mit Junior. Noch nicht. *Außerdem*«, sagte sie mit einem großen Seufzer – und sie machte eine Pause. »Außerdem«, sagte sie, »habe ich zwar nicht gerade eine Menge Erfahrung, aber ich habe den Eindruck, wenn einer oder wenn *bestimmte* Leute dich mal gehabt haben, dann hörst du nie wieder von ihnen.«

Jetzt *konnte* sie doch wohl nur von ihrer Vergewaltigung reden; ich war verwirrt. Ich sagte: »Von wem sprichst du denn, Franny?« Und sie biß sich eine Weile auf die Unterlippe.

Dann sagte sie: »Es überrascht mich, daß ich kein Wort – nicht ein einziges Wort – von Chipper Dove gehört habe. Kannst du dir das vorstellen?« fragte sie. »In dieser ganzen Zeit nicht ein einziges Wort.«

Nun war ich *wirklich* verwirrt; ich fand es erstaunlich, daß sie glauben konnte, sie würde *jemals* wieder von *ihm* hören. Mir fiel darauf keine Antwort ein, bloß ein blöder Witz, und so sagte ich: »Na ja, Franny, du hast ihm wohl auch nicht geschrieben.«

»Zweimal«, sagte Franny. »Ich finde, das ist genug.«

»*Genug?*« schrie ich. »Warum hast du dem Ficker *überhaupt* geschrieben?« brüllte ich.

Sie sah überrascht aus. »Nur so, um ihm zu sagen, wie's mir geht und was ich so treibe«, sagte sie. Ich konnte sie nur anstarren, und sie blickte weg. »Ich war in ihn *verliebt*, John«, flüsterte sie.

»Chipper Dove hat dich vergewaltigt, Franny«, sagte ich.

»Dove und Chester Pulaski und Lenny Metz – das war ein Bandenstich.«

»Das brauchst du mir nicht zu sagen«, fuhr sie mich an. »Ich rede von Chipper Dove«, sagte sie. »Nur von ihm.«

»Er hat dich vergewaltigt«, sagte ich.

»Ich war in ihn verliebt«, sagte sie und kehrte mir immer noch den Rücken zu. »Verstehst du denn nicht? Ich war *verliebt* – und vielleicht bin ich es immer noch«, sagte sie. »Na«, fügte sie forsch hinzu, »möchtest du *das* Junior erzählen? Meinst du, *ich* sollte es Junior erzählen?« fragte sie. »Wär da Junior nicht hell begeistert?«

»Nein«, sagte ich.

»Nein, das fand ich auch«, sagte Franny. »Und da dachte ich eben, ich würde – unter den Umständen – lieber nicht mit ihm schlafen. Okay?« fragte sie.

»Okay«, sagte ich, aber ich wollte ihr sagen, daß Chipper Dove *sie* bestimmt nicht geliebt hatte.

»Du brauchst mir nichts zu erzählen«, sagte Franny. »Du brauchst mir nicht zu erzählen, er habe *mich* nicht geliebt. Ich glaube, das weiß ich selber. Aber weißt du was?« fragte sie mich. »Eines Tages«, sagte Franny, »wird sich Chipper Dove vielleicht in mich verlieben. Und weißt du was?« fragte sie.

»Nein«, sagte ich.

»Wenn das geschieht, *wenn* er sich in mich verliebt«, sagte Franny, »dann könnte es sein, daß ich ihn nicht mehr liebe. Und dann hab ich ihn *wirklich* am Wickel, stimmt's?« fragte sie mich. Ich starrte sie nur an; sie war, wie Junior Jones bemerkt hatte, schon *sehr* weit für ihr Alter.

Ich hatte plötzlich das Gefühl, daß wir alle nicht früh genug nach Wien kommen konnten – daß wir alle Zeit brauchten, um älter zu werden, und weiser (falls das wirklich zum Älterwerden gehörte). Ich wußte, daß ich die Chance haben wollte, mit Franny gleichzuziehen, auch wenn ich sie nie überholen würde, und ich hatte das Gefühl, daß ich dafür ein neues Hotel brauchte.

Plötzlich ging es mir durch den Kopf, daß Franny möglicherweise ganz ähnlich über Wien dachte: daß sie Wien *nützen* wollte – um schlauer und abgebrühter und (irgendwie) erwachsen *genug* für diese Welt zu werden, die wir beide nicht verstanden.

»Bleib immer weg von offenen Fenstern«, war alles, was ich ihr im Augenblick sagen konnte. Wir blickten auf den stoppligen Rasen auf dem Trainingsplatz und wußten, daß er im Herbst überall von Stollenschuhen durchlöchert würde, aufgewühlt von stürzenden Knien und Halt suchenden Fingern – und daß wir in *diesem* Herbst nicht in Dairy sein würden, um hinzusehen oder wegzublicken. An einem anderen Ort würde sich all das – oder ähnliches – auch für uns abspielen, und wir würden zuschauen oder daran teilnehmen, was immer es war.

Ich nahm Frannys Hand, und wir gingen den Weg entlang, den die Footballspieler immer benutzten, und blieben nur kurz an der Abzweigung stehen, die uns im Gedächtnis geblieben war – an dem Weg in den Wald und zu den Farnen; wir brauchten sie uns nicht anzusehen. »Wiedersehen«, flüsterte Franny in die Richtung des heiligen und unheiligen Ortes; ich drückte ihre Hand – sie drückte zurück, dann ließ sie los – und wir versuchten den ganzen Weg zum Hotel New Hampshire zurück nur noch deutsch miteinander zu reden. Es würde schließlich schon bald unsere neue Sprache sein, und wir waren nicht sehr gut. Wir wußten beide, daß wir uns verbessern mußten, wollten wir nicht von Frank abhängig sein.

Frank machte gerade seine Leichenwagentour durch die Bäume, als wir in den Elliot Park zurückkamen. »Wie wär's mit einer Fahrstunde?« fragte er Franny. Sie zuckte mit den Achseln, und Mutter schickte sie beide zum Einkaufen – Franny übernahm das Steuer, und Frank saß betend und bangend neben ihr.

Als ich an dem Abend schlafen ging, hatte mir Egg Kummer ins Bett gelegt – und ihm meine Sportsachen angezogen. Bis ich Kummer – und Kummers *Haare* – aus meinem Bett geschafft hatte, war ich wieder hellwach. Ich ging hinunter ins Restaurant, um in der Bar noch eine Weile zu lesen. Max Urick saß auf einem der festgeschraubten Stühle und hatte einen Drink vor sich.

»Wie viele Nummern hat der alte Schnitzler mit dieser Jeanette Dingsbums geschafft?« fragte mich Max.

»Vierhundertundvierundsechzig«, sagte ich.

»Wenn *das* nichts ist!« rief er.

Als Max schlafen ging und die Treppen raufstolperte, saß ich noch da und hörte zu, wie Mrs. Urick einige Töpfe wegräumte. Von Ronda Ray war nichts zu sehen; sie war ausgegangen – oder vielleicht war sie auch da; es spielte kaum eine Rolle. Zum Laufen war es zu dunkel – und da Franny schon schlief, konnte ich auch kein Gewichttraining machen. Kummer hatte mir für eine Weile das Bett verdorben, und so versuchte ich einfach zu lesen. Es war ein Buch über die große Grippewelle von 1918 – über all die berühmten und unberühmten Leute, die ihr zum Opfer fielen. Es schien eine besonders traurige Zeit in Wien gewesen zu sein. Gustav Klimt, der einmal seine eigene Arbeit als »Schweinsdreck« bezeichnet hatte, starb; er war Schieles Lehrer gewesen. Schieles Frau starb – sie heiß Edith –, und dann starb auch Schiele selbst, als er noch sehr jung war. Ich las ein ganzes Kapitel, das davon handelte, was für Bilder Schiele hätte malen *können*, wenn die Grippe ihn nicht niedergestreckt hätte. Ich bekam den ziemlich verschwommenen Eindruck, daß das ganze Buch davon handelte, was aus Wien hätte werden können, wenn die Grippe nicht die Stadt überfallen hätte, doch dann weckte Lilly mich auf.

»Warum schläfst du nicht in deinem Zimmer?« fragte sie. Ich erklärte ihr die Sache mit Kummer.

»Ich kann nicht schlafen, weil ich mir nicht vorstellen kann, wie mein Zimmer *da drüben* sein wird«, erklärte Lilly. Ich erzählte ihr von der Grippeepidemie im Jahr 1918, aber es interessierte sie nicht. »Ich mache mir Sorgen«, gab Lilly zu. »Ich mache mir Sorgen wegen der Gewalt.«

»Welcher Gewalt denn?« fragte ich sie.

»Der Gewalt in Freuds Hotel«, sagte Lilly.

»*Warum*, Lilly?« fragte ich.

»Sex und Gewalt«, sagte Lilly.

»Du meinst die Huren?« fragte ich sie.

»Ich meine ihr *Klima*«, sagte Lilly, die hübsch auf einem der festgeschraubten Stühle saß und sich leicht hin und her wiegte – natürlich ohne mit den Füßen den Boden zu berühren.

»Das Klima von Huren?« sagte ich.

»Das Klima von Sex und Gewalt«, sagte Lilly. »Danach hört sich das alles an. Die ganze Stadt«, sagte sie. »Denk nur an Rudolf – wie er erst seine Freundin umbrachte und dann sich selbst.«

»Das war im letzten Jahrhundert, Lilly«, erinnerte ich sie.

»Und der Mann, der diese Frau vierhundertundvierundsechzigmal gefickt hat«, sagte Lilly.

»Schnitzler«, sagte ich. »Fast schon ein Jahrhundert her, Lilly.«

»Heute ist es wahrscheinlich noch schlimmer«, sagte Lilly. »Wie mit den meisten Dingen.«

Das mußte ihr Frank gesagt haben, da war ich sicher.

»Und die Grippe«, sagte Lilly, »*und* die Kriege. Und die Ungarn«, sagte sie.

»Der Aufstand?« fragte ich sie. »Das war letztes Jahr, Lilly.«

»Und die ganzen Vergewaltigungen im russischen Sektor«, sagte Lilly. »Sie werden Franny wieder vergewaltigen. Oder mich«, sagte sie und fügte hinzu: »Wenn mich einer erwischt, der *klein* genug ist.«

»Die Besatzungszeit ist vorbei«, sagte ich.

»Ein Klima der Gewalt«, wiederholte Lilly. »Die ganze verdrängte Sexualität.«

»Das ist der *andere* Freud, Lilly«, sagte ich.

»Und was tut eigentlich der Bär?« fragte Lilly. »Ein Hotel mit Huren und Bären und Spionen.«

»Es sind keine *Spione*, Lilly«, sagte ich. Ich wußte, sie meinte die Leute von den Ost-West-Beziehungen. »Ich glaube, es sind nur Intellektuelle«, erzählte ich ihr, aber das schien sie nicht zu erleichtern; sie schüttelte den Kopf.

»Gewalt kann ich nicht ausstehen«, sagte Lilly. »Und Wien *stinkt* nach Gewalt«, sagte sie; es war, als habe sie den Stadtplan studiert und all die Straßenecken gefunden, wo Junior Jones' *Banden* herumlungerten. »Die ganze Stadt *brüllt* Gewalt«, sagte Lilly. »Es ist ein regelrechtes *Hinausposaunen* von Gewalt«, sagte Lilly; es war, als habe sie diese Worte in den Mund genommen, um an ihnen zu lutschen: *stinken, brüllen, hinausposaunen.* »Die ganze Vorstellung von einem Leben da drüben mit all der Gewalt ist *schauderhaft*«, sagte Lilly und schauderte. Ihre winzigen Knie klammerten sich um den Sitz des festgeschraubten Stuhls, und ihre wippenden dünnen Beine peitschten durch die Luft. Sie war erst elf, und ich fragte mich, wo sie nur all die *Worte* her hatte, die sie benutzte, und warum ihre Vorstellungskraft so viel älter schien als sie selbst. Wie kam es, daß die Frauen in unserer Familie entweder weise waren, wie Mutter, oder »sehr *weit* für ihr Alter« – wie Junior Jones von Franny sagte – oder wie Lilly: klein und sanft, aber mit einem wachen Verstand, der ihr um Jahre voraus war? Wie kam es, daß *sie* die schlauen Köpfe der Familie waren? fragte ich mich und dachte an Vater; obwohl Mutter und Vater beide siebenunddreißig waren, kam mir Vater zehn Jahre jünger vor – »und zehn Jahre dümmer«, sagte Franny. Und was war mit *mir*? fragte ich mich, denn Franny – und sogar Lilly – gaben mir das Gefühl, ich würde ewig fünfzehn bleiben. Und Egg war unreif – ein Siebenjähriger, der sich wie ein Fünfjähriger benahm. Und Frank war Frank, der Mäusekönig, fähig, tote Hunde ins Leben zurückzuholen, eine fremde Sprache zu behrrschen und die Seltsamkeiten der Geschichte für seine persönlichen Zwecke zu nutzen; doch trotz seiner offenkundigen Fähigkeiten schien mir Frank – in vielen anderen Bereichen – die geistigen Möglichkeiten eines Vierjährigen zu haben.

Lilly saß mit gesenktem Kopf da, und ihre kleinen Beine schwangen vor und zurück. »Ich *mag* das Hotel New Hampshire«, sagte Lilly. »Ja, ich *liebe* es; ich will hier nicht weg«, sagte sie und hatte die vorhersehbaren Tränen in den Augen. Ich nahm sie in die Arme und hob sie hoch; im Bankdrücken wäre Lilly für mich jederzeit ein Klacks gewesen. Ich trug sie zu ihrem Zimmer zurück.

»Versuch's doch mal so zu sehen«, sagte ich zu ihr. »Wir ziehen nur in ein *anderes* Hotel New Hampshire, Lilly. Genau das gleiche, nur in einem anderen Land.« Aber Lilly weinte und weinte.

»Ich würde lieber beim Zirkus bleiben, bei Fritzens Nummer«, heulte sie. »Ich würde lieber bei denen bleiben, und dabei weiß ich nicht mal, was die *machen!*«

Wir würden natürlich bald erfahren, was sie machten, zu bald. Es war inzwischen Sommer, und bevor wir alles gepackt hatten – bevor wir auch nur den Flug gebucht hatten –, kam der eins zwanzig große Einundvierzigjährige namens Frederick »Fritz« Worter auf einen Besuch zu uns. Es gab Papiere zu unterschreiben, und einige andere Mitglieder von Fritzens Nummer wollten sich ihr künftiges Zuhause näher ansehen.

Eines Morgens – Egg schlief noch neben Kummer – stand ich an unserem Fenster und blickte hinaus auf den Elliot Park. Zuerst war nichts Ungewöhnliches zu bemerken; einige Männer und Frauen stiegen aus einem VW-Bus. Sie waren alle mehr oder weniger gleich groß. Wir waren ja immer noch ein Hotel, und ich dachte, es könnten Gäste sein. Doch dann ging mir auf, daß es *fünf* Frauen und *acht* Männer waren, die offenbar in dem *einen* VW-Bus bequem Platz gehabt hatten – und als ich unter ihnen auch Frederick »Fritz« Worter erkannte, ging mir auf, daß sie alle *seine* Größe hatten.

Max Urick, der beim Rasieren aus seinem Fenster im dritten Stock geblickt hatte, schrie auf und schnitt sich. »Eine verfickte *Busladung* Zwerge«, sagte er uns später. »Damit rechnet man nicht unbedingt so kurz nach dem Aufstehen.«

Es läßt sich unmöglich sagen, was Ronda Ray getan oder gesagt haben würde, hätte *sie* sie gesehen; aber Ronda lag noch im Bett. Franny und meine Hanteln lagen unberührt in Frannys Zimmer; Frank – ob er nun träumte oder Deutsch paukte oder etwas über Wien las – war in einer Welt für sich. Egg schlief mit Kummer, und Mutter und Vater – denen das später peinlich war – vergnügten sich wieder einmal in 2 E.

Ich lief zu Lillys Zimmer, denn ich wußte, sie würde wenigstens die Ankunft des *menschlichen* Teils von Fritzens Nummer gerne miterleben, aber Lilly war bereits auf und schaute aus ihrem Fenster; sie hatte ein altmodisches Nachthemd an, das Mutter ihr in einem Antiquitätenladen gekauft hatte – es hüllte Lilly vollkommen ein –, und sie drückte sich ihre alte Stoffpuppe an die Brust. »Es ist ein *kleiner* Zirkus, genau wie Mr. Worter gesagt hat«, flüsterte Lilly hingerissen. Im Elliot Park sammelten sich nun die Zwerge neben dem VW-Bus; sie streckten sich und gähnten; einer der Männer machte einen Handstand; eine der Frauen schlug ein Rad. Einer von ihnen begann, wie ein Schimpanse auf allen vieren zu gehen, aber Fritz klatschte tadelnd in die Hände und verbat sich diese Dummheiten; sie drängten sich zusammen, wie die Miniaturausgabe eines Footballteams (mit zwei Ersatzspielern), das den nächsten Spielzug abspricht; dann marschierten sie in geordneten Reihen auf unseren Haupteingang zu.

Lilly ging hinunter, um ihnen aufzumachen; ich ging an den Schaltkasten, um die Ansage zu machen. An 2 E zum Beispiel: »Neue Besitzer im Anmarsch, dreizehn an der Zahl. Ende der Durchsage.« An Frank: »*Guten Morgen! Fritzens Nummer ist angekommen. Aufwachen!*« Und an Franny: »Zwerge! Geh Egg aufwecken, damit er sich nicht erschrickt; sonst glaubt er noch, er habe sie *geträumt*. Sag ihm, dreizehn Zwerge sind da, aber es kann nichts passieren!«

Dann lief ich die Treppe rauf zu Ronda Rays Zimmer; ihr überbrachte ich solche Botschaften lieber persönlich. »Sie sind *da!*« flüsterte ich vor ihrer Tür.

»Lauf weiter, John-O«, sagte Ronda.

»Es sind dreizehn«, sagte ich. »Nur fünf Frauen und *acht* Männer«, sagte ich. »Da sind mindestens drei Männer für dich!«

»Wie *groß* sind sie?« fragte Ronda Ray.

»Laß dich überraschen«, sagte ich. »Komm, sieh selber.«

»Lauf weiter«, sagte Ronda. »Ihr *alle* – lauft weiter.«

Max Urick kam herunter und versteckte sich bei Mrs. Urick in der Küche; die beiden waren schüchtern und wollten sich nicht vorstellen lassen, aber Vater zerrte sie nach draußen und machte sie mit den Zwergen bekannt, und Mrs. Urick führte die Zwerge durch ihre Küche, um ihre Suppentöpfe zur Geltung zu bringen und zu zeigen, wie schlicht-aber-gut alles roch.

»Sie *sind* klein«, räumte Mrs. Urick später ein, »aber es sind so viele – irgendwas *müssen* sie essen.«

»Die kommen nie an all die Lichtschalter ran«, sagte Max Urick. »Ich werde die ganzen Schalter versetzen müssen.« Mürrisch verzog er sich wieder in den dritten Stock. Es war klar, daß die Zwerge den dritten Stock haben wollten – »bestens geeignet für winzige Wäsche und winziges Gepinkel«, brummte Max, aber nur, wenn Lilly nicht in der Nähe war. Franny meinte, Max ärgere sich nur darüber, daß er Mrs. Urick näherrückte; aber er kam Mrs. Urick nicht näher als bis zum zweiten Stock, wo ihn (so stellte ich mir das vor) in alle Ewigkeit das Trippeln kleiner Füße über ihm beglücken würde.

»Wo kommen die Tiere hin?« wollte Lilly von Mr. Worter wissen. Fritz erklärte ihr, der Zirkus würde das Hotel New Hampshire nur als Sommerlager benutzen; die Tiere würden draußen bleiben.

»Was sind es denn für Tiere?« fragte Egg und drückte Kummer fest an sich.

»*Lebende* Tiere«, sagte eine der Zwerginnen, die etwa Eggs Größe hatte und von Kummer sichtlich fasziniert war; sie tätschelte ihn dauernd.

Es war Ende Juni, als die Zwerge den Elliot Park in einen Jahrmarkt verwandelten; Zeltplanen – einst leuchtend bunt und inzwischen zu Pastelltönen verblaßt – flatterten über den kleinen Buden, säumten das Karussell, wölbten sich über dem großen Zelt, wo die Hauptnummern ablaufen würden. Aus der Stadt Dairy kamen die Kinder und trieben sich den ganzen Tag in unserem Park herum, aber die Zwerge hatten es nicht eilig; sie bauten die Buden auf; sie wechselten dreimal den Standort des Karussels – und dachten gar nicht daran, den Motor für das Karussell anzuschließen, nicht einmal für einen Probelauf. Eines Tages kam eine Kiste an, die so groß war wie ein Eßtisch; darin waren lauter große Spulen verschiedenfarbiger Eintrittskarten, und jede Spule war so groß wie ein Autoreifen.

Frank fuhr vorsichtig durch den nun von Leben erfüllten Park, drehte seine Runden um die kleinen Zelte und das eine große Zelt und sagte den Kindern aus der Stadt, sie sollten heimgehen. »Die Eröffnung ist am vierten Juli, Kinder«, sagte Frank wichtigtuerisch – und ließ seinen Arm aus dem Autofenster hängen. »Dann könnt ihr wiederkommen.«

Wir würden bis dahin fort sein; wir hofften, die Tiere trafen ein, bevor wir wegmußten, aber wir wußten von vornherein, daß wir die Eröffnungsvorstellung nicht erleben würden.

»Was sie da machen werden, haben wir sowieso schon alles gesehen«, sagte Franny.

»In erster Linie«, sagte Frank, »laufen die hier rum und sehen klein aus.«

Lilly war außer sich; sie verwies auf die Handstände, die Jongliernummern, den Wasser-und-Feuer-Tanz, die Acht-Mann-Pyramide, den Sketch mit der blinden Baseballmannschaft; und die kleinste der Zwerginnen sagte, sie könne ohne Sattel reiten – auf einem Hund.

»Zeig mir den Hund«, sagte Frank. Er war sauer, weil Vater das Familienauto an Fritz verkauft hatte; nun brauchte Frank Fritzens Erlaubnis, wenn er im Elliot Park herumfahren wollte. Fritz war zwar großzügig, aber Frank haßte es, fragen zu müssen.

Franny machte ihre Fahrstunden gerne mit Max Urick im hoteleigenen Lieferwagen, weil Max keine Nerven zeigte, wenn sie schnell fuhr. »Drück auf die Tube«, ermunterte er sie. »Überhol die Flasche – du hast Platz genug.« Und Franny kam von einer Fahrstunde zurück und war stolz, daß sie beim Musikpavillon drei Meter Gummi hingelegt hatte, oder vier Meter in der Kurve, wo die Front Street in die Court Street mündete. »Gummi hinlegen« hieß das bei uns in Dairy, New Hampshire, wenn einer mit quietschenden Reifen eine schwarze Bremsspur auf die Straße zeichnete.

»Widerlich«, sagte Frank. »Das ist schlecht für die Kupplung, schlecht für die Reifen, nichts als kindische Angeberei – du bekommst noch Ärger, die nehmen dir den Fahrschülerausweis weg, Max verliert seinen Führerschein (was wahrscheinlich gut gewesen wäre), du überfährst noch mal einen Hund oder ein kleines Kind, du läßt dich von ein paar Halbstarken aus der Stadt zu einem Wettrennen provozieren, und dann folgen sie dir nach Hause und schlagen dich zusammen. Oder sie schlagen *mich* zusammen«, sagte Frank, »bloß weil ich dich kenne.«

»Wir gehen nach Wien, Frank«, sagte Franny. »Würg der Stadt Dairy ruhig noch ein paar rein, solange du kannst.«

»*Reinwürgen!*« sagte Frank. »Widerlich.«

TAG!

schrieb Freud.

IHR SEID FAST DA! ZEITPUNKT IST GÜNSTIG. VIEL ZEIT FÜR DIE KINDER, SICH EINZUGEWÖHNEN, BEVOR DIE SCHULE LOSGEHT. ALLE FREUEN SICH AUF EUCH. SOGAR DIE PROSTITUIERTEN! HA HA! DIE NUTTEN FREUEN SICH AUF DIE KINDER, REIN MÜTTERLICHES INTERESSE – EHRLICH! ICH HAB IHNEN DIE GANZEN BILDER GEZEIGT. SOMMER IST EINE GUTE ZEIT FÜR DIE NUTTEN: EINE MENGE TOURISTEN, ALLE GUTER STIMMUNG. SOGAR DIE OST-WEST-ARSCHLÖCHER SCHEINEN ZUFRIEDEN. DIE SIND IM SOMMER WENIGER BESCHÄFTIGT – GEHEN MORGENS NICHT VOR 11 UHR AN DIE SCHREIBMASCHINEN. POLITIK MACHT AUCH

SOMMERPAUSE. HA HA! *SCHÖN* HIER. SCHÖNE MUSIK
IN DEN PARKS. SCHÖNE EISKREM. SOGAR DER BÄR IST
GLÜCKLICHER – ER IST AUCH FROH, DASS IHR KOMMT.
DER BÄR HEISST ÜBRIGENS SUSIE. VIELE GRÜSSE VON
SUSIE UND MIR, FREUD.

»Susie?« sagte Franny.

»Ein Bär, der *Susie* heißt?« sagte Frank. Es schien ihn zu
stören, daß es kein deutscher Name war oder daß der Bär in
Wirklichkeit eine *Bärin* war. Es war, glaube ich, für die
meisten von uns eine Enttäuschung – ein Dämpfer, noch bevor
es richtig losging. Aber so ist das eben, wenn man umzieht.
Erst die Begeisterung, dann die Unruhe, dann die Ernüchterung. Erst büffelten wir Wien, dann begannen wir dem Hotel
New Hampshire nachzutrauern – schon im voraus. Dann kam
eine Zeit des *Wartens* – die unendlich lange dauerte und uns
vielleicht auf eine unvermeidliche Enttäuschung an jenem Tag
vorbereitete, an dem wir abreisten *und* ankamen, was mit der
Erfindung des Düsenflugzeugs möglich geworden ist.

Am 1. Juli borgten wir den VW-Bus, der Fritzens Nummer
gehörte. Er hatte komische Vorrichtungen: Bremse und Gas
waren von Hand zu bedienen, da die Beine der Zwerge nicht
bis zu den Pedalen reichten; Vater und Frank stritten sich, wer
wohl mit dem ungewöhnlichen Fahrzeug geschickter sein
würde. Schließlich bot Fritz an, den ersten Schub zum Flughafen zu fahren.

Vater, Frank, Franny, Lilly und ich gehörten zum ersten
Schub. Mutter und Egg sollten uns tags darauf in Wien treffen; Kummer flog mit ihnen. Aber am Morgen unserer Abreise
war Egg schon vor mir auf. Er saß auf seinem Bett – in einem
weißen Hemd, seinen besten Hosen und schwarzen Halbschuhen, und er trug ein weißes Leinenjackett; er sah aus wie
einer der Zwerge – in ihrem Sketch über verkrüppelte Kellner
in einem vornehmen Restaurant. Egg wartete darauf, daß ich
aufwachte und ihm half, seine Krawatte zu binden. Auf dem

Bett neben ihm saß Kummer, der große grinsende Hund, mit der gefrorenen idiotischen Fröhlichkeit der wahrhaft Wahnsinnigen.

»Du fährst *morgen*, Egg«, sagte ich. »*Wir* fahren heute, aber du und Mutter fahrt erst morgen.«

»Ich will bereit sein«, sagte Egg unruhig. Ich ließ ihm seinen Willen und band ihm die Krawatte. Dann zog er Kummer an – er hatte für ihn eine passende Fliegermontur –, während ich mein Gepäck zum VW-Bus brachte. Egg und Kummer folgten mir nach unten.

»Wenn ihr noch Platz habt«, sagte Mutter zu Vater, »dann wäre ich froh, wenn einer von euch den toten Hund nehmen könnte.«

»Nein!« sagte Egg. »Ich will, daß Kummer bei mir bleibt!«

»Ihr könnt ihn doch mit dem Gepäck befördern lassen«, sagte Fritz. »Ihr braucht ihn nicht mit an Bord zu nehmen.«

»Er kommt auf meinen Schoß«, sagte Egg. Und damit war der Fall erledigt.

Die großen Koffer waren schon vorausgeschickt worden.

Das Handgepäck und die Koffer, die mit uns flogen, wurden im Wagen verstaut.

Die Zwerge winkten.

An der Feuerleiter vor Ronda Rays Fenster hing ihr orangefarbenes Nachthemd – einst schockierend grell, jetzt verblaßt, wie die Zelte für Fritzens Nummer.

Mrs. Urick und Max standen vor dem Lieferanteneingang; Mrs. Urick hatte Pfannen gescheuert – sie hatte noch ihre Gummihandschuhe an –, und Max trug einen Gärtnerkorb.

»Vierhundertundvierundsechzig!« schrie Max.

Frank wurde rot; er küßte Mutter. »Bis bald«, sagte er.

Franny küßte Egg. »Bis bald, Egg«, sagte Franny.

»Was?« sagte Egg. Er hatte Kummer wieder ausgezogen; das Biest war nackt.

Lilly weinte.

»Vierhundertundvierundsechzig!« brüllte Max Urick stumpfsinnig.

Ronda Ray war da; sie hatte ein wenig Orangensaft auf ihrer weißen Kellnerinnenschürze. »Lauf weiter, John-O«, flüsterte sie, aber auf nette Art. Sie küßte mich – sie küßte alle bis auf Frank, der bereits in den VW-Bus gekrochen war, um der Berührung zu entgehen.

Lilly weinte immer noch; einer der Zwerge fuhr auf Lillys altem Fahrrad. Und eben als wir aus dem Elliot Park fuhren, kamen die Tiere für Fritzens Nummer an. Wir sahen die langen Tieflader, die Käfige und die Ketten. Fritz mußte noch einmal kurz aussteigen; er rannte überall herum und gab seine Anweisungen.

Aus unserem eigenen Käfig – dem VW-Bus – beguckten wir uns die Tiere; wir hatten uns gefragt, ob es Zwergrassen sein würden.

»Ponys«, sagte Lilly schluchzend. »Und ein Schimpanse.« In einem Käfig, der an der Seite mit roten Elefanten bemalt war – wie die Tapete in einem Kinderzimmer –, kreischte ein großer Affe.

»Absolut gewöhnliche Tiere«, sagte Frank.

Ein Schlittenhund lief um unseren Bus herum und bellte. Eine der Zwerginnen begann auf dem Hund zu reiten.

»Keine Tiger«, sagte Franny enttäuscht, »keine Löwen, keine Elefanten.«

»Seht ihr den Bären?« sagte Vater. In einem grauen Käfig, der nicht verziert war, saß er: eine dunkle Gestalt, die sich auf der Stelle hin- und herbewegte, als wiege sie sich zu einer traurigen, aus dem Inneren kommenden Melodie – die Schnauze zu lang, der Rumpf zu breit, der Hals zu dick, die Pfoten zu kurz, als daß er je hätte glücklich sein können.

»Das ist ein Bär?« sagte Franny.

Und da war ein anderer Käfig, der voller Gänse oder Hühner zu sein schien. Es sah alles nach einem Hund-und-Pony-Zirkus aus – mit einem einzigen Affen und einem einzigen enttäuschenden Bären: mickrigen Zugeständnissen an die exotische Hoffnungsfreude in uns allen.

Als ich auf sie zurückblickte, wie sie da im Elliot Park standen, während Fritz wieder in den Bus stieg und losfuhr – zum Flughafen und nach Wien –, sah ich, daß Egg das exotischste aller Tiere immer noch im Arm hielt. Während Lilly neben mir weinte, kam es mir vor, als sähe ich – in dem Chaos aus durcheinanderlaufenden Zwergen und Tieren, die ausgeladen wurden – einen Zirkus, der nicht ›Fritzens Nummer‹, sondern ›Kummer‹ hieß. Mutter winkte, und Mrs. Urick und Ronda Ray winkten mit ihr. Max Urick brüllte etwas, aber wir konnten ihn nicht mehr hören. Frannys Lippen, synchron mit seinen, flüsterten: »Vierhundertundvierundsechzig!« Frank las bereits das deutsche Wörterbuch, und Vater – kein Mann für Rückblicke – saß vorne neben Fritz und redete pausenlos – über nichts. Lilly weinte, aber so harmlos wie ein Regenguß. Und der Elliot Park verschwand: mein letzter Blick fiel auf Egg, der angestrengt zwischen den Zwergen herumrannte und dabei Kummer über seinen Kopf hochhielt wie einen Götzen – ein Tier, das von den anden, *gewöhnlichen* Tieren verehrt werden sollte. Egg war ganz aufgeregt, und er schrie herum, und Frannys Lippen – synchron mit seinen – flüsterten: »Was? Was? Was?«

Fritz brachte uns nach Boston, wo Franny noch das einkaufen mußte, was Mutter »Stadtwäsche« nannte; Lilly tappte weinend durch die Abteilung für Damenunterwäsche; Frank und ich fuhren die Rolltreppen rauf und runter. Wir waren viel zu früh am Flughafen. Fritz sagte entschuldigend, er könne nicht mit uns warten, denn seine Tiere brauchten ihn, und Vater wünschte ihm alles Gute – und dankte ihm im voraus für die Bereitschaft, anderntags Mutter und Egg zum Flughafen zu bringen. Frank wurde in der Toilette des Logan-Flughafens »angegangen«, aber er weigerte sich, Franny und mir den Vorfall zu schildern; er sagte immer nur, er sei »angegangen« worden. Er war entrüstet darüber, und Franny und ich waren wütend auf ihn, weil er uns nicht ausführlicher davon erzählte. Vater kaufte Lilly einen Kabinenkoffer aus Plastik, um sie aufzuheitern, und kurz vor Einbruch der Dunkelheit gingen wir an Bord. Ich glaube, wir starteten um 7 oder 8 Uhr: an diesem Sommerabend waren die Lichter in Boston nur etwa zur Hälfte eingeschaltet, und das Tageslicht reichte noch aus, uns den Hafen deutlich erkennen zu lassen. Wir saßen zum erstenmal in einem Flugzeug, und wir waren begeistert.

Wir flogen die ganze Nacht über den Ozean. Vater schlief den ganzen Flug hindurch. Lilly wollte nicht schlafen; sie blickte hinaus ins Dunkel und berichtete von zwei Ozeandampfern, die sie gesichtet haben wollte. Ich döste und wachte auf, döste und wachte auf; mit geschlossenen Augen sah ich zu, wie sich der Elliot Park in einen Zirkus verwandelte. Die meisten Orte, die wir in der Kindheit verlassen, verlieren an Reiz, statt an Reiz zu gewinnen. Ich stellte mir vor, ich kehrte nach Dairy zurück, und fragte mich, ob Fritzens Nummer die Umgebung auf- oder abwerten würde.

Als wir am Morgen in Frankfurt landeten, war es Viertel vor acht. Vielleicht war es auch Viertel vor neun.

»*Deutschland!*« sagte Frank. Er führte uns durch den Frankfurter Flughafen zu unserem Anschlußflug nach Wien und las dabei laut vor, was auf all den Hinweisschildern stand, und redete leutselig auf all die Ausländer ein.

»*Wir* sind die Ausländer«, flüsterte Franny immer wieder.

»*Guten Tag!*« begrüßte Frank die vorbeigehenden Fremden.

»Das eben waren Franzosen, Frank«, sagte Franny. »Da bin ich sicher.«

Als Vater beinahe die Pässe verlor, machten wir sie mit zwei kräftigen Gummibändern an Lillys Handgelenk fest; dann trug ich Lilly, da sie von dem vielen Weinen erschöpft schien.

Wir verließen Frankfurt um Viertel vor neun (oder Viertel vor zehn) und erreichten Wien gegen Mittag. Es war ein kurzer unruhiger Flug in einem kleineren Flugzeug; Lilly sah Berge und hatte Angst; Franny sagte, sie hoffe nur, es werde tags darauf nicht so böig sein, wenn Mutter und Egg flogen. Frank erbrach sich zweimal.

»Sag's auf deutsch, Frank«, sagte Franny, aber Frank fühlte sich zu elend für eine Antwort.

Wir hatten einen Tag und eine Nacht und den nächsten Morgen, um das Gasthaus Freud für Mutter und Egg herzurichten. Wir waren etwa acht Stunden in der Luft gewesen – vielleicht sechs oder sieben Stunden von Boston nach Frankfurt und nochmal eine Stunde oder so bis Wien. Der Flug, für den Mutter und Egg gebucht waren, sollte Boston am nächsten Abend ein klein wenig später verlassen und nach Zürich gehen; ihr Anschlußflug nach Wien würde etwa eine Stunde dauern, und für den Flug von Boston nach Zürich waren – wie für unseren Flug nach Frankfurt – etwa sieben Stunden angesetzt. Aber Mutter und Egg – und Kummer – erreichten Zürich nicht ganz. Weniger als sechs Stunden nach dem Start in Boston schlugen sie kurz auf dem Atlantik auf – nicht weit von der Küste, vor dem Teil des Festlands, der Frankreich heißt. Wenn ich mir später das Ganze vorstellte, dann war es mir ein kleiner (wenn auch unlogischer) Trost, zu wissen, daß sie nicht im Finstern abstürzten und daß – zumindest in *ihrer* Vorstellung – der Anblick des Festlands in der Ferne Anlaß zu Hoffnungen gewesen sein könnte (auch wenn sie das Festland nicht mehr erreichten). Zu unwahrscheinlich ist die Vorstellung, daß Egg geschlafen hatte, obwohl man ihm das wünschen möchte; so wie ich Egg kannte, war er während des ganzen Fluges hellwach und sah zu, wie Kummer auf seinen Knien durchgeschüttelt wurde. Egg hatte den Fensterplatz, keine Frage.

Was immer da passierte, so sagte man uns, passierte jedenfalls sehr schnell; aber sicher war noch Zeit, Anweisungen durchzugeben – in irgendeiner Sprache. Und Zeit für Mutter, Egg zu küssen und an sich zu drücken; Zeit für Egg, zu fragen: »Was?«

Und wenn wir auch in die Stadt Freuds zogen, so muß ich doch sagen, daß Träume gewaltig überschätzt werden: mein Traum von Mutters Tod war ungenau, und ich träumte nie wieder davon. Mit viel Phantasie könnte man sagen, ihr Tod sei von dem Mann in der weißen Smokingjacke eingeleitet worden, aber da war keine hübsche weiße Schaluppe, mit der sie aufs Meer hinausfuhr. Sie schoß vom Himmel zum Grund des Meeres, zusammen mit ihrem schreienden Sohn und Kummer in dessen Armen.

Es war natürlich Kummer, den die Suchflugzeuge entdeckten. Als sie nach dem gesunkenen Wrack Ausschau hielten und auf der Oberfläche des grauen Morgenmeeres erste Trümmer zu entdecken versuchten, sah jemand einen Hund im Wasser schwimmen. Eine genauere Überprüfung überzeugte die Bergungsmannschaft, daß der Hund zu den Opfern gehörte; es gab keine Überlebenden, und woher hätte die Bergungsmannschaft wissen sollen, daß *dieser* Hund bereits tot gewesen war? Als bekanntwurde, was die Bergungsmannschaft zu den Leichen führte, war das für den überlebenden Teil meiner Familie keine Überraschung. Über diese Eigenschaft Kummers hatte uns Frank schon vorher aufgeklärt: Kummer schwimmt obenauf.

Es war Franny, die später sagte, wir müßten alle aufpassen, in welcher Gestalt Kummer beim *nächsten* Mal erscheinen würde; wir müßten lernen, die verschiedenen Posen zu erkennen.

Frank schwieg und grübelte über die Zuständigkeit für Wiederauferstehungen nach – für ihn schon immer eine Quelle unerklärlicher Rätsel, und nun eine Quelle des Schmerzes.

Vater mußte die Leichen identifizieren; er ließ uns in Freuds Obhut und fuhr mit der Bahn. Später sprach er nur selten von Mutter und Egg; er war keiner, der zurückblickte, und zweifellos hielt ihn die Notwendigkeit, sich um uns zu kümmern, von dieser gefährlichen Rückbesinnung ab. Zweifellos wäre ihm sonst die Idee gekommen, daß Freud *das* gemeint hatte, als er Mutter bat, meinem Vater zu verzeihen.

Lilly weinte, hatte sie doch die ganze Zeit schon gewußt, daß Fritzens Nummer kleiner und das Zusammenleben mit ihnen ganz allgemein leichter gewesen wäre.

Und *ich*? Ohne Egg und Mutter – und mit Kummer in einer unbekannten Pose oder Verkleidung – war mir klar, daß wir angekommen waren: in der Fremde.

8.

Kummer obenauf

Ronda Ray, deren Atem mich erstmals über eine Sprechanlage verführte – deren warme, starke, schwere Hände ich in meinem Schlaf (gelegentlich) immer noch spüren kann –, sollte das erste Hotel New Hampshire nie verlassen. Sie blieb bei Fritzens Nummer und diente ihnen treu – und vielleicht entdeckte sie mit den Jahren, daß die Aufgabe, Zwerge zu bedienen und Zwergenbetten zu machen, angenehmer war als jene Dienstleistungen, die sie einst für größer gewachsene Menschen erbracht hatte. Eines Tages schrieb uns dann Fritz, daß Ronda Ray gestorben war – »im Schlaf«. Nachdem wir Mutter und Egg verloren hatten, fand ich den Tod eines Menschen nie mehr »passend«, auch wenn Franny Rondas Tod so bezeichnete.

Er war allerdings eher passend als Max Uricks unglückseliges Ende: er beschloß sein Leben in einer Badewanne im zweiten Stock des Hotels New Hampshire. Vielleicht verwand Max nie seinen Ärger darüber, daß er die kleinere Badezimmereinrichtung und sein geliebtes Versteck im dritten Stock aufgeben mußte, denn ich kann mir gut vorstellen, wie ihn das Gefühl quälte, Zwerge über sich zu haben – von den Geräuschen ganz zu schweigen. Ich habe mir immer gedacht, daß dieselbe Badewanne, in der Egg einst Kummer verstecken wollte, Max schließlich erledigte – nachdem es beinahe schon bei Bitty Tuck geklappt hatte. Fritz sagte nie genau, welche Wanne es war, nur daß es im zweiten Stock passierte; Max hatte anscheinend beim Baden der Schlag getroffen – und danach war er ertrunken. Daß ein alter Seemann, der so oft von der See heimgekehrt war, in einer Badewanne enden mußte, schmerzte die arme Mrs. Urick sehr; sie fand Max' Abgang ganz und gar *un*passend.

»Vierhundertvierundsechzig«, sagte Franny jedesmal, wenn wir Max erwähnten.

Mrs. Urick kocht heute noch für Fritzens Nummer – vielleicht die Bestätigung für Schlichtes-aber-Gutes, im Essen wie im Leben. Einmal schickte ihr Lilly zu Weihnachten eine hübsche handgeschriebene Schriftrolle mit diesen (aus dem Altenglischen übersetzten) Worten eines anonymen Dichters: »Wer da führet ein Leben in Demut, den laben himmlische Engel mit Mut und mit Kraft und mit Glauben.«

Amen.

Fritz von Fritzens Nummer stärkten gewiß ähnliche Engel. Er setzte sich in Dairy zur Ruhe und machte das Hotel New Hampshire zu seinem Ganzjahreswohnsitz (nachdem er das Reisen und die Wintertourneen den jüngeren Zwergen überließ). Lilly wurde immer traurig, wenn sie an ihn dachte, denn war es zuerst Fritzens Größe gewesen, die sie beeindruckt hatte, so war es nun die Vision von einem Leben in Fritzens Hotel New Hampshire (anstatt der Reise nach Wien), die Lilly jedesmal überkam, wenn sie an Fritz dachte – und Lilly stellte sich deshalb immer vor, wie unser aller Leben hätte verlaufen können, wenn wir nicht Mutter und Egg verloren hätten. Keine himmlischen Engel waren zur Stelle gewesen, um ihnen zu helfen.

Aber wir hatten natürlich keine derartige Vision von der Welt, als wir zum erstenmal Wien sahen. »*Freuds* Wien«, wie Frank gern betonte – und wir wußten, welchen Freud er meinte.

Überall in Wien gab es (1957) die Lücken zwischen den Gebäuden, gab es die eingefallenen und ausgebrannten Gebäude, so wie die Bomben sie zurückgelassen hatten. Auf manchen Trümmergrundstücken, oft im Umkreis von verlassenen Kinderspielplätzen, hatte man das Gefühl, daß unter den ordentlich aufgeräumten Trümmern nicht-explodierte Bomben lagen. Zwischen dem Flughafen und den äußeren Bezirken kamen wir an einem russischen Panzer vorbei, dem man einen festen Standplatz gegeben hatte – in Beton –, als eine Art

Mahnmal. Aus der Luke oben sprossen Blumen, das lange Kanonenrohr war mit Fahnen drapiert, der rote Stern verblaßt und mit Vogeldreck gesprenkelt. Der Panzer war auf Dauer geparkt vor einem Gebäude, das wie ein Postamt aussah, doch unser Taxi fuhr zu schnell daran vorbei, als daß wir hätten sicher sein können.

Kummer schwimmt obenauf, aber wir waren in Wien, bevor uns die schlechte Nachricht erreichte, und wir neigten zu vorsichtigem Optimismus. Von den Kriegsschäden war immer weniger zu sehen, je mehr wir uns den inneren Bezirken näherten; gelegentlich schien sogar die Sonne durch die kunstvoll gearbeiteten Gebäude – und von einem Dach über uns lehnte sich eine Reihe steinerner Amoretten, die Bäuche pockennarbig vom Maschinengewehrfeuer. Mehr Menschen tauchten in den Straßen auf, und doch ähnelten die äußeren Bezirke einer alten Sepia-Fotografie, früh am Tag aufgenommen, bevor noch jemand auf war – oder nachdem alle tot waren.

»Es ist gespenstisch«, bemerkte Lilly mutig; vor lauter Angst hatte sie endlich aufgehört zu weinen.

»Es ist *alt*«, sagte Franny.

»*Wo ist die Gemütlichkeit?*« sang Frank gutgelaunt – und blickte sich um, als suche er danach.

»Ich glaube, eurer Mutter wird es hier gefallen«, sagte Vater optimistisch.

»Egg wird es nicht gefallen«, sagte Franny.

»Egg wird es nicht *hören* können«, sagte Frank.

»Mutter wird es auch nicht ausstehen können«, sagte Lilly.

»Vierhundertvierundsechzig«, sagte Franny.

Unser Fahrer sagte etwas Unverständliches. Selbst Vater erkannte, daß es nicht deutsch war. Frank bemühte sich, mit dem Mann ins Gespräch zu kommen, und entdeckte, daß er aus Ungarn kam – von dem ein Jahr zurückliegenden Aufstand. Wir suchten im Rückspiegel und in den matten Augen unseres Fahrers nach Anzeichen bleibender Wunden – und wenn wir sie schon nicht sahen, so bildeten wir sie uns zumindest ein. Dann tauchte urplötzlich ein Park neben uns auf, rechts von der Straße, mit einem Prachtbau, der wie ein Schloß aussah (es *war* ein Schloß), und aus einem Hoftor kam eine fröhliche dicke Frau in Schwesterntracht (eindeutig ein Kindermädchen), die einen Zweiplätzer-Kinderwagen vor sich herschob (jemand hatte Zwillinge gehabt!), und Frank zitierte idiotische Zahlen aus einem hirnlosen Reiseprospekt.

»Bei einer Einwohnerzahl, die unter eineinhalb Millionen liegt«, las uns Frank vor, »hat Wien dennoch über dreihundert Kaffeehäuser!« Aus unserem Taxi starrten wir auf die Straßen und erwarteten, sie voller Kaffeeflecken zu finden. Franny kurbelte ihr Fenster herunter und schnupperte; da war wohl der scharfe Dieselgeruch Europas, aber kein Kaffee. Wir lernten dann schnell, wozu Kaffeehäuser da waren: man konnte dort lange sitzen, Hausaufgaben machen, mit Nutten plaudern, Darts und Billard spielen, anderes als nur Kaffee trinken, Pläne schmieden (für unsere Flucht zum Beispiel), und natürlich waren die Kaffeehäuser für die Schlaflosen und Träumer da. Doch dann verblüffte uns der Brunnen am Schwarzenbergplatz, wir überquerten die Ringstraße mit ihren lustigen Straßenbahnen, und unser Fahrer begann vor sich hin zu murmeln: »Krugerstraße, Krugerstraße«, als könne er mit diesen Wiederholungen die kleine Straße dazu bewegen, uns in die Augen zu springen (was sie prompt tat), und dann: »Gasthaus Freud, Gasthaus Freud.«

Das Gasthaus Freud sprang uns *nicht* in die Augen. Wir fuhren gemächlich – daran vorbei. Frank lief ins Café Mowatt, um nach dem Weg zu fragen, und sie zeigten uns das Haus – es war uns schlicht entgangen. Die Konditorei war verschwunden (auch wenn die alten Schilder – BONBONS und so weiter – von innen am Schaufenster lehnten). Vater meinte, daß Freud – im Hinblick auf unsere Ankunft – mit den Erweiterungsplänen begonnen und die Konditorei aufgekauft hatte. Aber bei näherem Hinsehen erkannten wir, daß ein Feuer die Konditorei zerstört und die Bewohner des benachbarten Gasthauses Freud zumindest bedroht haben mußte. Wir gingen auf das kleine, düstere Hotel zu, vorbei an dem neuen Schild vor der ausgebrannten Konditorei; auf dem Schild stand, wie Frank für uns übersetzte: NICHT AUF DEN ZUCKER TRETEN.

»Nicht auf den *Zucker* treten, Frank?« sagte Franny.

»So steht es da«, sagte Frank, und tatsächlich: als wir vorsichtig die Eingangshalle des Hotels betraten, bemerkten wir am Boden eine gewisse Klebrigkeit (zweifellos von Füßen, die bereits in den Zucker getreten waren – in die abscheuliche Glasur aus im Feuer geschmolzenen Bonbons). Und da übermannte uns auch schon der gräßliche Geruch verbrannter Schokolade. Lilly, die unter ihren kleinen Koffern schwankte, stolperte als erste in die Halle und stieß einen Schrei aus.

Wir erwarteten Freud, aber Freuds Bären hatten wir vergessen. Lilly hatte nicht erwartet, ihn in der Eingangshalle zu sehen – ohne Kette. Und keiner von uns erwartete, ihn auf der Couch beim Empfangsschalter zu finden, die kurzen Beine übereinandergeschlagen, mit den Füßen auf einem Stuhl; es sah aus, als lese er in einer Zeitschrift (sichtlich ein »schlauer Bär«, wie Freud ja auch behauptet hatte), bei Lillys Schrei jedoch flog ihm das Heft aus den Pfoten, und er nahm eine bärenmäßige Haltung an. Er schwang sich von der Couch und trottete seitwärts zum Empfangsschalter, ohne uns weiter zu beachten, und wir sahen, wie klein er war – eine gedrungene, klein gewachsene Gestalt; nicht länger oder höher als ein Labradorhund (dachten wir alle), aber wesentlich plumper, dick um die Mitte, mit mächtigem Hinterteil und starken Armen. Er richtete sich auf seinen Hinterbeinen auf und versetzte der Klingel am Empfangsschalter einen so fürchterlichen Hieb, daß das feine *ping!* vom dumpfen Aufprall der Pratze zugedeckt wurde.

»Jessas Gott!« sagte Vater.

»Bist *du* das?« rief eine Stimme. »Ist das Win Berry?«

Ungehalten darüber, daß Freud noch nicht erschienen war, packte der Bär die Klingel am Empfangsschalter und schleuderte sie durch die Halle; die Klingel krachte gegen eine Tür – es klang, als schlage ein Hammer gegen eine Orgelpfeife.

»Ich höre dich!« rief Freud. »Jessas Gott! Bist *du* das?«

Und er kam mit ausgebreiteten Armen aus dem Zimmer – eine Gestalt, die uns Kindern ebenso seltsam vorkam wie irgendein Bär. Jetzt erst wurde uns Kindern klar, daß Vater sein »Jessas Gott!« von Freud *gelernt* hatte, und vielleicht war es der Kontrast zwischen dieser Erkenntnis und Freuds Erscheinung, der uns so überraschte; Freuds Körper hatte keine Ähnlichkeit mit Vaters athletischer Figur und seiner Art sich zu bewegen. Hätte Fritz seine Zwerge abstimmen lassen, hätte Freud wohl Chancen gehabt, in ihren Zirkus aufgenommen zu werden – er war nur unwesentlich größer als sie. Sein Körper wirkte wie die stark gekürzte – um nicht zu sagen verstümmelte – Geschichte seiner früheren Fähigkeiten; er war nur noch massiv und kompakt. Die schwarzen Haare, von denen wir gehört hatten, waren weiß und lang und flatterleicht wie Maisfasern. Sein Stock sah aus wie ein Knüppel, ein Baseballschläger – erst später erfuhren wir, daß es ein Baseballschläger *war*. Das seltsame Haarbüschel auf seiner Wange war immer noch so groß wie eine mittelgroße Münze, aber es hatte die graue Farbe eines Gehwegs – die nichtssagende unbeachtete Farbe einer Großstadtstraße. Aber vor allem eines war dem gealterten Freud passiert: er war jetzt blind.

»Bist *du* das?« rief Freud durch die Halle, das Gesicht nicht Vater, sondern einem alten Eisenpfosten am Fuße des Treppengeländers zugewandt.

»Hier drüben bin ich«, sagte mein Vater leise. Freud breitete die Arme aus und tappte auf die Stimme meines Vaters zu.

»Win Berry!« rief Freud, und rasch sprang ihm der Bär zur Seite, griff mit seiner rauhen Tatze nach dem Ellbogen des alten Mannes und schob ihn in die Richtung, wo mein Vater stand. Als Freud seine Schritte verlangsamte, aus Furcht vor herumstehenden Stühlen oder irgendwelchen Füßen, über die er hätte stolpern können, schubste ihn der Bär von hinten mit dem Kopf. Nicht nur ein schlauer Bär, dachten wir Kinder: auch eine Art Blindenhund, ein Blindenbär. Freud hatte nun einen Bären, der für ihn sah. Zweifellos war das ein Bär, der das Leben eines Menschen verändern konnte.

Wir sahen zu, wie der blinde Gnom meinen Vater umarmte; wir sahen ihren linkischen Tanz in der schäbigen Halle des Gasthauses Freud. Als ihre Stimmen leiser wurden, konnten wir die Schreibmaschinen hören, die im zweiten Stock zur Sache gingen – es waren die Radikalen, die da ihre Musik spielten, die Linken, die da ihre Versionen der Welt zu Papier brachten. Selbst die Schreibmaschinen klangen rechthaberisch – uneins mit all den anderen, fehlerhaften Versionen der Welt, doch ganz sicher, daß sie recht hatten, absolut überzeugt davon, tip-tip-tip kam Wort um Wort auf das Papier, wie Finger, die ungeduldig auf Tischplatten trommeln, Finger, die auf der Stelle treten zwischen zwei Ansprachen.

Aber war das nicht besser, als eine Ankunft bei Nacht? Gewiß, die Halle hätte im milden Schummer der unzulänglichen Beleuchtung und im schonenden Dunkel gepflegter ausgesehen. Aber war es nicht besser (für uns Kinder), die Schreibmaschinen zu hören und den Bären zu sehen – besser als das Auf und Ab der Betten zu hören (oder zu ahnen), das Treppauf-Treppab der Prostituierten und die schuldbewußten Begrüßungen und Verabschiedungen (die ganze Nacht lang) in der Halle?

Der Bär drängte sich zwischen uns Kinder. Lilly war auf der Hut vor ihm (er war größer als sie), ich war irgendwie schüchtern, Frank versuchte sich anzubiedern – auf deutsch –, doch für den Bären gab es nur Franny. Der Bär preßte seinen breiten Kopf an Frannys Hüfte; mit der Schnauze fuhr er meiner Schwester zwischen die Beine. Franny zuckte zurück und lachte, und Freud sagte: »Susie! Bist du artig? Bist du ungezogen?« Susie der Bär drehte sich nach ihm um und lief auf allen vieren zu ihm hin; der Bär rammte dem alten Mann die Schnauze in den Magen – und stieß ihn zu Boden. Mein Vater schien ihm helfen zu wollen, aber Freud kam – mit Hilfe seines Baseballschlägers – rasch wieder auf die Beine. Es war schwer zu sagen, ob er in sich hineinlachte. »Ach Susie!« sagte er in die falsche Richtung. »Susie spielt sich nur auf. Sie mag keine Kritik«, sagte Freud. »Und aus Männern macht sie sich nicht so viel wie aus *Mädchen*. Wo *sind* die Mädchen?« sagte der alte Mann, die Hände in zwei Richtungen ausstreckend, und Franny und Lilly gingen zu ihm hin – und Susie der Bär folgte Franny und stupste sie liebevoll von hinten. Frank – plötzlich wild entschlossen, sich mit dem Bären anzufreunden – zerrte am rauhen Pelz des Tieres und stammelte: »Äh, du bist bestimmt Susie der Bär. Wir haben alle viel von dir gehört. Ich bin Frank. *Sprechen Sie Deutsch?*«

»Nein, nein«, sagte Freud, »nicht Deutsch. Susie hat was gegen Deutsch. Sie spricht *deine* Sprache«, sagte Freud mehr oder weniger in Franks Richtung.

Frank beugte sich täppisch zu dem Bären hinunter und zerrte wieder an seinem Pelz. »Kannst du einem auch die Hand geben, Susie?« fragte Frank, vornübergebeugt, doch der Bär drehte sich nach ihm um; der Bär richtete sich auf.

»Sie ist doch nicht ungezogen, oder?« rief Freud. »Susie, sei artig! Sei nicht ungezogen.« Auch stehend war der Bär nicht so groß wie wir anderen – abgesehen von Lilly, und abgesehen von Freud. Die Schnauze des Bären war auf der Höhe von Franks Kinn. Sie standen sich ein Weilchen Auge in Auge gegenüber, und der Bär verlagerte das Gewicht von einem Hinterbein aufs andere und tänzelte wie ein Boxer.

»Ich bin Frank«, sagte Frank nervös zu dem Bären und hielt die Hand hin; dann versuchte er mit beiden Händen die Pfote des Bären zu ergreifen, um sie zu schütteln.

»Behalt deine Hände für dich, Kleiner«, sagte der Bär zu Frank, und mit einem flinken, kurzen Hieb schlug er Franks Arme auseinander. Rückwärtstaumelnd plumpste Frank auf die Klingel am Empfangsschalter – und es gab ein kurzes *ping!*

»Wie haben Sie das geschafft?« wollte Franny von Freud wissen. »Wie haben Sie dem Bären das Reden beigebracht?«

»Mir bringt keiner das Reden bei, Schätzchen«, sagte Susie der Bär und drückte den Kopf gegen Frannys Hüfte.

Lilly kreischte: »Der Bär redet, der Bär redet!«

»Sie ist ein *schlauer* Bär!« rief Freud. »Hab ich's euch nicht gesagt?«

»Der Bär redet!« schrie Lilly hysterisch.

»Ich schrei wenigstens nicht«, sagte Susie der Bär. Und dann gab sie alle Bemühungen auf, sich bärenartig zu gebärden; aufrecht und mürrisch ging sie zur Couch zurück – von wo Lillys erster Schrei sie aufgestört hatte. Sie setzte sich wieder, schlug die Beine übereinander und legte die Füße auf den Stuhl. Was sie las, war das *Time Magazine*, eine ziemlich alte Ausgabe.

»Susie kommt aus Michigan«, sagte Freud, als ob damit alles erklärt sei. »Aber sie hat in New York studiert. Sie ist sehr schlau.«

»Ich war am Sarah Lawrence College«, sagte der Bär, »aber dann bin ich ausgestiegen. Ein richtig elitärer Scheißladen ist das«, sagte sie – über Sarah Lawrence –, während ihr die Welt des *Time Magazine* ungeduldig durch die Pfoten lief.

»Es ist ein *Mädchen*!« sagte Vater. »Ein Mädchen in einem Bärenfell!«

»Eine *Frau*«, sagte Susie. »Vorsicht.« Und das 1957 – Susie war ein Bär, der seiner Zeit voraus war.

»Eine Frau in einem Bärenfell«, sagte Frank, während Lilly sich neben mich schob und mein Bein umklammerte.

»Es gibt keine schlauen Bären«, sagte Freud düster. »Bis auf die Sorte hier.«

Über unserem verblüfften Schweigen zankten sich droben die Schreibmaschinen. Uns beschäftigte Susie der Bär – in der Tat ein schlauer Bär, und zudem ein Blindenbär. Jetzt, wo wir wußten, daß sie kein echter Bär war, kam sie uns plötzlich größer vor; in unseren Augen wuchsen ihr neue Kräfte zu. Sie ersetzte Freud mehr als nur die Augen, dachten wir; möglicherweise war sie auch sein Herz und sein Verstand.

Vater musterte die Hotelhalle, während sich sein alter, blinder Mentor haltsuchend an ihn lehnte. Und was sah Vater *dies*mal? fragte ich mich. Was für ein Schloß, was für ein Palast, was für eine Luxusklassen-Möglichkeit baute sich immer prächtiger werdend vor ihm auf – während sein Blick über die durchhängende Couch mit der Bärin schweifte, und dann über die nachgeahmten Impressionisten: die rosigen, rindviehplumpen Nackten, umgeben von Blumen des Lichts (auf der nicht dazu passenden geblümten Tapete)? Über den Lehnsessel, dessen Nähte jeden Moment zu platzen drohten (wie die Bomben, die man sich unter all den Trümmern in den äußeren Bezirken vorzustellen hatte), und die eine Leselampe, selbst zum Träumen noch zu trüb.

»Das mit der Konditorei ist ein Jammer«, sagte mein Vater zu Freud.

»Ein Jammer?« schrie Freud. »*Nein, nein*, kein Jammer! Es ist *gut*. Der Laden ist ruiniert, und die hatten keine Versicherung. Wir können sie aufkaufen – billig! Das bringt uns eine neue Lobby, die den Leuten *ins Auge springen* wird – von der Straße aus!« rief Freud, obwohl es natürlich nichts gab, was ihm ins Auge sprang oder springen konnte. »Ein sehr günstiges Feuer«, sagte Freud, »und zu einem perfekten Zeitpunkt, genau zu deiner Ankunft«, sagte Freud und drückte den Arm meines Vaters. »Ein brillantes Feuer!« sagte Freud.

»Ein Feuer nach dem Geschmack eines schlauen Bären«, sagte Susie der Bär und fetzte zynisch durch die alte Nummer des *Time Magazine*.

»Hast du es denn gelegt?« fragte Franny.

»Da kannst du deinen süßen Arsch drauf verwetten, Schätzchen«, sagte Susie.

Ach ja, da war einmal eine Frau, die auch vergewaltigt worden war, aber als ich ihr Frannys Geschichte erzählte und wie Franny meiner Ansicht nach das Problem angepackt hatte – indem sie es *nicht* angepackt hatte, vielleicht, oder indem sie das Schlimmste einfach abstritt –, da erzählte mir diese Frau, Franny und ich sähen das falsch.

»Falsch?« sagte ich.

»Da kannst du deinen Arsch drauf verwetten«, sagte diese Frau. »Franny wurde vergewaltigt, nicht verprügelt. Und diese Schweine haben sie sehr wohl ›in ihr drin‹ erwischt – wie dein beknackter schwarzer Freund das nennt. Was weiß *der* schon? Ein Experte für Vergewaltigungen, bloß weil er eine

Schwester hat? *Deine* Schwester hat sich um die einzige Waffe gebracht, die sie gegen diese Schläger hatte – ihr Sperma nämlich. Und niemand hielt sie davon ab, sich zu waschen, niemand brachte sie dazu, sich damit *auseinanderzusetzen* – deshalb wird sie sich ihr Leben lang damit auseinandersetzen. Überhaupt hat sie ihre Integrität schon dadurch preisgegeben, daß sie sich gegen ihre Angreifer nicht gewehrt hat – und *du*«, sagte die Frau zu mir, »hast die Vergewaltigung deiner Schwester bequemerweise auch noch verwässert und der *Vergewaltigung* die Integrität genommen, indem du weggelaufen bist, um deinen Helden zu holen, statt am Ort des Geschehens zu bleiben und dich *selbst* damit auseinanderzusetzen.«

»Die Integrität einer Vergewaltigung?« fragte Frank.

»Ich bin weggelaufen, um Hilfe zu holen«, sagte ich. »Die hätten mich doch bloß zusammengeschlagen und Franny trotzdem vergewaltigt.«

»Ich muß mit deiner Schwester reden, Schätzchen«, sagte die Frau. »Sie legt sich da ihre eigene laienhafte Psychologie zurecht, und das wird nicht funktionieren, glaub mir: Ich kenne mich aus mit Vergewaltigungen.«

»Langsam!« sagte Iowa-Bob einmal. »Psychologie ist *immer* laienhaft. Scheiß auf Freud und den ganzen Quatsch!«

»Jedenfalls *den* Freud«, hatte mein Vater hinzugefügt. Und ich dachte mir, später: Vielleicht auch *unseren* Freud.

Auf jeden Fall sagte diese Expertin für Vergewaltigungen, Frannys Reaktion auf ihre eigene Vergewaltigung sei Scheiße; und da ich wußte, daß Franny immer noch an Chipper Dove schrieb, wurde ich nachdenklich. Diese Expertin sagte, eine Vergewaltigung sei einfach nicht so, sie habe nicht diese Auswirkungen – ganz und gar nicht. Sie kenne sich aus, sagte sie. Es sei ihr selbst passiert. Und am College habe sie sich einer Gruppe von Frauen angeschlossen, die alle vergewaltigt worden waren, und sie seien sich untereinander einig gewesen, was dabei *genau* passiere und welches die *genau* richtigen Reaktionen darauf seien. Noch bevor sie anfing, mit Franny zu reden, konnte ich sehen, welche verzweifelte Bedeutung das eigene Unglück für diese Frau hatte und wie – in ihrer Vorstellung – die einzig glaubhafte Reaktion auf eine erlittene Vergewaltigung *ihre eigene* war. Daß andere auf ähnlichen Mißbrauch anders reagiert haben könnten, hieß für sie nur, daß es unmöglich der gleiche Mißbrauch gewesen sein konnte.

»So sind die Leute«, hätte Iowa-Bob dazu gesagt. »Sie haben den Drang, ihre eigenen schlimmsten Erfahrungen allgemeingültig zu machen. Irgendwie hilft ihnen das.«

Und wer wollte es ihnen zum Vorwurf machen? Trotzdem macht es einen einfach rasend, mit so jemandem zu diskutieren; wegen eines Erlebnisses, das ihnen ihre Menschlichkeit verwehrte, gehen sie herum und verwehren anderen eine andere Art der Menschlichkeit: die Tatsache der Verschiedenheit der Menschen – die ebenbürtig neben unserer Gleichheit steht. Pech für diese Frau.

»Wahrscheinlich hat sie ein höchst unglückliches Leben gehabt«, hätte Iowa-Bob gesagt.

In der Tat: diese Frau *hatte* ein höchst unglückliches Leben gehabt. Diese Expertin für Vergewaltigungen war Susie der Bär.

»Was soll der Scheiß von ›einem kleinen Vorfall unter so vielen anderen‹?« wollte Susie der Bär von Franny wissen. »Was soll der Scheiß vom ›glücklichsten Tag meines Lebens‹?« fragte Susie. »Diese Banditen wollten dich nicht nur *ficken*, Schätzchen, die wollten dir deine Kraft nehmen, und du hast es zugelassen. Jede Frau, die es so *passiv* hinnimmt, daß ihr Gewalt angetan wird ... wie kannst du bloß *sagen*, du hättest irgendwie gewußt, daß Chipper Dove ›der Erste‹ sein würde. Liebes Kind! Du hast aus der *Ungeheuerlichkeit*, die dir angetan wurde, eine *Lappalie* gemacht – nur um das alles ein bißchen leichter aushalten zu können.«

»Wessen Vergewaltigung ist das eigentlich?« fragte Franny Susie den Bären. »Ich meine, du hast deine, und ich hab meine. Wenn ich sage, niemand *hat* mich in mir drin erwischt, dann *hat* mich da auch niemand erwischt. Glaubst du denn, sie erwischen dich jedesmal so, daß es dir etwas macht?«

»Da kannst du deinen süßen Arsch drauf verwetten, Schätzchen«, sagte Susie. »Wenn dich einer vergewaltigt, dann benützt er seinen Schwanz als Waffe. Keiner geht mit einer Waffe auf dich los, ohne daß es dir etwas *macht*. Zum Beispiel«, sagte Susie der Bär, »wie steht es denn derzeit bei dir mit dem Sex?«

»Sie ist erst sechzehn«, sagte ich. »Da ist mit dem Sex noch nicht so viel los – wenn man erst sechzehn ist.«

»Ich halte das auseinander«, sagte Franny. »Auf der einen Seite gibt es den Sex, und auf der anderen Seite die Vergewaltigung«, sagte sie. »Wie Tag und Nacht.«

»Wieso sagst du dann immer, Chipper Dove sei ›der Erste‹ gewesen, Franny?«fragte ich sie leise.

»Eben – das ist der springende Punkt«, sagte Susie der Bär.

»Seht mal«, sagte Franny zu uns – während Frank betreten eine Patience legte und so tat, als höre er nicht zu; während Lilly unserer Unterhaltung folgte, als handle es sich um ein großes Tennismatch und jeder Schlag verdiene Respekt. »Seht mal«, sagte Franny, »der springende Punkt ist der, daß meine Vergewaltigung mir gehört. Es ist meine Vergewaltigung. Sie *gehört* mir. Ich werde auf meine Art damit fertig.«

»Aber du wirst eben *nicht* damit fertig«, sagte Susie. »Du warst nie wütend genug. Du mußt wütend werden. Du mußt rasend werden nach allem, was passiert ist.«

»Du mußt besessen werden und besessen bleiben«, zitierte Frank den alten Iowa-Bob und verdrehte dabei die Augen.

»Das ist mein Ernst«, sagte Susie der Bär. Sie übertrieb natürlich den Ernst – aber sie war liebenswerter, als sie am Anfang erschienen war. Susie der Bär begriff dann auch nach einiger Zeit, wie das mit der Vergewaltigung war. Später in ihrem Leben leitete sie ein vortreffliches Vergewaltigungs-Notruf-Zentrum, und in ihren Anweisungen für die Beraterinnen der Vergewaltigungsopfer schrieb sie gleich in der ersten Zeile, daß die Frage »Wem gehört die Vergewaltigung?« die wichtigste Frage überhaupt sei. Sie verstand schließlich auch, daß ihre Wut zwar für sie selbst im wesentlichen heilsam war, daß sie aber für Franny damals nicht unbedingt etwas Heilsames gewesen wäre. »Gib dem Opfer Gelegenheit, sich Luft zu machen«, schrieb sie weise in ihrem Berater-Bulletin, und: »Halte deine eigenen Probleme und die Probleme des Opfers immer auseinander.« Später wurde Susie der Bär zu einer wirklichen Expertin für Vergewaltigungen – die Verfasserin der berühmten Zeile: »Vorsicht: das eigentliche Problem einer Vergewaltigung muß nicht immer *dein* eigentliches Problem sein; bedenke freundlicherweise die Möglichkeit, daß es mehr als ein Problem geben kann.« Und allen Beraterinnen in ihrem Zentrum gab sie diesen Rat: »Es kommt wesentlich darauf an, zu begreifen, daß es für die Opfer nicht bloß *eine* Art der Reaktion und der Bewältigung ihrer Krise gibt. Ein Opfer kann alle, keines oder irgendeine Kombination der üblichen Symptome aufweisen: Schuld, Verdrängung, Wut, Verwirrung, Furcht oder auch etwas ganz anderes. Und Probleme können nach einer Woche auftreten oder nach einem Jahr oder nach zehn Jahren oder überhaupt nie.«

Sehr wahr; Iowa-Bob hätte diesen Bären ebenso gemocht wie Earl. Aber in den ersten Tagen war Susie in Vergewaltigungsfragen – und in vielen anderen Dingen – uns gegenüber ausgesprochen bärbeißig.

Und wir wurden in einen vertrauten Umgang mit ihr gedrängt, der dadurch unnatürlich war, daß wir uns plötzlich an sie wie an eine Mutter wenden mußten (in Abwesenheit unserer eigenen Mutter); nach einiger Zeit wandten wir uns auch mit anderen Bedürfnissen an Susie. Fast sofort schien uns dieser (bei aller Schroffheit) schlaue Bär umsichtiger als der blinde Freud, und vom ersten Tag und der ersten Nacht an kamen wir in unserem neuen Hotel mit *allen* Fragen zu Susie dem Bären.

»Wer sind die Leute mit den Schreibmaschinen?« fragte ich sie.

»Wieviel verlangen die Prostituierten?« fragte Lilly sie.

»Wo kann ich einen guten Stadtplan kaufen?« fragte Frank sie. »Möglichst einen, der Rundgänge eingezeichnet hat.«

»Rundgänge, Frank?« sagte Franny.

»Zeig den Kindern ihre Zimmer, Susie«, wies Freud seinen schlauen Bären an.

Irgendwie gingen wir alle erst in Eggs Zimmer, das schlimmste von allen – ein Zimmer mit zwei Türen und keinem Fenster, eine kleine Kammer mit einer Verbindungstür zu Lillys Zimmer (das nur um ein Fenster besser war) und einer Tür zur Eingangshalle im Erdgeschoß.

»Das wird Egg nicht gefallen«, sagte Lilly, aber Lilly sagte voraus, daß Egg überhaupt nichts gefallen würde: der Umzug nicht, das Ganze nicht. Ich habe den Verdacht, daß sie recht hatte, und wenn ich heute an Egg denke, stelle ich ihn mir meistens in dem Zimmer im Gasthaus Freud vor, das er nie zu sehen bekam. Egg in einer Schachtel ohne Luft und ohne Fenster, einem winzigen gefangenen Raum im Herzen eines fremden Hotels – in einem Zimmer, das für Gäste nicht taugte.

Die typische Tyrannei von Familien: das jüngste Kind bekommt immer das schlechteste Zimmer. Egg wäre im Gasthaus Freud nicht glücklich gewesen, und ich frage mich heute, ob überhaupt einer von uns hätte glücklich sein können. Allerdings hatten wir dort auch keinen günstigen Start. Wir hatten bloß einen Tag und eine Nacht, bevor sich die Nachricht von Mutter und Egg auf uns legte, bevor Susie auch *unser* Blindenbär wurde und Vater und Freud ihren Pas de deux auf ein grandioses Hotel zu begannen – ein erfolgreiches Hotel war das allerwenigste, was sie sich erhofften; und wenn schon kein Klasse-Hotel, dann wenigstens ein gutes.

Schon am Tag unserer Ankunft fingen Vater und Freud an, Pläne zu machen. Vater wollte die Prostituierten in den vierten Stock und das Symposion über Ost-West-Beziehungen in den dritten Stock verlegen und so den ersten und zweiten Stock für Gäste freimachen.

»Warum sollten die zahlenden Gäste in den dritten und vierten Stock hoch steigen müssen?« fragte Vater Freud.

»Die Prostituierten«, ermahnte Freud meinen Vater, »sind

auch zahlende Gäste.« Er brauchte nicht hinzuzufügen, daß sie auch mehr als einmal in der Nacht die Treppe raufgingen. »Und manche Kunden sind zu alt für die vielen Stufen«, fügte Freud hinzu.

»Wenn sie zu alt sind für die vielen Treppenstufen«, sagte Susie der Bär, »dann sind sie auch zu alt für die Schweinereien. Immer noch besser, es kratzt einer auf der Treppe ab, als daß er im Bett seinen Abgang macht – auf einem der kleineren Mädchen.«

»Jessas Gott«, sagte Vater. »Dann geben wir eben den Prostituierten den ersten Stock. Und schicken die verdammten Radikalen nach oben.«

»Intellektuelle«, sagte Freud, »sind für ihre schlechte körperliche Verfassung bekannt.«

»Nicht alle von diesen Radikalen sind Intellektuelle«, sagte Susie. »Und wir sollten irgendwann auch einen Aufzug haben«, fügte sie hinzu. »Ich bin dafür, daß wir die Nutten unten lassen; sollen doch die Denker Treppen steigen.«

»Richtig, und die Gäste kommen in die Mitte«, sagte Vater.

»Was für *Gäste?*« fragte Franny. Sie und Frank hatten die Eintragungen überprüft; das Gasthaus Freud hatte keine Gäste.

»Das war nur der Brand in der Konditorei«, sagte Freud. »Der hat die Gäste ausgeräuchert. Wenn wir erst die Lobby hergerichtet haben, werden die Gäste hereinströmen.«

»Und die Fickerei wird sie die ganze Nacht nicht schlafen lassen, und die Schreibmaschinen werden sie morgens aufwecken«, sagte Susie der Bär.

»So eine Art Hotel für Bohemiens«, sagte Frank optimistisch.

»Was weißt du schon über Bohemiens, Frank?« fragte Franny.

In Franks Zimmer stand eine Schneiderpuppe, früher einmal im Besitz einer Prostituierten, die im Hotel ein ständiges Zimmer gehabt hatte. Es war eine ziemlich kräftige Puppe, mit dem angeschlagenen Kopf einer Schaufensterpuppe obendrauf, der – wie Freud behauptete – aus einem der großen Kaufhäuser in der Kärntner Straße gestohlen worden war. Ein hübsches, aber narbenzerfressenes Gesicht mit einer schiefsitzenden Perücke.

»Genau richtig für deine ganzen Kostümwechsel, Frank«, sagte Franny. Frank hängte mürrisch seine Jacke drüber.

»Sehr komisch«, sagte Frank.

Frannys Zimmer lag neben meinem. Wir hatten ein gemeinsames Bad mit einer uralten Badewanne; sie war so tief, daß man einen Ochsen darin hätte braten können. Das WC lag am Ende des Ganges, unmittelbar neben der Halle. Nur zu Vaters Zimmer gehörte ein eigenes Bad und ein eigenes WC. Wie es aussah, teilte Susie das Bad mit Franny und mir, konnte es aber nur durch eines unserer Zimmer betreten.

»Keine Angst«, sagte Susie. »So oft wasch ich mich nicht.«

Das wußten wir bereits. Es war nicht unbedingt ein Bärengeruch, aber es war ein herber, salziger, kräftiger und nachhaltiger Geruch, und als sie ihren Bärenkopf abnahm und wir zum erstenmal ihre dunklen, feuchten Haare sahen – ihr blasses, pockennarbiges Gesicht und ihre verstörten nervösen Augen –, fanden wir, als Bär sei sie uns doch lieber.

»Was ihr da seht«, sagte Susie, »sind die wüsten Folgen einer Akne – das Elend meiner Teenagerjahre. Ich bin der Prototyp des Mädchens, von dem sie sagen: ›Nicht schlecht, wenn man ihr einen Sack über den Kopf stülpt‹.«

»Mach dir nichts draus«, sagte Frank. »Ich bin homosexuell. So toll werden meine Teenagerjahre auch nicht werden.«

»Na ja, du bist wenigstens attraktiv«, sagte Susie der Bär. »Eure ganze Familie ist *attraktiv*«, sagte sie und warf uns allen einen boshaften Blick zu. »Ihr werdet euch vielleicht auch diskriminiert fühlen, aber ich kann euch sagen: am schlimmsten diskriminiert werden immer noch die Häßlichen. Ich war schon ein häßliches Kind, und ich werde immer häßlicher, mit jedem verfickten Tag.«

Wir mußten sie einfach anstarren in ihrem Bärenfell ohne Kopf; wir fragten uns natürlich, ob Susies eigener Leib wohl so plump war wie der eines Bären. Und als wir sie später an diesem Nachmittag in ihrem T-Shirt und in Sporthosen schwitzen sahen, wie sie in Freuds Büro ihre tiefen Hocken und Kniebeugen machte – um sich warmzumachen für ihre Aufgabe am Abend, wenn die Radikalen gegangen waren und die Prostituierten kamen –, da konnten wir sehen, daß sie die richtige Figur für ihre spezielle Tierdarstellung hatte.

»Ganz schön was dran, hm?« sagte sie zu mir. Zu viele Bananen, hätte Iowa-Bob vielleicht gesagt; und zuwenig Laufarbeit.

Aber fairerweise muß man sagen, daß Susie eigentlich nur im Kostüm (und in der Rolle) des Bären auftreten und ausgehen konnte. Und Gymnastikübungen sind schwierig, wenn man als Bär verkleidet ist.

»Ich darf mich ja nicht verraten, sonst sind wir dran«, sagte sie.

Denn wie sollte Freud die Ordnung aufrechterhalten, ohne sie? Susie der Bär war die vollstreckende Gewalt. Wenn die Radikalen durch Störenfriede von der Rechten belästigt wurden, wenn es im Flur und im Treppenhaus zu heftigen Wortgefechten kam, wenn irgendein Faschist der neuen Welle losbrüllte: »Nichts ist frei!« – wenn ein kleiner Haufen von Protestlern in die Halle kam und auf einem Spruchband forderte, das Symposion über Ost-West-Beziehungen solle sich verziehen... in den Osten –, all das waren Situationen, in denen Freud sie brauchte, sagte Susie.

»Raus hier, ihr reizt den Bären!« schrie dann Freud.

Manchmal half erst ein tiefes Knurren und eine kurze Attacke.

»Schon komisch«, sagte Susie. »Ich bin eigentlich kein großer Kämpfer, aber niemand versucht, sich mit einem Bären anzulegen. Ich brauche so einen Kerl nur zu packen, und schon kugelt er sich zusammen und fängt an zu wimmern. Ich brauche die Schweine nur *anzuhauchen*, ich brauche sie nur ein bißchen Gewicht spüren zu lassen. Keiner wehrt sich, wenn du ein Bär bist.«

Weil die Radikalen für diesen Bärenschutz dankbar waren, war es wirklich kein Problem, sie zum Umzug in den obersten Stock zu bewegen. Mein Vater und Freud erläuterten am Nachmittag ihren Standpunkt. Vater bot mich als Schreibmaschinenträger an, und ich begann die Maschinen nach oben in die leeren Räume im vierten Stock zu bringen. Sie hatten ein halbes Dutzend Schreibmaschinen und einen Umdrucker; das übliche Büromaterial; und eine Menge überflüssiger Telefone, wie es schien. Beim dritten oder vierten Schreibtisch fing ich an, es ein wenig müde zu werden, aber ich hatte während der Reise mein übliches Krafttraining vernachlässigt – da war mir dieses zusätzliche Training willkommen. Ich fragte ein paar von den jüngeren Radikalen, ob sie wüßten, wo ich mir einen Satz Hanteln kaufen könnte, aber sie wirkten sehr mißtrauisch – ob wir wohl Amerikaner waren? –, und entweder verstanden sie kein Englisch, oder sie zogen es vor, ihre eigene Sprache zu sprechen. Es gab einen kurzen Protest von einem der älteren Radikalen, der einen offenbar recht lebhaften Streit mit Freud vom Zaun brach, aber Susie der Bär begann zu winseln und mit schaukelndem Kopf dem alten Mann um die Knöchel zu streichen – als wolle sie sich an seinem Hosenaufschlag die Nase putzen –, und da beruhigte er sich wieder und stieg die Treppe hoch, obwohl *er* genau wußte, daß Susie kein richtiger Bär war.

»Was schreiben die eigentlich?« wollte Franny von Susie wissen. »Ich meine, sind es irgendwelche Rundschreiben oder so, ist es Propaganda?«

»Warum haben sie so viele Telefone?« fragte ich, denn wir hatten die Telefone nicht ein einziges Mal klingeln hören – den ganzen Tag nicht.

»Sie telefonieren viel nach draußen«, sagte Susie. »Ich glaube, sie sind zu telefonischen Drohungen übergegangen. Und ihre Rundschreiben lese ich nicht. Um ihre Politik kümmere ich mich nicht.«

»Aber was *ist* denn ihre Politik?« fragte Frank.

»Die Ficker wollen alles auf den Kopf stellen«, sagte Susie.

»Neu anfangen. Sie wollen reinen Tisch machen. Sie wollen wieder bei Null anfangen.«

»Ich auch«, sagte Frank. »Das hört sich vernünftig an.«

»Sie machen mir angst«, sagte Lilly. »Sie blicken glatt über dich weg; und selbst wenn sie dich direkt anblicken, sehen sie dich nicht.«

»Nun, du bist ziemlich klein«, sagte Susie der Bär. »*Mich* blicken sie jedenfalls oft genug an.«

»Und einer von ihnen blickt dauernd Franny an«, sagte ich.

»So meine ich das nicht«, sagte Lilly. »Ich meine, sie sehen keinen *Menschen*, wenn sie einen anblicken.«

»Das ist, weil sie darüber nachdenken, wie alles anders sein könnte«, sagte Frank.

»Auch die Menschen, Frank?« fragte Franny. »Glauben sie, auch die *Menschen* könnten anders sein? Glaubst *du* das?«

»Klar«, sagte Susie der Bär. »Wir könnten beispielsweise alle tot sein.«

Trauer schafft Vertrautheit; in unserer Trauer um Mutter und Egg lernten wir die Radikalen und Huren bald so gut kennen, als hätten wir sie schon immer gekannt. Wir waren die verwaisten Kinder, denen die Mutter entrissen (für die Huren) und deren goldener Bruder erschlagen worden war (für die Radikalen). Und so kam es, daß uns die Radikalen und Huren – um unsere trübe Stimmung und die trüben Zustände im Gasthaus Freud wettzumachen – recht gut behandelten. Und trotz ihrer Tag-und-Nacht-Unterschiede waren sie einander ähnlicher, als sie wohl selbst geglaubt hätten.

Sie glaubten beide an die kommerziellen Möglichkeiten eines einfachen Ideals: sie glaubten beide, sie könnten eines Tages »frei« sein. Sie glaubten beide, ihre Körper seien Objekte, leicht für eine gute Sache zu opfern (und nach dem Opfergang leicht wiederherzustellen oder zu ersetzen). Selbst ihre Namen waren ähnlich – wenn auch aus verschiedenen Gründen. Sie hatten nur Deck- oder Spitznamen, und wenn sie ihren richtigen Namen benutzten, dann nur den Vornamen.

Zwei von ihnen hießen tatsächlich gleich, aber es gab keine Verwirrung, da der Radikale ein Mann war, und außerdem waren sie nie gleichzeitig im Gasthaus Freud: *der* Alte Billig und *die* Alte Billig. Die älteste Hure wurde so genannt, weil ihre Preise für den Stadtbezirk, in dem sie anschaffte, unter der Norm lagen; die Huren in der Krugerstraße waren – auch wenn die Krugerstraße im Ersten Bezirk lag – so etwas wie eine Unterabteilung der Huren in der Kärntner Straße (gleich um die Ecke). Wenn man von der Kärntner Straße in unsere kleine Straße einbog, dann war das (im Vergleich), als steige man herab in eine Welt ohne Licht; obwohl die Kärntner Straße so nahe war, sah man nichts mehr von dem hell erleuchteten Hotel Sacher und vom strahlenden Glanz der Staatsoper, und es fiel einem auf, daß die Huren mehr Lidschatten trugen, daß ihre Knie ein wenig wacklig waren oder daß ihre Knöchel umknicken wollten (vom allzu langen Stehen) oder daß sie in der Hüfte etwas fülliger schienen – wie die Schneiderpuppe in Franks Zimmer. Und die Alte Billig war die Anführerin der Huren in der Krugerstraße.

Ihr Namensvetter bei den Radikalen war der alte Herr, der mit Freud so grimmig über den Umzug in den vierten Stock gestritten hatte. *Der* Alte Billig verdankte seinen Namen seinem Ruf, immer nur von der Hand in den Mund zu leben – und der Tatsache, daß er stets das gewesen war, was die anderen Radikalen einen »Radikalradikalen« nannten. Als es Bolschewiken gab, war er einer von ihnen; als sich die Namen änderten, änderte auch er seinen Namen. In jeder Bewegung stand er in der vordersten Front, aber sobald die Bewegung Amok lief oder in tödliche Schwierigkeiten geriet, fand sich der Alte Billig irgendwie in den hintersten Reihen; er rückte diskret aus dem Blickfeld und wartete auf die nächstmögliche vorderste Front. Die Idealisten unter den jüngeren Radikalen begegneten dem Alten Billig einerseits mit Mißtrauen und bewunderten andererseits seine Ausdauer – seine Fähigkeit zu überleben. Das unterschied sich kaum von der Einschätzung *der* Alten Billig durch *ihre* Kolleginnen.

Ein hohes Dienstalter ist Gegenstand der Verehrung und des Anstoßes – innerhalb und außerhalb der Gesellschaft.

Wie der Alte Billig stritt auch die Nutte dieses Namens mit Freud besonders heftig über den geplanten Umzug.

»Aber ihr kommt weiter nach *unten*«, sagte Freud. »Ihr werdet eine Treppe *weniger* zu steigen haben. In einem Hotel ohne Fahrstuhl ist der erste Stock *günstiger* als der zweite.«

Freuds Deutsch konnte ich folgen, aber die Antwort der Alten Billig verstand ich nicht. Frank sagte mir, sie protestiere, weil sie beim Umzug zu viele »Andenken« schleppen müsse.

»Sieh dir diesen Jungen an!« sagte Freud und suchte mit den Händen nach mir. »Sieh dir seine Muskeln an!« Freud »sah« natürlich meine Muskeln mit seinen Fingern: er kniff und boxte mich und schubste mich ungefähr in die Richtung der alten Nutte. »Fühl mal!« schrie Freud. »Er kann alle deine Andenken für dich schleppen. Wenn wir ihm einen Tag Zeit geben, schleppt er das ganze Hotel weg!«

Und von Frank erfuhr ich, was die Alte Billig sagte. »Von Muskeln hab ich genug«, sagte die Alte Billig auf Freuds Angebot, mich zu kneifen. »Muskeln verfolgen mich bis in den *Schlaf*«, sagte sie. »Klar kann er meine Andenken schleppen«, sagte sie. »Aber daß mir ja nichts kaputtgeht.«

Und so transportierte ich die Andenken der Alten Billig mit größter Vorsicht. Eine Sammlung Porzellanbären, die es mit Mutters Sammlung aufnehmen konnte (und nach Mutters Tod lud mich die Alte Billig einmal, als sie nicht im Dienst und nicht im Gasthaus Freud war, bei Tag zu sich ein, und ich konnte mir allein und in aller Ruhe die Bären ansehen, zur Erinnerung an Mutters Sammlung, die mit ihr zugrunde ging). Die Alte Billig mochte auch Pflanzen – und diese Pflanzen sprangen aus Töpfen, die allerlei Vögeln und anderen Tieren nachempfunden waren: Blumen, die aus Froschrücken sproßten, Farne, die sich über eine Gruppe Flamingos ausbreiteten, ein Orangenbäumchen, das aus dem Kopf eines Alligators wuchs. Die anderen Nutten hatten vor allem Garderoben und

Kosmetika und Arzneien zu transportieren. Es war seltsam, wenn ich mir vorstellte, daß sie im Gasthaus Freud nur ›Nachträume‹ hatten – im Gegensatz zu Ronda Ray, die ihren ›Tagesraum‹ hatte; mir fiel auf, daß Tages- und Nachträume für ähnliche Zwecke verwendet wurden.

Wir lernten die Nutten an jenem ersten Abend kennen, als wir ihnen mit dem Umzug vom zweiten in den ersten Stock halfen. In der Krugerstraße gab es vier Nutten und die Alte Billig. Ihre Namen waren Babette, Jolanta, die Dunkle Inge und Kreisch-Annie. Babette wurde Babette genannt, weil sie die einzige war, die französisch sprach; in der Regel bekam sie die französischen Kunden (denn die Franzosen sind höchst empfindlich, wenn es darum geht, etwas anderes als Französisch zu sprechen). Babette war klein – und deshalb Lillys Lieblingsnutte – mit einem Koboldgesicht, das in der düsteren Beleuchtung der Eingangshalle im Gasthaus Freud (aus bestimmten Blickwinkeln) unangenehm an ein Nagetier erinnerte. In späteren Jahren dachte ich manchmal, daß Babette wahrscheinlich an Anorexie litt, ohne es zu wissen – keiner von uns wußte 1957, was Anorexie war. Sie trug geblümte Baumwollkleider, ausgesprochene Sommerkleider – und das nicht nur im Sommer – und sie wirkte komisch überpudert (als ob bei einer Berührung Puderwölkchen aus ihren Poren schießen würden); bei anderen Gelegenheiten hatte ihre Haut etwas Wächsernes an sich (als ob bei einer Berührung der Finger eine Delle hinterlassen würde). Lilly sagte mir einmal, Babettes Kleinheit habe in ihrem (Lillys) Heranwachsen eine wichtige Rolle gespielt, denn Babette verhalf Lilly zu der Erkenntnis, daß kleine Leute tatsächlich auch mit großen Leuten Sex haben konnten, ohne dabei ganz und gar vernichtet zu werden. So drückte das Lilly gerne aus: »Ohne *ganz und gar* vernichtet zu werden.«

Jolanta nannte sich Jolanta, weil das, wie sie sagte, ein polnischer Name war, und weil sie Polenwitze mochte. Sie hatte ein viereckiges Gesicht, sah stark aus und war so kräftig gebaut wie Frank (und fast ebenso linkisch); sie strahlte eine

Herzlichkeit aus, die einem irgendwie falsch vorkam – so als könne sie mitten in einem dröhnenden Witz unvermittelt ein Messer aus ihrer Handtasche ziehen oder jemandem ein Weinglas ins Gesicht rammen. Sie hatte breite Schultern und schwere Brüste und war trotz ihrer stämmigen Beine nicht fett – Jolanta hatte den robusten Charme einer Bäuerin, seltsam zersetzt von der hinterhältigen Gewalttätigkeit der Großstadt; sie wirkte erotisch, aber gefährlich. In meinen ersten Tagen und Nächten im Gasthaus Freud war es die Vorstellung von *ihr*, zu der ich am häufigsten masturbierte – es war Jolanta, bei der mir das Reden am schwersten fiel, nicht weil sie am gröbsten war, sondern weil ich vor ihr am meisten Angst hatte.

»Woran erkennt man eine polnische Hure?« fragte sie mich. Ich mußte Frank um eine Übersetzung bitten. »Sie zahlt dafür, daß man sie fickt«, sagte Jolanta. Das verstand ich auch ohne Franks Hilfe.

»Hast du das verstanden?« fragte mich Frank.

»Herrgott, Frank, natürlich«, sagte ich.

»Dann lach auch«, sagte Frank. »Es ist wohl besser, du lachst.« Und ich blickte auf Jolantas Hände – sie hatte die Handgelenke eines Bauern, die Knöchel eines Boxers – und lachte.

Die Dunkle Inge lachte kaum. Sie hatte ein höchst unglückliches Leben hinter sich. Vor allem aber hatte sie noch nicht sehr *viel* von ihrem Leben hinter sich; sie war erst elf. Als Mulattin – mit einer österreichischen Mutter und einem schwarzen amerikanischen G.I. als Vater – war sie zu Beginn der Besatzungszeit geboren worden. Ihr Vater war 1955 mit den Besatzungsmächten abgezogen, und nichts von dem, was er Inge oder ihrer Mutter über die Behandlung der schwarzen Bevölkerung in den Vereinigten Staaten erzählt hatte, hatte den Wunsch in ihnen geweckt, mit ihm zu gehen. Die Dunkle Inge sprach das beste Englisch unter den Nutten, und als Vater nach Frankreich reiste – um Mutter und Egg zu identifizieren –, verbrachten wir unsere schlaflosen Nächte größtenteils mit der Dunklen Inge. Sie war so groß wie ich, obwohl sie erst in Lillys Alter war, und mit den Kleidern, die sie ihr anzogen, sah sie so alt aus wie Franny. Die geschmeidige, hübsche, mokkafarbene Dunkle Inge arbeitete als eine Art Lockvogel; sie war keine richtige Nutte.

Sie durfte nicht auf die Krugerstraße, ohne daß eine andere Nutte sie begleitete, es sei denn, Susie der Bär war bei ihr; wenn ein Mann sie haben wollte, wurde ihm gesagt, er könne sie nur ansehen – und sich selber befingern. Die Dunkle Inge war noch nicht alt genug, um befingert zu werden, und so durfte kein Mann mit ihr allein in einem Zimmer bleiben. Wenn ein Mann mit ihr zusammen sein wollte, leistete ihnen Susie der Bär Gesellschaft. Es war ein einfaches System, aber es funktionierte. Wenn ein Mann den Eindruck erweckte, als wolle er die Dunkle Inge befingern, kündigte Susie der Bär mit den entsprechenden Lauten und Gesten eine Attacke an. Wenn der Mann von der Dunklen Inge verlangte, daß sie sich zu weit auszog, oder wenn er darauf bestand, daß sie ihn *ansah*, während er masturbierte, dann wurde Susie der Bär unruhig. »Sie reizen den Bären«, warnte die Dunkle Inge dann den Mann, und der verdrückte sich – oder aber er masturbierte schnell zu Ende, während die Dunkle Inge in die andere Richtung blickte.

Die Nutten wußten alle, daß Susie der Bär innerhalb von Sekunden in ihrem Zimmer sein konnte. Sie brauchten nicht mehr zu tun, als einen Hilfeschrei auszustoßen, denn Susie kannte – wie es sich für ein gut dressiertes Tier gehört – alle ihre Stimmen, Babette mit ihrem nasalen kurzen Aufschrei, Jolanta mit ihrem heftigen Gebrüll, die Alte Billig mit ihren zersplitternden »Andenken«. Aber die schlimmsten Kunden waren für uns Kinder die verschämten Männer, die mit ein paar unergiebigen Blicken auf die Dunkle Inge masturbierten.

»Ich glaube, mit einem Bären im Zimmer könnte *ich* nicht wichsen«, sagte Frank.

»Ich glaube, mit *Susie* im Zimmer könntest du nicht wichsen, Frank«, sagte Franny.

Lilly schauderte, und ich machte es ihr nach. Mit Vater in

Frankreich – bei diesen leblosen Körpern, die uns soviel bedeuteten – betrachteten wir die körperlichen Vorgänge im Gasthaus Freud mit jener Distanz, die Trauernden eigen ist.

»Wenn ich alt genug bin«, erzählte uns die Dunkle Inge, »kann ich den Preis für die ganze Sache verlangen.« Es überraschte uns Kinder, daß man für »die ganze Sache« mehr zahlte, als wenn man in Gegenwart der Dunklen Inge wichste.

Die Mutter der Dunklen Inge hatte die Absicht, Inge aus dem Geschäft rauszuhaben, wenn ihre Tochter erst »alt genug« war. Die Mutter der Dunklen Inge hatte vor, ihre Tochter aus dem Verkehr zu ziehen, bevor sie mündig wurde. Die Mutter der Dunklen Inge war die fünfte Königin der Nacht im Gasthaus Freud – Kreisch-Annie. Sie scheffelte mehr Geld als all die anderen Nutten in der Krugerstraße, denn sie arbeitete für einen ehrbaren Ruhestand (für ihre Tochter *und* für sich).

Wenn man eine zarte Blume oder ein wenig Französisch wollte, dann verlangte man Babette. Wenn man Erfahrung zu einem guten Preis haben wollte, dann war da die Alte Billig. Wenn man gern mit dem Feuer spielte – und einen Schuß Gewalt schätzte –, dann konnte man es mit Jolanta riskieren. Wenn man sich schämte, konnte man für einen verstohlenen Blick auf die Dunkle Inge zahlen. Und wenn man den Gipfel der Täuschung ersehnte, ging man mit Kreisch-Annie.

Wie sagte doch Susie der Bär: »Kreisch-Annie bringt den bestgetürkten Orgasmus der Branche.«

Wenn Schrei-Annie ihren Orgasmus türkte, wurde Lilly aus ihren schlimmsten Alpträumen geschreckt, Frank setzte sich pfeilgerade auf in seinem Bett und brüllte aus Angst vor der dunklen Gestalt der Schneiderpuppe, die am Fußende seines Bettes lauerte, ich wurde aus dem tiefsten Schlaf gerissen – plötzlich hellwach, mit einer Erektion, oder den Hals abtastend nach der Stelle, wo er durchgeschnitten war. Meiner Ansicht nach war Kreisch-Annie allein schon Grund genug, die Nutten *nicht* in dem Stockwerk direkt über uns einzuquartieren.

Sie konnte selbst Vater aus seinem Kummer aufrütteln –

sogar unmittelbar nach seiner Rückkehr aus Frankreich. »Jessas Gott«, sagte er dann und kam, um jedem von uns einen Kuß zu geben und nachzusehen, ob alles in Ordnung war.

Nur Freud ließ sich dadurch nicht in seinem Schlaf stören. »Echt Freud«, sagte Frank, »auf einen getürkten Orgasmus fällt der nicht rein.« Frank kam sich wegen dieser oft wiederholten Bemerkung sehr geistreich vor – denn natürlich meinte er den *anderen* Freud, nicht unseren blinden Manager.

Kreisch-Annie war manchmal so gut, daß selbst Susie der Bär reinfiel und vor sich hin brummte: »Mein Gott, das muß ein *echter* sein.« Oder, schlimmer noch, Susie verwechselte zuweilen einen getürkten Orgasmus mit einem möglichen *Hilfe*schrei. »*So* schreit keiner, der *kommt*, Herrgott nochmal!« brüllte Susie und erinnerte mich an Ronda Ray. »*So* schreit einer, der *stirbt!*« Und dann stürmte sie wutschnaubend über den Flur im ersten Stock, warf sich bei Kreisch-Annie gegen die Tür, ging mit ihrem furchterregenden Knurren auf das verwüstete Bett los – und erreichte damit, daß Annies Bettgenosse floh oder in Ohnmacht fiel oder auf der Stelle schrumpfte. Und Kreisch-Annie sagte mild: »Nein, nein, Susie, hier ist alles in Ordnung. Der Mann ist *nett*.« Aber oft war es dann zu spät, den Mann wieder aufzurichten – denn der war allenfalls noch ein sich krümmendes schrumpliges Häufchen Angst.

»Das ist der Supertrip für Schuldbewußte«, sagte Franny gern. »Der Typ ist grade soweit, daß ihm gleich einer abgeht, und da stürzt ein Bär ins Zimmer und macht sich über ihn her.«

»Unter uns gesagt, Schätzchen«, sagte Susie zu Franny, »ich glaube, manche *brauchen* das, damit ihnen überhaupt einer abgeht.«

Gab es im Gasthaus Freud tatsächlich Kunden, die *nur* kommen konnten, wenn ein Bär sie angriff? fragte ich mich. Aber wir waren zu jung; so manches, was dort vorging, blieb uns für immer ein Rätsel. Wie all die greulichen Halloweengespenster vergangener Tage waren auch die Klienten des

Gasthauses Freud für uns nie ganz wirklich. Zumindest nicht die Nutten, und ihre Kunden – und auch nicht die Radikalen.

Der Alte Billig kam morgens als erster an. Wie Iowa-Bob sagte er, er sei zu alt, um das, was ihm noch blieb von seinem Leben, mit Schlafen zu vergeuden. Er kam so früh am Morgen, daß er manchmal beim Reingehen der letzten Nutte begegnete, die gerade rausging. Das war unweigerlich Kreisch-Annie, die sich die längste Arbeitszeit zumutete – um sich selbst und ihre dunkle Tochter zu retten.

Susie der Bär schlief in den frühen Morgenstunden. Nach dem Morgengrauen gab es wenig Ärger mit den Nutten, als brächte das Tageslicht den Menschen Sicherheit – wenn schon nicht immer Ehrlichkeit –, und die Radikalen fingen nicht vor dem späten Vormittag an, sich zu streiten. Die meisten Radikalen waren Langschläfer. Sie schrieben den ganzen Tag ihre Manifeste und gaben ihre telefonischen Drohungen durch. Sie stritten miteinander – »weil es ihnen an greifbaren Feinden fehlte«, wie Vater von ihnen sagte. Vater war schließlich ein Kapitalist. Wer sonst käme auch nur auf die *Idee* von einem perfekten Hotel? Wer außer einem Kapitalisten, einem grundsätzlichen Nicht-Umstürzler, konnte auch nur den *Wunsch* haben, in einem Hotel zu leben, einen nichtindustriellen Betrieb zu führen, Schlaf – nicht Arbeit – zu verkaufen, Ruhe, wenn nicht gar Erholung, als Produkt anzubieten. Mein Vater fand die Radikalen noch bescheuerter als die Nutten. Ich glaube, nach dem Tod meiner Mutter fühlte sich mein Vater vertraut mit dem Durcheinander von Begierde und Einsamkeit; vielleicht war er sogar dankbar für »das Geschäft« – wie die Nutten ihre Arbeit nannten.

Weniger wohlwollend sah er die Weltveränderer, die Idealisten, die entschlossen waren, die unerfreulichen Seiten der menschlichen Natur zu ändern. Heute überrascht mich das, da ich Vater bloß als eine andere Art Idealisten ansehe – aber Vater war natürlich eher entschlossen, Unerfreuliches durchzustehen, als es zu ändern. Daß mein Vater nie richtig Deutsch

338

lernte, isolierte ihn zusätzlich von den Radikalen; mit ihnen verglichen, sprachen die Nutten das bessere Englisch.

Der Alte Billig kannte einen einzigen Satz auf englisch. Er machte sich einen Spaß daraus, Lilly zu kitzeln oder ihr einen Lutscher zu geben und sie gleichzeitig mit einem liebevollen »*Yankee go home!*« zu necken.

»Ein reizender alter Furzer«, sagte Franny. Frank wollte dem Alten Billig einen zweiten englischen Ausdruck beibringen, der, wie Frank meinte, nach Billigs Geschmack war.

»*Imperialist dog*«, sagte Frank ihm vor, aber Billig verwechselte das immer mit »*Nazi swine*«, und es gab ein hoffnungsloses Durcheinander.

Die Radikale mit den besten Englischkenntnissen benützte den Decknamen Fehlgeburt. Frank erklärte mir, daß *Fehlgeburt* das deutsche Wort für »*miscarriage*« war.

Fräulein Fehlgeburt, wie die anderen sie nannten – Miss Miscarriage hieß sie bei uns Kindern –, war nie schwanger gewesen und hatte deshalb auch nie eine Fehlgeburt gehabt; sie war eine Studentin, deren Deckname deshalb ›Fehlgeburt‹ lautete, weil die einzige andere Frau im Stab des Symposions über Ost-West-Beziehungen den Decknamen ›Schwanger‹ hatte. *Sie* war es schon gewesen. Fräulein Schwanger war eine ältere Frau, in Vaters Alter, die in Wiener Radikalenkreisen wegen einer vergangenen Schwangerschaft berühmt war. Sie hatte ein ganzes Buch über das Schwangersein geschrieben, und danach noch ein zweites – eine Art Fortsetzung – über das Abtreiben. Zu Beginn ihrer Schwangerschaft hatte sie sich ein leuchtend rotes Plakat umgehängt und bekanntgegeben, daß sie schwanger war. SCHWANGER! stand auf ihrer Brust, und darunter mit gleich großen Buchstaben die Frage: »BIST DU DER VATER?« Das hatte auch einen sensationellen Buchumschlag abgegeben, und sie hatte ihr ganzes Honorar für verschiedene radikale Vorhaben gespendet. Durch die anschließende Abtreibung – und *das* Buch – war sie zu einem beliebten Gegenstand von Kontroversen geworden; als Rednerin zog sie immer noch eine Menge Zuhörer an, und was Vortragshonorare betraf, so war sie immer noch die loyale Spenderin. Schwangers Abtreibungsbuch – dessen Veröffentlichung 1955 mit dem Ende der Besatzungszeit zusammenfiel – hatte das Ausstoßen dieses unerwünschten Kindes zu einem Symbol für die Befreiung Österreichs von den Besatzungsmächten gemacht. »Der Vater«, schrieb Schwanger, »hätte ein Russe, Franzose, Brite oder Amerikaner sein können; für mich – für meinen Körper und für mein geistiges Empfinden – war er jedenfalls ein unerwünschter Fremder.«

Schwanger stand Susie dem Bären nahe; die beiden teilten eine große Zahl von Vergewaltigungstheorien. Schwanger freundete sich aber auch mit meinem Vater an; bei ihr fand er – nach dem Verlust meiner Mutter – offenbar am ehesten Trost, nicht weil zwischen ihnen »etwas gewesen« wäre (wie man so sagt), sondern weil ihre ruhige Stimme – mit dem gleichmäßigen, sanften Tonfall – von all den Stimmen im Gasthaus Freud der meiner Mutter am nächsten kam. Schwanger überzeugte einen mit ihrer Sanftheit – wie meine Mutter. »Ich bin nur Realistin«, sagte sie auf ihre besondere Art, ganz unschuldig – obwohl ihre Hoffnungen, reinen Tisch machen und noch einmal bei Null anfangen und eine neue Welt aufbauen zu können, so glühend waren wie die Brandstifterträume der anderen Radikalen.

Schwanger nahm uns Kinder jeden Tag ein paarmal mit zu Kaffee mit Milch und Zimt und Schlagrahm, ins Café Europa an der Kärntner Straße – oder ins Café Mozart am Albertinaplatz 2, gleich hinter der Staatsoper. »Nur damit ihr's wißt«, sagte Frank später, immer und immer wieder, »*Der Dritte Mann* wurde im Café Mozart gefilmt«. Schwanger interessierte das nicht im geringsten; es war der Schlagrahm, der sie vom Klappern der Schreibmaschinen und von der Hitze der Debatten vertrieb; es war die Stille im Kaffeehaus, die sie lockte. »Die einzig brauchbare Einrichtung unserer Gesellschaft – ein Jammer, daß auch das Kaffeehaus mit draufgehen wird«, sagte Schwanger zu Frank, Franny, Lilly und mir. »Trinkt aus, Kinder!«

Wenn man Schlagsahne wollte, fragte man nach *Schlag-obers*, und ganz gleich, was Schwanger für die anderen Radikalen bedeutete, für uns Kinder bedeutete sie puren Schlagobers. Sie war unsere Mutter-Radikale mit einer Schwäche für Schlagsahne; wir mochten sie wirklich.

Und das junge Fräulein Fehlgeburt, die an der Universität Wien amerikanische Literatur studierte, betete Schwanger an. Wir dachten, sie sei tatsächlich stolz auf ihren Decknamen, vielleicht weil wir dachten, das deutsche Wort ›Fehlgeburt‹ könne auch ›Abtreibung‹ bedeuten. Ich bin sicher, daß das nicht stimmen kann, aber in Franks Wörterbuch stand jedenfalls für beides dasselbe deutsche Wort: Fehlgeburt – und das ist ein sehr treffendes Bild für die Tatsache, daß wir in einer anderen Welt lebten als die Radikalen, daß es uns nie gelang, sie zu verstehen. Jedes Mißverständnis geht im wesentlichen auf ein Versagen der Sprache zurück. Wir verstanden tatsächlich nie, was diese beiden Frauen *im Sinn hatten* – die zupackende und mütterliche Schwanger, die immer wieder Kraft (und Geld) für – wie es uns Kindern schien – vernunftwidrige Anliegen aufbrachte und doch fähig war, uns mit ihrer sanften und höchst logischen *Stimme* und ihrem *Schlagobers* zu trösten; und die wie ein heimatloses Kind wirkende, stotternde, schüchterne Studentin der amerikanischen Literatur, Miss Miscarriage, die Lilly laut vorlas (nicht nur, um ein mutterloses Kind zu trösten, sondern auch, um ihr Englisch zu verbessern). Sie las so gut vor, daß Frank, Franny und ich fast immer mithörten. Fehlgeburt las uns gern in Franks Zimmer vor, und da sah es so aus, als ob auch die Schneiderpuppe zuhörte.

Damals im Gasthaus Freud – während Vater in Frankreich war, während unsere Mutter und Egg aus dem kalten Meer gefischt wurden (bei einer Markierungsboje, die Kummer war) – wurde uns von Fräulein Fehlgeburt *Der große Gatsby* in voller Länge vorgetragen; es war dieser Schluß, zusammen mit Miss Miscarriages singendem österreichischen Akzent, der Lilly wirklich packte.

»›Gatsby glaubte an das grüne Licht, an die rauschende Zukunft, die Jahr um Jahr vor uns zurückweicht. Sie ist uns gestern entschlüpft, doch was tut's‹«, las Fehlgeburt begeistert, »›– morgen schon eilen wir rascher, strecken weiter die Arme...‹!« las Miss Miscarriage. »›Und eines schönen Tages...‹«, Fehlgeburt machte eine Pause; ihre Telleraugen schienen glasig geworden von dem grünen Licht, das Gatsby sah – und vielleicht auch von der rauschenden Zukunft.

»Was?« sagte Lilly atemlos, und ein kleines Echo von Egg war unter uns in Franks seltsamem Zimmer.

»›So regen wir die Ruder‹«, las Fehlgeburt zu Ende, »›stemmen uns gegen den Strom – und treiben doch stetig zurück, dem Vergangenen zu.‹«

»Und das *war's?*« fragte Frank. »Ist es *aus?*« Er blinzelte ein paarmal, so sehr hatte er die Augen zusammengekniffen gehabt.

»Natürlich ist es *aus*, Frank«, sagte Franny. »Erkennst du einen Schluß nicht, wenn du ihn hörst?«

Fehlgeburt wirkte ausgeblutet, auf ihrem kindlichen Gesicht lag ein traurig-düsterer Erwachsenenblick, eine Strähne ihrer glatten blonden Haare war nervös um ein hübsches rosiges Ohr gewickelt. Dann legte Lilly los, und wir konnten sie nicht zurückhalten. Es war spät am Nachmittag, die Nutten waren noch nicht da, aber als Lilly loslegte, dachte Susie der Bär, Kreisch-Annie türke einen Orgasmus, in einem Zimmer, wo sie nicht hingehörte. Susie platzte in Franks Zimmer und stieß die Schneiderpuppe um, und das arme Fräulein Fehlgeburt schrie verschreckt auf. Aber selbst diese Störung konnte Lilly nicht drausbringen. Ihr Schrei schien in ihrer Kehle gefangen, sie schien an ihrem Schmerz ersticken zu müssen; wir konnten gar nicht glauben, daß ein so kleiner Körper so furchtbare Zuckungen, so gewaltige Laute hervorbringen konnte.

Selbstverständlich, dachten wir alle, ist es nicht so, daß das *Buch* sie so sehr bewegt – es ist dieser Schluß, »... und treiben doch stetig zurück, dem Vergangenen zu«, es ist *unsere* Vergangenheit, die sie bewegt, dachten wir alle; es ist Mutter, es ist Egg, und der Gedanke, daß wir sie nie werden vergessen können. Aber als wir sie besänftigt hatten, stieß sie plötzlich hervor, es sei *Vater*, um den sie weine. »Vater ist ein *Gatsby*«, heulte sie. »Er *ist* einer! Ich weiß es!«

Und wir fingen alle gleichzeitig an, auf sie einzureden. Frank sagte: »Lilly, das mit der ›rauschenden Zukunft‹ darfst du nicht so schwer nehmen. Es ist nicht genau das, was Iowa-Bob meinte, wenn er von Vater immer sagte, er *lebe* in der Zukunft.«

»Es ist eine ganz andere Zukunft, Lilly«, sagte ich.

»Lilly«, sagte Franny. »Was ist ›das grüne Licht‹, Lilly? Ich meine, für *Vater:* was ist *sein* grünes Licht, Lilly?«

»Es ist doch so, Lilly«, sagte Frank, als finde er das alles langweilig, »Gatsby war in die *Idee* verliebt, in Daisy verliebt zu sein; es war nicht mal Daisy, in die er verliebt war, jedenfalls nicht mehr. Und Vater hat keine *Daisy*, Lilly«, sagte Frank mit einem leichten Würgen im Hals – weil ihm wahrscheinlich gerade bewußt geworden war, daß Vater auch keine *Frau* mehr hatte.

Doch Lilly sagte: »Es ist der Mann in der weißen Smokingjacke, es ist Vater, er ist ein Gatsby. ›Sie ist uns gestern entschlüpft, doch was tut's –‹«, zitierte Lilly für uns. »Begreift ihr denn nicht?« kreischte sie. »Es wird immer etwas geben, das uns jedes Mal entschlüpft. Es wird *immer* entkommen«, sagte Lilly. »Und Vater wird nicht aufhören«, sagte sie. »Er wird weiter hinter ihm herjagen, und es wird ihm immer entkommen. Ach, verdammt!« heulte sie und stampfte mit ihrem kleinen Fuß auf. »Verdammt! Verdammt!« jammerte Lilly und legte von neuem los, unaufhaltsam – eine Konkurrentin für Kreisch-Annie, die nur einen Orgasmus türken konnte; Lilly, das wurde uns plötzlich klar, türkte den Tod selbst. Ihr Schmerz war so wirklich, daß ich schon glaubte, Susie der Bär werde den Bärenkopf abnehmen, um ihr als Mensch ein wenig Ehrerbietung zu erweisen, aber Susie pirschte in strikter Bärenmanier durch Franks Zimmer; sie tappte zur Tür hinaus und überließ es uns, mit Lillys Qual fertigzuwerden.

Lillys *Weltschmerz*, wie Frank es schließlich mit dem deutschen Wort bezeichnete. »*Wir* sind vielleicht gequält«, sagte Frank. »Wir sind betrübt, wir *leiden* bloß. Aber *Lilly*«, sagte Frank, »Lilly hat den wahren *Weltschmerz*. Man darf das nicht verwechseln mit ›Welt-Überdruß‹«, dozierte Frank, »das wäre viel zu mild für das, was Lilly hat. Lillys *Weltschmerz* tut richtig *weh*. Lilly leidet regelrecht an *Weltweh*«, schloß Frank, stolz auf seine Erläuterungen.

»So was Ähnliches wie *Kummer*, Frank?« fragte Franny.

»So was«, sagte Frank frostig. Kummer war die längste Zeit sein Freund gewesen.

Ja, der Tod Mutters und Eggs – mit Kummer auf Eggs Schoß, dann auftauchend aus der Tiefe, um das Grab zu markieren – brachte Frank von allen weiteren Versuchen ab, die Toten in die geeignete Pose zu bringen; Frank entsagte der Taxidermie in all ihren Formen. Er sollte sich schließlich von allem distanzieren, was nach Auferstehung aussah. »Dazu gehört auch die Religion«, sagte Frank. In Franks Weltbild ist Religion nur eine andere Form von Taxidermie.

Nachdem Kummer ihn überlistet hatte, war Frank rigoros gegen jegliche Art von *Glauben*. Er wurde ein noch größerer Fatalist, als es selbst Iowa-Bob gewesen war, er ging in seinem Unglauben noch weiter als Franny oder ich. Als beinahe-gewalttätiger Atheist glaubte Frank letztlich nur noch an das Schicksal – an zufälliges Glück oder zufälliges Verhängnis, an grundlosen Klamauk oder grundlosen Kummer. Er wurde zum Prediger *gegen* jegliche Sorte von heilversprechenden Programmen, ganz gleich, wer sie anbot: von der Politik bis zur Moral – Frank war immer für die, die dagegen waren. Für Frank waren das »die Gegenkräfte«.

»Aber genau wogegen sind denn diese Kräfte, Frank?« fragte ihn Franny einmal.

»Du mußt einfach gegen jede Vorhersage sein«, riet Frank. »Sobald jemand für etwas ist, mußt du dagegen sein. Sobald jemand gegen etwas ist, mußt du dafür sein. Wenn du in einem Flugzeug sitzt, das nicht abstürzt, dann heißt das, es ist das richtige Flugzeug«, sagte Frank. »Und sonst heißt es *gar nichts.*«

Mit anderen Worten: Frank klinkte aus. Nachdem Mutter und Egg von uns gingen, ging Frank noch weiter weg – irgendwohin –, verstieg sich in eine Religion, der es noch weit mehr an Ernsthaftigkeit fehlte als selbst den etablierten Religionen; er trat einer Art Gegen-alles-Sekte bei.

»Oder vielleicht hat Frank sie *gegründet*«, sagte Lilly einmal. Um Nihilismus ging es, um Anarchie, um nichtssagende Albernheit und nichtssagendes Glück im Angesicht des Trübsinns und darum, daß sich auf die sorglosesten und fröhlichsten Tage regelmäßig wie die Nacht Depressionen herabsenken. Frank glaubte an *zack!* Er glaubte an Überraschungen. Er war ständig im Angriff und auf dem Rückzug, und mit der gleichen Beständigkeit taumelte und tappte er mit weit aufgerissenen Augen im plötzlichen Sonnenlicht herum – und stolperte dabei im Ödland über all die Leichen, die die eben noch herrschende Dunkelheit hinterlassen hatte.

»Er ist einfach verrückt geworden«, sagte Lilly. Und Lilly mußte es wissen.

Lilly wurde auch verrückt. Sie schien Mutters und Eggs Tod als eine persönliche Strafe für irgendein Versagen tief in ihrem Innern anzusehen, und so beschloß sie, sich zu ändern. Unter anderem beschloß sie, zu *wachsen.*

»Wenigstens ein bißchen«, sagte sie, wild entschlossen. Franny und ich waren in Sorge, denn es schien unwahrscheinlich, daß Lilly noch einmal wuchs, und wenn wir uns vorstellten, mit welcher Anstrengung Lilly ihr »Wachstum« betreiben würde, bekamen Franny und ich es mit der Angst zu tun.

»Ich will mich auch ändern«, sagte ich zu Franny. »Aber *Lilly* – ich weiß nicht. Lilly ist einfach Lilly.«

»Das weiß doch jeder«, sagte Franny.

»Jeder außer Lilly«, sagte ich.

»Genau«, sagte Franny. »Und wie willst *du* dich ändern? Du weißt wohl etwas Besseres, als zu wachsen?«

»Nein, was Besseres nicht«, sagte ich. Ich war nur ein Realist in einer Familie aus lauter Träumern, großen und kleinen. Ich wußte, ich *konnte* nicht mehr wachsen. Ich wußte, ich würde nie richtig erwachsen werden; ich wußte, meine Kindheit würde nie von mir abfallen, und ich würde nie wirklich erwachsen – und verantwortungsbewußt – genug sein für die gottverdammte *Welt*, wie Frank sie nannte. So sehr konnte ich mich nicht ändern, und ich wußte es. Ich konnte nur etwas tun, was Mutter gefreut hätte. Ich konnte das Fluchen aufgeben, ich konnte mir die Ausdrücke abgewöhnen, die Mutter immer so aufgeregt hatten. Und das tat ich dann auch.

»Heißt das, daß du nie mehr ›verfickt‹ oder ›Scheiße‹ oder ›Arschficker‹ oder auch nur ›leck mich‹ oder ›fick dich ins Knie‹ oder *irgend* sowas sagen willst?« fragte mich Franny.

»Richtig«, sagte ich.

»Nicht mal ›Arschloch‹?« fragte Franny.

»Richtig«, sagte ich.

»Du Arschloch«, sagte Franny.

»Es ist genauso sinnvoll und sinnlos wie alles andere«, philosophierte Frank.

»Du doofer Sausack«, köderte mich Franny.

»Also, ich finde, das ist ein nobler Vorsatz«, sagte Lilly. »Klein, aber nobel.«

»Er wohnt in einem zweitklassigen Bordell mit Leuten, die die Welt umkrempeln wollen, und da will er seine *Ausdrucksweise* verbessern«, sagte Franny. »Fotzenkopf«, sagte sie zu mir. »Du Jammerfurz«, sagte Franny. »Die ganze Nacht wichsen und von Titten träumen, aber immer nett daherreden, ist es *das*, was du willst?« fragte sie.

»Hör schon auf, Franny«, sagte Lilly.

»Du kleine Kackwurst, Lilly«, sagte Franny. Lilly fing an zu weinen.

»Wir müssen zusammenhalten, Franny«, sagte Frank. »Solche Unflätigkeiten helfen uns nicht weiter.«

»Du bist so warm wie ein Katzenfurz, Frank«, ließ sie ihn wissen.

»Und was bist *du* denn, Schätzchen?« fragte sie Susie der Bär. »Wie kommst du denn dazu, dich für so abgebrüht zu halten?«

»Ich bin nicht so abgebrüht«, sagte Franny. »Du doofer Bär. Du bist doch nur ein unattraktives Mädchen, mit Pickeln – mit Pickel*narben*: du bist voller Pickelnarben – und du wärst lieber ein doofer Bär als ein Mensch. Hältst du das für abgebrüht? Es ist *leichter*, ein verfickter Bär zu sein, nicht wahr?« fragte Franny. »Und für einen alten blinden Mann zu arbeiten, der dich für schlau hält – und für schön wahrscheinlich auch«, sagte Franny. »Ich bin *nicht* so abgebrüht«, sagte Franny. »Aber ich *bin* schlau. Ich kann mich über Wasser halten, nein, ich kann *mehr*«, sagte sie. »Ich kann bekommen, was ich will – wenn ich weiß, was es ist«, fügte sie hinzu. »Ich kann sehen, wie die Dinge *sind*«, sagte Franny. »Und *ihr*«, sagte sie und sprach uns alle an, selbst die arme Miss Miscarriage, »ihr wartet darauf, daß aus den Dingen etwas anderes wird. Meinst du etwa, *Vater* tut das nicht?« wandte sich Franny plötzlich an mich.

»Er lebt in der Zukunft«, sagte Lilly, immer noch schluchzend.

»Er ist so blind wie Freud«, sagte Franny, »oder er wird es bald sein. Und wißt ihr jetzt, was ich tun werde?« fragte sie uns. »Ich werde *nichts* an meiner Sprache ändern. Ich werde mit meiner Sprache in jede Richtung zielen, die mir paßt«, sagte sie zu mir. »Das ist die einzige Waffe, die ich habe. Und ich werde erst wachsen, wenn ich dazu bereit bin, oder wenn die Zeit dafür gekommen ist«, sagte sie zu Lilly. »Und ich werde *nie* so sein wie du, Frank. Kein anderer wird je so sein wie du«, fügte sie liebevoll hinzu. »Und ich werde kein Bär sein«, sagte sie zu Susie. »Du schwitzt wie ein Schwein in diesem bescheuerten Fell, du geilst dich daran auf, daß sich die Leute in deiner Gegenwart unwohl fühlen, aber das kommt daher, daß *du selbst* dich in *deiner* Haut unwohl fühlst. Ich dagegen fühle mich wohl in meiner Haut«, sagte Franny.

»Du Glückspilz«, sagte Frank.

»Genau, du Glückspilz, Franny«, sagte Lilly.

»Na und, du bist vielleicht schön«, sagte Susie. »Aber du bist auch eine Dreckschleuder.«

»Von jetzt an bin ich hauptsächlich eine *Mutter*«, sagte Franny. »Ich werde mich um euch Ficker kümmern – dich, dich und dich«, sagte Franny und deutete auf Frank und Lilly und mich. »Denn Mutter kann das nicht mehr – und Iowa-Bob ist auch nicht mehr da. Die Kack-Detektoren sind nicht mehr da«, sagte Franny, »also werde ich die Kacke aufspüren. Ich mache darauf aufmerksam – das ist meine Rolle. *Vater weiß nicht, was läuft*«, sagte Franny, und wir nickten – Frank, Lilly und ich; selbst Susie der Bär nickte. Wir wußten, daß sie recht hatte: Vater war blind, oder er würde es bald sein.

»Trotzdem habe ich es nicht nötig, *mich* von *dir* bemuttern zu lassen«, sagte Frank zu Franny, aber ganz so überzeugt sah er nicht aus.

Lilly ging zu Franny und legte ihr den Kopf in den Schoß; dort weinte sie weiter – und fühlte sich wohl, wie mir schien. Franny wußte natürlich, daß ich sie liebte – hoffnungslos, und viel zu sehr –, und deshalb brauchte ich für sie keine Geste zu machen oder etwas zu ihr zu sagen.

»Also wirklich, ich muß mir ja wohl nicht von einer Sechzehnjährigen den Kopf waschen lassen«, sagte Susie, aber sie hatte den Bärenkopf nicht auf; sie hielt ihn in ihren großen Tatzen. Ihr verwüsteter Teint, ihre gekränkten Augen, ihr zu kleiner Mund verrieten sie. Sie setzte ihren Bärenkopf wieder auf; das war ihre einzige Autorität.

Die Studentin, Miss Miscarriage, ernsthaft und wohlmeinend, schien um Worte verlegen. »Ich weiß nicht«, sagte sie. »Ich weiß nicht.«

»Sag's doch auf deutsch«, spornte Frank sie an.

»Spuck es einfach aus, gleich wie«, sagte Franny.

»Nun ja«, sagte Fehlgeburt. »Dieser Abschnitt. Dieser wunderschöne Abschnitt in *Der große Gatsby* – dieser *Schluß* – das will ich eigentlich sagen.«

»Raus damit, Fehlgeburt«, sagte Franny. »Spuck's aus.«

»Nun ja«, sagte Fehlgeburt. »Ich weiß nicht, aber es weckt – irgendwie – den Wunsch in mir, in die Vereinigten Staaten zu gehen. Ich meine, es verträgt sich nicht mit meinen politischen Auffassungen – euer Land, ich weiß. Aber dieser *Schluß*, das alles ist – irgendwie – einfach so *schön*. Es weckt den Wunsch in mir, dort zu *sein*. Ich meine, es ergibt keinen *Sinn*, aber ich möchte einfach in den Vereinigten Staaten sein.«

»Du denkst also, *du* würdest gerne dort sein?« sagte Franny. »Mann, ich wollte, *wir* wären nie weggegangen.«

»Können wir zurückgehen, Franny?« fragte Lilly.

»Wir müssen Vater fragen«, sagte Frank.

»O Mann«, sagte Franny. Und ich sah, daß sie sich den Moment vorstellte, in dem sie Vaters Träumen ein bißchen Wirklichkeit unterjubelte.

»Euer Land, mit Verlaub«, sagte einer der anderen Radikalen – der, den sie einfach *Arbeiter* nannten, »euer Land ist wirklich *kriminell*«, sagte Arbeiter. »Mit Verlaub«, fügte er hinzu, »euer Land ist der höchste Triumph aktiengesellschaftlicher Kreativität, will sagen, es ist ein vom *Gruppen*denken der Aktiengesellschaften beherrschtes Land. Diesen Gesellschaften mit beschränkter Haftung – der Ausdruck spricht Bände – fehlt jede Menschlichkeit, weil niemand persönlich dafür haftet, wie sie ihre Macht gebrauchen; eine Aktiengesellschaft ist wie ein Computer, dessen Energiequelle der Profit ist – und der den Profit als Treibstoff braucht. Die Vereinigten Staaten sind – mit Verlaub – auf der ganzen Welt das schlimmste Land, in dem ein Humanist leben kann, glaube ich.«

»Scheiß drauf, was du glaubst«, sagte Franny. »Du rasendes Arschloch«, sagte sie. »Du *hörst dich an* wie ein Computer.«

»Du denkst wie ein Getriebe«, sagte Frank zu Arbeiter. »Vier Vorwärtsgänge – mit festgesetzten Geschwindigkeiten. Und eine Geschwindigkeit für den Rückwärtsgang.«

Arbeiter machte große Augen. Sein Englisch war ein bißchen schwerfällig – sein Geist war, wie mir später aufging, ungefähr so beweglich wie ein Rasenmäher.

»Und ungefähr so poetisch«, sagte Susie der Bär. Niemand mochte Arbeiter – nicht mal die so leicht zu beeindruckende Miss Miscarriage. Ihre Schwäche – in den Augen der Radikalen – war ihre Liebe zur Literatur, besonders zu den wild romantischen Verwicklungen, die die amerikanische Literatur ausmachen. (»Dein albernes *Studienfach,* meine Liebe« schalt Schwanger sie immer wieder.) Doch Fehlgeburts Liebe zur Literatur war ihre Stärke – in unseren Augen. Es war ihre romantische Seite, die nicht ganz tot war, jedenfalls noch nicht. Später – Gott möge mir verzeihen – trug ich meinen Teil zu deren Tod bei.

»Literatur ist etwas für Träumer«, sagte der Alte Billig zu Fehlgeburt. *Die* Alte Billig *mochte* Träume; zu Frank sagte sie einmal, Träume seien das *einzige,* was sie möge – ihre Träume und ihre »Andenken«.

»Volkswirtschaft mußt du studieren, meine Liebe«, sagte Schwanger zu Fehlgeburt.

»Der menschliche Nutzwert«, belehrte uns Arbeiter, »steht in einem direkten Verhältnis zu dem Anteil der Gesamtbevölkerung, der an den Entscheidungen beteiligt ist.«

»An der *Macht*«, korrigierte ihn der Alte Billig.

»An den Macht-Entscheidungen«, sagte Arbeiter – die zwei Männer stießen wie Kolibris in eine einzige kleine Blüte.

»Schwachsinn, verfickter«, sagte Franny. Arbeiter und der Alte Billig konnten so wenig Englisch, daß man leicht Dinge wie »Fick dich ins Knie« zu ihnen sagen konnte – sie verstanden es nicht. Und trotz meines Gelöbnisses, mir die Kraftausdrücke abzugewöhnen, war ich arg versucht, diese Dinge zu ihnen zu sagen; ich mußte mich ersatzweise damit zufriedengeben, zuzuhören, wenn Franny mit ihnen sprach.

»Der Rassenkrieg, der irgendwann in Amerika kommt«, sagte Arbeiter zu uns, »wird falsch gedeutet werden. In Wirklichkeit wird es ein Krieg um Klasseninteressen sein.«

»Wenn du einen Furz läßt, Arbeiter«, fragte ihn Franny, »hören dann die Seehunde im Zoo auf zu schwimmen?«

Die anderen Radikalen beteiligten sich kaum einmal an

unseren Gruppendiskussionen. Einer verausgabte sich an den Schreibmaschinen, der andere an dem einzigen Auto, das die Leute vom Symposion über Ost-West-Beziehungen besaßen: da sie zu sechst waren, paßten sie gerade hinein. Der Mechaniker, der sich mit dem klapprigen Auto abmühte – dem ewig lahmenden Auto, das für einen Fluchtversuch wohl nicht zu gebrauchen war, wie wir glaubten, und wohl nie für einen Fluchtversuch beansprucht werden würde, wie Vater glaubte –, war ein mürrischer junger Mann in einem Overall und mit der marineblauen Mütze eines Straßenbahnschaffners über dem verschmierten Gesicht. Er gehörte der Gewerkschaft an und arbeitete immer die Spätschicht auf der Mariahilfer Straße, einer wichtigen Straßenbahnlinie. Er sah jeden Tag verschlafen und verärgert aus und klapperte mit seinem Werkzeug. Passenderweise nannten sie ihn *Schraubenschlüssel*. Frank ließ Schraubenschlüssels Namen genüßlich – und angeberisch – von der Zunge rollen, doch Franny und Lilly und ich bestanden auf der Übersetzung; für uns hieß er Wrench.

»Hi, Wrench«, sagte Franny zu ihm, wenn er fluchend unter dem Wagen lag. »Ich hoffe, du bleibst mit deinen Gedanken schön sauber, Wrench«, sagte Franny. Wrench verstand kein Englisch, und von seinem Privatleben wußten wir nur, daß er sich einmal mit Susie dem Bären verabreden wollte.

»Ich meine, so gut wie *niemand* kommt auf die Idee, mit mir auszugehen«, sagte Susie. »So ein Arschloch.«

»So ein Arschloch«, wiederholte Franny.

»Allerdings hat er mich noch nie richtig *gesehen*«, sagte Susie.

»Weiß er denn, daß du ein *Weibchen* bist?« fragte Frank.

»Jessas Gott, Frank«, sagte Franny.

»Ich war ja bloß *neugierig*«, sagte Frank.

»Dieser Wrench ist schiefgewickelt, da bin ich sicher«, sagte Franny. »Geh lieber nicht mit ihm aus, Susie«, riet Franny dem Bären.

»Machst du Witze?« sagte Susie der Bär. »Schätzchen, ich geh nie aus. Mit *Männern*.«

Franny schien das fast passiv zu schlucken, aber ich sah, daß es für Frank in der Luft hängenblieb und daß er erst unbehaglich darauf zuging und dann wieder abrückte.

»Susie ist lesbisch, Franny«, sagte ich zu ihr, als wir allein waren.

»So genau hat sie das nicht gesagt«, sagte Franny.

»Ich glaube jedenfalls, daß sie's ist«, sagte ich.

»Na und?« sagte Franny. »Was ist denn Frank? Der große Zampano? Und Frank ist doch ganz okay.«

»Nimm dich vor Susie bloß in acht, Franny«, sagte ich.

»Du denkst zuviel an mich«, wiederholte sie zum wiederholten Male. »Laß mich in Ruhe, ja?« bat mich Franny. Doch es war genau das, was ich nie fertigbrachte.

»In Wirklichkeit gehören zu jedem Geschlechtsakt vielleicht vier oder fünf verschiedene Geschlechter«, erzählte uns das sechste Mitglied des Symposions über Ost-West-Beziehungen. Das war eine solche Verstümmelung des alten Freud – des *anderen* Freud –, daß wir Frank um eine zweite Übersetzung bitten mußten, weil wir die erste nicht verstanden hatten.

»So hat er es gesagt«, versicherte uns Frank. »Zu jedem Geschlechtsakt gehören in Wirklichkeit eine Reihe *verschiedener* Geschlechter.«

»Vier oder fünf?« fragte Franny.

»Wenn wir es. mit einer Frau tun«, sagte der Mann, »dann tun wir es mit dem, was wir einmal sein werden, und mit dem, was wir in unserer Kindheit waren. Und, das versteht sich von selbst, auch mit dem zukünftigen Selbst unserer Geliebten und mit dem Selbst ihrer Kindheit.«

»Das versteht sich von selbst?« fragte Frank.

»Bei jedem einzelnen Fick gehen also in Wirklichkeit vier oder fünf Leute zur Sache?« fragte Franny. »Hört sich anstrengend an.«

»Die Energie, die beim Sex aufgewendet wird, ist die einzige Art von Energie, die nicht von der Gesellschaft ersetzt zu werden braucht«, sagte uns der reichlich träumerische sechste

Radikale. Frank rang mit der Übersetzung. »Wir ersetzen unsere sexuelle Energie selbst«, sagte der Mann und sah Franny an, als habe er gerade die tiefsinnigste Aussage aller Zeiten gemacht.

»Sag bloß«, flüsterte ich Franny zu, aber sie schien ein wenig stärker beeindruckt, als sie meiner Meinung nach hätte sein sollen. Ich fürchtete, sie mochte diesen Radikalen.

Er hieß Ernst. Einfach Ernst. Ein normaler Name, aber nur ein Vorname. Er diskutierte nicht. Er drechselte abgeschlossene, sinnlose Sätze, sprach sie ruhig aus und wandte sich wieder der Schreibmaschine zu. Wenn die Radikalen am späten Nachmittag das Gasthaus Freud verließen, schienen sie danach stundenlang im Café Mowatt (gleich gegenüber) rumzuhängen – einem düsteren und trüben Lokal mit einem Billardtisch und Zielscheiben für Darts und einer allgegenwärtigen feierlichen Reihe von Tee-mit-Rum-Trinkern, die Schach spielten oder Zeitung lasen. Ernst ging kaum einmal mit seinen Kollegen ins Café Mowatt. Er schrieb und schrieb.

War Kreisch-Annie die letzte Hure, die nach Hause ging, dann war Ernst der letzte Radikale, der wegging. Begegnete Kreisch-Annie oft dem Alten Billig, wenn der alte Radikale zu seiner morgendlichen Arbeit erschien, so begegnete sie ebenso oft Ernst, wenn Ernst endlich Feierabend machte. Er hatte etwas gruselig Unirdisches an sich; wenn er sich mit Schwanger unterhielt, wurden ihre zwei Stimmen so leise, daß sie schließlich fast immer flüsterten.

»Was schreibt eigentlich Ernst?« wollte Franny von Susie dem Bären wissen.

»Er ist Pornograph«, sagte Susie. »Er wollte auch schon mit mir ausgehen. Und *er* hatte mich vorher *gesehen*.« Das ließ uns alle einen Augenblick verstummen.

»Welche Sorte Pornographie?« fragte Franny vorsichtig.

»Wie viele Sorten gibt es denn, Schätzchen?« fragte Susie der Bär. »Die schlimmste: abartiges Verhalten. Gewalt. Erniedrigung.«

»Erniedrigung?« sagte Lilly.

»Nicht für dich, Schätzchen«, sagte Susie.

»Erzähl doch«, sagte Frank.

»Zu abartig zum Erzählen«, sagte Susie zu Frank. »Du kannst besser Deutsch als ich, Frank – versuch *du's* doch.«

Unglücklicherweise versuchte Frank es tatsächlich; Frank übersetzte Ernsts Pornographie für uns. Später fragte ich Frank einmal, ob seiner Meinung nach die *eigentlichen* Probleme mit Ernsts Pornographie begonnen hätten – ob, wenn wir es irgendwie geschafft hätten, sie zu ignorieren, es dann genauso mit allem bergab gegangen wäre? Aber Franks neue Religion – seine *Anti*-Religion – beherrschte bereits alle seine Antworten (auf alle Fragen).

»Bergab?« sagte Frank. »Nun, das ist letztlich natürlich *immer* die Richtung – ich meine, so oder so. Wäre nicht die Pornographie gewesen, dann eben etwas anderes. Es ist doch so, daß wir nur bergab rollen *können*. Oder kennst du etwas, was *bergauf* rollt? Was die Abwärtsbewegung auslöst, ist nebensächlich«, sagte Frank mit seiner irritierenden Lässigkeit.

»Betrachte es einmal von dieser Seite«, dozierte Frank. »Warum scheint es ein halbes Menschenleben zu dauern, bis du auch nur ein mickriger Teenager bist? Warum dauert die Kindheit ewig – wenn du ein Kind bist? Warum scheint sie drei Viertel der ganzen Reise zu beanspruchen? Und wenn sie vorbei ist, wenn Kinder erwachsen werden, wenn du plötzlich den Tatsachen ins Auge blicken mußt … nun«, sagte Frank erst kürzlich zu mir, »du kennst ja die Geschichte. Als wir noch in diesem ersten Hotel New Hampshire lebten, kam es uns so vor, als würden wir ewig dreizehn und vierzehn und fünfzehn sein. Bis in die verfickte *Ewigkeit*, wie Franny immer sagte. Doch sobald wir aus dem ersten Hotel New Hampshire draußen waren«, sagte Frank, »lief der Rest unseres Lebens doppelt so schnell an uns vorbei. So ist das nun mal«, sagte Frank selbstgefällig. »Dein halbes Leben lang bist du fünfzehn. Dann fangen eines Tages deine Zwanziger an, und schon am nächsten Tag sind sie vorbei. Und deine Dreißiger fliegen an dir vorbei wie ein in angenehmer Gesellschaft verbrachtes Wochenende. Und bevor du richtig zu dir kommst, träumst du davon, wieder fünfzehn zu sein.

Bergab?« sagte Frank. »Es geht lange berg*auf* – bis zu dem Zeitpunkt in deinem Leben, wo du vierzehn, fünfzehn, sechzehn bist. Und von da an«, sagte Frank, »geht es natürlich nur noch bergab. Und jeder weiß, bergab geht es schneller als bergauf. Erst geht's *aufwärts* – bis vierzehn, fünfzehn, sechzehn – und dann geht's *abwärts*. Abwärts wie das Wasser«, sagte Frank, »abwärts wie Sand«, fügte er hinzu.

Frank war siebzehn, als er die Pornographie für uns übersetzte; Franny war sechzehn, ich war fünfzehn. Lilly war mit ihren elf Jahren fürs Zuhören noch nicht alt genug. Aber sie bestand darauf: wenn sie alt genug sei, um sich von Fehlgeburt *Der große Gatsby* vorlesen zu lassen, dann sei sie auch alt genug, um Frank zuzuhören, wenn er Ernst übersetzte. (Kreisch-Annie ließ in ihrer typischen Heuchelei nicht zu, daß ihre Tochter, die Dunkle Inge, auch nur ein Wort davon zu hören bekam.)

»Ernst« hieß er natürlich nur im Gasthaus Freud. In der Pornographie lief er unter vielen verschiedenen Namen. Ich mag die Pornographie nicht beschreiben. Susie der Bär erzählte uns, daß Ernst an der Universität eine Vorlesung über ›Die Geschichte der Erotik im Spiegel der Literatur‹ hielt, aber Ernsts Pornographie war nicht erotisch. Fehlgeburt hatte Ernsts Vorlesung über die erotische Literatur besucht, und selbst sie gab zu, daß Ernsts eigene Arbeit keine Ähnlichkeit mit der echt erotischen Literatur hatte, die nie pornographisch ist.

Von Ernsts Pornographie bekamen wir Kopfschmerzen und eine trockene Kehle. Frank sagte manchmal, er bekomme beim Lesen sogar trockene Augen; Lilly hörte nach dem erstenmal nie wieder zu; und mich fror, wenn ich in Franks Zimmer saß, neben der toten Schneiderpuppe, die, wie eine mit ihrem Urteil seltsam zurückhaltende Schullehrerin, Franks Vortrag mithörte – die Kälte kroch von unten an mir hoch. Ich spürte, wie mir etwas Kaltes die Hosenbeine hinaufkroch, durch den zugigen alten Boden, durch die Grundmauern des Gebäudes, aus der lichtlosen Erde – wo ich in meiner Vorstellung die Knochen aus dem alten Vindobona liegen sah, und Folterinstrumente, wie die türkischen Eindringlinge sie bevorzugten, Peitschen und Knüttel und Zungenhalter und Dolche, die modischen Folterkammern des Heiligen Römischen Reiches. Denn in Ernsts Pornographie ging es nicht um Sex: es ging um Schmerz ohne Hoffnung, es ging um das Sterben ohne eine einzige gute Erinnerung. Ernsts Pornographie bewirkte, daß Susie aus dem Zimmer stürmte, um ein Bad zu nehmen; daß Lilly (natürlich) zu weinen begann; daß mir übel wurde bis zum Erbrechen (zweimal); daß Frank eins der Bücher gegen die Schneiderpuppe schleuderte (als hätte die es geschrieben) – es war das Buch mit dem Titel *Die Kinder auf dem Schiff nach Singapur;* sie kamen nie in Singapur an, nicht ein einziges kostbares Kind.

Doch bei Franny bewirkte das alles nur ein Stirnrunzeln. Es bewirkte, daß sie über Ernst nachdachte; es bewirkte, daß sie ihn stellte und ihn – zum Auftakt – fragte, warum er das schreibe.

»Dekadenz stärkt die revolutionäre Position«, sagte Ernst zu ihr, langsam – und Frank kämpfte um die exakte Übersetzung. »Alles, was dekadent ist, beschleunigt den Prozeß, die unvermeidliche Revolution. In der gegenwärtigen Phase ist es erforderlich, Ekel hervorzurufen. Politischen Ekel, ökonomischen Ekel, Ekel vor unseren unmenschlichen Institutionen und moralischen Ekel – Ekel vor uns selbst, vor dem, was – mit unserer Billigung – aus uns geworden ist.«

»Der meint sich selber«, flüsterte ich Franny zu, aber sie runzelte nur die Stirn; sie war zu sehr auf ihn konzentriert.

»Der Pornograph ist natürlich *besonders* ekelhaft«, fuhr Ernst mit eintöniger Stimme fort. »Aber wenn ich ein Kommunist wäre, was würde ich mir dann wohl für eine Regierung an der Macht wünschen? Eine möglichst liberale? Nein. Ich wünschte mir eine möglichst repressive, möglichst kapitalistische und möglichst *anti*-kommunistische Regierung – denn unter ihr würde ich hochkommen. Wo wäre die Linke ohne die Hilfe der Rechten? Je idiotischer und rechtslastiger alles ist, desto besser für die Linke.«

»Bist du ein Kommunist?« fragte ihn Lilly. Sie wußte nur, daß die in Dairy, New Hampshire, nicht gerade hoch im Kurs standen.

»Das war nur eine notwendige Phase«, sagte Ernst und redete vom Kommunismus und von sich selbst – und zu uns Kindern –, als seien wir *alle* bereits Geschichte, als sei irgend etwas Gewaltiges in Bewegung geraten und wir würden entweder davon mitgerissen oder als Abgas weggepustet. »Ich bin Pornograph«, sagte Ernst, »weil ich der Revolution diene. *Persönlich*«, fügte er mit einer schlappen Handbewegung hinzu, »also ... *persönlich* bin ich ein Ästhet: ich denke über das Erotische nach. Wenn Schwanger ihren Kaffeehäusern nachweint – wenn sie wegen ihres *Schlagobers* traurig ist, der von der Revolution verzehrt werden muß –, dann trauere ich um die Erotik, denn auch sie muß weichen. Irgendwann nach der Revolution«, seufzte Ernst, »taucht die Erotik vielleicht wieder auf, aber sie wird nie wieder so sein wie vorher. In der neuen Welt wird sie nie mehr so viel bedeuten.«

»Der neuen Welt?« wiederholte Lilly, und Ernst schloß die Augen, als sei dies der Refrain seines Lieblingsliedes, als könne er sie vor seinem geistigen Auge bereits sehen, »die neue Welt«, einen völlig andersgearteten Planeten – bevölkert von völlig neuen Wesen.

Ich fand, für einen Revolutionär hatte er ziemlich feingliedrige Hände; seine langen, schlanken Finger kamen ihm wahrscheinlich an der Schreibmaschine zustatten – an seinem Klavier, wo Ernst die Musik für seine Oper von der gigantischen Veränderung spielte. Sein billiger, schon etwas blank gewetzter marineblauer Anzug war gewöhnlich sauber, aber zerknittert; seine weißen Hemden waren gut gewaschen, aber nie gebügelt; er trug keine Krawatte; wenn seine Haare zu lang wurden, schnitt er sie zu kurz. Er hatte ein fast athletisches Gesicht, frisch geschrubbt, jugendlich, entschlossen – ein knabenhafter Schönling. Susie der Bär und Fehlgeburt erzählten uns, er habe unter seinen Studentinnen an der Universität den Ruf eines Weiberhelden. Wenn Ernst über erotische Literatur sprach, war er, wie Miss Miscarriage bemerkte, recht leidenschaftlich, ja sogar ausgelassen; er war dann nicht der schlaffe, lässige, irgendwie faule und träge (oder wenigstens lethargische) Redner, der er beim Thema ›Revolution‹ war.

Er war ziemlich groß; massig wirkte er nicht gerade, aber auch nicht zerbrechlich. Wenn ich sah, wie er das Genick einzog und den Kragen seines Jacketts hochschlug – um nach einem zweifellos traurig stimmenden und widerlichen Arbeitstag das Gasthaus Freud zu verlassen und nach Hause zu gehen –, dann war ich verblüfft, wie sehr er mich im Profil an Chipper Dove erinnerte.

Doves Hände sahen auch nie wie die eines Spielmachers im Football aus – auch seine waren zu zierlich. Und ich erinnerte mich an die Bewegung, mit der er seine Schulterpolster zurechtrückte und zum Kreis der Spieler zurücktrabte und sich dabei den nächsten Spielzug überlegte – die nächste Anweisung, das nächste Kommando –, und seine Hände ließen sich dabei leicht wie Singvögel auf seinen Hüftpolstern nieder. Natürlich wußte ich da, wer Ernst war: der Spielmacher der Radikalen, der Mann, der die Anweisungen gab, der finstere Planer, der Mann, um den sich die anderen scharten. Und nun wußte ich auch, was Ernst für Franny so anziehend machte. Es war mehr als eine rein äußerliche Ähnlichkeit mit Chipper Dove, es war diese forsche Selbstsicherheit, dieser Hauch von Bösartigkeit, dieser Stich ins Destruktive, diese eiskalte Führerqualität – das war es, was sich ins Herz meiner Schwester einschleichen konnte, das war es, was sie *in ihr drin erwischte*, das war es, war Franny die Kraft nahm.

»Wir wollen alle nach Hause«, sagte ich zu Vater. »Zurück in die Vereinigten Staaten. Wir wollen Amerika. Uns gefällt es hier nicht.«

Lilly hielt meine Hand. Wir waren wieder einmal in Franks Zimmer – Frank boxte nervös mit der Schneiderpuppe, Franny lag auf Franks Bett und blickte aus dem Fenster. Sie konnte das Café Mowatt auf der anderen Seite der Krugerstraße sehen. Es war frühmorgens, und jemand fegte gerade die Zigarettenkippen zur Tür des Cafés hinaus, über den Gehweg und in den Rinnstein. Nachts waren es nicht die Radikalen, die das Café Mowatt bevölkerten; nachts nutzten die Nutten das Lokal, um von der Straße wegzukommen – um eine kleine Pause zu machen, um Billard zu spielen, um ein Bier oder ein Glas Wein zu trinken oder sich anmachen zu lassen –, und Vater ließ Frank und Franny und mich auf ein paar Runden Darts rübergehen.

»Wir haben Heimweh«, sagte Lilly und bemühte sich, nicht zu weinen. Es war immer noch Sommer, und der Abschied von Mutter und Egg war noch so frisch, daß wir nicht allzu lange über etwas nachdenken durften, das uns fehlte.

»Das wird hier nichts, Vater«, sagte Frank. »Wie es aussieht, ist die Situation unmöglich.«

»Und jetzt ist der richtige Zeitpunkt zum Abreisen«, sagte ich, »bevor wir mit der Schule beginnen, bevor wir alle unsere verschiedenen Verpflichtungen haben.«

»Ich hab aber jetzt schon eine«, sagte Vater leise. »Ich bin Freud verpflichtet.«

Stand ein alter blinder Mann auf einer Stufe mit *uns?* wollten wir ihn anschreien, aber Vater duldete nicht, daß wir an seiner Verpflichtung gegenüber Freud herummäkelten.

»Was meinst denn *du*, Franny? fragte er, doch sie starrte weiterhin aus dem Fenster auf die morgendliche Straße. Hier kam der Alte Billig, der erste der Radikalen – da ging Kreisch-Annie, die letzte der Nutten. Beide sahen müde aus, aber beide waren sehr wienerisch in ihrem korrekten Benehmen: mit kräftiger Stimme grüßten sie einander, wie wir durch das offene Fenster in Franks Zimmer hören konnten.

»Sieh mal«, sagte Frank zu Vater. »Wir sind hier zwar im Ersten Bezirk, klar, aber Freud hat nichts davon gesagt, daß unsere Straße so ziemlich die übelste im ganzen Bezirk ist.«

»Eine Art Einbahnstraße«, fügte ich hinzu.

»Und überall Parkverbot«, sagte Lilly. Das Parken war verboten, weil die Krugerstraße anscheinend für die Lieferwagen da war, die die feinen Läden an der Kärntner Straße bedienten und an die Hintereingänge heranfuhren.

Auch das Bezirkspostamt befand sich in unserer Straße – ein düsteres, rußiges Gebäude, das wohl kaum potentielle Kunden für unser Hotel anzog.

»Und dann die Prostituierten«, flüsterte Lilly.

»Zweitklassig«, sagte Frank. »Und keine Hoffnung auf Besserung. Zur Kärntner Straße ist es nur ein Block, aber wir werden *nie* zur Kärntner Straße gehören«, sagte Frank.

»Da hilft auch eine neue Eingangshalle nicht«, sagte ich zu Vater, »selbst wenn es eine *attraktive* Eingangshalle wird: es ist ja niemand da, der sie sehen könnte. Und du bettest die Leute immer noch zwischen Prostitution und Revolution.«

»Zwischen Sünde und Gefahr, Vater«, sagte Lilly.

»Natürlich spielt das, auf lange Sicht, kaum eine Rolle«, sagte Frank; ich hätte ihn treten können. »Ich meine, es geht so oder so bergab – es kommt nicht drauf an, *wann* genau wir von hier weggehen; fest steht nur, *daß* wir weggehen werden. Mit diesem Hotel geht es bergab. Wir können weggehen, wenn es untergeht oder nachdem es untergegangen ist.«

»Aber wir wollen *jetzt* von hier weg, Frank«, sagte ich.

»Genau, wir *alle*«, sagte Lilly.

»Franny?« fragte Vater, aber Franny blickte aus dem Fenster. Ein kleiner Lastwagen der Post versuchte gerade, auf der schmalen Straße an einem Lieferwagen vorbeizukommen. Franny sah die Post kommen und gehen und wartete auf Briefe von Junior Jones – und von Chipper Dove, nehme ich an. Sie schrieb ihnen beiden, ausgiebig, aber nur Junior Jones schrieb zurück.

Frank verharrte in seiner philosophischen Gleichgültigkeit und sagte: »Ich meine, wir können von hier weggehen, wenn die Nutten alle bei ihren ärztlichen Kontrollen durchfallen, wir können weggehen, wenn die Dunkle Inge endlich alt genug ist, wir können weggehen, wenn Schraubenschlüssels Auto in die Luft fliegt, wir können weggehen, wenn uns der erste Gast verklagt, oder der letzte –«.

»Aber wir *können* nicht weggehen«, unterbrach ihn Vater, »solange das hier nicht *läuft*.« Sogar Franny schaute ihn jetzt an. »Ich meine«, sagte Vater, »wenn es ein *erfolgreiches* Hotel ist, dann können wir uns das Weggehen *leisten*. Wir können hier nicht einfach weggehen, wenn es ein Mißerfolg ist«, sagte er ganz vernünftig, »denn wir hätten dann gar nichts, *womit* wir weggehen könnten.«

»Redest du von Geld?« sagte ich. Vater nickte.

»Du hast das Geld schon *hier* reingepumpt?« fragte ihn Franny.

»Sie werden noch im Lauf des Sommers mit der Eingangshalle anfangen«, sagte Vater.

»Dann ist es noch nicht zu spät!« rief Frank. »Ich meine, es *ist* doch nicht zu spät?«

»Pump das Geld wieder raus, Daddy!« sagte Lilly.

Vater lächelte wohlwollend und schüttelte den Kopf. Franny und ich blickten aus dem Fenster: Ernst der Pornograph ging eben am Café Mowatt vorbei, er sah angewidert aus. Beim Überqueren der Straße kickte er irgendwelche Abfälle zur Seite; er bewegte sich so zielbewußt wie eine Katze, die hinter einer Maus her ist, aber man sah ihm immer seine Enttäuschung darüber an, daß er später zur Arbeit erschien als der Alte Billig. Er hatte mindestens drei Stunden Pornographie in sich, bevor er eine Mittagspause machte, bevor er seine Vorlesung an der Universität hielt (seine »ästhetische Stunde« nannte er das), und dann stellte er sich den müden, niederträchtigen Stunden des späten Nachmittags, die, wie er uns Kindern erzählte, für »Ideologisches« reserviert waren – für seinen Beitrag zum Bulletin des Symposions über Ost-West-Beziehungen. Was für einen Tag er vor sich hatte! Er war schon jetzt voller Haß auf diesen Tag, das sah ich ihm an. Und Franny konnte die Augen nicht von ihm lassen.

»Wir sollten sofort weggehen«, sagte ich zu Vater, »ob das Geld rein- oder rausgepumpt ist.«

»Es gibt nirgends was, wo wir hingehen könnten«, sagte Vater liebevoll. Er hob die Hände; es war fast ein Achselzucken.

»Nirgendwo hinzugehen ist besser, als hier zu bleiben«, sagte Lilly.

»Das finde ich auch«, sagte ich.

»Ihr denkt nicht logisch«, sagte Frank, und ich blickte ihn durchdringend an.

Vater blickte Franny an; es erinnerte mich an die Blicke, die er gelegentlich Mutter zugeworfen hatte; er hielt wieder Ausschau nach der Zukunft, und er hielt Ausschau nach Verzeihung – im voraus. Er wollte schon jetzt Verzeihung für alles, was noch geschehen *würde*. Es war, als seien seine Träume so machtvoll, daß er nicht anders konnte, als die Zukunft, wie sie in seiner Vorstellung existierte, einfach auszuleben, und wir wurden um Verständnis dafür gebeten, daß er sich eine Zeitlang aus der Wirklichkeit – und vielleicht auch aus unserem Leben – zurückzog. Denn das ist doch gemeint mit »reine Liebe«: die Zukunft. Und das war der Blick, mit dem Vater Franny ansah.

»Franny?« sagte Vater. »Was meinst *du*?«

Es war Frannys Meinung, auf die er immer wartete. Sie fixierte die Stelle auf der Straße, wo eben noch Ernst gewesen war – Ernst der Pornograph, Ernst der »Ästhet« auf dem Gebiet der Erotik, Ernst der Weiberheld. Ich sah, daß sie *in sich drin* in Schwierigkeiten war; irgendwie war Frannys Herz schon nicht mehr in Ordnung.

»Franny?« sagte Vater leise.

»Ich meine, wir sollten bleiben«, sagte Franny. »Wir sollten erst mal sehen, wie's wird«, sagte sie und drehte uns ihr Gesicht zu. Wir Kinder blickten weg, aber Vater nahm Franny in den Arm und gab ihr einen Kuß.

»So gefällst du mir, Franny«, sagte er. Franny zuckte mit den Achseln; es war natürlich Mutters Achselzucken – und das wirkte immer bei ihm.

Jemand hat mir erzählt, daß die Krugerstraße heute weitgehend eine Fußgängerzone ist und daß es in der Straße sogar *zwei* Hotels gibt, dazu ein Restaurant, eine Bar *und* ein Café – ja, sogar ein Kino und einen Schallplattenladen. Jemand hat mir erzählt, daß es heute eine todschicke Straße ist. Also, das ist wirklich sehr schwer zu glauben. Und ich möchte die Krugerstraße nie wieder sehen, ganz gleich, wie sehr sie sich verändert hat.

Jemand hat mir erzählt, daß es inzwischen auch in der Krugerstraße feine Läden gibt: eine Boutique und einen Friseur, eine Buchhandlung und einen Schallplattenladen, eine Pelzhandlung und ein Fachgeschäft, das Badezimmer-Einrichtungen verkauft. Das ist alles höchst erstaunlich.

Jemand hat mir erzählt, daß das Postamt immer noch da ist. Die Post überdauert.

Und es gibt immer noch Prostituierte in der Krugerstraße; niemand braucht mir zu erzählen, daß die Prostitution überdauert.

Am nächsten Morgen weckte ich Susie den Bären. »Earl!« sagte sie und rappelte sich aus dem Schlaf. »Was ist denn jetzt schon wieder, verfickt und zugenäht!«

»Ich will, daß du mir hilfst«, sagte ich zu ihr. »Du mußt Franny retten.«

»Franny ist unheimlich abgebrüht«, sagte Susie der Bär. »Sie ist schön und abgebrüht«, sagte Susie und drehte sich auf die andere Seite, »und sie braucht mich nicht.«

»Du machst Eindruck auf sie«, sagte ich; das war eine hoffnungsvolle Lüge. Susie war erst zwanzig, nur vier Jahre älter als Franny, aber wenn man sechzehn ist, sind vier Jahre eine ganze Menge. »Sie mag dich«, sagte ich, und *das* war mit Sicherheit nicht gelogen. »Du bist immerhin älter, du bist für sie so etwas wie eine ältere Schwester, verstehst du?« sagte ich.

»Earl!« sagte Susie der Bär, beharrend auf ihrer Verkleidungsrolle.

»Du *bist* vielleicht komisch«, sagte Frank zu Susie, »aber du kannst Franny eher beeinflussen als *wir*.«

»Franny retten? Wovor denn?« fragte Susie der Bär.

»Vor Ernst«, sagte ich.

»Vor der Pornographie«, sagte Lilly schaudernd.

»Du mußt ihr helfen, sie muß in sich drin wieder sie selber werden«, bat Frank Susie.

»Ich mach normalerweise nicht mit minderjährigen Mädchen rum«, sagte Susie.

»Du sollst ihr ja *helfen,* nicht mit ihr rummachen«, sagte ich, aber Susie der Bär lächelte nur. Sie setzte sich auf in ihrem Bett – das Bärenfell unordentlich auf dem Boden, ihr eigenes Haar wie Bärenhaar widerspenstig in alle Richtungen zeigend, ihr verkniffenes Gesicht wie eine Wunde über dem schäbigen T-Shirt.

»Jemandem helfen ist dasselbe wie mit jemandem rummachen«, sagte Susie der Bär.

»Willst du's nicht wenigstens *versuchen?*« bat ich sie.

»Und dann fragst *du mich,* wo die *eigentlichen* Probleme begonnen hätten«, sagte Frank später zu mir: »Also, mit der Pornographie bestimmt nicht – meiner Meinung nach«, sagte Frank. »Es spielt zwar keine Rolle, natürlich nicht, aber ich weiß, wie die Probleme begannen, die *dich* trafen«, fügte Frank noch hinzu.

Eigentlich möchte ich das ebensowenig schildern wie die Pornographie, aber Frank und ich sahen es nur ganz kurz – wir hatten nur den flüchtigsten Eindruck davon, doch das war mehr als genug.

Es begann an einem Abend im August, als es so heiß war, daß Lilly Frank und mich geweckt und um ein Glas Wasser gebeten hatte – als sei sie wieder ein kleines Baby –, an einem Abend, als es so heiß war, daß die Männer auf der Kruger-straße nicht mehr an Nutten dachten; deshalb war es ruhig im Gasthaus Freud. Es gab keine Kunden, die Kreisch-Annie zum Kreischen brachten, niemand war auch nur interessiert genug, um mit Jolanta zu grunzen, mit Babette zu wimmern, die Alte Billig herunterzuhandeln oder auch nur einen Blick auf die junge Dunkle Inge zu riskieren. Auch im Café

Mowatt war es zu heiß; die Nutten saßen auf den Stufen in der kühlen, dunklen Halle des Gasthauses Freud, die mittlerweile im Bau war. Freud lag natürlich im Bett und schlief; er konnte die Hitze nicht sehen. Und Vater, der die Zukunft deutlicher sah als den Augenblick, schlief ebenfalls.

Ich ging in Franks Zimmer und traktierte die Schneiderpuppe eine Weile mit Boxhieben.

»Jessas Gott«, sagte Frank, »hoffentlich besorgst du dir bald ein paar Hanteln und läßt meine Puppe in Ruhe.« Aber auch er konnte nicht schlafen; wir schubsten die Schneiderpuppe zwischen uns hin und her.

Man konnte das Geräusch unmöglich mit Kreisch-Annie verwechseln – oder mit einer der anderen Nutten. Das Geräusch schien nichts mit Kummer zu tun zu haben; zu viel Licht klang da mit, als daß Kummer im Spiel sein konnte; zu viel von der Musik des Wassers klang da mit, als daß Frank und ich an einen gekauften Fick oder auch nur an Begierde gedacht hätten – diese Licht- und Wassermusik konnte auch mit Begierde nichts zu tun haben. Frank und ich hatten so etwas noch nie gehört, und wenn ich heute zurückblicke – auf mittlerweile vierzig Jahre –, kann ich mich an keine zweite Aufnahme dieses Liedes erinnern; in meinem ganzen Leben sang niemand genau *dieses* Lied für mich.

Es war das Lied, das Susie der Bär Franny singen ließ. Susie mußte durch Frannys Zimmer, um ins Badezimmer zu kommen. Frank und ich gingen durch mein Zimmer in dasselbe Badezimmer; dort konnten wir durch die Tür in Frannys Zimmer spähen.

Der Kopf des Bären auf dem Teppich am Fußende von Frannys Bett hatte im ersten Moment etwas Schauriges: als hätte jemand die ins Zimmer eindringende Susie von ihrem Kopf getrennt. Aber es war nicht der Bärenkopf, der unsere Aufmerksamkeit fesselte. Es war die Musik, die von Franny kam – zugleich durchdringend und sanft, so lieb wie Mutter, so glücklich wie Egg. Es war ein Lied, das kaum an Sex denken ließ, obwohl Sex sein Thema war, denn Franny lag auf

ihrem Bett, die Arme über dem Kopf, den Kopf zurückge-
worfen, und zwischen ihren langen, sich leicht hin- und
herbewegenden Beinen (den wassertretenden Beinen einer
Schwimmerin mit Auftrieb) im dunklen Schoß meiner Schwester (den ich nicht hätte sehen dürfen) lag ein kopfloser Bär –
ein kopfloser Bär leckte dort voller Hingabe, wie ein Tier, das
seine frisch erlegte Beute auffrißt, wie ein Tier, das im Herzen
eines Waldes seinen Durst stillt.

Dieser Anblick erschreckte Frank und mich. Wir wußten
nicht wohin, nachdem wir das gesehen hatten, und aus keinem
besonderen Grund und mit nichts – oder zuviel – im Sinn
stolperten wir in die Eingangshalle. Dort begrüßten uns all
die Nutten auf den Stufen; weil es so heiß war, weil sie nichts
zu tun hatten und sich langweilten, freuten sie sich offenbar
ganz besonders, daß wir kamen, obwohl sie eigentlich immer
ziemlich froh schienen, uns zu sehen. Nur Kreisch-Annie sah
enttäuscht aus – als habe sie einen Augenblick lang geglaubt,
es gebe Kundschaft.

Die Dunkle Inge sagte: »He, ihr beiden, ihr seht ja aus, als
sei euch ein Gespenst begegnet.«

»Ist euch das Essen nicht bekommen, Kinder?« fragte die
Alte Billig. »Ihr solltet längst im Bett sein.«

»Sind's eure Ständer, die euch nicht einschlafen lassen?«
fragte Jolanta.

»*Oui, oui*«, sang Babette. »Bringt eure Ständer zu *uns!*«

»Hört auf damit«, sagte die Alte Billig. »Zum Ficken ist es
eh zu heiß.«

»Es ist nie zu heiß«, sagte Jolanta.

»Und nie zu kalt«, sagte Kreisch-Annie.

»Wollt ihr Karten spielen?« fragte uns die Dunkle Inge.
»Neunerln?«

Aber Frank und ich drehten uns wie Aufzieh-Soldaten am
Fuß der Treppe ein paarmal unbeholfen um die eigene Achse,
machten kehrt, gingen zurück in Franks Zimmer – und fühlten
uns plötzlich, wie Magneten, von Vater angezogen.

»Wir wollen nach Hause«, sagte ich zu ihm. Er wachte auf

und ließ Frank und mich in sein Bett kriechen – als ob wir noch klein wären.

»Bitte, Dad, laß uns nach Hause gehen«, flüsterte Frank.

»Sobald wir hier Erfolg haben«, versicherte uns Vater. »Sobald wir es geschafft haben – das verspreche ich.«

»*Wann?*« zischte ich, aber Vater nahm mich in den Schwitzkasten und küßte mich.

»Bald«, sagte er. »Schon bald läuft der Laden hier wie geschmiert, das spür ich.«

Tatsächlich blieben wir bis zum Jahr 1964 in Wien; sieben Jahre verbrachten wir dort.

»Ich bin dort *alt* geworden«, sagte Lilly später; sie war achtzehn, als wir Wien verließen. Älter, aber nicht wesentlich größer – wie Franny einmal sagte.

Kummer schwimmt obenauf. Eigentlich wußten wir das. Es hätte uns nicht überraschen dürfen.

Doch an dem Abend, an dem Susie der Bär Franny die Pornographie vergessen ließ – und meine Schwester so schön zum Singen brachte –, stach Frank und mir eine Ähnlichkeit ins Auge, die noch größer war als die Ähnlichkeit zwischen Ernst dem Pornographen und Chipper Dove. In Franks Zimmer – die Schneiderpuppe hatten wir gegen die Tür gelehnt – lagen Frank und ich und flüsterten in der Dunkelheit.

»Hast du den Bären bemerkt?« sagte ich.

»Ihren Kopf hab ich nicht gesehen«, sagte Frank.

»Genau«, sagte ich. »Es war also, genaugenommen, nur das Bärenfell – Susie war irgendwie zusammengekrümmt.«

»Warum trug sie immer noch das Bärenfell?« fragte Frank.

»Ich weiß nicht«, sagte ich.

»Wahrscheinlich fingen sie gerade erst an«, spekulierte Frank.

»Aber wie der Bär *ausgesehen* hat«, sagte ich. »Hast du's bemerkt?«

»Ich weiß«, flüsterte Frank.

»Allein schon das Fell, und dann diese gekrümmte Haltung«, sagte ich.

»Ich weiß, was du sagen willst«, sagte Frank. »Hör auf.«

In der Dunkelheit wußten wir beide, wie Susie der Bär ausgesehen hatte – wir hatten beide die Ähnlichkeit erkannt. Franny hatte uns gewarnt: wir sollten aufpassen, hatte sie gesagt, auf Kummers neue Posen, auf Kummers neue Verkleidungen.

»Kummer«, flüsterte Frank. »Susie der Bär ist Kummer.«

»Jedenfalls hat sie wie Kummer *ausgesehen*«, sagte ich.

»Sie ist Kummer, ich weiß es«, sagte Frank.

»Na ja, im Augenblick vielleicht«, sagte ich. »Vorübergehend.«

»Kummer«, wiederholte Frank so lange, bis er einschlief. »Es ist Kummer«, murmelte er. »Er ist nicht umzubringen. Es ist Kummer. Er schwimmt obenauf.«

9.

Das zweite Hotel New Hampshire

Die letzte Änderung in der neuen Lobby des Gasthauses Freud
war eine Idee meines Vaters. Ich stelle mir vor, wie er eines
Morgens vor dem Postamt in der Krugerstraße stand und zu
der neuen Lobby herüberschaute – der Umbau hatte die ganze
Konditorei geschluckt, und die alten Schilder lehnten wie die
Gewehre müder Soldaten an dem Gerüst, das von den Arbei-
tern gerade abgebaut wurde. Auf den Schildern stand: BON-
BONS, KONDITOREI, ZUCKERWAREN, SCHOKOLADEN und GAST-
HAUS FREUD. Und da wurde meinem Vater klar, daß es Zeit
war, sie *alle* wegzuwerfen: wenn es schon keine Konditorei
mehr gab, dann auch kein Gasthaus Freud.

»Das Hotel New Hampshire?« sagte Kreisch-Annie, immer
die erste Nutte, die kam (und die letzte, die ging).

»Immer mit der Zeit gehen«, sagte der Alte Billig. »Den
Schlägen nachgeben, lächelnd wieder aufstehen. ›Hotel New
Hampshire‹ hört sich ganz gut an.«

»Eine weitere Phase, nur eine weitere Phase«, sagte Ernst
der Pornograph.

»Eine glänzende Idee!« rief Freud. »Denkt nur an die
amerikanische Klientel – die werden drauf fliegen! Und mit
dem Antisemitismus ist es vorbei«, sagte der alte Mann.

»Vermutlich ist es auch vorbei damit, daß Gäste wegbleiben,
weil sie zu den Anti-Freudianern gehören«, sagte Frank.

»Verfickt nochmal, hast du denn von Vater was anderes
erwartet?« fragte mich Franny. »Es ist schließlich sein Hotel,
oder vielleicht nicht?«

Lebenslänglich festgeschraubt, hätte Iowa-Bob gesagt.

»Ich finde es süß«, sagte Lilly. »Ein hübscher Einfall, nur
eine Kleinigkeit zwar, aber süß.«

369

»Süß?« sagte Franny. »O Mann, das gibt Ärger: Lilly findet es *süß*.«

»Es ist sentimental«, sagte Frank philosophisch, »aber auch das spielt keine Rolle.«

Ich dachte bei mir: noch ein einziges »Das spielt keine Rolle« von Frank, und ich kreische los. Ich dachte bei mir: ich kann mehr als nur einen Orgasmus türken, wenn Frank das noch einmal sagt. Doch wieder einmal rettete mich Susie der Bär.

»Also wirklich, Kinder«, sagte Susie. »Euer alter Herr hat da nur etwas in *praktischer* Richtung getan. Ist euch eigentlich klar, wie viele Touristen aus den USA und aus England diesen Namen ermutigend finden werden?«

»Das stimmt«, sagte Schwanger liebenswürdig. »Für die Engländer und Amerikaner ist das hier eine Stadt des *Ostens*. Allein schon die Form mancher Kirchen – der gefürchtete Zwiebelturm«, sagte Schwanger, »mit seinen Anklängen an eine Welt, die den Menschen im Westen unbegreiflich ist ... wenn du entsprechend *weit weg* im Westen lebst, kann selbst Mitteleuropa östlich *aussehen*«, sagte Schwanger. »Vor allem die *ängstlichen* Seelen werden sich zu dem Hotel hingezogen fühlen«, sagte Schwanger voraus, als entwerfe sie ein neues Schwangerschafts- und Abtreibungsbuch. »Das Hotel New Hampshire wird ihnen wie Musik in den Ohren klingen – wie Glockenklang aus der *Heimat*.«

»Glänzend«, sagte Freud. »Bringt uns die ängstlichen Seelen«, sagte Freud mit einem Seufzer und streckte die Hände aus, um die Köpfe derer zu tätscheln, die ihm am nächsten standen. Er fand Frannys Kopf und tätschelte ihn, aber die große weiche Pfote von Susie dem Bären stieß Freuds Hand weg.

Mit der Zeit gewöhnte ich mich daran – an diese besitzergreifende Pfote. In dieser Welt kann etwas, was uns zunächst bedrohlich erscheint, mit der Zeit alltäglich, ja vertrauenerweckend werden. Umgekehrt kann auch etwas, was zunächst vertrauenerweckend erscheint, mit der Zeit bedrohlich werden, aber ich mußte einsehen, daß Susie der Bär einen guten Einfluß auf Franny hatte. Wenn es Susie gelang, Franny von Ernst fernzuhalten, dann mußte ich dankbar sein – und ging ich zu weit mit meiner Hoffnung, Susie der Bär könnte Franny gar davon abbringen, weiter an Chipper Dove zu schreiben?

»Glaubst du, daß du lesbisch bist, Franny?« fragte ich sie in der schützenden Dunkelheit der Krugerstraße – Vater hatte Probleme mit dem rosaroten Neonblinker: HOTEL NEW HAMPSHIRE! HOTEL NEW HAMPSHIRE! HOTEL NEW HAMPSHIRE! Immer wieder, immer wieder.

»Das bezweifle ich«, sagte Franny leise. »Ich mag Susie einfach, glaube ich.«

Ich dachte natürlich, wenn Frank schon wußte, daß er homosexuell war, und nun auch noch Franny etwas mit Susie dem Bären hatte, dann war es möglicherweise nur eine Frage der Zeit, bis auch Lilly und ich ähnliche Neigungen entdeckten. Aber Franny las, wie so oft, meine Gedanken.

»So ist das bei mir nicht«, flüsterte sie. »Frank ist *überzeugt*. Ich bin von gar nichts überzeugt – höchstens davon, daß es so vielleicht leichter ist für mich. Im Augenblick jedenfalls. Ich meine, es ist leichter, jemanden zu lieben, der das gleiche Geschlecht hat. Da ist nicht ganz so viel, zu dem man sich verpflichtet, man muß nicht so viel riskieren«, sagte sie. »Bei Susie fühle ich mich *sicherer*«, flüsterte sie. »Das ist alles, glaube ich. Die Männer sind so *anders*«, sagte Franny.

»Eine Phase«, sagte Ernst immer – zu allem.

Während Fehlgeburt, ermutigt durch unser aller Reaktion auf *Der große Gatsby*, uns *Moby-Dick* vorzulesen begann. Nach dem, was Mutter und Egg zugestoßen war, war es nicht leicht für uns, so viel über das Meer zu hören, aber wir kamen darüber hinweg; wir konzentrierten uns auf den Wal, vor allem auf die verschiedenen Harpuniere (jeder von uns hatte einen, den er besonders mochte), und wir behielten Lilly scharf im Auge und warteten nur darauf, daß sie Vater mit Ahab identifizierte – »oder vielleicht stellt sie auch fest, daß Frank der weiße Wal ist«, flüsterte Franny. Doch dann war es *Freud,* den Lilly für uns identifizierte.

Eines Abends – die Schneiderpuppe stand in Habachtstellung, und Fehlgeburt klang eintönig wie die See, wie die Brandung – sagte Lilly: »Hört ihr ihn? Pssst!«

»Was?« sagte Frank gespenstisch – Eggs Frage, wie wir alle wußten.

»Laß den Quatsch, Lilly«, flüsterte Franny.

»Nein, hör doch«, sagte Lilly. Und einen Augenblick lang dachten wir, wir lägen unter Deck in unseren Kojen und hörten über uns Ahabs künstliches Bein ruhelos auf und ab schreiten. Abwechselnd ein hölzerner Schlag und ein knochendumpfes Aufstampfen. Es war nur Freuds Baseballschläger; in dem Stockwerk über uns ging er hinkend seinen blinden Weg – er besuchte eine der Huren.

»Zu welcher geht er?« fragte ich.

»Zur Alten Billig«, sagte Susie der Bär.

»Das Alter unter sich«, sagte Franny.

»Ich finde es irgendwie süß«, sagte Lilly.

»Ich meine, *heute* ist es die Alte Billig«, sagte Susie der Bär. »Er muß müde sein.«

»Er tut es mit *allen?*« sagte Frank.

»Mit Jolanta nicht«, sagte Susie. »Sie macht ihm angst.«

»Sie macht *mir* angst«, sagte ich.

»Und die Dunkle Inge besucht er natürlich auch nicht«, sagte Susie. »Freud kann sie nicht sehen.«

Ich kam gar nicht auf die Idee, eine der Nutten – oder gar sie alle – zu besuchen. Bei Ronda Ray war das etwas anderes gewesen. Bei Ronda Ray war es einfach Sex, der seinen Preis hatte; in Wien war der Sex ein Geschäft. Ich konnte zu meinem Phantasiebild von Jolanta onanieren; das war erregend genug. Und was die Liebe anging ... nun, für die Liebe blieb mir immer mein Phantasiebild von Franny. Und an den langen Sommerabenden war da auch noch Fehlgeburt. Da *Moby-Dick* so ein Monstrum von einem Leseerlebnis war, hatte Fehlgeburt es sich angewöhnt, abends länger zu bleiben. Frank und ich begleiteten sie dann immer nach Hause. Sie hatte ein Zimmer in einem heruntergekommenen Gebäude hinter dem Rathaus, in der Nähe der Universität, und sie ging bei Nacht nicht gern über die Kärntner Straße oder den Graben, weil sie manchmal mit einer Hure verwechselt wurde.

Wer Fehlgeburt mit einer Hure verwechselte, mußte schon sehr viel Phantasie haben; sie war so offensichtlich eine Studentin. Nicht daß sie nicht hübsch gewesen wäre; es war nur offensichtlich, daß Hübschsein sie nicht interessierte. Was an ihr ansehnlich war – und sie war ansehnlich –, das verdrängte oder vernachlässigte sie. Ihre Haare standen in alle Richtungen; selbst wenn sie mal frisch gewaschen waren, wirkten sie einfach ungepflegt. Sie trug Blue jeans und einen Rollkragenpullover oder ein T-Shirt, und um den Mund und die Augen hatte sie jene Art von Müdigkeit, die auf zuviel Lesen, zuviel Schreiben, zuviel Denken schließen läßt – zu viele jener Beschäftigungen, die den Körper, seine Pflege oder sein Wohlbehagen übersteigen. Sie schien etwa gleich alt wie Susie, aber sie war viel zu humorlos, als daß sie ein Bär hätte sein können – und ihre Abneigung gegen die nächtlichen Aktivitäten im Hotel New Hampshire grenzten sicher an das, was Ernst »Ekel« genannt hätte. Wenn es regnete, begleiteten Frank und ich sie nur bis zur Straßenbahnhaltestelle auf der Ringstraße bei der Oper; bei schönem Wetter gingen wir mit ihr über den Heldenplatz und den Ring hinauf zur Universität. Wir waren einfach drei junge Leute, die eben noch an Wale gedacht hatten und jetzt unterwegs waren zwischen den hohen Bauten einer Stadt, die für uns alle zu alt war. An vielen Abenden hätte man meinen können, Frank sei gar nicht da.

»Lilly ist erst elf«, sagte Fehlgeburt etwa. »Daß sie die Literatur so liebt, ist wirklich schön. Es könnte ihre Rettung sein. Dieses Hotel ist keine Umgebung für sie.«

»*Wo ist die Gemütlichkeit?*« sang Frank.

»Du kannst es sehr gut mit Lilly«, sagte ich zu Fräulein Fehlgeburt. »Möchtest du später mal eine Familie haben?«

373

»Vierhundertvierundsechzig!« sang Frank.

»Ich möchte erst Kinder, wenn die Revolution vorbei ist«, sagte Fehlgeburt humorlos.

»Glaubst du, Fehlgeburt mag mich?« fragte ich Frank auf unserem Nachhauseweg.

»Wart lieber, bis die Schule anfängt«, schlug Frank vor. »Such dir ein nettes Mädchen – in deinem Alter.«

Und so lebte ich zwar in einem Wiener Bordell, doch mein sexueller Horizont war wahrscheinlich wie der der meisten fünfzehnjährigen Amerikaner im Jahr 1957; ich wichste zu Phantasien von einer gefährlich gewalttätigen Prostituierten, während ich ein junges »älteres« Mädchen brav nach Hause begleitete – und auf den Tag wartete, an dem ich es wagen könnte, sie zu küssen oder auch nur ihre Hand zu halten.

Ich rechnete damit, daß die »ängstlichen Seelen« – die Gäste, die sich (nach Schwangers Voraussage) zu dem Hotel hingezogen fühlten – mich an mich selber erinnern würden. Sie taten es nicht. Sie kamen gelegentlich in Bussen: sonderbare Gruppen auf speziell für sie arrangierten Touren – und manche der Touren waren so sonderbar wie die Gruppen. Bibliothekare aus Devon, Kent und Cornwall; Ornithologen aus Ohio – sie hatten bei Rust Störche beobachtet. Sie waren in ihren Gewohnheiten so beständig, daß sie alle zu Bett gingen, bevor die Huren mit ihrer Arbeit begannen; sie verschliefen den ganzen nächtlichen Trubel und waren morgens oft schon wieder zu einer Tour aufgebrochen, bevor Kreisch-Annie ihren letzten Orgasmus zum Abschluß gebracht hatte, bevor der Alte Billig das Haus betrat – mit einer strahlenden neuen Welt vor dem alten geistigen Auge. Die meisten Gruppen waren vergeßlich, und so konnte Frank sich manchmal etwas Geld verdienen, indem er mit ihnen »Rundgänge« durch Wien machte. Die Gruppen waren unproblematisch – selbst der japanische Männergesangverein, der die Huren als eine Gruppe entdeckte (und sie als eine Gruppe benutzte). Was für laute, seltsame Tage – all das Vögeln, all das Singen! Die Japaner hatten jede Menge Kameras dabei und machten so viele Fotos, wie sie nur konnten – auch alle unsere Familienfotos. Tatsächlich beklagte Frank später immer wieder, daß die *einzigen* Bilder, die wir aus unserer Zeit in Wien haben, von jenem einen Besuch des japanischen Männergesangvereins stammen.

Es gibt ein Bild mit Lilly und Fehlgeburt – und einem Buch, versteht sich. Es gibt ein rührendes Bild von den zwei Alten Billigs, auf dem sie, wie Lilly sagen würde, wie ein »süßes« altes Ehepaar aussehen. Dann ist da Franny, die sich auf die kräftige Schulter Susies des Bären stützt; Franny sieht ein wenig dünn aus, dabei aber frech und stark – »merkwürdig selbstsicher« sei sie damals gewesen, meint Frank. Ein komisches Bild von Vater und Freud ist auch dabei. Sie scheinen sich den Baseballschläger zu teilen – oder es sieht aus, als hätten sie sich um den Schläger gezankt, als hätten sie sich darum gestritten, wer am Schlag war, und ihren Streit nur kurz für den Fotografen unterbrochen.

Ich stehe neben der Dunklen Inge. Ich kann mich an den japanischen Herrn erinnern, der Inge und mich bat, uns nebeneinander aufzustellen; wir hatten am Tisch gesessen und Neunerln gespielt, aber der Japaner sagte, die Beleuchtung da sei ungünstig, wir müßten aufstehen. Es ist eine etwas unnatürliche Szene; Kreisch-Annie sitzt noch am Tisch – auf der Seite, wo es reichlich Licht gab –, und die übermäßig gepuderte Babette flüstert Jolanta etwas zu, die ein Stückchen hinter dem Tisch steht, die Arme über dem eindrucksvollen Busen gekreuzt. Jolanta kam beim Neunerln nie mit den Regeln zurecht. In diesem Bild scheint Jolanta im Begriff, das Spiel abzubrechen. Ich kann mich erinnern, daß auch die Japaner Angst vor ihr hatten – vielleicht weil sie so viel größer und kräftiger war als jeder einzelne von ihnen.

Und was alle diese Aufnahmen – die einzigen unserer Wiener Zeit, 1957–64 – kennzeichnet, ist, daß diese ganzen uns so vertrauten Leute die Fotografien mit ein, zwei Japanern, mit ein, zwei Wildfremden teilen müssen. Das gilt sogar für die Aufnahme von Ernst dem Pornographen, der draußen am

Wagen lehnt. Arbeiter lehnt neben ihm am Kotflügel – und die Beine, die unter dem Kühlergrill des alten Mercedes vorgucken, die gehören zu dem Radikalen namens Schraubenschlüssel; er brachte nie mehr als seine Beine auf ein Bild. Und um den Wagen herum stehen Japaner – Fremde, die keiner von uns je wieder sehen würde.

Hätten wir damals erkennen können – wenn wir das Bild genau angeschaut hätten –, daß dies kein gewöhnliches Auto war? Wer hätte je von einem Mercedes – selbst einem alten Mercedes – gehört, der pausenlos einen Mechaniker beschäftigt? Herr Wrench lag ständig unter dem Wagen oder kroch darin herum. Und warum brauchte das eine Auto, das dem Symposion über Ost-West-Beziehungen gehörte, so viel Pflege, wenn es so selten gefahren wurde? Natürlich, wenn ich es heute ansehe ... also, das Bild verrät alles. Es ist schwer, das Bild anzusehen und in dem alten Mercedes nicht das zu sehen, was er wirklich war.

Eine Bombe. Eine ständig verkabelte und wiederverkabelte, allzeit bereite Bombe. Der ganze Wagen war eine Bombe. Und diese ununterscheidbaren Japaner, die alle unsere einzigen Fotos bevölkern ... nun, heute ist es leicht, in diesen fremden Herren aus fernen Landen Symbole der unbekannten Todesengel zu sehen, die einmal diesen Wagen begleiten sollten. Wenn ich dran denke, daß wir Kinder jahrelang unsere Witze darüber machten, was für ein schlechter Mechaniker Schraubenschlüssel sein müsse, da er ewig an diesem Mercedes herumfummelte! Dabei war er ein *Fachmann!* Mr. Wrench, der Bombenfachmann; fast sieben Jahre lang war diese Bombe einsatzbereit – Tag für Tag.

Wir erfuhren nie, worauf sie eigentlich warteten – oder welcher Augenblick *reif* dafür gewesen wäre, wenn wir sie nicht unter Druck gesetzt hätten. Wir können uns nur an die japanischen Bilder halten, und die erzählen eine verschwommene Geschichte.

»Was ist dir von Wien in Erinnerung geblieben, Frank?« fragte ich ihn – ich frage ihn die ganze Zeit. Frank ging in ein

Zimmer, um mit sich allein zu sein, und als er wiederkam, gab er mir eine kurze Liste:

1. Franny mit Susie dem Bären.
2. Der Tag, an dem wir deine verdammten Hanteln kauften.
3. Wie wir Fehlgeburt immer nach Hause begleiteten.
4. Die Gegenwart des Mäusekönigs.

Frank gab mir die Liste und sagte: »Natürlich ist da noch mehr, aber ich mag mich jetzt nicht damit beschäftigen.«

Das kann ich verstehen, und natürlich erinnere auch ich mich an den Tag, an dem ich meine Hanteln kaufen ging. *Alle* gingen mit. Vater, Freud, Susie und wir Kinder. Freud kam mit, weil er wußte, wo das Sportgeschäft war. Susie kam mit, weil Freud sie durch Zurufe in der Straßenbahn dazu bringen konnte, sich wieder zu erinnern, wo das Sportgeschäft war. »Sind wir schon an diesem Fachgeschäft für Klinikbedarf in der Mariahilfer vorbei?« schrie Freud. »Danach müssen wir nach links, die zweite Querstraße, oder die dritte.«

»Earl!« sagte Susie und blickte aus dem Fenster. Der Straßenbahnschaffner warnte Freud: »Ich hoffe, er ist nicht gefährlich – er ist nicht angeleint, Ihr Bär. Wir lassen sie gewöhnlich nicht mitfahren, wenn sie nicht an der Leine geführt werden.«

»*Earl!*« sagte Susie.

»Es ist ein schlauer Bär«, erklärte Frank dem Schaffner.

In dem Sportgeschäft kaufte ich Hantelscheiben, die zusammen 150 Kilo wogen, eine lange Hantel und zwei Kurzhanteln für die einarmigen Übungen.

»Die Lieferung geht an das Hotel New Hampshire«, sagte Vater.

»Die machen keine Lieferungen«, sagte Frank.

»Keine Lieferungen?« sagte Franny. »Also *tragen* können wir das Zeug nicht!«

»Earl!« sagte Susie.

»Sei artig, Susie!« rief Freud. »Nicht so ungezogen!«

»Der Bär würde es sehr begrüßen, wenn Sie uns die Dinge *liefern* würden«, sagte Frank zu dem Mann im Sportgeschäft.

Aber es nützte nichts. Wir hätten eigentlich sehen müssen, daß die Macht eines Bären, die Dinge in unserem Sinne zu beeinflussen, nachließ. Wir verteilten die Gewichte, so gut es ging. Ich nahm fünfundsiebzig Kilo und verteilte sie auf die zwei Kurzhanteln und nahm eine in jede Hand. Vater und Frank und Susie der Bär mühten sich mit der langen Hantel und den anderen fünfundsiebzig Kilo ab. Franny hielt Türen auf und machte den Gehweg frei, und Lilly hatte Freud am Arm; für den Rückweg übernahm sie die Rolle des Blindenbären.

»Jessas Gott«, sagte Vater, als sie uns nicht in die Straßenbahn ließen.

»Sie ließen uns mit der Straßenbahn hier *raus*fahren!« sagte Franny.

»Was sie stört, ist nicht der Bär«, sagte Freud. »Es ist die lange Hantel.«

»Es sieht gefährlich aus, wie ihr das Ding transportiert«, sagte Franny zu Frank, Susie und Vater.

»Wenn du regelmäßig mit den Gewichten gearbeitet hättest, so wie Iowa-Bob«, sagte ich Vater, »dann könntest du es allein tragen. Dann würde es nicht so schwer *aussehen* bei dir.«

Lilly hatte bemerkt, daß die Österreicher zwar Bären in die Straßenbahn ließen, aber keine Hanteln; sie bemerkte außerdem, daß die Österreicher bei Skiern recht großzügig waren. Sie schlug vor, für die lange Hantel einen Skisack zu kaufen; dann würde der Straßenbahnschaffner glauben, die Hantel sei nur ein sehr schweres Paar Ski.

Frank schlug vor, jemand solle Schraubenschlüssels Wagen holen.

»Der läuft doch nie«, sagte Vater.

»Jetzt *muß* er eigentlich laufen«, sagte Franny. »Dieses Arschloch fummelt doch schon seit Jahren dran herum.«

Vater sprang auf die Straßenbahn auf und fuhr heim, um nach dem Wagen zu fragen. Und hätten wir nach dem prompten Nein der Radikalen nicht wissen müssen, daß eine *Bombe* vor unserem neuen Hotel parkte? Doch wir schrieben das alles nur der Unhöflichkeit der Radikalen zu; wir schleppten die ganzen Gewichte nach Hause. Zuletzt mußte ich die anderen und die Langhantel vor dem Kunsthistorischen Museum zurücklassen. Auch ins Museum ließen sie keine Hantel – sowenig wie einen Bären. »Brueghel hätte nichts dagegen gehabt«, sagte Frank. Aber nun mußten sie an der Straßenecke die Zeit totschlagen. Susie tanzte ein bißchen; Freud trommelte mit seinem Baseballschläger; Lilly und Franny sangen ein amerikanisches Lied – sie nutzten die Zeit, um ein bißchen Geld zu verdienen. Straßenclowns, Wiener Spezialitäten, »die Gegenwart des Mäusekönigs«, wie Frank immer sagte – Frank ließ einen Hut herumgehen. Es war die Busfahrermütze, die Vater, zusammen mit der Uniform, für Frank gekauft hatte – die Mütze, in der Frank aussah wie der Angestellte eines schäbigen Bestattungsinstituts, wenn er im Hotel New Hampshire den Türsteher spielte. In Wien trug Frank sie die ganze Zeit – unser falscher Mäusekönig, Frank. Wir alle dachten oft an den traurigen Gaukler mit seinen unerwünschten Nagetieren, der eines Tages nicht mehr von den offenen Fenstern wegbleiben wollte, der eines Tages sprang und seine armen Mäuse mit sich nahm. ERNST IST DAS LEBEN, HEITER IST DIE KUNST! Das war's, was er zu sagen hatte; die offenen Fenster, von denen er so lange weggeblieben war – zum Schluß erlag er ihnen doch.

Ich trabte mit den 75 Kilo nach Hause.

»Hi, Wrench«, sagte ich zu dem Radikalen unter dem Wagen.

Ich lief zurück zum Kunsthistorischen Museum und trabte diesmal mit 75 Pfund nach Hause, und die restlichen 75 Pfund brachten Vater, Frank, Susie der Bär, Franny, Lilly und Freud nach Hause. Nun hatte ich also wieder Gewichte, nun konnte ich das erste Hotel New Hampshire – und Iowa-Bob – heraufbeschwören, und die Fremdheit Wiens verlor sich ein wenig.

Wir mußten natürlich zur Schule gehen. Es war eine amerikanische Schule in der Nähe des Tiergartens in Hietzing, nicht weit vom Schloß Schönbrunn. Eine Zeitlang begleitete uns Susie jeden Morgen in der Straßenbahn und holte uns nach der Schule wieder ab. Das war eine tolle Einführung bei den anderen Schülern – von einem Bären abgeliefert und dann wieder abgeholt zu werden. Aber Vater oder Freud mußten Susie begleiten, da Bären nicht allein Straßenbahn fahren durften; und weil die Schule in der Nähe des Zoos lag, reagierten die Leute dort draußen auf den Anblick eines Bären nervöser als die Leute in der Innenstadt.

Mir ging erst später auf, was für einen schlechten Dienst wir Frank damit erwiesen, daß wir seine Zurückhaltung in sexuellen Dingen nicht ausdrücklich anerkannten. Während der sieben Jahre in Wien wußten wir nie, wer seine Freunde waren; er sagte uns nur, es seien andere Jungen von der amerikanischen Schule – und da er der älteste von uns war und den anspruchsvollsten Deutschkurs besuchte, war Frank oft am längsten in der Schule, allein. Das Übermaß an Sex aus nächster Nähe im zweiten Hotel New Hampshire muß Frank auf ganz ähnliche Weise zur Zurückhaltung bewegt haben, wie mich die Sprechanlage bei meinem ersten Zusammensein mit Ronda Ray zum überzeugten Flüsterer machte. Und Franny hatte im Moment ihren Bären – und ihre Vergewaltigung zu überwinden, wie mir Susie immer wieder sagte.

»Sie ist drüber weg«, sagte ich.

»*Du* aber nicht«, sagte Susie. »Du hast immer noch Chipper Dove im Kopf. Und Franny geht's genauso.«

»Dann ist es eben Chipper Dove, über den sie noch nicht weg ist«, sagte ich. »Die Vergewaltigung ist vorbei.«

»Wir werden ja sehen«, sagte Susie. »Ich bin ein schlauer Bär.«

Und die ängstlichen Seelen kamen nach wie vor, wenn auch nicht in überwältigenden Massen; eine überwältigende Masse ängstlicher Seelen wäre wahrscheinlich ein Widerspruch in sich gewesen – doch wir hätten die Massen brauchen können. Trotzdem hatten wir eine bessere Gästeliste als damals im ersten Hotel New Hampshire.

Die Reisegruppen waren weniger problematisch als die Einzelreisenden. Irgendwie sind ängstliche Seelen einzeln viel ängstlicher als in Gruppen. Die ängstlichen Seelen, die allein

reisten, oder die ängstlichen Ehepaare, manchmal mit ängstlichen Kindern – sie schienen sich am leichtesten verstören zu
lassen von all den Tages- und Nachtaktivitäten, zwischen
denen sie beunruhigte Gäste waren. Doch in den ersten drei
oder vier Jahren im zweiten Hotel New Hampshire gab es
nur einen einzigen Gast, der sich tatsächlich beschwerte – das
zeigt, *wie* ängstlich *diese* ängstlichen Seelen wirklich waren.

Es war eine Amerikanerin, die sich beschwerte. Sie reiste
mit ihrem Mann und ihrer Tochter, die etwa in Lillys Alter
war. Sie stammten aus New Hampshire, aber nicht aus dem
Teil des Staates, in dem Dairy liegt. Frank machte Dienst am
Empfang, als sie ankamen – am späten Nachmittag, nach der
Schule. Augenblicklich, bemerkte Frank, begann die Frau her-
umzuschreien, sie vermisse etwas von der »sauberen, schlich-
ten, guten alten *Anständigkeit*«, die sie offenbar mit New
Hampshire verband.

»Es ist die alte ›Schlicht-aber-gut‹-Kacke«, sagte Franny,
an Mrs. Urick erinnernd.

»In ganz Europa haben sie uns ausgeplündert«, sagte der
Ehemann der New-Hampshire-Frau zu Frank.

Ernst war in der Lobby und erklärte Franny und mir gerade
ein paar der seltsameren Stellungen bei der »tantrischen Vereinigung«. Auf deutsch war das ziemlich schwer zu verstehen,
aber wenn Franny und ich auch nie an Franks Deutschkennt-
nisse herankamen – während Lilly sich schon nach einem Jahr
fast so gut auf deutsch unterhalten konnte wie Frank –, lernten
Franny und ich an der amerikanischen Schule eine ganze
Menge. Natürlich lehrten sie dort nicht den Koitus. Das war
Ernsts Spezialität, und obwohl ich bei Ernst immer eine
Gänsehaut bekam, hielt ich es nicht aus, ihn allein mit Franny
reden zu sehen; ich versuchte dann jedesmal mitzuhören. Susie
der Bär hörte auch gern mit – wobei sie dann meine Schwester
irgendwo anfaßte, mit einer schönen großen Pfote, die Ernst
sehen konnte. Doch an dem Tag, als sich die Amerikaner aus
New Hampshire einschrieben, war Susie der Bär auf dem WC.

»Und *Haare* in den Toiletten«, sagte die Frau zu Frank.

»Sie können sich den Dreck gar nicht vorstellen, den man uns schon zugemutet hat.«

»Wir haben die Reiseführer weggeworfen«, sagte ihr Mann zu Frank. »Man kann sich nicht darauf verlassen.«

»Wir verlassen uns nur noch auf unseren Instinkt«, sagte die Frau und ließ ihren Blick durch die neue Lobby des Hotels New Hampshire schweifen. »Was wir suchen, ist eine *amerikanische* Note.«

»Ich kann es nicht erwarten, heimzukommen«, sagte die Tochter mit einer piepsenden Stimme.

»Ich kann Ihnen zwei schöne Zimmer im zweiten Stock geben«, sagte Frank; »Tür an Tür«, fügte Frank hinzu. Aber er machte sich Sorgen, ob da nicht die Nutten zu nahe waren – im Stock darunter. »Andererseits«, sagte Frank, »hätten Sie vom dritten Stock eine bessere Aussicht.«

»Auf die Aussicht pfeifen wir«, sagte die Frau. »Wir nehmen die zwei Zimmer im zweiten. Und zwar ohne *Haare*«, fügte sie drohend hinzu, gerade als Susie der Bär in die Lobby geschlurft kam; sie sah das kleine Mädchen, warf angeberisch den Kopf zurück und ließ ein bärenmäßig tiefes Brummen und Schnauben hören.

»Sieh mal, ein *Bär*«, sagte das kleine Mädchen und umklammerte das Bein ihres Vaters.

Frank holte aus der Glocke ein schrilles *ping!* heraus. »Gepäckträger!« brüllte Frank.

Ich mußte mich von Ernsts Beschreibung der tantrischen Stellungen losreißen.

»Die *Vyanta*-Gruppe kennt zwei Hauptstellungen«, sagte er eben mit sanfter Stimme. »Die Frau beugt sich vor, bis sie mit den Händen den Boden berührt, während der Mann sie im Stehen von hinten nimmt – das ist die *Dhenuka-Vyanta-Asana* oder Kuhstellung«, sagte Ernst, seinen feuchten Blick auf Franny gerichtet.

»Die Kuhstellung?« sagte Franny.

»Earl!« sagte Susie mißbilligend und legte Franny den Kopf in den Schoß – sie spielte für die neuen Gäste den Bären.

Ich machte mich mit dem Gepäck auf den Weg nach oben. Das kleine Mädchen konnte die Augen nicht von dem Bären lassen.

»Ich habe eine Schwester etwa in deinem Alter«, sagte ich ihr. Lilly war mit Freud auf einem Spaziergang – und Freud belehrte sie zweifellos über all die Sehenswürdigkeiten, die er nicht sehen konnte.

So war das, wenn Freud uns herumführte, den Baseball-schläger auf der einen und eines von uns Kindern oder Susie auf der anderen Seite. Wir lotsten ihn durch die Stadt und riefen die Namen der Straßenecken aus, sobald wir dort waren. Freud wurde langsam auch taub.

»Sind wir in der Blutgasse?« schrie Freud.

Und Lilly oder Frank oder Franny oder ich brüllten: »*Ja! Blood Lane!*«

»Dann geht's rechts ab«, wies Freud uns die Richtung. »Wenn wir in die Domgasse kommen, Kinder«, sagte er, »müssen wir die Nummer Fünf finden. Das ist der Eingang zum Figaro-Haus, wo Mozart *Figaros Hochzeit* geschrieben hat. Wann war das, Frank?« schrie Freud.

»Siebzehn fünfundachtzig!« schrie Frank zurück.

»Und wichtiger noch als Mozart«, sagte Freud, »ist das erste Kaffeehaus in Wien. Sind wir noch in der Blutgasse, Kinder?«

»*Ja!* In der Blood Lane«, sagten wir.

»Sucht die Nummer *Sechs*«, schrie Freud. »Das erste Kaffeehaus in Wien! Nicht mal Schwanger weiß das. Sie liebt zwar ihr *Schlagobers*, aber sie ist wie alle diese politischen Menschen«, sagte Freud. »Sie hat keinen Sinn für *Historisches*.«

Wir lernten von Schwanger tatsächlich nichts Historisches. Wir lernten Kaffee lieben und mit einem kleinen Glas Wasser hinunterspülen; wir lernten, den weichen Schmutz von Zeitungen an den Fingern zu mögen. Franny und ich stritten uns immer um das eine Exemplar der *International Herald Tribune*. In unseren sieben Jahren in Wien gab es darin immer irgendwelche Neuigkeiten über Junior Jones zu finden.

»Penn State gegen Navy 35:6!« las Franny vor, und wir jubelten alle.

Und später waren es dann die Cleveland Browns gegen die New York Giants, 28:14. Die Baltimore Colts gegen die armen Browns, 21:17. Obwohl Junior Franny kaum mehr als diese Dinge mitteilte – in seinen gelegentlichen Briefen –, war es irgendwie etwas ganz Besonderes, so indirekt etwas über ihn zu erfahren, auf dem Umweg über die Footballergebnisse, Tage später, in der *Herald Tribune*.

»Rechts in die Judengasse einbiegen!« gab Freud an. Und wir folgten der Judengasse bis zur Ruprechtskirche.

»Elftes Jahrhundert«, murmelte Frank. Für Frank galt: je älter, desto besser.

Und hinunter zum Donaukanal; am Fuß des Hügels, am Franz-Josefs-Kai, war das Denkmal, zu dem Freud uns ziemlich oft hinführte: die Marmortafel zur Erinnerung an die Mordopfer der Gestapo, die an dieser Stelle ihr Hauptquartier gehabt hatte.

»Genau hier!« schrie Freud und stampfte auf und fuchtelte mit dem Baseballschläger herum. »Beschreibt mir diese Tafel!« rief er. »Ich hab sie nie gesehen.«

Natürlich nicht: denn in einem der Lager war er blind geworden. Sie hatten dort irgendein Experiment mit seinen Augen gemacht, und es war schiefgegangen.

»Nein, nicht im *Ferien*lager«, mußte Franny Lilly erklären, die immer gefürchtet hatte, man könnte sie sommers in ein Ferienlager schicken, und die gar nicht überrascht war, daß man im Lager gefoltert wurde.

»Das war kein *Ferien*lager, Lilly«, sagte Frank. »Freud war in einem *Todes*lager.«

»Aber Herr Tod hat mich nie gefunden«, sagte Freud zu Lilly. »*Mr. Death* hat mich nie zuhause angetroffen, wenn er einen Besuch machte.«

Es war Freud, der uns erklärte, daß die nackten Figuren in dem Brunnen am Neuen Markt, dem Mehlmarktbrunnen – oder Donner-Brunnen, nach seinem Erschaffer –, tatsächlich

Kopien der Originale waren. Die Originale waren im Unteren Belvedere. Die Nackten, die das Wasser als Quelle des Lebens darstellen sollten, waren von Maria Theresia verdammt worden.

»Sie war ein Drachen«, sagte Freud. »Sie ernannte eine Keuschheitskommission«, erzählte er uns.

»Und was machten die?« fragte Franny. »Diese *Keuschheits*kommission?«

»Was *konnten* sie denn machen?« fragte Freud. »Was können solche Leute überhaupt je machen? Sie konnten gegen den Sex nichts ausrichten, da haben sie es eben ein paar Brunnen besorgt.«

Selbst Freuds Wien – das Wien des *anderen* Freud – war nur zu bekannt dafür, daß es gegen den Sex nichts ausrichten konnte, doch das hielt die viktorianischen Nachfolger von Maria Theresias Keuschheitskommission nicht davon ab, es immer wieder zu versuchen. »Damals«, erklärte Freud bewundernd, »war es den Huren erlaubt, in der Oper auf Kundenfang zu gehen, in den Gängen zwischen den Sitzreihen.«

»Während der Pausen«, fügte Frank hinzu, für den Fall, daß wir das nicht wußten.

Franks Lieblingstour mit Freud führte zur Kaisergruft in den Katakomben der Kapuzinerkirche. Seit 1633 sind dort die Habsburger bestattet worden. Maria Theresia liegt dort, die alte Prüde. Aber nicht ihr Herz. Die Leichen in den Katakomben sind herzlos – ihre Herzen werden in einer anderen Kirche aufbewahrt; ihre Herzen sind auf einer anderen Tour zu entdecken. »Die Geschichte trennt alles, früher oder später«, deklamierte Freud in der herzlosen Gruft.

Leb wohl, Maria Theresia – und Franz Josef und Elisabeth und du, unglücklicher Maximilian von Mexiko. Und natürlich liegt auch Franks besonderer Liebling unter ihnen: der Erbe der Habsburger, der arme Selbstmörder Rudolf – er ist auch da. Frank wurde in den Katakomben immer besonders düster.

Franny und ich waren am traurigsten, wenn Freud uns über die Wipplingerstraße zur Füttergasse führte.

»Die Querstraße runter!« schrie er, und der Baseballschläger zitterte.

Wir waren auf dem Judenplatz, dem alten Judenviertel der Stadt. Schon im dreizehnten Jahrhundert war es eine Art Ghetto gewesen; zum erstenmal waren die Juden dort 1421 vertrieben worden. Wir wußten nur wenig mehr über die jüngste Vertreibung.

Was die Rundgänge mit Freud schwermachte, war die Tatsache, daß er nicht von sichtbaren historischen Zeugnissen ausging. Freud machte uns beispielsweise auf Wohnungen aufmerksam, die keine Wohnungen mehr waren. Er identifizierte ganze Gebäude für uns, die nicht mehr da waren. Und die *Leute,* die er dort einmal kannte, die waren auch nicht mehr da. Die Tour führte zu Dingen, die wir nicht sehen konnten, aber Freud sah sie noch; er sah, was 1939 und davor war, als er das letzte Mal mit intakten Augen am Judenplatz gewesen war.

Am Tag, als das Ehepaar aus New Hampshire und ihr Kind ankamen, war Freud mit Lilly zum Judenplatz gegangen. Ich wußte es gleich, denn als sie zurückkam, war sie niedergeschlagen. Ich hatte gerade das Gepäck und die Amerikaner zu ihren Zimmern im zweiten Stock gebracht, und auch ich war niedergeschlagen. Den ganzen Weg nach oben mußte ich an Ernst denken, und wie er Franny die »Kuhstellung« beschrieb. Die Koffer waren nicht besonders schwer, denn ich stellte mir vor, sie seien Ernst und ich schleppte *ihn* die Treppen hinauf, um ihn aus einem Fenster im vierten Stock zu werfen.

Die Frau aus New Hampshire fuhr mit der Hand kurz über das Treppengeländer und sagte: »Staub.«

Schraubenschlüssel kam uns auf dem Treppenabsatz im ersten Stock entgegen. Beide Arme waren von den Fingerspitzen bis zum Bizeps voller Wagenschmiere; er hatte sich eine Rolle Kupferdraht um den Hals gelegt, wie eine Henkersschlinge, und in den Armen schleppte er einen offensichtlich schweren kastenförmigen Gegenstand, der an eine übergroße Batterie denken ließ – zu groß für einen Mercedes, wie mir erst viel später klarwurde.

»Hi, Wrench«, sagte ich, und er grunzte an uns vorbei; in den Zähnen hielt er – für seine Verhältnisse sehr behutsam – so etwas wie einen kleinen Zünder in einer durchsichtigen Hülle.

»Der Hotelschlosser«, sagte ich, weil das die einfachste Erklärung war.

»Nicht sehr sauber«, sagte die Frau aus New Hampshire.

»Im obersten Stock ist wohl ein Auto abgestellt?« fragte ihr Mann.

Als wir im zweiten Stock über den Flur gingen und im Halbdunkel nach den richtigen Zimmernummern suchten, ging oben im vierten Stock eine Tür auf, und wir hörten Schreibmaschinengeklapper, das irgendwie klang, als werde kurz vor Torschluß noch etwas geschrieben – vielleicht schloß Fehlgeburt gerade ein Manifest ab, oder sie schrieb an ihrer Doktorarbeit über die romantische Idee, die das Herz der amerikanischen Literatur darstellt –, und Arbeiters Geschrei füllte das Treppenhaus.

»Kompromiß!« kreischte Arbeiter. »Du verkörperst nichts so sehr, wie du den *Kompromiß* verkörperst!«

»Jede Zeit ist ihre *eigene* Zeit!« brüllte der Alte Billig zurück. Für den Alten Billig war Feierabend; er ging nach Hause. Während ich noch mit dem Gepäck und den Schlüsseln fummelte, kam er im Treppenhaus am zweiten Stock vorbei.

»Du hängst dein Mäntelchen wieder mal nach dem Wind, alter Mann!« schrie Arbeiter – auf deutsch natürlich, und für die Amerikaner, die kein Deutsch verstanden, klang es möglicherweise bedrohlicher, als es wirklich war. Ich fand es ziemlich bedrohlich, und *ich* verstand es. »Aber eines Tages, alter Mann«, rief Arbeiter hinterher, »wird der Wind dich und dein Mäntelchen wegpusten!«

Der Alte Billig blieb auf dem Treppenabsatz stehen und brüllte zu Arbeiter hinauf:

»Du bist ja wahnsinnig! Du wirst uns alle noch umbringen! Dir fehlt die *Geduld*!« schrie er.

Und irgendwo zwischen dem zweiten und vierten Stock

bewegte sich sanft die schlagobersweiche Figur der guten Schwanger, die die beiden zu beschwichtigen versuchte; sie lief ein paar Stufen zum Alten Billig hinunter und flüsterte mit ihm, lief dann ein paar Stufen zu Arbeiter hinauf – doch mit ihm mußte sie schon etwas lauter sprechen.

»Halt's Maul!« fuhr Arbeiter sie an. »Geh, werd wieder schwanger«, sagte er zu ihr. »Geh, laß nochmal abtreiben. Geh, hol dir *Schlagobers*«, höhnte er.

»Unmensch!« schrie der Alte Billig; er machte sich wieder auf den Weg nach oben. »Man kann doch wenigstens den Anstand wahren, aber *du nicht!*« brüllte er nach oben zu Arbeiter. »Du bist nicht mal ein *Humanist!*«

»Bitte«, beschwichtigte Schwanger. »Bitte, *bitte* . . .«

»Du willst *Schlagobers*?« donnerte Arbeiter sie an. »*Ich* will die ganze Kärntnerstraße voll *Schlagobers* sehen«, sagte er wie ein Wahnsinniger. »Ich will, daß der Verkehr auf dem Ring lahmgelegt wird vor lauter *Schlagobers*. *Schlagobers* und Blut«, sagte er. »Das wirst du schon noch zu sehen bekommen: die Straßen werden voll davon sein!« sagte Arbeiter. »*Schlagobers* und Blut.«

Und ich führte die ängstlichen Amerikaner aus New Hampshire in ihre staubigen Zimmer. Ich wußte, bald würde es dunkel sein, und die lauten Wortgefechte von oben würden aufhören. Und unten würde das Stöhnen losgehen, das Schaukeln der Betten, das ständige Rauschen der Bidets, das Auf und Ab des Bären bei der Überwachung des ersten Stocks – und Freuds Baseballschläger mit seinem stetigen Pochen von Zimmer zu Zimmer.

Würden die Amerikaner in die Oper gehen? Würden sie in einem Augenblick zurückkommen, wo Jolanta gerade einen tapferen Betrunkenen die Treppen hochschleppte – oder ihn herunterrollte? Würde jemand Babette durchkneten, wie Teig, gleich in der Lobby, wo ich mit der Dunklen Inge Karten spielte und ihr von Junior Jones' Heldentaten erzählte? Der Schwarze Arm des Gesetzes machte sie glücklich. Wenn sie »alt genug« sei, sagte sie, werde sie ihr Bündel schnüren und ihren Vater besuchen, um mit eigenen Augen zu sehen, wie schlecht es den Schwarzen in Amerika ging.

Und wann in der Nacht würde Kreisch-Annies erster getürkter Orgasmus die Tochter aus New Hampshire durch die Verbindungstür ins Zimmer ihrer Eltern scheuchen? Würden sie bis zum Morgen zu dritt in einem Bett kauern – und das müde Feilschen mit der Alten Billig ebenso anhören wie das bösartige Stampfen, mit dem Jolanta jemanden zugrunde richtete?

Kreisch-Annie hatte mir gesagt, was sie mit mir anstellen würde, wenn ich je die Dunkle Inge anfaßte.

»Ich sehe zu, daß die Freier Inge nicht zu nahe kommen«, vertraute sie mir an. »Aber ich will auch nicht, daß sie glaubt, sie sei *verliebt* oder so was. Ich meine, irgendwie ist das noch schlimmer – *ich* weiß das. Das macht dich erst recht kaputt. Ich meine, ich laß keinen dafür *zahlen* – niemals – und genausowenig laß ich zu, daß du dich hintenrum an sie ranmachst, *ohne* zu zahlen.«

»Sie ist erst so alt wie meine Schwester Lilly«, sagte ich. »Für mich.«

»Wen interessiert schon, wie alt *sie* ist?« sagte Kreisch-Annie. »Ich behalte *dich* im Auge.«

»Du bist alt genug, um gelegentlich eine Latte zu kriegen«, sagte mir Jolanta. »Ich hab's gesehen. Für so was hab ich ein gutes Auge.«

»Wenn du einen Ständer kriegst, dann kannst du ihn auch einsetzen«, sagte Kreisch-Annie. »Und ich sage dir nur, wenn du ihn einsetzen willst, dann nicht bei der Dunklen Inge. Tust du das, dann bist du ihn los«, ließ mich Kreisch-Annie wissen.

»Genau«, sagte Jolanta. »Komm zu uns damit, aber nie zu der Kleinen. Versuchst du's bei der Kleinen, machen wir dich fertig. Da kannst du noch so viele Gewichte heben, irgendwann mußt du auch schlafen.«

»Und wenn du wieder aufwachst«, sagte Kreisch-Annie, »ist deine Latte weg.«

»Kapiert?« fragte Jolanta.

»Klar«, sagte ich. Und Jolanta beugte sich vor und küßte mich auf den Mund. Es war ein Kuß, der in seiner Leblosigkeit so bedrohlich war wie damals an Silvester der nach Erbrochenem schmeckende Kuß von Doris Wales. Doch dann wich Jolanta plötzlich zurück, mit meiner Unterlippe fest zwischen ihren Zähnen – so lange, bis ich aufschrie. Dann gab sie mich frei. Ich spürte, wie meine Arme ganz von selbst nach oben gingen – wie sie das tun, wenn ich für eine halbe Stunde oder so meine einarmigen Hantelübungen gemacht habe. Aber Jolanta behielt mich im Rückwärtsgehen sehr genau im Auge, immer mit den Händen in der Handtasche. Ich achtete auf die Hände und die Handtasche, bis sie aus meinem Zimmer draußen war. Kreisch-Annie war noch da.

»Das mit dem Biß tut mir leid«, sagte sie. »Das war wirklich nicht meine Idee. Sie ist einfach fies, ganz von sich aus. Du weißt doch, was sie in ihrer Handtasche hat?« Ich wollte es nicht wissen.

Kreisch-Annie mußte es ja wissen. Sie wohnte bei Jolanta. Ja, von der Dunklen Inge wußte ich, daß nicht nur ihre Mutter und Jolanta Freundinnen von der lesbischen Sorte waren, sondern daß auch Babette mit einer Frau zusammenlebte (einer Hure, die auf der Mariahilfer Straße anschaffte). Lediglich die Alte Billig bevorzugte Männer, doch die Alte Billig war so alt, daß sie, wie mir die Dunkle Inge erzählte, gar nichts bevorzugte – die meiste Zeit jedenfalls.

Sex blieb also in meiner Beziehung zur Dunklen Inge völlig aus dem Spiel; ja, es wäre mir nicht eingefallen, im Zusammenhang mit ihr an Sex auch nur zu *denken,* wenn ihre Mutter nicht davon gesprochen hätte. Ich blieb strikt bei meinen Phantasien: von Franny, von Jolanta. Und natürlich bei meiner schüchternen, ungeschickten Werbung um Fehlgeburt, die Vorleserin. Die Mädchen in der amerikanischen Schule wußten alle, daß ich »in *dem* Hotel in der Krugerstraße« wohnte; ich gehörte nicht derselben Klasse von Amerikanern an wie sie. Es heißt, in Amerika seien die meisten Amerikaner überhaupt

nicht klassenbewußt, aber ich weiß über die in Übersee lebenden Amerikaner Bescheid, und die legen wahnsinnig viel Wert
auf das Bewußtsein, zu einer bestimmten *Art* von Amerikanern zu gehören.

Franny hatte ihren Bären, und vermutlich hatte sie ebenso
ihre Phantasien wie ich. Sie hatte Junior Jones und seine
Taten als Footballspieler; es muß ihrer Phantasie sehr viel
Mühe gemacht haben, sich ihn über die Footballspiele hinaus
vorzustellen. Und sie hatte ihren Briefwechsel mit Chipper
Dove, sie hatte ihre ziemlich einseitigen Phantasien von ihm.

Susie hatte eine Theorie über Frannys Briefe an Chipper
Dove. »Sie fürchtet sich vor ihm«, sagte Susie. »Sie hat ent-
setzliche Angst davor, ihm noch einmal zu begegnen. Aus
dieser *Angst* heraus tut sie es – aus *Angst* schreibt sie ihm die
ganze Zeit. Denn wenn sie ihn ansprechen kann, in einem ganz
normalen Ton – wenn sie *so tun kann,* als sei die Beziehung
zu ihm ganz normal – nun ... dann kann er sie nicht vergewaltigt haben, dann hat er es eigentlich *nie getan,* und sie will
sich nicht *auseinandersetzen* mit der Tatsache, daß er es getan
hat. Denn«, so sagte Susie, »sie fürchtet, Dove oder ein anderer
von seiner Sorte könnte sie *wieder* vergewaltigen.«

Ich dachte darüber nach. Susie war vielleicht nicht der
schlaue Bär, der Freud vorschwebte, aber auf ihre Art war
sie durchaus ein schlauer Bär.

Was Lilly einmal über sie sagte, ist mir in Erinnerung
geblieben. »Man kann sich über Susie lustig machen, weil sie
Angst davor hat, einfach Mensch zu sein und sich mit anderen
Menschen – wie sie sagen würde: – *auseinandersetzen* zu müssen. Aber wie viele Menschen empfinden genauso, haben aber
nicht die Phantasie, etwas dagegen zu tun? Es mag ja doof
sein, als Bär durchs Leben zu gehen«, sagte Lilly, »aber du
mußt zugeben, daß es Phantasie erfordert.«

Und wir waren es natürlich alle gewohnt, mit Phantasien
zu leben. Vater ging ganz darin auf: seine Phantasie war sein
eigenes Hotel. Freud konnte nur dort sehen. Franny, in der
Gegenwart ganz gefaßt, blickte ebenfalls in die Zukunft – und

ich blickte immer vor allem auf Franny (und erhoffte mir Signale, wichtige Zeichen, Anweisungen). Von uns allen gelang es Frank wohl am besten, seine Phantasie umzusetzen; er erdachte sich seine eigene Welt und blieb dort für sich. Und Lilly hatte sich in Wien eine Aufgabe gestellt – damit war sie, zunächst einmal, außer Gefahr. Lilly hatte beschlossen, zu wachsen. Das mußte sie mit ihrer Phantasie schaffen, denn wir bemerkten kaum äußerliche Veränderungen an ihr.

Lilly machte vor allem eins in Wien: sie *schrieb*. Fehlgeburts Lesestunden hatten ihren Eindruck hinterlassen. Lilly wollte Schriftstellerin werden, ausgerechnet, und wir genierten uns so sehr für sie, daß wir sie nie zur Rede stellten – obwohl wir wußten, daß sie die ganze Zeit schrieb. Und es genierte sie selbst auch so sehr, daß sie sich nie dazu bekannte. Aber wir alle wußten, daß Lilly irgend etwas *schrieb*. Fast sieben Jahre lang schrieb sie unentwegt. Wir wußten, wie ihre Schreibmaschine klang; sie klang anders als die der Radikalen. Lilly schrieb sehr langsam.

»Was machst du denn, Lilly?« fragte jemand und klopfte an ihre ewig verschlossene Tür.

»Wachstumsversuche«, sagte dann Lilly.

Das war dann auch unsere Umschreibung dafür. Wenn Franny sagen konnte, sie sei verprügelt worden, nachdem sie vergewaltigt worden war – wenn wir Franny *das* durchgehen ließen, dachte ich –, dann mußte es auch Lilly erlaubt sein, zu sagen, sie mache »Wachstumsversuche«, wenn sie (wie wir alle wußten) »Schreibversuche« machte.

Als ich Lilly erzählte, zu der Familie aus New Hampshire gehöre auch ein kleines Mädchen in ihrem Alter, sagte Lilly: »Na und? Ich muß noch ein bißchen wachsen. Vielleicht mache ich mich nach dem Abendessen mit ihr bekannt.«

Eine unselige Eigenheit ängstlicher Menschen – in schlechten Hotels – ist, daß sie oft zu ängstlich sind, um wieder *abzureisen*. Sie sind so ängstlich, daß sie es nicht einmal wagen, sich zu beschweren. Und zu ihrer Ängstlichkeit gehört auch eine gewisse Höflichkeit; wenn sie ausziehen, weil ein Schraubenschlüssel sie auf der Treppe erschreckt hat, weil eine Jolanta in der Lobby jemanden ins Gesicht gebissen hat, weil eine Kreisch-Annie sie mit ihrem Geheul dem Tod ein Stückchen näher gebracht hat – selbst wenn sie Bärenhaare im Bidet finden, entschuldigen sie sich immer noch.

Nicht jedoch die Frau aus New Hampshire. Sie war forscher als das Durchschnittsexemplar des ängstlichen Gastes. Sie hielt durch, als die Huren am frühen Abend ihre ersten Kunden anschleppten (die Familie war offenbar zum Essen ausgegangen). Die Familie hielt bis nach Mitternacht durch, ohne sich zu beschweren; nicht einmal eine telefonische Anfrage beim Empfangsschalter. Frank machte Schulaufgaben mit der Schneiderpuppe. Lilly machte Wachstumsversuche. Franny war am Schalter in der Lobby, und Susie der Bär strich dort herum – ihre Gegenwart machte die Kunden der Huren wie immer zu den friedfertigsten Menschen. Ich war unruhig. (Ich war sieben Jahre lang unruhig, aber an diesem Abend war ich besonders unruhig.) Ich war mit der Dunklen Inge und der Alten Billig beim Darts-Spielen im Café Mowatt gewesen. Es war für die Alte Billig wieder mal ein lahmer Abend. Kreisch-Annie fand kurz nach Mitternacht einen Kunden, als sie die Kärntner Straße überquerte und in die Krugerstraße einbog. Ich wartete gerade, bis ich mit den Darts an der Reihe war, als Kreisch-Annie und ihr scheuer männlicher Begleiter einen Blick ins Mowatt warfen; Kreisch-Annie sah die Dunkle Inge bei mir und der Alten Billig sitzen.

»Es ist nach Mitternacht«, sagte sie zu ihrer Tochter. »Du gehst jetzt schlafen. Du mußt morgen zur Schule.«

Wir gingen also alle – mehr oder weniger zusammen – zurück ins Hotel New Hampshire. Kreisch-Annie und ihr Kunde gingen ein wenig voraus, Inge und ich gingen links und rechts von der Alten Billig, die vom Tal der Loire in Frankreich redete. »Da würde ich mich gern zur Ruhe setzen«, sagte sie, »oder meine nächsten Ferien verbringen.« Die Dunkle Inge und ich wußten, daß die Alte Billig ihre Ferien – *alle* ihre

Ferien – bei der Familie ihrer Schwester in Baden verbrachte. Sie fuhr immer mit dem Bus oder der Bahn, von der Haltestelle gegenüber der Oper; für die Alte Billig würde Baden immer viel leichter erreichbar sein als Frankreich.

Als wir ins Hotel kamen, sagte Franny, alle Gäste seien bereits im Haus. Die Familie aus New Hampshire hatte sich vor einer Stunde schlafen gelegt. Ein junges schwedisches Ehepaar war sogar noch früher zu Bett gegangen. Ein alter Mann aus dem Burgenland hatte sein Zimmer den ganzen Abend nicht verlassen, und ein paar begeisterte Radfahrer aus England waren betrunken nach Hause gekommen, hatten zweimal nach ihren Fahrrädern im Keller geschaut, mit Susie dem Bären herumzualbern versucht (bis sie knurrte) und schliefen nun zweifellos auf ihren Zimmern ihren Rausch aus. Ich ging auf mein Zimmer, um Gewichte zu heben – und kam in dem magischen Augenblick an Lillys Tür vorbei, als ihr Licht ausging; sie hatte für diesen Abend aufgehört zu wachsen. Ich machte ein paar Unterarmübungen mit der langen Hantel, aber ich war nicht recht bei der Sache; es war zu spät. Ich machte die Gewichtübungen nur, weil ich mich langweilte. Ich hörte die Schneiderpuppe gegen die Wand zwischen meinem und Franks Zimmer krachen; etwas in seinen Büchern hatte Frank verärgert, und er ließ seine Wut an der Puppe aus – oder auch ihm war nur langweilig. Ich klopfte an die Wand.

»Bleib immer weg von offenen Fenstern«, sagte Frank.

»*Wo ist die Gemütlichkeit?*« sang ich halbherzig.

Ich hörte Franny und Susie den Bären an meiner Tür vorbeihuschen.

»Vierhundertvierundsechzig, Franny!« flüsterte ich.

Ich hörte, wie im Stockwerk über mir Freuds Baseballschläger mit einem kompakten *Tschack!* aus einem Bett fiel. Babettes Bett, rechnete ich aus. Vater schlief fest, wie üblich – und hatte schöne Träume, keine Frage; er träumte und träumte. Ein Mann schimpfte auf dem Treppenabsatz im ersten Stock, und ich hörte Jolantas Antwort. Ihre Antwort bestand darin, daß sie ihn die Treppe hinunterwarf.

»Kummer«, hörte ich Frank murmeln.

Franny sang das Lied, zu dem Susie sie bewegen konnte, deshalb versuchte ich mich auf den Streit in der Lobby zu konzentrieren. Für Jolanta war es ein leichter Streit, das war gut zu hören. Das ganze Wehgeschrei kam von dem Mann.

»Dein Schwanz ist so schlapp wie ein nasser Socken, und dann willst du mir erzählen, das sei *meine* Schuld?« sagte Jolanta. Darauf folgte das Geräusch eines Hiebes, den der Mann hinnehmen mußte – ihr Handballen und sein Unterkiefer? spekulierte ich. Schwer zu sagen, aber dann kam ein eindeutiges Geräusch: der Mann fiel wieder hin. Er sagte etwas, aber seine Worte klangen erstickt. Drückte Jolanta ihm den Hals zu? fragte ich mich. Sollte ich Frannys Lied unterbrechen? Gab es da Arbeit für Susie den Bären?

Und dann hörte ich Kreisch-Annie. Ich glaube, jeder in der Krugerstraße hörte Kreisch-Annie. Ich glaube, selbst einige elegante Leute, die in der Oper gewesen waren und nun eben die Sacher-Bar verließen und auf der Kärntner Straße nach Hause gingen, müssen Kreisch-Annie gehört haben.

Im November 1969 – fünf Jahre nachdem wir Wien verlassen hatten – beherrschten eines Morgens zwei Meldungen, zwischen denen es keinen Zusammenhang zu geben schien, die Schlagzeilen in der Stadt. Vom 17. November 1969 an, so wurde gemeldet, waren der Graben und die Kärntner Straße für die Prostituierten *gesperrt* – wie auch sämtliche Querstraßen der Kärntner Straße *mit Ausnahme* der Krugerstraße. 300 Jahre lang hatten diese Straßen den Huren gehört, doch nun ließ man ihnen nur noch die Krugerstraße. Meiner Meinung nach gaben die Wiener schon *vor* 1969 jeden Versuch auf, die Krugerstraße zu retten. Meiner Meinung nach gab Kreisch-Annies getürkter Orgasmus in der Nacht, als die Familie aus New Hampshire bei uns wohnte, den Ausschlag für die amtliche Entscheidung. Dieser eine getürkte Orgasmus *erledigte* die Krugerstraße.

Und am selben Tag im Jahr 1969, an dem die österreichischen Behörden die Verbannung der Prostituierten von der

Kärntner Straße in die Krugerstraße bekanntgaben, enthüllten die Zeitungen auch, daß eine neue Donaubrücke einen *Sprung* bekommen hatte; nur wenige Stunden nach der feierlichen Einweihung bekam die Brücke plötzlich einen Sprung. In der offiziellen Darstellung wurde der armen Sonne die Schuld gegeben. Meiner Meinung nach war das nicht der Sonne zuzuschreiben. Nur Kreisch-Annie konnte eine Brücke sprengen – selbst eine neue Brücke. Sie muß in dieser Nacht bei offenem Fenster gearbeitet haben.

Nach meiner Überzeugung brachte es Kreisch-Annie mit ihrem getürkten Orgasmus auch fertig, daß sich die Leichen der herzlosen Habsburger aus ihren Gräbern erhoben.

Und in dieser Nacht, als wir die ängstliche Familie aus New Hampshire zu Gast hatten, schaffte Kreisch-Annie mit ihrem getürkten Orgasmus einen Rekord für die ganze Dauer unseres Aufenthaltes in Wien. Einen solchen Orgasmus gab es nur alle sieben Jahre einmal. Und dann kam das einmalige kurze Jaulen ihres männlichen Gefährten so unmittelbar hinterher, daß ich eine Hand aus dem Bett streckte und bei einer meiner Hanteln festen Halt suchte. Ich hörte, wie die Schneiderpuppe in Franks Zimmer von der Wand abprallte und wie Frank selbst schwerfällig zu seiner Tür tappte. Frannys feines, sich immer höher schwingendes Lied brach ab, und ich wußte, daß Susie der Bär in hektischer Eile nach dem Bärenkopf suchte. Und wie sehr Lilly auch gewachsen sein mochte, bevor sie das Licht ausmachte: bestimmt verlor sie in dem einen Augenblick, als sie vor dem fürchterlichen Schrei von Kreisch-Annie zurückschreckte, gleich ein paar Zentimeter.

»Jessas Gott!« rief Vater laut.

Der Mann, den Jolanta in der Lobby verprügelte, fand die plötzliche Kraft, die er brauchte, um sich zu befreien und aus der Tür zu hechten. Und andere Prostituierte, die auf der Krugerstraße unterwegs waren – ich kann mir nur vorstellen, daß sie ihre Berufswahl noch einmal überdachten. Wer ist bloß auf die Idee vom ›galanten Gewerbe‹ gekommen? müssen sie sich gefragt haben.

Von irgendwo her kam ein Wimmern. Babette, verängstigt und mit Freud aus dem Rhythmus gebracht? Freud, der seinen Baseballschläger suchte, als Waffe? Die Dunkle Inge, die schließlich doch noch Angst vor ihrer Mutter bekam? Und ganz oben im vierten Stock *bewegte* sich eine der Schreibmaschinen der Radikalen offenbar von allein über den Tisch und krachte zu Boden.

In weniger als einer Minute waren wir in der Lobby und machten uns auf den Weg in den ersten Stock. Ich hatte Franny noch nie so tief verstört gesehen; Lilly ging zu ihr und hängte sich an ihre Hüfte. Frank und ich marschierten hinterher wie Soldaten, wortlos zu dem verheerenden Schrei hingezogen. Der war jetzt verstummt, doch die von Kreisch-Annie zurückgelassene Stille war fast ebenso grauenerregend wie ihr Gebrüll. Jolanta und Susie der Bär führten den Zug an – wie Rausschmeißer, die grimmig gegen ein paar nichtsahnende Radaubrüder vorgehen.

»Ärger«, brummte Vater. »Klang ganz nach Ärger.«

Oben auf dem Treppenabsatz begegneten wir Freud und seinem Baseballschläger; er stützte sich auf Babette.

»So was *können* wir einfach nicht mehr dulden«, sagte Freud. »So was überlebt kein Hotel, egal, *welche* Klasse von Kundschaft es hat – das geht einfach zu weit, das hält doch kein Mensch aus.«

»Earl!« sagte Susie und nahm eine drohende Haltung an. Jolanta hatte die Hände wieder in ihrer Handtasche. Das Wimmern hörte nicht auf, und ich begriff, daß es die Dunkle Inge war, die sich sogar davor fürchtete, dem unglaublichen Geräusch ihrer Mutter auf den Grund zu gehen.

Als wir zur Tür von Kreisch-Annie kamen, sahen wir, daß die Familie aus New Hampshire keineswegs so ängstlich war, wie es ursprünglich den Anschein gehabt hatte. Gewiß, die Tochter schien halbtot vor Angst, aber sie stand auf eigenen Füßen und lehnte sich nur leicht an ihren zitternden Vater. Er trug einen schwarz und rot gestreiften Bademantel über dem Schlafanzug. In der Hand hielt er den Fuß einer Nachttischlampe; das Kabel hatte er sich ums Handgelenk gewickelt, und die Glühbirne und den Lampenschirm hatte er entfernt – um die Waffe wirksamer zu machen, nehme ich an. Die Frau aus New Hampshire stand der Tür am nächsten.

»Es kam von dort«, verkündete sie uns allen und zeigte auf Kreisch-Annies Tür. »Jetzt hat es aufgehört. Sie müssen tot sein.«

»Zurück«, sagte der Ehemann zu ihr, und der Lampenfuß tanzte in seiner Hand auf und ab. »Das ist sicher kein Anblick für Frauen und Kinder.«

Die Frau starrte Frank feindselig an, vermutlich weil er der Mann am Empfang gewesen war, der sie offiziell in dieses Irrenhaus aufgenommen hatte. »Wir sind *Amerikaner*«, sagte sie herausfordernd. »Etwas derart *Schmutziges* ist uns noch nie vorgekommen, aber wenn hier keiner den *Mumm* hat, reinzugehen, dann gehe *ich*.«

»Sie wollen da *reingehen*?« sagte Vater.

»Es handelt sich eindeutig um Mord«, sagte der Ehemann.

»Es könnte nicht eindeutiger sein«, sagte die Frau.

»Mit einem *Messer*«, sagte die Tochter und zuckte unwillkürlich zurück – gegen ihren Vater. »Es muß ein Messer gewesen sein«, sagte sie fast flüsternd.

Der Ehemann ließ die Lampe fallen, dann hob er sie wieder auf.

»Nun?« sagte die Frau zu Frank, aber Susie der Bär drängte nach vorn.

»Schickt den Bären rein!« sagte Freud. »Laßt die Finger von den Gästen und schickt einfach den Bären rein!«

»Earl!« sagte Susie. Der Ehemann dachte offenbar, Susie könnte ihn und seine Familie angreifen, und hielt Susie drohend die Lampe vors Gesicht.

»Reizen Sie den Bären nicht!« warnte ihn Frank, und die Familie wich ein wenig zurück.

»Sei ja vorsichtig, Susie«, sagte Franny.

»Mord«, murmelte die Frau aus New Hampshire.

»Etwas Unaussprechliches«, sagte ihr Mann.

»Ein Messer«, sagte die Tochter.

»Verfickt nochmal, es war nur ein *Orgasmus*«, sagte Freud. »Haben Sie denn noch *nie* einen gehabt, Himmel Herrgott?« Freud, der seine Hand auf Susies Rücken liegen hatte, tastete sich nach vorn; mit seinem Baseballschläger versetzte er der Tür einen Schlag und fummelte dann nach dem Türknauf. »Annie?« rief er. Ich sah, daß sich Jolanta dicht hinter Freud hielt, wie sein größerer Schatten -- ihre Hände ingrimmig in der dunklen Handtasche. Susie schnaubte kurz an der Türschwelle, und es klang überzeugend.

»Ein Orgasmus?« sagte die Frau aus New Hampshire – und ihr Mann hielt der Tochter fast mechanisch die Ohren zu.

»Mein Gott«, sagte Franny später. »Die haben nichts dagegen, daß ihre Tochter einen Mord sieht, aber sie lassen sie nicht einmal *zuhören*, wenn von einem Orgasmus geredet wird. Amerikaner sind vielleicht eigenartig!«

Susie der Bär rannte mit der Schulter gegen die Tür und stieß Freud gleich mit um. Seine Louisville-Keule schlitterte über den Flur, aber Jolanta fing den alten Mann auf und stellte ihn an den Türrahmen, und Susie stürmte in das Zimmer. Kreisch-Annie war nackt, bis auf Strümpfe und Strumpfhalter; sie rauchte eine Zigarette und beugte sich über den auf dem Rücken liegenden, absolut reglosen Mann im Bett und blies ihm den Rauch ins Gesicht; weder zuckte er zurück, noch hustete er, und auch er war nackt, bis auf seine knöchellangen dunkelgrünen Socken.

»Tot!« japste die Frau aus New Hampshire.

»*Tot?*« flüsterte Freud. »Sagt es mir doch!«

Jolanta nahm ihre Hände aus der Handtasche und rammte dem Mann eine Faust in den Unterleib. Seine Knie schnellten ganz von selbst nach oben, und er hustete; dann lag er wieder flach und reglos da.

»Der ist nicht tot«, sagte Jolanta und bahnte sich mit den Ellbogen einen Weg aus dem Zimmer.

»Auf einmal hat's bei dem ausgesetzt«, sagte Kreisch-Annie. Sie schien überrascht. Aber später sagte ich mir, daß man unmöglich bei gesundem Verstand und bei Bewußtsein bleiben konnte, wenn man die Illusion hatte, Kreisch-Annie komme tatsächlich. Es war dann wahrscheinlich sicherer, ohnmächtig zu werden, als durchzuhalten und dann verrückt nach Hause zu gehen.

»Ist sie eine *Hure?*« fragte der Ehemann, und diesmal war es die Frau aus New Hampshire, die ihrer Tochter die Ohren zuhielt; nicht nur das: sie wollte dem Mädchen auch noch die *Augen* zuhalten.

»Was soll das, sind Sie *blind?*« fragte Freud. »Natürlich ist sie eine Hure!«

»Wir *alle* sind Huren«, sagte die Dunkle Inge, die plötzlich aus dem Nichts auftauchte und sich an ihre Mutter drückte – offensichtlich froh, daß ihr nichts fehlte. »Was ist denn schon dabei?«

»Schon gut, schon gut«, sagte Vater. »Jetzt geht ihr aber zurück ins Bett!«

»Das sind Ihre *Kinder?*« fragte die Frau aus New Hampshire Vater; sie wußte nicht recht, auf wen von uns sie mit ihrer Handbewegung zeigen sollte.

»Na ja, ein *paar* von ihnen«, sagte Vater liebenswürdig.

»Sie sollten sich schämen«, sagte die Frau zu ihm. »Wie kann man nur Kindern dieses schmutzige Leben zumuten!«

Ich glaube, Vater war noch nie der Gedanke gekommen, daß uns etwas besonders »Schmutziges zugemutet« wurde. Und der Tonfall, den die Frau aus New Hampshire angeschlagen hatte, war von einer Art, wie ihn Vater nie im entferntesten von meiner Mutter gehört hatte. Trotzdem schien mein Vater durch diesen Vorwurf plötzlich getroffen. Franny sagte später, die echte Bestürzung in seinem Gesicht – und dann der zunehmende Eindruck, daß er Schuldgefühlen näher war, als wir das je bei ihm erlebt hatten – habe ihr klargemacht, daß wir ihn immer lieber verträumt als schuldbewußt sehen würden, auch wenn uns seine Träume manchen Kummer bescheren mochten; wir konnten ihn akzeptieren als einen, der *nicht ganz da* war, aber er wäre uns nicht so lieb gewesen, wenn er sich wirklich Sorgen gemacht hätte, wenn er sich wirklich »verantwortlich« gezeigt hätte, so wie man das gemeinhin von Vätern erwartet.

»Lilly, Schätzchen, du solltest nicht hier sein«, sagte Vater zu Lilly und schob sie von der Tür weg.

»Weiß Gott nicht«, sagte der Ehemann aus New Hampshire, inzwischen bemüht, Augen *und* Ohren seiner Tochter gleichzeitig zuzuhalten – aber einfach nicht in der Lage, sich von der Szene loszureißen.

»Frank, bring Lilly bitte auf ihr Zimmer«, sagte Vater leise. »Franny?« fragte er. »Ist alles okay, mein Schatz?«

»Na klar«, sagte Franny.

»Es tut mir leid, Franny«, sagte Vater, während er mit ihr den Flur entlangging. »Alles, mein ich«, fügte er hinzu.

»Es tut ihm *leid!*« mokierte sich die Frau aus New Hampshire. »Er mutet seinen Kindern diesen ekelhaften Schmutz zu, und dann tut es ihm *leid!*« Aber jetzt bekam sie es mit Franny zu tun. Wir mochten Vater vielleicht kritisieren, aber sonst durfte das niemand.

»Du tote Fotze«, sagte Franny zu der Frau.

»Franny!« sagte Vater.

»Du kaputte Schnalle«, sagte Franny zu der Frau. »Du Jammerlappen«, sagte sie zu dem Mann. »Ich wüßte genau den richtigen Mann für euch, der würde euch schon zeigen, was ›ekelhaft‹ ist«, sagte sie. »*Aybha* oder *Gajâsana*«, sagte Franny zu ihnen. »Wißt ihr, was das ist?« Ich wußte es; ich spürte, wie ich an den Handflächen zu schwitzen begann. »Die Frau liegt dabei auf dem Bauch«, sagte Franny, »und der Mann liegt auf ihr und schiebt seinen Unterleib vor und macht ein hohles Kreuz.« Die Frau aus New Hampshire machte die Augen zu, als das Wort »Unterleib« fiel; der arme Ehemann schien Augen und Ohren seiner ganzen Familie gleichzeitig bedecken zu wollen. »Das ist die Elefantenstellung«, sagte Franny, und ich schauderte. Die Elefantenstellung war eine der zwei Hauptstellungen (neben der Kuhstellung) in der *Vyanta*-Gruppe; es war die Elefantenstellung, bei deren Beschreibung

Ernst besonders verträumt wurde. Ich hatte das Gefühl, als werde mir gleich schlecht, und Franny fing plötzlich an zu weinen. Vater führte sie rasch den Flur hinunter, und Susie der Bär – beunruhigt, aber ganz Bär – ging ihnen winselnd nach.

Der Kunde, der ohnmächtig geworden war, als Kreisch-Annie die Krugerstraße erledigte, kam zu sich. Es machte ihn schrecklich verlegen, daß wir alle ihn anschauten: Freud, ich, die Familie aus New Hampshire, Kreisch-Annie, ihre Tochter und Babette. Wenigstens, dachte ich bei mir, blieb ihm der Bär erspart – und der Rest meiner Familie. Spät wie üblich kam die Alte Billig anmarschiert; sie hatte geschlafen.

»Was ist denn los?« fragte sie mich.

»Hat dich Kreisch-Annie nicht aufgeweckt?« fragte ich sie.

»Kreisch-Annie weckt mich nicht mehr auf«, sagte die Alte Billig. »Es sind diese verdammten Weltverbesserer vom vierten Stock.«

Ich blickte auf meine Uhr. Es war noch nicht mal zwei Uhr früh. »Du schläfst wohl immer noch«, flüsterte ich der Alten Billig zu. »Die Radikalen kommen nicht so früh ins Haus.«

»Ich bin hellwach«, sagte die Alte Billig. »Nicht *alle* Radikalen sind gestern abend nach Hause gegangen. Manchmal bleiben sie die ganze Nacht da. Und normalerweise sind sie ruhig. Aber Kreisch-Annie muß sie aufgeschreckt haben. Irgend etwas ist ihnen runtergefallen. Und als sie es wieder aufheben wollten, zischten sie wie die Schlangen.«

»*Nachts* sollten sie nicht hier sein«, sagte Freud.

»Ich habe genug von diesem Schmutz gesehen«, sagte die Frau aus New Hampshire, die sich offenbar ignoriert fühlte.

»Ich hab alles gesehen«, sagte Freud geheimnisvoll. »Den *ganzen* Schmutz«, sagte er. »Man gewöhnt sich daran.«

Babette sagte, ihr reiche es für diese Nacht; sie ging nach Hause. Kreisch-Annie brachte die Dunkle Inge wieder ins Bett. Kreisch-Annies verschämter Gefährte versuchte, so unauffällig wie möglich aus dem Hotel zu kommen, aber die Familie aus New Hampshire folgte ihm mit den Blicken, bis er draußen war. Jolanta gesellte sich zu Freud und der Alten

Billig und mir; wir standen auf dem Treppenabsatz im ersten Stock und horchten nach oben, aber die Radikalen – falls sie da waren – verhielten sich jetzt ruhig.

»Ich bin zu alt für die vielen Stufen«, sagte die Alte Billig, »und zu schlau, um meine Nase in Dinge zu stecken, die mich nichts angehen. Aber die sind da oben«, sagte sie. »Seht selbst nach.« Und damit ging sie wieder hinaus auf die Straße – zurück zum galanten Gewerbe.

»Ich bin blind«, räumte Freud ein. »Ich würde für die Stufen die halbe Nacht brauchen, und falls sie wirklich da sein *sollten*, würde ich eh nichts sehen.«

»Gib mir den Baseballschläger«, sagte ich zu Freud. »Ich geh mal nachsehen.«

»Nimm einfach mich mit«, sagte Jolanta. »Scheiß auf den Schläger.«

»Ich brauch den Schläger sowieso«, sagte Freud. Jolanta und ich sagten ihm Gutenacht und stiegen die Treppen hoch.

»Wenn irgendwas dran ist«, sagte Freud, »dann weck mich und laß es mich wissen. Oder erzähl es mir morgen früh.«

Im zweiten Stock blieben Jolanta und ich eine Weile auf der Treppe stehen und horchten, aber das einzige, was wir hören konnten, kam von der Familie aus New Hampshire, die sämtliche Möbel an ihre Zimmertüren rückte. Das junge schwedische Pärchen hatte sich im Schlaf nicht stören lassen, offenbar gewöhnt an Orgasmen – oder an Mord. Der alte Mann aus dem Burgenland war möglicherweise auf seinem Zimmer gestorben, kurz nach seiner Ankunft. Die Radfahrer aus England wohnten im dritten Stock und waren wahrscheinlich zu betrunken, um sich aus dem Schlaf reißen zu lassen. Jedenfalls dachte ich das, aber als Jolanta und ich im dritten Stock auf dem Treppenabsatz stehenblieben und wegen der Radikalen die Ohren spitzten, begegneten wir dort einem der englischen Radfahrer.

»Ausgesprochen seltsam«, flüsterte er uns zu.

»Was denn?« sagte ich.

»Dachte, ich hätte einen Schrei gehört«, sagte er. »Aber der kam ausgesprochen von *unten*. Nun höre ich, wie sie die Leiche herumschleifen, da *oben*. Ausgesprochen merkwürdig.«

Er warf einen Blick auf Jolanta. »Spricht die Dirne englisch?« fragte er mich.

»Die Dirne gehört zu mir«, sagte ich. »Wie wär's, wenn Sie sich wieder schlafen legten?« Ich war in der Nacht vielleicht achtzehn oder neunzehn, glaube ich; die Auswirkungen des Gewichttrainings fingen offensichtlich an, die Leute zu beeindrucken. Der englische Radfahrer legte sich jedenfalls wieder schlafen.

»Was meinst du, was geht da vor?« fragte ich Jolanta und deutete mit einer Kopfbewegung nach oben, zu dem schweigenden vierten Stock.

Sie zuckte mit den Achseln; es reichte nicht annähernd an Mutters oder Frannys Achselzucken heran, aber es war das Achselzucken einer Frau. Sie steckte ihre großen Hände in die tödliche Handtasche.

»Was kümmern mich die da oben?« fragte sie. »Sie mögen die Welt verändern«, sagte Jolanta von den Radikalen, »aber *mich* werden sie nicht verändern.«

Irgendwie ermutigte mich das, und wir stiegen hoch zum vierten Stock. Ich war nicht mehr da oben gewesen, seit ich beim Umzug, drei oder vier Jahre vorher, mit den Schreibmaschinen und den Büromöbeln geholfen hatte. Schon der Flur sah verändert aus. Viele Kisten standen herum, und große Flaschen – Wein oder Chemikalien? fragte ich mich. Jedenfalls waren es mehr Chemikalien, als sie für den einen Umdrucker brauchten – falls es überhaupt Chemikalien waren. Irgendwelche Flüssigkeiten für das Auto, mag ich gedacht haben; ich wußte es nicht. Ich tat das für einen Ahnungslosen Naheliegende: ich klopfte an die erste Tür, zu der Jolanta und ich kamen.

Ernst machte auf; er lächelte. »Was gibt's?« fragte er. »Kannst du nicht schlafen? Zu viele Orgasmen?« Dann sah er Jolanta hinter mir stehen. »Du suchst wohl ein Zimmer, wo du ungestört bist?« fragte er mich. Dann bat er uns herein.

Das Zimmer hatte Verbindungstüren zu zwei anderen – ich erinnerte mich, daß es früher nur *ein* angrenzendes Zimmer gegeben hatte –, und die Einrichtung hatte sich wesentlich verändert, obwohl ich in den zurückliegenden Jahren nicht ein einziges Mal beobachtet hatte, daß ein größerer Gegenstand hinein- oder herausgetragen wurde; nur die Dinge, nahm ich an, die Schraubenschlüssel für den Wagen brauchte.

Schraubenschlüssel war im Zimmer, und auch Arbeiter – der stets arbeitende Arbeiter. Es war wohl eine der großen, wie Batterien aussehenden Kisten gewesen, die die Alte Billig und ich von einem Tisch hatten fallen hören, denn die Schreibmaschinen waren in einem anderen Teil des Raumes; offenkundig waren sie an diesem Abend nicht benutzt worden. Einige Karten – oder vielleicht waren es auch Konstruktionspläne – waren ausgebreitet, und es gab das an Autos erinnernde Zeug, das man in Reparaturwerkstätten und nicht in Büros erwarten würde: chemisches Zeug, elektrisches Zeug. Der Alte Billig, der Arbeiter einen Wahnsinnigen genannt hatte, war nicht da. Und meine süße Fehlgeburt war, wie es sich für eine brave Studentin der amerikanischen Literatur gehört, entweder zu Hause und las ein Buch, oder sie war zu Hause und schlief. Meiner Meinung nach waren nur die *bösen* Radikalen da: Ernst, Arbeiter und Schraubenschlüssel.

»Das war vielleicht ein Orgasmus heute abend, Tod und Teufel!« sagte Schraubenschlüssel und schielte dabei lüstern nach Jolanta.

»Bloß getürkt«, sagte Jolanta.

»*Diesmal* war er vielleicht echt«, sagte Arbeiter.

»Träumer«, sagte Jolanta.

»Du hast die Abgebrühte im Schlepptau, was?« sagte Ernst zu mir. »Du magst gut abgehangenes Fleisch, wie ich sehe.«

»Du kannst doch nur darüber schreiben«, sagte Jolanta zu ihm. »Wahrscheinlich kriegst du ihn nicht mal hoch.«

»Für dich wüßte ich genau die richtige Stellung«, sagte Ernst zu ihr.

Aber ich wollte es nicht hören. Sie machten mir alle angst.

»Wir gehen wieder«, sagte ich. »Entschuldigt die Störung. Wir wußten nur nicht, daß nachts jemand hier ist.«

»Die Arbeit nimmt überhand, wenn wir nicht ab und zu länger hierbleiben«, sagte Arbeiter.

Zusammen mit Jolanta, deren starke Hände irgend etwas in ihrer Handtasche umklammerten, sagte ich Gutenacht. Und es war *keine* Einbildung, als ich – beim Weggehen – im Schatten des hintersten Zimmers eine weitere Gestalt sah. Auch sie hatte eine Handtasche, aber was sie sonst in der Handtasche trug, war jetzt draußen – in ihrer Hand, und auf Jolanta und mich gerichtet. Ich konnte nur einen flüchtigen Blick auf sie und ihren Revolver werfen, bevor sie in den Schatten zurücktrat und Jolanta die Tür zumachte. Jolanta sah sie nicht; Jolanta behielt nur Ernst im Auge. Aber ich sah sie: unsere sanfte mütterliche Radikale, Schwanger – mit einem Revolver in der Hand.

»Was hast du da eigentlich in deiner Handtasche?« fragte ich Jolanta. Sie zuckte mit den Achseln. Ich sagte ihr Gutenacht, aber sie ließ eine große Hand in meine Hose gleiten und hielt mich einen Moment fest; ich war so schnell aus dem Bett und in die Kleider geschlüpft, daß für Unterwäsche keine Zeit geblieben war. »Du schickst mich nochmal auf die Straße raus?« fragte sie mich. »Ich will nur noch einen Freier, bevor ich Schluß mache.«

»Für mich ist es zu spät«, sagte ich, aber sie spürte, daß ich in ihrer Hand steif wurde.

»Fühlt sich nicht an, als sei es zu spät«, sagte sie.

»Ich hab aber meinen Geldbeutel in einer anderen Hose«, log ich.

»Du kannst später zahlen«, sagte Jolanta. »Dir traue ich.«

»Wieviel?« fragte ich, als sie fester zupackte.

»Für dich nur dreihundert Schilling«, sagte sie. Dreihundert Schilling zahlten *alle*, das wußte ich zufällig.

»Das ist zuviel«, sagte ich.

»Fühlt sich nicht an, als sei es zuviel«, sagte sie und drehte ruckartig an mir; ich war inzwischen *sehr* steif, und es tat weh.

»Du tust mir weh«, sagte ich. »Tut mir leid, aber ich will nicht.«

»Und ob du willst«, sagte sie, aber sie ließ mich los. Sie blickte auf ihre Uhr; sie zuckte mit den Achseln. Sie ging mit mir die Treppen hinunter und in die Lobby; ich sagte ihr noch einmal Gutenacht. Während ich zu meinem Zimmer und sie hinaus auf die Krugerstraße ging, kam Kreisch-Annie wieder ins Haus – mit einem neuen Opfer. Ich lag im Bett und fragte mich, ob ich so tief würde schlafen können, daß mir der nächste getürkte Orgasmus nichts anhaben konnte; dann sagte ich mir, ich würde es nie schaffen, also lag ich nur da und wartete darauf – in der Hoffnung, hinterher noch genug Zeit zum Schlafen zu haben. Doch dieser brauchte lange, bis er kam; ich begann mir einzubilden, es sei schon alles vorbei, ich sei eingedöst und hätte es verpaßt, und – wie im Leben – so glaubte ich, das, was unmittelbar *bevorstand,* habe bereits stattgefunden, sei bereits vorbei, und ich erlaubte mir, es zu vergessen – um wenig später davon überrascht zu werden. Aus dem tiefsten Schlaf – gleich nach dem ersten Einschlafen – zerrte mich Kreisch-Annie mit ihrem getürkten Orgasmus.

»Kummer!« heulte Frank im Traum, wie damals der arme Iowa-Bob, aufgeschreckt durch seine »Vorahnung« von dem Untier, das sein Ende sein würde.

Ich schwöre, ich konnte spüren, wie Franny sich in ihrem Schlaf verkrampfte. Susie schnaubte. Lilly sagte »Was?« Das Hotel New Hampshire schauderte in der Stille nach dem Donnerschlag. Und dann – vielleicht war es später, tatsächlich in meinem Schlaf – hörte ich, wie etwas Schweres die Treppen heruntergetragen und durch die Lobby hinaus zu Schrauben- schlüssels Wagen gebracht wurde. Zuerst vermutete ich hinter den gedämpften Geräuschen Jolanta, die einen toten Kunden auf die Straße hinaustrug, aber sie hätte sich gar nicht erst bemüht, leise zu sein. Ich bilde mir das alles nur ein, sagte ich mir im Schlaf, doch dann klopfte Frank an die Wand.

»Bleib immer weg von offenen Fenstern«, flüsterte ich. Frank und ich trafen uns im Flur. Wir beobachteten die Radikalen, die irgend etwas durch das Fenster der Lobby in ihren Wagen luden. Was immer es sein mochte, es war jedenfalls schwer und still; zuerst dachte ich, es könnte der Leichnam des Alten Billig sein, aber sie gingen mit dem Ding viel zu behutsam um, als daß es ein Leichnam hätte sein können. Was immer es war, es beanspruchte jedenfalls einen Platz auf dem Rücksitz, zwischen Arbeiter und Ernst. Dann fuhr Schraubenschlüssel fort damit.

Durch das Fenster des anfahrenden Autos sahen Frank und ich das mysteriöse Ding im Umriß – leicht gegen Ernst gelehnt, und größer als er, schien es von Arbeiter wegzustreben, auch wenn er den einen Arm darum gelegt hatte, als versuche er vergeblich, eine Geliebte zurückzugewinnen, die sich einem anderen Mann zugewandt hatte. Das Ding – was immer es sein mochte – war eindeutig etwas anderes als ein Mensch, aber es hatte in seiner Erscheinungsform irgendwie etwas seltsam Tierisches. Heute bin ich mir natürlich sicher, daß es durch und durch mechanisch war, aber seine *Gestalt* in dem vorbeifahrenden Wagen erinnerte an ein Tier – als hätten Ernst der Pornograph und Arbeiter einen Bären oder einen großen Hund zwischen sich. Es war nur eine Wagenladung Kummer, wie Frank und ich – und wir alle – erfahren sollten, aber seine geheimnisvolle Erscheinung verfolgte mich lange.

Ich versuchte, das Ding (und was Jolanta und ich im vierten Stock gesehen hatten) Vater und Freud zu beschreiben. Ich versuchte auch, Franny und Susie dem Bären mein Gefühl bei all dem zu beschreiben. Frank und ich hatten die längste Unterhaltung über Schwanger. »Ich bin sicher, was den Revolver angeht, irrst du dich«, sagte Frank. »Schwanger doch nicht. Sie mag ja dort gewesen sein. Vielleicht wollte sie nicht, daß du sie mit *ihnen* in Verbindung bringst, und darum hat sie sich versteckt. Aber sie hat bestimmt keinen Revolver. Und sie würde nie einen Revolver auf dich richten. Wir sind wie ihre Kinder – das hat sie uns selbst gesagt! Du phantasierst mal wieder«, sagte Frank.

Kummer schwimmt obenauf; sieben Jahre in einer verhaßten Umgebung sind eine lange Zeit. Aber wenigstens wußte ich Franny in Sicherheit; das war immer das Wichtigste. Franny war in einem Schwebezustand. Sie lebte in den Tag hinein, sie versuchte Zeit zu gewinnen, mit Susie dem Bären – und so gab auch ich mich damit zufrieden, Wasser zu treten.

Auf der Universität studierten dann Lilly und ich (zu Fehl-geburts großer Freude) amerikanische Literatur. Lilly wählte dieses Studienfach natürlich, weil sie eine Schriftstellerin sein wollte – sie wollte wachsen. Für mich war es nur eine weitere indirekte Art des Werbens um das reservierte Fräulein Fehl-geburt; es schien der romantischste Weg. Franny entschied sich für die Dramen der Weltliteratur – sie war immer das Schwer-gewicht unter uns; wir konnten nie mit ihr Schritt halten. Und Frank befolgte Schwangers mütterlichen und radikalen Rat; Frank studierte Volkswirtschaft. Beim Gedanken an Vater und Freud war uns allen klar, daß das einer von uns studieren *sollte*. Und Frank war es dann auch, der uns eines Tages rettete, so daß wir alle der Volkswirtschaft dankbar waren. Im Grunde genommen hatte Frank zwei Studienfächer, auch wenn ihm die Universität nur den Volkswirt bescheinigte. Man könnte wohl sagen, daß er im *Nebenfach* die Religionen der Welt studierte. »Wisse, wer dein Feind ist«, sagte Frank und grinste.

Sieben Jahre lang schwammen wir *alle* obenauf und ließen uns treiben. Wir lernten Deutsch, aber unter uns redeten wir nur in unserer Muttersprache. Wir lernten viel über Literatur und Dramen, über Volkswirtschaft und Religionen, aber der Anblick von Freuds Baseballschläger ließ uns oft blutenden Herzens an die Heimat des Baseballs denken (obwohl sich eigentlich keiner von uns sonderlich für das Spiel interessierte, konnte uns diese Louisville-Keule die Tränen in die Augen treiben). Wir lernten von den Nutten, daß neben der Innen-stadt die Mariahilfer Straße für die Königinnen der Nacht das verheißungsvollste Jagdrevier war. Und jede Nutte kün-digte an, sie werde aus dem Geschäft aussteigen, wenn sie je in die Bezirke jenseits des Westbahnhofs verdrängt würde, ins Café Eden, zu den Hundertschilling-Stehficks am Gaudenzdorfer Gürtel. Wir lernten von den Radikalen, daß die Prostitution gar nicht offiziell *legal* war – wie wir geglaubt hatten –, daß es registrierte Nutten gab, die sich an Vorschriften hielten, sich medizinisch überprüfen ließen, in den richtigen Bezirken anschafften, und daß es »Schlupfwespen« gab, die sich nie registrieren ließen oder die ihr *Büchl* (ihre Lizenz) zurückgaben und trotzdem im Gewerbe blieben: daß es in den frühen 1960er Jahren fast tausend registrierte Huren in der Stadt gab; daß die Dekadenz in dem für die Revolution erforderlichen Maße zunahm.

Was für eine Revolution nun eigentlich über die Bühne gehen sollte, erfuhren wir nie. Ich bin mir auch nicht sicher, daß all die Radikalen Bescheid wußten.

»Hast du dein *Büchl*?« fragten wir Kinder einander auf dem Weg zur Schule – und später auf dem Weg zur Universität.

Das und »Bleib immer weg von offenen Fenstern«, den Refrain aus unserem Lied vom Mäusekönig.

Unser Vater schien mit dem Verlust unserer Mutter seine *Persönlichkeit* verloren zu haben. In den sieben Jahren wurde er, glaube ich, immer mehr zu einer Erscheinung, die einfach da war, und hatte immer weniger von einer Person – für uns Kinder. Er war liebevoll; er konnte sogar sentimental sein. Aber als Vater schien er für uns so verloren wie Mutter und Egg, und ich glaube, wir ahnten, daß er erst noch weitere leidvolle Erfahrungen durchstehen mußte, bevor er seine Persönlichkeit wiedergewinnen konnte – bevor er überhaupt wieder eine Persönlichkeit *werden* konnte: so wie Egg eine Persönlichkeit gewesen war, so wie Iowa-Bob eine gewesen war. Manchmal dachte ich, Vater habe sogar noch weniger von einer Persönlichkeit als Freud. Sieben Jahre lang vermißten wir unseren Vater, als wäre auch er in diesem Flugzeug gewesen. Wir warteten darauf, daß der Held in ihm Gestalt annahm, und vielleicht hatten wir Zweifel an deren endgültiger Form –

denn mit Freud als seinem Vorbild mußte man am Weitblick meines Vaters einfach zweifeln.

In diesen sieben Jahren wurde ich zweiundzwanzig; Lilly, die ihre Wachstumsversuche unentwegt fortsetzte, ging auf achtzehn zu. Franny wurde dreiundzwanzig – und Chipper Dove war immer noch »der Erste« und Susie der Bär ihr ein und alles. Mit vierundzwanzig ließ Frank sich einen Bart stehen. Das war fast so peinlich wie Lillys Wunsch, Schriftstellerin zu werden.

Moby-Dick versenkte die *Pequod*, und nur Ismael überlebte, immer und immer wieder, um seine Geschichte Fehlgeburt zu erzählen, die sie dann uns weitererzählte. In meinen Jahren an der Universität bedrängte ich Fehlgeburt ständig mit meinem Wunsch, *Moby-Dick* von ihr vorgelesen zu bekommen. »Ich kann dieses Buch nie für mich allein lesen«, bettelte ich. »Ich muß es von dir hören.«

Und das verschaffte mir endlich Zugang zu Fehlgeburts engem, chaotischem Zimmer hinter dem Rathaus, in der Nähe der Universität. Sie las mir abends vor, und ich versuchte ihr zu entlocken, weshalb ein paar der Radikalen die Nacht im Hotel New Hampshire verbrachten.

»Für mich«, erklärte mir Fehlgeburt einmal, »ist das einzige Element in der amerikanischen Literatur, das sie von anderen Literaturen der Welt unterscheidet, eine Art übermütige, unlogische Zuversicht. Im Grunde ist sie technisch recht differenziert, bleibt aber ideologisch naiv«, sagte mir Fehlgeburt einmal auf dem Weg zu ihrem Zimmer. Frank war zuletzt doch noch ein Licht aufgegangen, und er begleitete uns nicht mehr – auch wenn er dazu seine fünf Jahre gebraucht hatte. Und der Abend, an dem Fehlgeburt mir erklärte, die amerikanische Literatur sei »technisch recht differenziert«, bleibe aber »ideologisch naiv«, war *nicht* der Abend, an dem ich zum erstenmal versuchte, sie zu küssen. Nach dem Hinweis aufs »ideologisch Naive« wäre ein Kuß wohl fehl am Platze gewesen.

An dem Abend, als ich Fehlgeburt zum erstenmal küßte,

waren wir auf ihrem Zimmer. Sie hatte gerade das Kapitel vorgelesen, in dem sich Ahab weigert, dem Kapitän der *Rachel* bei der Suche nach dem verlorenen Sohn zu helfen. Fehlgeburt hatte keine Möbel in ihrem Zimmer; es gab zu viele Bücher und eine Matratze am Fußboden – eine Matratze für ein Einzelbett – und eine einzige Leselampe, ebenfalls am Fußboden. Es war ein freudloses Zimmer, so trocken und vollgestopft wie ein Wörterbuch, so leblos wie Ernsts Logik, und ich beugte mich über das unbequeme Bett und küßte Fehlgeburt auf den Mund. »Nicht«, sagte sie, aber ich küßte sie weiter, bis sie mich zurückküßte. »Du solltest gehen«, sagte sie, wobei sie zurücksank und mich mitzog, so daß ich auf ihr lag.

»Jetzt?« sagte ich.

»Nein, *jetzt* brauchst du nicht zu gehen«, sagte sie. Sie setzte sich auf und begann sich auszuziehen; sie tat das genau so, wie sie sonst ihre Stelle in *Moby-Dick* markierte – gleichgültig.

»Soll ich *danach* gehen?« fragte ich, während auch ich mich auszog.

»Wenn du willst«, sagte sie. »Ich meine, du solltest weg aus dem Hotel New Hampshire. Du und deine Familie. Ihr solltet *weggehen*«, sagte sie. »Noch vor der Herbstsaison.«

»Was für eine Herbstsaison?« fragte ich sie, mittlerweile völlig nackt. Ich dachte an Junior Jones' Herbstsaison bei den Cleveland Browns.

»Die Opernsaison«, sagte Fehlgeburt, ebenfalls nackt – endlich. Sie war so dünn wie eine Novelle; sie hatte ungefähr den Umfang der kürzesten Kurzgeschichten, die sie Lilly je vorgelesen hatte. Es war, als hätten all die Bücher in ihrem Zimmer von ihr gelebt, als hätten die Bücher sie nicht genährt, sondern verzehrt.

»Die Opernsaison beginnt im Herbst«, sagte Fehlgeburt, »und bis dahin mußt du mit deiner Familie das Hotel New Hampshire verlassen. Versprich es mir«, sagte sie und hinderte meine Hände daran, auf ihrem hageren Körper höher zu wandern.

»Warum denn?« fragte ich.

»Bitte, ihr müßt gehen«, sagte sie. Als ich in sie eindrang, dachte ich, es sei der Sex, der ihr die Tränen in die Augen trieb, doch es war etwas anderes.

»Bin ich der erste?« fragte ich. Fehlgeburt war neunundzwanzig.

»Der erste und der letzte«, sagte sie unter Tränen.

»Hast du irgendwas zu deinem Schutz?« fragte ich, als ich in ihr war. »Ich meine, du weißt schon, damit du nicht *schwanger* wirst?«

»Es spielt keine Rolle«, sagte sie in Franks aufreizender Manier.

»Warum?« fragte ich und versuchte, mich möglichst vorsichtig zu bewegen.

»Weil ich tot sein werde, bevor das Baby geboren wird«, sagte sie. Ich zog mich zurück. Ich setzte mich auf und zog sie zu mir hoch, aber sie riß mich – mit überraschender Kraft – herunter, so daß ich wieder auf ihr lag; sie nahm mich in die Hand und *drückte* mich wieder hinein. »*Mach* schon«, sagte sie ungeduldig – aber es war nicht die Ungeduld des Verlangens. Es war etwas anderes.

»Fick mich« sagte sie tonlos. »Dann kannst du die Nacht hierbleiben oder nach Hause gehen. Das ist mir gleich. Aber verlaß das Hotel New Hampshire, bitte *verlaß* es – und sorg bitte vor allem dafür, daß Lilly es verläßt«, bat sie mich. Dann weinte sie heftiger und verlor auch noch das bißchen Interesse, das sie vorher am Sex gehabt haben mochte. Ich war immer noch in ihr, aber ich wurde kleiner. Mir war kalt – ich spürte einen Hauch von Kälte, der von unten kam, aus der Erde, eine Kälte, wie ich sie gespürt hatte, als Frank anfing, uns aus Ernsts Pornographie vorzulesen.

»Was tun die bei Nacht im vierten Stock?« fragte ich Fehlgeburt, die mich in die Schulter biß und den Kopf schüttelte, die Augen krampfhaft zusammengekniffen. »Was haben die vor?« fragte ich sie. Ich wurde so klein, daß ich ganz aus ihr herausglitt. Ich spürte, wie sie zitterte, und zitterte mit.

»Sie werden die Oper in die Luft sprengen«, flüsterte sie,

»bei einer der Galavorstellungen«, flüsterte sie. »Sie werden *Figaros Hochzeit* in die Luft sprengen – etwas Volkstümliches von der Sorte. Oder auch etwas Schwereres«, sagte sie. »Ich weiß nicht genau, welche Aufführung – *sie* wissen es noch nicht genau. Aber jedenfalls eine, die ausverkauft ist«, sagte Fehlgeburt. »Sie wollen die ganze Oper.«

»Die sind ja wahnsinnig«, sagte ich; ich erkannte meine Stimme nicht wieder. Sie klang krächzend, wie die Stimme der Alten Billigs – der Alten Billig *oder* des Alten Billig.

Fehlgeburt wälzte unter mir ihren Kopf hin und her; ihre strähnigen Haare peitschten mein Gesicht. »Bitte hol deine Familie da raus«, flüsterte sie. »Vor allem Lilly«, sagte sie. »Die kleine Lilly« schluchzte sie.

»Aber das Hotel jagen sie nicht auch noch in die Luft, oder?« fragte ich Fehlgeburt.

»Alle werden hineingezogen«, sagte sie dunkel. »Das muß so sein, sonst taugt es nichts«, sagte sie, und ich hörte Arbeiters Stimme durchklingen, oder Ernsts alles einschließende Logik. Eine Phase, eine notwendige Phase. Alles. Schlagobers, die Erotik, die Staatsoper, das Hotel New Hampshire – alles mußte weg. Es war alles dekadent, hörte ich ihn predigen. Es war alles ekelhaft. Sie würden die Ringstraße mit *Kunst*lieb-habern bedecken, mit altmodischen Idealisten, die in ihrer Bor-niertheit und Irrelevanz gern in die *Oper* gingen. Irgend so etwas würden sie mit dieser Art des Alles-in-die-Luft-Spren-gens schon beweisen.

»Versprich es mir«, flüsterte mir Fehlgeburt ins Ohr. »Du holst sie da heraus. Deine Familie. Alle, die dazugehören.«

»Ich verspreche es«, sagte ich. »Natürlich.«

»Sag keinem, daß du's von mir hast«, sagte sie zu mir.

»Natürlich nicht«, sagte ich.

»Bitte komm jetzt wieder in mich rein«, sagte Fehlgeburt. »Ich möchte dich so richtig in mir spüren – nur einmal«, fügte sie hinzu.

»Warum nur *einmal*?« fragte ich.

»Mach es einfach«, sagte sie. »Mach alles mit mir.«

Ich machte alles mit ihr. Ich bereue es; ich fühle mich seither immer schuldig; verzweifelter und freudloser konnte auch der Sex im zweiten Hotel New Hampshire nicht sein.

»Wenn du glaubst, du stirbst, bevor du auch nur ein Kind haben kannst«, sagte ich zu Fehlgeburt, danach, »warum gehst du dann nicht weg, wenn *wir* weggehen? Warum verschwindest du nicht, bevor sie es tun oder bevor sie es versuchen?«

»Ich kann nicht«, sagte sie einfach.

»Warum?« fragte ich. Ewig fragte ich diese Radikalen in unserem Hotel New Hampshire: *warum?*

»Weil ich den Wagen fahre«, sagte Fehlgeburt. »Ich bin die Fahrerin«, sagte sie. »Und der Wagen ist die Hauptbombe, die all das andere auslöst. Und jemand muß ihn fahren, und das bin *ich* – *ich* fahre die Bombe«, sagte Fehlgeburt.

»Warum *du*?« fragte ich sie und versuchte, sie festzuhalten, in der Hoffnung, sie würde zu zittern aufhören.

»Weil ich am entbehrlichsten bin«, sagte sie, und da war wieder Ernsts tote Stimme, da war Arbeiters *Rasenmäher*-Denken. Mir wurde klar, daß Fehlgeburt das nicht ohne weiteres geglaubt haben konnte; da mußte ihr selbst unsere sanfte Schwanger gut zugeredet haben.

»Und warum nicht Schwanger?« fragte ich Fräulein Fehlgeburt.

»Sie ist zu wichtig«, sagte Fehlgeburt. »Sie ist *wunderbar*«, sagte sie voll Bewunderung – und voller Selbstekel.

»Warum nicht Schraubenschlüssel?« fragte ich. »Er versteht sich offensichtlich auf Autos.«

»Eben deshalb«, sagte Fehlgeburt. »Er wird noch gebraucht. Es wird noch mehr Autos geben, noch mehr Bomben zu bauen. Was mir zu schaffen macht, ist die Sache mit den Geiseln«, stieß sie plötzlich hervor. »Es müßte nicht sein, diesmal«, fügte sie hinzu. »Es wird auch noch bessere Geiseln geben.«

»Wer sind die Geiseln?« fragte ich.

»Deine Familie«, sagte sie. »Weil ihr Amerikaner seid. Man wird uns dann auch außerhalb Österreichs beachten«, sagte sie. »Das ist die Idee.«

»Wer hatte die Idee?« fragte ich.

»Ernst«, sagte sie.

»Warum macht Ernst nicht den Fahrer?« fragte ich.

»Er liefert die Ideen«, sagte Fehlgeburt. »Er denkt sich alles aus. Einfach alles«, fügte sie hinzu. Wie wahr, dachte ich.

»Und Arbeiter?« fragte ich. »Hat der das Autofahren nicht gelernt?«

»Er ist zu loyal«, sagte sie. »Wenn jemand so loyal ist, dürfen wir ihn nicht verlieren. Ich bin nicht so loyal«, flüsterte sie. »Sieh mich an!« heulte sie. »Ich erzähle *dir* das alles, oder vielleicht nicht?«

»Und was ist mit dem Alten Billig?« fragte ich schließlich noch.

»Er ist nicht vertrauenswürdig«, sagte Fehlgeburt. »Er kennt nicht mal den Plan. Er ist zu glatt. Er denkt an das eigene Überleben.«

»Und das ist *schlecht?*« fragte ich und wischte ihr die Haare aus dem verheulten Gesicht.

»In *dieser* Phase, da ist es schlecht«, sagte Fehlgeburt. Und ich begriff, was sie war: eine *Leserin*, nur eine Leserin. Sie verstand es prächtig, die Geschichten anderer Leute zu lesen; sie ließ sich lenken; sie folgte dem Führer. Daß ich *Moby-Dick* von ihr vorgelesen haben wollte und daß die Radikalen sie das Auto fahren ließen, hatte denselben Grund: Wir wußten beide, daß sie es tun würde; sie würde es durchziehen.

»Haben wir alles getan?« fragte mich Fehlgeburt.

»Was?« sagte ich und zuckte zusammen – und würde ewig zusammenzucken, wenn ich dieses Echo von Egg hörte. Sogar wenn es von mir selber kam.

»Haben wir alles getan, *sexuell* gesehen?« fragte Fehlgeburt. »War es das? War das alles?«

Ich versuchte mich zu erinnern. »Ich glaube schon«, sagte ich. »Möchtest du noch mehr tun?«

»Eigentlich nicht«, sagte sie. »Es ging mir nur darum, das alles einmal getan zu haben«, sagte sie. »Wenn wir alles getan haben, kannst du nach Hause gehen – wenn du möchtest«, fügte sie hinzu. Sie zuckte mit den Achseln. Es war nicht Mutters Achselzucken, auch nicht Frannys; es war nicht einmal Jolantas Achselzucken. Das war schon keine menschliche Bewegung mehr; es war weniger ein Zucken als vielmehr eine Art elektrischer Stoß, der wie ein mechanischer Ruck durch ihren angespannten Körper ging, ein dunkles Signal. Das dunkelste, dachte ich. »Niemand zu Hause«, besagte es; »Ich bin nicht da, Sie brauchen nicht mehr anzurufen, ich ruf zurück.« Es war das Ticken einer Uhr oder einer Zeitbombe. Fehlgeburts Augen blinzelten mich einmal an, dann war sie eingeschlafen. Ich sammelte meine Kleider ein. Ich sah, daß sie sich nicht die Mühe gemacht hatte, die Stelle in *Moby-Dick* zu markieren, bis zu der sie gelesen hatte; ich machte mir auch nicht die Mühe.

Es war nach Mitternacht, als ich auf dem Weg vom Rathausplatz zum Volksgarten den Dr.-Karl-Renner-Ring überquerte. In dem Biergarten schrien einige Studenten einander freundschaftlich an; wahrscheinlich kannte ich ein paar von ihnen, aber ich ging weiter. Ich wollte nicht bei einem Bier über die Grenzen der *Kunst* diskutieren. Ich wollte mich nicht schon wieder über das *Alexandria-Quartett* unterhalten – darüber, welcher dieser Romane der beste und welcher der schlechteste sein mochte, und warum. Ich wollte nicht darüber diskutieren, wer der größere Nutznießer aus dem Briefwechsel zwischen Henry Miller und Lawrence Durrell sein mochte. Ich wollte nicht einmal über *Die Blechtrommel* reden, obwohl es nichts Besseres gab – und vielleicht *nie* geben würde –, worüber man reden konnte. Und ich wollte nicht noch eine Diskussion über Ost-West-Beziehungen, über Sozialismus und Demokratie, über die langfristigen Auswirkungen des Attentats auf Präsident Kennedy – und was hielt ich, als Amerikaner, von der Rassenfrage? Der Sommer des Jahres 1964 ging zu Ende; ich war seit 1957 nicht mehr in den Vereinigten Staaten gewesen, und ich wußte weniger über mein Land, als einige der Wiener Studenten wußten. Ich wußte auch weniger über Wien als irgendeiner von ihnen. Ich wußte etwas über meine Familie, ich wußte etwas über *unsere* Nutten und *unsere* Radikalen; ich war ein Experte, was das Hotel New Hampshire anging, und in jeder anderen Hinsicht ein Laie.

Ich ging quer über den Heldenplatz und stand dort, wo einst Tausende jubelnder Faschisten Hitler begrüßt hatten. Ich sagte mir, daß Fanatiker immer ihr Publikum finden würden; es blieb einem nur die Hoffnung, daß man die *Größe* des Publikums beeinflussen konnte. Ich nahm mir vor, diese Erkenntnis festzuhalten und sie an Frank auszuprobieren, der sie entweder als eigene Erkenntnis übernehmen oder sie revidieren oder mich verbessern würde. Ich wünschte mir, ich hätte so viel gelesen wie Frank; ich wünschte mir, ich hätte so hartnäckig zu wachsen versucht wie Lilly. Tatsächlich hatte Lilly die Mühen ihres Wachsens einem Verleger in New York geschickt. Erst wollte sie es uns gar nicht sagen, aber dann mußte sie bei Franny Geld für das Porto leihen.

»Es ist ein Roman«, sagte Lilly verlegen. »Ein bißchen autobiographisch.«

»Wie groß ist dieses Bißchen?« hatte Frank sie gefragt.

»Na ja, eigentlich ist es eine *erfundene* Autobiographie«, sagte Lilly.

»Also *stark* autobiographisch«, sagte Franny. »O Mann.«

»Ich kann es kaum erwarten«, sagte Frank. »Ich wette, ich gebe einen echten Spinner ab.«

»Nein«, sagte Lilly. »Jeder ist ein Held.«

»Wir sind *alle* Helden?« fragte ich.

»Na ja, ihr *seid* alle Helden, für mich«, sagte Lilly. »Deshalb ist das im Buch auch so.«

»Selbst Vater?« fragte Franny.

»Also, bei ihm ist das meiste erfunden.«

Und ich dachte, bei Vater mußte einfach am meisten erfunden sein, weil er am wenigsten wirklich war – er war von uns allen am wenigsten *da*. Manchmal schien es, als sei Vater weniger unter uns als Egg.

»Wie heißt denn das Buch, mein Schatz?« hatte Vater Lilly gefragt.

»*Wachstumsversuche*«, hatte Lilly zugegeben.

»Und weiter?« sagte Franny.

»Wie weit geht es denn?« fragte Frank. »Ich meine, wo hört es auf?«

»Es geht bis zum Flugzeugabsturz«, sagte Lilly. »Das ist das Ende.«

Das Ende der Wirklichkeit, dachte ich: die Zeit unmittelbar vor dem Flugzeugabsturz, das schien ein sehr guter Endpunkt – aus meiner Sicht.

»Du wirst einen Agenten brauchen«, sagte Frank zu Lilly. »Und der werde ich sein.«

Frank wurde tatsächlich Lillys Agent; er wurde auch Frannys Agent und Vaters Agent und sogar mein Agent – zum gegebenen Zeitpunkt. Er hatte nicht umsonst Volkswirtschaft studiert. Aber das wußte ich an jenem Spätsommerabend 1964 noch nicht, als ich von der armen Fehlgeburt kam, die bereits schlief und zweifellos von ihrem spektakulären Opfer träumte; ihr *entbehrliches* Wesen war praktisch alles, was ich sehen konnte, als ich allein auf dem Heldenplatz stand und daran dachte, wie es Hitler erreicht hatte, daß eine solche Masse wahrhaft Überzeugter so viele Menschen als entbehrlich ansah. In der Stille des Abends konnte ich das hirnlose »*Sieg-Heil*«-Geschrei fast hören. Ich konnte den verbissenen Ernst im Gesicht von Schraubenschlüssel sehen, wie er an einer Schraube im Motorblock die Mutter über der Unterlegscheibe anzog. Und was für Schrauben hatte er sonst noch angezogen? Ich konnte den stumpfen Glanz der Hingabe in Arbeiters Augen sehen, wenn er nach seiner triumphalen Festnahme eine Presseerklärung abgab – und unsere mütterliche Schwanger bei ihrem *Kaffee mit Schlagobers,* der auf ihrer flaumbedeckten Oberlippe einen lustigen kleinen Schnurrbart hinterließ. Ich konnte sehen, wie Schwanger Lillys dicken Zopf flocht und, angetan von Lillys prächtigem Haar, vor sich hin summte, so wie Mutter immer gesummt hatte; wie Schwanger Franny erzählte, sie habe die schönste Haut und die schönsten Hände der Welt; und ich hätte Schlafzimmeraugen, sagte

Schwanger – oh, ich würde mal ein Gefährlicher, warnte sie mich. (Nachdem ich gerade Fehlgeburt verlassen hatte, kam ich mir nicht sehr gefährlich vor.) Es würde immer ein bißchen Schlagobers dabei sein, wenn Schwanger einen küßte. Und von Frank sagte Schwanger, er sei ein Genie; wenn er sich doch nur mehr Gedanken über die Politik machen würde. Mit so viel Zuneigung deckte Schwanger uns zu – und das alles mit einem Revolver in ihrer Handtasche. Ich wollte Ernst einmal in der Kuhstellung erleben – mit einer Kuh! Und in der Elefantenstellung! Womit, ist ja wohl klar. Die waren so wahnsinnig, wie der Alte Billig ihnen vorwarf; sie würden uns alle umbringen.

Ich schlenderte auf der Dorotheergasse zum Graben. Ich ging ins Hawelka zu einem *Kaffee mit Schlagobers*. Ein bärtiger Mann am Nebentisch erklärte einem jungen Mädchen (sie war jünger als er), warum die gegenständliche Malerei tot sei; er gab ihr eine Beschreibung des spezifischen Bildes, in dem diese ganze Kunstform ihren Tod fand, wie er sagte. Ich kannte das Bild nicht. Ich dachte an die Schieles und die Klimts, die Frank mir gezeigt hatte – in der Albertina und im Oberen Belvedere. Ich wünschte, Klimt und Schiele könnten mit diesem Mann reden, aber der Mann war inzwischen beim Tod des Reims und des Metrums in der Dichtung; auch das betreffende Gedicht kannte ich nicht. Und als er zum Roman überwechselte, hielt ich es für das Beste, zu zahlen und zu gehen. Mein Kellner hatte aber zu tun, und so mußte ich mir die Geschichte vom Tod der Handlung und der ausgeformten Charaktere anhören. Unter die vielen Tode, die der Mann schilderte, reihte er auch den Tod des Mitgefühls ein. Als ich zu spüren begann, wie das Mitgefühl in mir abstarb, kam endlich mein Kellner. Die Demokratie starb den nächsten Tod; sie kam und ging schneller, als mein Kellner mein Wechselgeld abgezählt hatte. Und der Sozialismus war gestorben, noch bevor ich mir die Höhe des Trinkgelds überlegen konnte. Ich starrte den bärtigen Mann an und hatte Lust zum Gewichtheben; ich dachte, wenn die Radikalen die Oper in die Luft jagen wollten, dann sollten sie es an einem Abend tun, wenn nur dieser bärtige Mann dort war. Mir schien, ich hatte einen Ersatzfahrer für Fehlgeburt gefunden.

»Trotzki«, platzte das junge Mädchen neben dem bärtigen Mann plötzlich heraus – als sage sie: »Danke.«

»Trotzki?« sagte ich und beugte mich über ihren Tisch; es war ein kleiner rechteckiger Tisch. Beim einarmigen Wickeln arbeitete ich in den Tagen mit Siebzigpfund-Hanteln. Der Tisch war nicht annähernd so schwer, und so packte ich ihn behutsam mit einer Hand und hob ihn über meinen Kopf, so wie ein Kellner ein Tablett hochheben würde. »Und nun zum guten alten Trotzki«, sagte ich. »›Wenn ihr ein bequemes Leben haben wollt‹, sagte der gute alte Trotzki, ›dann habt ihr euch das falsche Jahrhundert ausgesucht.‹ Finden Sie, daß er recht hat?« fragte ich den bärtigen Mann. Er sagte nichts, aber das junge Mädchen stieß ihn leise an, und er blickte wenigstens auf.

»*Ich* finde, er hat recht«, sagte das Mädchen.

»*Klar* hat er recht«, sagte ich. Mir war bewußt, daß die Kellner nervös beobachteten, wie die Drinks und der Aschenbecher auf der Tischplatte über meinem Kopf ein wenig hin und her rutschten, aber ich war nicht Iowa-Bob; bei mir rutschten die Gewichte nie von der Hantel, jedenfalls nicht *mehr*. Mit den Gewichten war ich mittlerweile besser als Iowa-Bob.

»Trotzki wurde mit einer Spitzhacke erschlagen«, sagte der Bärtige mürrisch und gab sich Mühe, unbeeindruckt zu bleiben.

»Aber er ist nicht *tot*, stimmt's?« fragte ich mit einem irren Lächeln. »Nichts ist *wirklich* tot«, sagte ich. »Nichts von dem, was er *gesagt* hat, ist tot«, sagte ich. »Gemälde, die wir immer noch ansehen können – die sind nicht tot«, sagte ich. »Charaktere in Büchern – die sterben nicht, wenn wir aufhören, von ihnen zu lesen.«

Der bärtige Mann starrte auf die Stelle, an der eigentlich sein Tisch stehen sollte. Im Grunde genommen blieb er sehr würdevoll, dachte ich, und ich wußte, daß ich schlechte Laune hatte und unfair war. Mir wurde bewußt, daß ich den starken Mann spielte, und ich schämte mich. Ich gab den zweien ihren Tisch zurück; nichts wurde verschüttet.

»Ich weiß, was Sie meinen!« rief das Mädchen hinter mir her. Aber ich wußte, ich hatte noch keinen am Leben erhalten, nie: auch nicht die Leute in der Oper, denn unter ihnen saß gewiß diese Gestalt, die Frank und ich in dem wegfahrenden Auto gesehen hatten, zwischen Ernst und Arbeiter, diese tierische Gestalt des Todes, dieser mechanische Bär, dieser Hundekopf voller Chemie, diese elektrische Ladung Kummer. Und was immer Trotzki gesagt hatte, er war tot; auch Mutter und Egg und Iowa-Bob waren tot – trotz *allem,* was sie gesagt hatten, trotz allem, was sie uns bedeutet hatten. Ich ging hinaus auf den Graben und fühlte mich immer mehr wie Frank, wie ein Mitglied seiner ›Gegen-Alles‹-Sekte; ich hatte mich irgendwie nicht mehr in der Gewalt. Das ist ein übles Gefühl für einen Gewichtheber.

Die erste Prostituierte, die mir begegnete, war keine der *unseren,* aber ich hatte sie schon öfter gesehen – im Café Mowatt.

»*Guten Abend*«, sagte sie.

»Fick dich ins Knie«, gab ich zurück.

»Wichser«, sagte sie; sie hatte mein Englisch verstanden, und ich fühlte mich mies. Ich gebrauchte wieder üble Ausdrücke. Ich hatte das Versprechen gebrochen, das ich meiner Mutter gegeben hatte. Es sollte das erste und das letzte Mal sein. Ich war zweiundzwanzig Jahre alt, und ich fing an zu weinen. Ich bog in die Spiegelgasse ein. Es gab Nutten dort, aber es waren nicht *unsere* Nutten, und so machte ich gar nichts. Wenn sie »*Guten Abend*« sagten, antwortete ich mit »*Guten Abend*«. Auf die Dinge, die sie sonst noch sagten, antwortete ich nicht. Ich überquerte den Neuen Markt; ich spürte die Leere in der Brust der Habsburger in ihrer Gruft. Wieder rief mich eine Nutte an.

»He, heul doch nicht!« rief sie mir zu. »So ein großer starker Junge wie du – der heult doch nicht!«

Aber ich hoffte, daß ich nicht nur für mich, sondern für sie alle weinte. Für Freud und die Namen, die er am Judenplatz ausrief, ohne ein Echo zu bekommen; für Vater, der nichts sehen konnte. Für Franny, denn ich liebte sie – und ich wollte, daß sie mir so treu war, wie sie sich Susie dem Bären gegenüber erwiesen hatte. Auch für Susie, denn Franny hatte mir gezeigt, daß Susie keineswegs häßlich war. Ja, Franny hatte fast Susie selbst davon überzeugt. Für Junior Jones, der sich die erste der Knieverletzungen zugezogen hatte, die seinen Abschied von den Cleveland Browns erzwingen sollten. Für Lilly, die sich so sehr anstrengte, und für Frank, der sich so weit entfernt hatte (um dem Leben näher zu sein, wie er sagte). Für die Dunkle Inge, die achtzehn war – die sagte, sie sei »alt genug«, obwohl Kreisch-Annie das beharrlich abstritt –, die noch vor Ablauf des Jahres weglaufen würde, mit einem Mann. Er war so schwarz wie ihr Vater, und er nahm sie mit in eine deutsche Stadt mit einem Army-Stützpunkt; später erfuhr ich, daß sie dort zur Nutte wurde. Und Kreisch-Annie kreischte in einer etwas anderen Tonart. Für sie *alle!* Für meine verlorene Fehlgeburt, selbst für die trügerische Schwanger – für die beiden Alten Billigs; sie waren optimistisch; sie waren Porzellanbären. Für sie alle – außer für Ernst und Arbeiter und Schraubenschlüssel, außer für Chipper Dove: die haßte ich.

Ich ging auf der Kärntner Straße rasch an ein, zwei Nutten vorbei, die mich in Seitengassen locken wollten. Eine große, umwerfende Nutte – eine andere Klasse als unsere Krugerstraße-Nutte – stand an der Ecke Annagasse und warf mir eine Kußhand. An der Krugerstraße ging ich vorbei, ohne hinzublicken, denn ich wollte nicht sehen, wie mir eine oder alle von ihnen zuwinkten. Ich ging vorbei am Hotel Sacher – dessen Klasse das Hotel New Hampshire nie erreichen würde. Und dann kam ich zur Staatsoper, zum Hause Glucks (1714 bis 87, wie Frank ergänzen würde); ich kam zur Staatsoper, die das Haus Mozarts war, das Haus Haydns, Beethovens und Schuberts – das Haus eines Strauß, Brahms, Bruckner, Mahler. Dies war das Haus, das ein Pornograph, der mit Politik herumspielte, in die Luft jagen wollte. Es war riesig; in den sieben Jahren war ich nie drin gewesen – es schien mehr Klasse zu haben als ich, und ich war nie so musikbegeistert wie Frank und nie so auf Dramen versessen wie Franny (Frank und Franny gingen die ganze Zeit in die Oper; Freud nahm sie mit. Er hörte liebend gern zu; Franny und Frank schilderte ihm alles). Wie ich war auch Lilly nie in der Oper gewesen; die Staatsoper sei ihr zu groß, sagte Lilly; sie machte ihr angst.

Nun machte sie *mir* angst. Sie ist zu *groß*, um gesprengt zu werden! dachte ich. Aber ich wußte, es waren die Menschen, die sie in die Luft jagen wollten, und Menschen sind leichter zu zerstören als Gebäude. Was sie wollten, war ein Spektakel. Sie wollten das, was Arbeiter auf der Treppe gebrüllt hatte: sie wollten Schlagobers und Blut.

An der Kärntner Straße gegenüber der Oper war ein fahrbarer Wurststand, ein Mann, der *Wurst mit Senf und Bauernbrot* verkaufte. Ich wollte keine.

Ich wußte, was ich wollte. Ich wollte erwachsen werden, so schnell wie möglich. Als ich mit Fehlgeburt zusammengewesen war, hatte ich zu ihr gesagt: *»Es war sehr schön«*, aber ich hatte gelogen, es war überhaupt nichts; es war nicht genug. Es war ein Abend gewesen wie all die anderen, die ich mit Gewichtheben verbrachte.

Als ich in die Krugerstraße einbog, war ich entschlossen, mit der ersten zu gehen, die mich ansprach – und wenn es die Alte Billig war; selbst wenn es Jolanta war, versprach ich mir tapfer. Es spielte keine Rolle; vielleicht würde ich es nach und nach mit allen probieren. Was Freud tun konnte, konnte ich auch tun, und Freud hatte alles getan – unser Freud *und* der andere Freud, dachte ich; sie waren einfach so weit gegangen, wie sie nur konnten.

Im Café Mowatt war kein bekanntes Gesicht, und ich konnte die Gestalt nicht ausmachen, die unter der rosaroten Neonreklame stand: HOTEL NEW HAMPSHIRE! HOTEL NEW HAMPSHIRE! HOTEL NEW HAMPSHIRE!

Es ist Babette, dachte ich und fühlte mich vage abgestoßen – aber es war nur der ekelhaft-süße Dieselgeruch dieser letzten Sommernacht, der mich an sie denken ließ. Die Frau sah mich und kam auf mich zu – aggressiv, wie mir schien, und hungrig. Und ich war sicher, daß es Kreisch-Annie war; für einen Augenblick fragte ich mich, wie ich ihren berühmten getürkten Orgasmus überstehen würde. Vielleicht – bei meiner Vorliebe fürs Flüstern – konnte ich sie bitten, ganz darauf zu verzichten, vielleicht konnte ich ihr einfach sagen, ich *wisse*, daß er getürkt sei und daß er bei *mir* völlig überflüssig wäre. Für die Alte Billig war die Frau zu zierlich, aber ich sah auch, daß sie für Kreisch-Annie zu stämmig war; so gut war Kreisch-Annie nicht gebaut. Also war es Jolanta, dachte ich; endlich würde ich herausfinden, was sie in ihrer üblen Handtasche hatte. Vielleicht, dachte ich schaudernd, würde ich schon bald *gebrauchen* müssen, was Jolanta in ihrer Handtasche hatte. Doch die Frau, die auf mich zukam, war für Jolanta nicht *stämmig genug;* diese Frau war in der *anderen* Richtung zu gut gebaut – sie war zu geschmeidig, zu jung in ihren Bewegungen. Sie lief mir entgegen und schlang ihre Arme um mich; mir verschlug es den Atem, so schön war sie. Die Frau war Franny.

»Wo *warst* du denn?« fragte sie mich. »Den ganzen Tag fort, die ganze Nacht fort«, tadelte sie mich. »Wir konnten es kaum erwarten, daß du kommst!«

»Warum denn?« fragte ich. Frannys Duft machte mich benommen.

»Lillys Buch *kommt heraus!*« sagte Franny. »Ehrlich, irgendein Verleger in New York kauft ihr Buch!«

»Für wieviel?« sagte ich, denn ich hoffte, es würde *genug* sein. Genug für die Fahrkarte, die uns von Wien wegbringen würde – die Fahrkarte, die das zweite Hotel New Hampshire uns nie einbringen würde.

»Jessas Gott«, sagte Franny. »Deine Schwester feiert einen *literarischen* Erfolg, und du fragst, wieviel Geld das bringt. Du bist genau wie Frank. Genau das war auch seine Frage.«

»Das spricht für ihn«, sagte ich. Ich zitterte immer noch;

ich hatte eine Prostituierte gesucht und meine Schwester gefunden. Und sie würde mich so schnell nicht wieder laufen lassen.

»Wo *warst* du denn?« fragte mich Franny; sie schob mir das Haar aus der Stirn.

»Bei Fehlgeburt«, sagte ich belemmert. Ich konnte Franny nie anlügen.

Franny runzelte die Stirn. »Nun, wie war's?« fragte sie und hielt mich weiter fest – aber wie eine Schwester.

»Nicht so besonders«, sagte ich. Ich blickte von Franny weg. »Fürchterlich«, fügte ich hinzu.

Franny legte die Arme um mich und küßte mich. Sie wollte mich eigentlich auf die Wange küssen (wie eine Schwester), aber ich wandte mich ihr zu, obwohl ich mich abwenden wollte, und unsere Lippen trafen sich. Und das war es dann auch, mehr war nicht nötig. Damit ging der Sommer 1964 zu Ende; plötzlich war es Herbst. Ich war zweiundzwanzig, Franny dreiundzwanzig. Wir küßten uns lange. Es gab nichts zu sagen. Sie war nicht lesbisch, sie schrieb immer noch an Junior Jones – und an Chipper Dove, und ich war bei keiner anderen Frau je glücklich gewesen; nicht ein einziges Mal; noch nicht. Wir blieben dort draußen auf der Straße, außerhalb des Lichtes von der Neonreklame, so daß uns niemand im Hotel New Hampshire sehen konnte. Wir mußten unseren Kuß unterbrechen, als ein Kunde Jolantas aus dem Hotel getaumelt kam, und wir wurden nochmal unterbrochen – wir hörten Kreisch-Annie. Nach einer Weile kam ihr benommener Kunde heraus, aber Franny und ich blieben auf der Krugerstraße. Später ging Babette nach Hause. Dann ging Jolanta nach Hause, und mit ihr die Dunkle Inge. Kreisch-Annie ging raus und rein, raus und rein, wie Ebbe und Flut. Die Alte Billig ging über die Straße ins Café Mowatt und döste an einem Tisch. Ich ging mit Franny zur Kärntner Straße vor und dann hinüber zur Oper. »Du denkst zuviel an mich«, wollte Franny sagen, aber sie brachte den Satz nicht zu Ende. Wir küßten uns wieder. Die Oper war so groß neben uns.

»Sie werden sie in die Luft jagen«, flüsterte ich meiner Schwester zu. »Die Oper – sie werden sie in die Luft jagen.« Sie überließ sich meinen Armen. »Ich habe dich so schrecklich lieb«, sagte ich ihr.

»Ich liebe dich auch, *verdammt nochmal*«, sagte Franny.

Obwohl das Wetter bereits den Herbst ahnen ließ, konnten wir dort stehen bleiben und über die Oper wachen, bis es hell wurde und die wirklichen Menschen herauskamen, um zur Arbeit zu gehen. Für uns gab es kein Ziel, dem wir zustreben konnten, und – das war uns beiden klar – absolut nichts, was wir tun sollten.

»Bleib immer weg von offenen Fenstern«, flüsterten wir uns zu.

Als wir schließlich zum Hotel New Hampshire zurückgingen, stand die Oper unversehrt da – in Sicherheit. Wenigstens eine Weile noch, dachte ich.

»Sie ist weniger gefährdet als *wir*«, sagte ich zu Franny. »Sie ist sicherer als die Liebe.«

»Eins kannst du mir glauben, Kleiner«, sagte Franny und drückte mir die Hand. »*Alles* ist sicherer als die Liebe.«

10.

Ein Opernabend: Schlagobers und Blut

»Kinder, Kinder«, sagte Vater zu uns, »wir müssen sehr vorsichtig sein. Ich glaube, das ist *der Wendepunkt*, Kinder«, sagte unser Vater, als seien wir immer noch acht, neun, zehn und so fort, und er erzähle uns gerade, wie er Mutter im Arbuthnot-by-the-Sea kennenlernte – an jenem Abend, als sie zum erstenmal Freud mit State o' Maine sahen.

»Es gibt immer einen Wendepunkt«, philosophierte Frank.

»Das mag ja sein«, sagte Franny ungeduldig, »aber was ist denn mit diesem speziellen Wendepunkt?«

»Eben«, sagte Susie der Bär und musterte Franny sehr gründlich; Susie hatte als einzige bemerkt, daß Franny und ich die ganze Nacht weggeblieben waren. Franny hatte ihr gesagt, wir seien auf einer Party in der Nähe der Universität gewesen, bei Leuten, die Susie nicht kenne. Und konnte es einen besseren Beschützer für sie geben als ihren Bruder, einen Gewichtheber? Susie mochte Partys sowieso nicht; wenn sie als Bär hinging, konnte sie mit keinem reden, und wenn sie nicht als Bär hinging, schien keiner daran interessiert, mit ihr zu reden. Sie sah verärgert und mürrisch aus. »So wie ich das sehe, stehen wir bis zu den Knien in der Scheiße und müssen da im Eiltempo durch«, sagte Susie der Bär.

»Genau«, sagte Vater. »Das ist typisch für einen Wendepunkt.«

»Wir dürfen das auf keinen Fall vermasseln«, sagte Freud. »Ich glaube, ich habe nicht mehr viele Hotels in mir.« Das ist wohl auch gut so, dachte ich, bemüht, nicht dauernd Franny anzusehen. Wir waren alle in Franks Zimmer, dem Konferenzraum – als sei die Schneiderpuppe ein besänftigender Einfluß, ein stummer Schatten Mutters oder Eggs oder Iowa-Bobs;

irgendwie sollte die Puppe Signale aussenden, und wir sollten diese Signale auffangen (meinte Frank).

»Wieviel können wir für den Roman bekommen, Frank?« fragte Vater.

»Es ist Lillys Buch«, sagte Franny. »Es ist nicht *unser* Buch.«

»In gewisser Weise doch«, sagte Lilly.

»Genau«, sagte Frank, »und wenn ich das Verlagsgeschäft richtig verstehe, hat sie's ohnehin nicht mehr in der Hand. Wir sind jetzt an dem Punkt, wo wir entweder übers Ohr gehauen werden oder mächtig absahnen.«

»Es handelt nur vom Erwachsenwerden«, sagte Lilly. »Irgendwie überrascht es mich, daß sie Interesse haben.«

»Sie haben nur für fünftausend Dollar Interesse, Lilly«, sagte Franny.

»Wir brauchen fünfzehn- oder zwanzigtausend, um hier wegzukommen«, sagte Vater. »Wenn wir die Chance haben wollen, etwas damit anzufangen, wenn wir wieder daheim sind«, fügte er hinzu.

»Vergiß nicht: für das Haus hier bekommen wir auch noch was«, sagte Freud, wie um sich zu verteidigen.

»Aber nicht, wenn wir erst die verfickten Bombenwerfer auffliegen lassen«, sagte Susie der Bär.

»Das gibt einen solchen Skandal«, sagte Frank, »daß sich kein Käufer mehr finden wird.«

»Ich hab's euch gesagt: *wir* haben die Polizei auf dem Hals, wenn wir die auffliegen lassen«, sagte Freud. »Ihr kennt unsere Polizei mit ihren Gestapo-Methoden nicht. Die werden gleich behaupten, daß auch mit den Nutten und uns nicht alles in Ordnung sei.«

»Also, da *ist* auch eine ganze Menge nicht in Ordnung«, sagte Franny. Wir konnten einander nicht ansehen; während Franny redete, blickte ich aus dem Fenster. Ich sah, wie der Alte Billig die Straße überquerte. Ich sah, wie sich Kreisch-Annie nach Hause schleppte.

»Es ist unmöglich, sie *nicht* auffliegen zu lassen«, sagte Vater. »Wenn die wirklich glauben, daß sie die Oper in die

Luft jagen können, dann kann man nicht mehr mit ihnen reden.«

»Man konnte noch *nie* mit ihnen reden«, sagte Franny. »Wir haben immer nur zugehört.«

»Die sind schon immer verrückt gewesen«, sagte ich zu Vater.

»*Weißt* du das denn nicht, Daddy?« fragte ihn Lilly.

Vater ließ den Kopf hängen. Er war vierundvierzig, und ein vornehmes Grau mischte sich in das dichte braune Haar um seine Ohren; er hatte noch nie Koteletten gehabt, und er ließ sich die Haare immer gleich schneiden: bis zur Mitte der Ohren, bis zur Mitte der Stirn, genau bis zum Nackenansatz; er ließ sie nie ausdünnen. Er trug Ponyfransen wie ein kleiner Junge, und seine Frisur saß so phantastisch, daß wir uns aus der Ferne manchmal täuschen ließen und glaubten, Vater trage einen Helm.

»Tut mir leid, Kinder«, sagte Vater kopfschüttelnd. »Ich weiß, das ist nicht sehr angenehm, aber ich spüre, daß wir am *Wendepunkt* stehen.« Wie er so kopfschüttelnd vor uns stand, sah er wirklich verloren aus, und erst später, in meiner Erinnerung, saß auf Franks Bett in diesem Schneiderpuppenzimmer ein recht gutaussehender Mann, der das Kommando führte. Vater vermochte schon immer die Illusion hervorzurufen, er habe alles im Griff: Earl zum Beispiel. Er hatte sich nicht wie Iowa-Bob oder wie ich mit den Gewichten abgegeben, aber Vater hatte seine sportliche Figur bewahrt, und er hatte ganz gewiß seine Jungenhaftigkeit bewahrt – »zu *viel* von seiner verfickten Jungenhaftigkeit«, wie Franny es ausdrückte. Mir ging durch den Kopf, daß er einsam sein mußte; er hatte sich in den sieben Jahren nicht ein einziges Mal mit einer Frau verabredet! Und wenn er die Nutten benutzte, dann machte er es sehr diskret – und wer konnte in *dem* Hotel New Hampshire schon *so* diskret sein?

»Er kann sie unmöglich besuchen«, hatte Franny gesagt. »Ich würde es ganz einfach wissen.«

»Männer sind hinterlistig«, sagte Susie der Bär. »Sogar die netten.«

430

»Er macht es jedenfalls nicht, das steht fest«, hatte Franny gesagt. Susie der Bär hatte mit den Achseln gezuckt, und Franny hatte sie geohrfeigt.

Doch in Franks Zimmer war es Vater, der das Gespräch auf die Nutten brachte.

»Wir sollten ihnen *zuerst* sagen, was wir mit den verrückten Radikalen vorhaben«, sagte Vater, »*bevor* wir es der Polizei sagen.«

»Wieso denn?« fragte ihn Susie der Bär. »Eine von ihnen könnte *uns* auffliegen lassen.«

»Warum sollten sie so was tun?« fragte ich Susie.

»Wir sollten ihnen jedenfalls Bescheid sagen, damit sie sich drauf einstellen können«, sagte Vater.

»Sie werden sich ein anderes Hotel suchen müssen«, sagte Freud. »Die verdammte Polizei wird den Laden hier dicht-machen. In diesem Land haftest du für deinen Umgang, sie *ver*haften dich wegen deinem Umgang!« rief Freud. »Fragt bloß mal einen Juden!« Fragt bloß mal den *anderen* Freud, dachte ich.

»Aber mal angenommen, wir wären *Helden*«, sagte Vater, und wir blickten ihn alle an. Ja, das wäre schön, dachte ich.

»Wie in Lillys Buch?« fragte Frank Vater.

»Angenommen, wir verhindern den Bombenanschlag; wür-de die Polizei nicht denken, wir wären Helden?« fragte Vater.

»Polizisten denken anders«, sagte Freud.

»Oder mal angenommen«, sagte Vater, »wir als *Ameri-kaner* sagen dem amerikanischen Konsulat oder der Botschaft Bescheid, und von denen gibt jemand die Information an die österreichischen Behörden weiter – als handelte es sich bei dieser ganzen Geschichte wirklich um ein streng geheimes, erstklassiges Komplott.«

»Darum liebe ich dich so, Win Berry!« sagte Freud und schlug mit seinem Baseballschläger den Takt zu irgendeiner inneren Melodie. »Du bist ein echter Träumer«, sagte Freud zu meinem Vater. »Das *ist* kein erstklassiges Komplott! Das ist ein zweitklassiges Hotel«, sagte Freud. »Das sehe sogar *ich*«, sagte er, »und falls du's noch nicht bemerkt hast: ich bin blind. Und das sind auch keine erstklassigen Terroristen«, sagte Freud. »Die können nicht mal ein tadelloses Auto in Schuß halten!« rief er. »Ich persönlich glaube nicht, daß die wissen, *wie* sie die Oper sprengen sollen! Ich bin sogar überzeugt, daß nicht die geringste Gefahr für uns besteht. Wenn die eine Bombe *hätten,* würden sie damit wahrscheinlich die Treppe runterfallen!«

»Das ganze Auto ist die Bombe«, sagte ich, »oder vielmehr die *Haupt*bombe – was immer das bedeuten mag. So hat es mir jedenfalls Fehlgeburt erzählt.«

»Reden wir doch mit Fehlgeburt«, sagte Lilly. »Ich vertraue Fehlgeburt«, fügte sie hinzu und überlegte, wie wohl das Mädchen, das ihr sieben Jahre lang so etwas wie eine Privatlehrerin gewesen war, die Überzeugung gewonnen haben mochte, sie müsse sich selbst zerstören. Und war Fehlgeburt Lillys Privatlehrerin, dann war Schwanger Lillys Kindermädchen.

Aber wir sahen Fehlgeburt nicht mehr. Ich nahm an, daß sie nur *mich* nicht sehen wollte; ich nahm an, daß die anderen sie zu sehen bekamen. Am Ende des Sommers 1964 – als »die Herbstsaison« bedrohlich näherrückte – tat ich mein Bestes, nie mit Franny allein zu sein, und Franny gab sich alle Mühe, Susie den Bären zu überzeugen, daß sich zwischen ihnen zwar nichts geändert habe, daß sie es aber doch für besser hielt, wenn sie »einfach gute Freunde« waren.

»Susie ist so unsicher«, sagte mir Franny. »Ich meine, sie ist wirklich süß – wie Lilly sagen würde –, aber ich versuche, mich von ihr abzusetzen, ohne das bißchen Selbstvertrauen, das ich ihr möglicherweise gegeben habe, zu untergraben. Ich meine, sie hat gerade erst angefangen, sich zu mögen, wenigstens ein bißchen. Ich hatte sie fast soweit, daß sie glaubte, sie sei nicht häßlich; und jetzt, wo ich sie zurückstoße, verwandelt sie sich wieder in einen Bären.«

»Ich liebe dich«, sagte ich mit gesenktem Blick zu Franny. »Aber was sollen wir denn *tun?*«

»Wir werden uns lieben«, sagte Franny, »aber *tun* werden wir gar nichts.«

»Überhaupt *nie*, Franny?« fragte ich sie.

»Nicht jetzt, jedenfalls«, sagte Franny, aber ihre Hand wanderte über ihren Schoß, über ihre eng aneinandergepreßten Knie und in meinen Schoß – wo sie meinen Oberschenkel so heftig drückte, daß ich einen kleinen Satz machte. »Nicht *hier*, jedenfalls«, flüsterte sie grimmig, bevor sie mich losließ. »Vielleicht ist es nur *Lust*«, fügte sie hinzu. »Willst du mit deiner Lust nicht zu einer anderen gehen und sehen, ob die Sache zwischen uns nicht verfliegt?«

»Wo ist schon eine andere?« sagte ich. Es war spät nachmittags in ihrem Zimmer. Ich wagte nicht, nach Einbruch der Dunkelheit bei Franny im Zimmer zu sein.

»An welche denkst du?« fragte mich Franny. Ich wußte, sie meinte die Nutten.

»Jolanta«, sagte ich, wobei unwillkürlich meine Hand ausschlug und einen Lampenschirm knickte. Franny kehrte mir den Rücken zu.

»Du weißt ja, an wen *ich* denke, nicht wahr?« fragte sie.

»Ernst«, sagte ich, und meine Zähne klapperten – so kalt war mir plötzlich.

»Gefällt dir der Gedanke?« fragte sie mich.

»Gott, nein«, flüsterte ich.

»Du und deine verdammte Flüsterei«, sagte Franny. »Nun, du und Jolanta, das gefällt mir auch nicht.«

»Wir tun's also nicht«, sagte ich.

»Ich fürchte, wir *tun's*«, sagte sie.

»Aber *warum* denn, Franny?« sagte ich und ging durch das Zimmer auf sie zu.

»Nein, bleib stehen!« schrie sie und wich so aus, daß ein Teil ihres Schreibtischs zwischen uns stand; außerdem versperrte eine zerbrechliche Stehlampe den Weg.

Jahre danach schickte Lilly uns beiden ein Gedicht. Als ich das Gedicht gelesen hatte, rief ich Franny an, um zu erfahren, ob Lilly auch *ihr* ein Exemplar geschickt hatte; natürlich hatte sie das. Das Gedicht stammte von einem sehr guten Dichter namens Donald Justice, und später einmal hörte ich Mr. Justice seine Gedichte in New York lesen. Mir gefielen sie alle, aber ich saß da und hielt den Atem an, denn zum einen hoffte und zum anderen fürchtete ich, er würde jenes Gedicht lesen, das Lilly an Franny und mich geschickt hatte. Er las es nicht, und ich wußte nach der Lesung nicht, was tun. Leute redeten mit ihm, aber es schienen Freunde von ihm zu sein – oder vielleicht waren es einfach andere Dichter. Lilly erzählte mir, Dichter sähen gerne so aus, als seien sie alle miteinander befreundet. Aber ich wußte nicht, was tun; wäre Franny bei mir gewesen, wären wir einfach schnurstracks auf Donald Justice losgegangen, und er wäre von Franny, glaube ich, völlig überwältigt gewesen – das geht den Leuten immer so. Mr. Justice sah wie ein echter Gentleman aus, und ich will nicht sagen, daß er sich gleich auf Franny gestürzt hätte. Ich dachte mir, er wäre – wie seine Gedichte – zugleich aufrichtig und förmlich, ernst, vielleicht sogar feierlich – dabei aber offen, ja großzügig. Er sah aus wie ein Mann, den man bitten würde, ein Klagelied für jemanden vorzutragen, den man geliebt hat; ich glaube, zu Iowa-Bob wäre ihm etwas Herzzerreißendes eingefallen, und als ich ihn nach seiner Lesung in New York dastehen sah, umringt von einigen sehr elegant aussehenden Bewunderern, wünschte ich mir, er hätte eine Art Klagelied für Mutter und Egg schreiben und vortragen können. In gewissem Sinn *hat* er ein Klagelied für Egg geschrieben; es gibt ein Gedicht von ihm mit dem Titel ›Auf den Tod von Freunden in der Kindheit‹, und das habe ich ganz persönlich als ein Klagelied für Egg aufgefaßt. Frank und ich lieben dieses Gedicht, aber Franny sagt, es mache sie zu traurig.

AUF DEN TOD VON FREUNDEN IN DER KINDHEIT

Wir werden sie niemals bärtig im Himmel antreffen,
Noch kahl sich sonnend in der Hölle;

Wenn irgendwo, dann auf dem verlassenen Schulhof
   am dämmrigen Abend,
Einen Kreis bildend vielleicht, oder Hand in Hand
Bei Spielen, deren Namen wir schon längst vergessen.
Komm, Erinnerung, suchen wir sie dort in den Schatten.

Aber als ich Mr. Justice in New York sah, dachte ich hauptsächlich an Franny und das Gedicht ›Liebeslisten‹ – so hieß das Gedicht, das Lilly Franny und mir geschickt hatte. Ich wußte nicht einmal, was ich zu Mr. Justice sagen sollte. Ich war so verlegen, daß ich ihm nicht einmal die Hand geben konnte. Wahrscheinlich hätte ich ihm gesagt, ich wollte, ich hätte das Gedicht ›Liebeslisten‹ schon damals gelesen, als ich mit Franny in Wien war, am toten Punkt des Sommers 1964.

»Aber hätte das überhaupt eine Rolle gespielt?« fragte mich Franny später. »Hätten wir es geglaubt – damals?«

Ich weiß nicht einmal, ob Donald Justice ›Liebeslisten‹ 1964 schon geschrieben hatte. Doch, er muß es damals geschrieben haben; es scheint ganz und gar auf Franny und mich gemünzt zu sein.

»Es spielt keine Rolle«, wie Frank sagen würde.

Jedenfalls wurde Franny und mir Jahre danach ›Liebeslisten‹ von der lieben kleinen Lilly zugeschickt, und eines Abends lasen wir es uns übers Telefon laut vor. Ich neigte zum Flüstern, wenn ich einen guten Text vorlas, aber Franny deklamierte laut und deutlich.

LIEBESLISTEN

Doch die Manöver, die vermeiden sollen,
Daß Hände sich berühren,
Diese Kniffe, die erreichen sollen, daß die Blicke stets
An mehr oder weniger neutralen Dingen hängen
(Wie die Ehre, gegenwärtig, es gebietet),
Werden ihren Sturz wohl nicht verhindern.

Stärkere Arzneien werden gebraucht.
Schon sehen sie ein, es haben
Ihre Listen allesamt nichts genützt,
Und hätten auch nichts nützen können, nein,
Ob ihnen nun die Augen ausgestochen,
Die Hände oben abgehackt.

Stärkere Arzneien wurden in der Tat gebraucht. Wären *unsere* Hände abgehackt worden, hätten Franny und ich einander mit den *Stümpfen* berührt – mit allem, was uns blieb, ob wir nun blind gewesen wären oder nicht.

Doch an diesem Nachmittag in ihrem Zimmer wurden wir von Susie dem Bären gerettet.

»Da ist was im Busch«, sagte Susie, als sie ins Zimmer schlurfte. Franny und ich warteten; wir dachten, sie meine *uns* – wir dachten, sie wisse Bescheid.

Lilly wußte natürlich Bescheid. Irgendwie mußte sie es einfach wissen.

»Schriftsteller wissen alles«, sagte Lilly einmal. »Oder sie *sollten* jedenfalls alles wissen. Andernfalls sollten sie den Mund halten.«

»Lilly muß es von Anfang an gewußt haben«, sagte Franny zu mir, während unseres Telephongesprächs an jenem Abend, als wir ›Liebeslisten‹ entdeckten. Die Verbindung war nicht sehr gut, es knackte immer wieder in der Leitung – als ob Lilly uns belauschte. Oder als ob Frank uns belauschte – Frank war, wie ich schon sagte, dazu geboren, die Liebe zu belauschen.

»Da ist was im Busch, ihr beiden«, wiederholte Susie der Bär drohend. »Sie können Fehlgeburt nicht finden.«

»Wer sind ›sie‹?« fragte ich.

»Der Pornokönig und seine ganze verfickte Bande«, sagte Susie. »Die fragen *uns*, ob wir Fehlgeburt gesehen haben. Und gestern abend haben sie die Nutten gefragt.«

»Niemand hat sie gesehen?« sagte ich, und da war wieder dieses Gefühl, das mir langsam vertraut wurde: Kälte kroch mir in die Hosenbeine, ein Hauch toter Luft aus der Gruft, in der die herzlosen Habsburger lagen.

Wie viele Tage hatten wir darauf gewartet, daß Vater und Freud sich einigten, ob sie einen Käufer für das Hotel New Hampshire finden sollten, *bevor* sie die Möchtegern-Attentäter auffliegen ließen? Und wie viele Nächte hatten wir damit vergeudet, uns zu streiten, ob wir es dem amerikanischen Konsulat oder der Botschaft überlassen sollten, die Polizei zu verständigen – oder ob wir uns einfach selber an die österreichische Polizei wenden sollten? Wenn du in deine Schwester verliebt bist, ist dir der Blick auf die reale Welt ein wenig verstellt.

Frank fragte mich: »In welchem Stock wohnt Fehlgeburt? Ich meine, du hast doch ihre Bude gesehen. Wie weit oben wohnt sie denn?«

Lilly, die Schriftstellerin, begriff sofort, was hinter der Frage stand, aber für mich ergab sie keinen Sinn – noch nicht. »Es ist der erste Stock«, sagte ich zu Frank, »nur eine Treppe hoch.«

»Nicht hoch genug«, sagte Lilly, und da begriff ich. Nicht hoch genug für einen Sprung aus dem Fenster – das meinte sie. Sollte sich Fehlgeburt dazu entschlossen haben, *nicht* mehr von offenen Fenstern wegzubleiben, mußte sie eine andere Möglichkeit gefunden haben.

»Das ist es«, sagte Frank und packte meinen Arm. »Wenn sie einen Mäusekönig hingelegt hat, dann ist sie wahrscheinlich noch da.«

Ich kam ganz schön außer Atem, als ich über den Heldenplatz zum Ring und dann Richtung Rathaus lief; für eine Sprintstrecke ist das lang, aber ich war in Form. Sicher, ich fühlte mich ein wenig außer Atem, aber ich fühlte mich *weit mehr* als nur ein wenig schuldig – auch wenn es nicht nur um *mich* gegangen sein konnte; ich konnte nicht der Hauptgrund gewesen sein, weshalb Fehlgeburt nicht mehr von offenen Fenstern wegblieb. Und es gab, wie später zu erfahren war, keine Anzeichen dafür, daß sie noch etwas Besonderes unternommen hatte, nachdem ich weggegangen war. Vielleicht hatte sie noch ein wenig in *Moby-Dick* gelesen, denn die Polizei war sehr gründlich und hatte sogar die letzte Stelle festgehalten, die sie markiert hatte. Und ich weiß natürlich, daß bei meinem Weggehen die Stelle, bis zu der sie gelesen hatte, *nicht* markiert war. Merkwürdigerweise war nun *doch* die Stelle markiert, an der sie mit dem Vorlesen aufgehört hatte – so als habe sie den Text, den sie mir an dem Abend vorgelesen hatte, für sich noch einmal durchgelesen, bevor sie sich die Politik der offenen Fenster zu eigen machte. Fehlgeburts Variante dieser Politik war ein hübscher kleiner Revolver gewesen, von dem ich nie etwas gewußt hatte. Der Abschiedsbrief war einfach und an niemanden adressiert, aber ich wußte, er galt mir.

> Damals in der Nacht
> hast du nur Schwanger
> gesehen, doch ich war
> auch da. Auch ich habe
> einen Revolver! »So
> regen wir die Ruder ...«

schloß Fehlgeburt – mit Lillys liebstem Romanschluß.

Ich selber sah Fehlgeburt nicht mehr. Ich wartete im Gang vor ihrer Tür – auf Frank. Frank war nicht so gut in Form, und es dauerte eine Weile, bis er nachkam und mich an Fehlgeburts Tür traf. Ihr Zimmer hatte einen separaten Eingang, zu erreichen über eine Außentreppe, die von den Leuten in dem alten Mietshaus nur benutzt wurde, wenn sie ihren Müll rausbrachten. Wahrscheinlich dachten sie, der Gestank komme aus irgendeiner Mülltonne. Frank und ich machten ihre Tür gar nicht erst auf. Der Gestank vor der Tür war schon schlimmer, als wir das je bei Kummer erlebt hatten.

»Ich hab's ja gesagt, ich hab's euch doch gesagt«, wiederholte Vater. »Wir stehen am Wendepunkt. Sind wir bereit?« Wir sahen, daß er wirklich nicht wußte, was tun.

Frank hatte Lillys Vertrag nach New York zurückgeschickt. Als ihr »Agent«, hatte er gesagt, könne er ein so unverbindliches Angebot nicht akzeptieren, schließlich handle es sich um das Werk eines Genies – »eines gerade erst erblühenden Genies«, wie Frank hinzufügte, obwohl er *Wachstumsversuche* gar nicht gelesen hatte; noch nicht. Frank wies darauf hin, daß Lilly erst achtzehn war. »Sie hat noch eine Menge zu wachsen«, schloß er. Man könne jedem Verleger nur raten, das gewaltige literarische Gebäude, das Lilly (laut Frank) errichten würde, zu betreten – und zwar »durch das Erdgeschoß«.

Frank verlangte fünfzehntausend Dollar – und das Versprechen, daß der Verlag weitere fünfzehntausend Dollar in die Werbung steckte. »Wir wollen doch nicht, daß kleinliche Sparmaßnahmen unsere Zusammenarbeit stören«, erklärte Frank.

»Wenn wir schon wissen, daß Fehlgeburt tot ist«, überlegte Franny, »dann wissen es auch bald die Radikalen.«

»Einmal schnuppern genügt«, sagte Frank, aber ich hielt mich zurück.

»Ich habe fast schon einen Käufer«, sagte Freud.

»Jemand *will* das Hotel?« fragte Franny.

»Sie wollen Büros daraus machen«, sagte Freud.

»Aber Fehlgeburt ist tot«, sagte Vater. »Jetzt müssen wir zur Polizei – wir müssen ihnen alles sagen.«

»Noch heute abend«, sagte Frank.

»Erzählt's den Amerikanern«, sagte Freud, »und erzählt es ihnen morgen. Heute abend erzählen wir's den *Nutten*.«

»Ja, warnen wir erst mal die Nutten«, stimmte Vater zu.

»Und morgen«, sagte Frank, »gehen wir ganz *früh* zum amerikanischen Konsulat – oder zur Botschaft. Wer ist da eigentlich zuständig?«

Mir wurde klar, daß ich nicht wußte, was nun für was oder wer für wen da war. Und wir merkten, daß es auch Vater nicht wußte. »Nun, wir sind schließlich mehrere«, sagte Vater belemmert. »Einige von uns können dem Konsulat Bescheid sagen und einige dem Botschafter.« In dem Augenblick war es für mich offenkundig, wie wenig wir alle von dem erlernt hatten, was zu einem Leben in Übersee gehört: wir wußten nicht einmal, ob die amerikanische Botschaft und das amerikanische Konsulat in demselben Gebäude untergebracht waren – vielleicht war es auch ein und dasselbe, wir wußten es nicht. Da wurde mir auch klar, was in den sieben Jahren mit Vater passiert war: er hatte die Entschiedenheit eingebüßt, die er an jenem Abend in Dairy in New Hampshire besessen haben mußte, als er meine Mutter zu einem Spaziergang im Elliot Park überredete und sie dann mit seiner Vision vom Thompson Female Seminary als einem künftigen Hotel völlig einwickelte. Zuerst hatte er Earl verloren – dem er seine Ausbildung verdankte. Und als er Iowa-Bob verlor, verlor er auch Iowa-Bobs Instinkte. Iowa-Bob hatte in langjährigem Training gelernt, sich sofort auf jeden freien Ball zu stürzen – ein wertvoller Instinkt, besonders im Hotelgeschäft. Und nun konnte ich sehen, was Vater in seinem Kummer verloren hatte.

»Die Tassen im Schrank«, sagte Franny später einmal. Und Frank meinte: »In seinem Spiel fehlten einige Karten.«

»Es wird schon werden, Pop«, glaubte Franny Vater sagen zu müssen, an diesem Nachmittag im ehemaligen Gasthaus Freud.

»Klar, Dad«, sagte Frank. »Wir kommen schon über die Runden!«

»Ich werde Millionen verdienen, Daddy«, sagte Lilly.

»Laß uns ein bißchen rausgehen, Pop«, sagte ich zu ihm.

»Wer sagt den Nutten Bescheid?« fragte er verwirrt.

»Erzähl es einer, und schon wissen es alle«, sagte Franny.

»Nein«, sagte Freud, »manchmal haben sie Geheimnisse voreinander. Ich werde Babette davon erzählen«, sagte Freud. Babette war Freuds Lieblingsnutte.

»Ich erzähl's der Alten Billig«, sagte Susie der Bär.

»Ich erzähl's Kreisch-Annie«, sagte mein Vater; er schien benommen.

Als sich niemand anbot, Jolanta zu informieren, erklärte ich mich dazu bereit. Franny sah mich an, aber ich schaffte es, wegzublicken. Ich sah, daß Frank sich auf die Schneiderpuppe

440

konzentrierte; er hoffte auf eindeutige Signale. Lilly ging auf ihr Zimmer; sie kam mir so klein vor – sie *war* natürlich so klein. Bestimmt ging sie auf ihr Zimmer, um weitere Wachstumsversuche zu machen – zu schreiben und zu schreiben. Bei unseren Familiensitzungen in diesem zweiten Hotel New Hampshire war Lilly immer noch so klein, daß Vater zu vergessen schien, wie alt sie mittlerweile war; oft nahm er sie mit ihren achtzehn Jahren einfach auf den Schoß und spielte mit ihrem Zopf. Lilly störte das nicht; sie sagte mir einmal, das einzige, was ihr am Kleinsein gefalle, sei, daß Vater sie immer noch behandle, als wäre sie ein Kind.

»Unser schreibendes Kind«, wie sie Frank, der Agent, gelegentlich bezeichnete.

»Laß uns ein bißchen rausgehen, Pop«, sagte ich noch einmal. Ich war nicht sicher, daß er mich gehört hatte.

Wir gingen durch die Lobby; jemand hatte auf der durchgesessenen Couch gegenüber dem Empfangsschalter einen Aschenbecher ausgeleert, und ich wußte, daß Susie mit Putzen dran sein mußte. Susie meinte es gut, aber sie war schlampig; es sah in der Lobby immer fürchterlich aus, wenn Susie mit Putzen dran war.

Franny stand am Fuß der Treppe und starrte nach oben. Ich konnte mich nicht erinnern, daß sie zum Umziehen weggewesen war, aber es kam mir plötzlich vor, als habe sie sich feingemacht. Sie trug ein Kleid. Franny gehörte zwar nicht zu denen, die sich nur in Jeans und T-Shirts wohlfühlen – sie mochte weite Röcke und Blusen –, aber sie hatte es auch nicht mit feinen Kleidern; im Augenblick trug sie ihr hübsches dunkelgrünes mit den schmalen Trägern.

»Es ist bereits Herbst«, sagte ich ihr. »Das ist ein Sommerkleid. Du wirst frieren.«

»Ich geh nicht aus«, sagte sie und starrte immer noch die Treppe hoch. Ich blickte auf ihre nackten Schultern und fror für sie. Es war später Nachmittag, aber wir wußten beide, daß Ernst noch nicht Feierabend gemacht hatte – er war noch an der Arbeit, oben im vierten Stock. Franny stieg die Treppe hoch. »Ich will ihn nur in Sicherheit wiegen«, sagte sie zu mir, ohne mich – oder Vater – anzusehen. »Keine Angst, ich sage ihm nicht, was wir wissen – ich werde mich dumm stellen. Ich will nur herausfinden, was er weiß«, sagte sie.

»Er ist echt fies, Franny«, sagte ich zu ihr.

»Ich weiß«, sagte sie, »und du denkst zuviel an mich.«

Ich ging mit Vater hinaus auf die Krugerstraße. Für die Nutten waren wir noch zu früh dran, aber der Arbeitstag war lange vorüber: die Pendler waren wohlbehalten in den Vororten, und nur die eleganten Leute gingen spazieren, um vor dem Essen – oder vor der Oper – die Zeit totzuschlagen.

Wir gingen die Kärnter Straße hinunter zum Graben und gafften pflichtschuldig den Stephansdom an. Wir schlenderten zum Neuen Markt und beguckten uns die Nackten am Donner-Brunnen. Ich merkte, daß Vater nichts über sie wußte, und gab ihm einen kurzen Abriß der repressiven Maßnahmen unter Maria Theresia. Er schien ehrlich interessiert. Wir gingen an dem üppigen, in Scharlachrot und Gold gehaltenen Portal vorbei, das vom Neuen Markt in das Hotel Ambassador führte; Vater vermied es, das Ambassador anzuschauen, oder er schaute statt dessen den in den Brunnen scheißenden Tauben zu. Wir gingen weiter. Bis zum Einbruch der Dunkelheit blieb noch ein bißchen Zeit. Als wir am Café Mozart vorbeikamen, sagte Vater: »Sieht aus wie ein nettes Lokal, jedenfalls viel netter als das Café Mowatt.«

»Das ist es auch«, sagte ich und versuchte, mir nicht anmerken zu lassen, wie überrascht ich war, daß er es nicht kannte.

»Das muß ich mir merken und mal herkommen, irgendwann«, sagte er.

Eigentlich wollte ich für unseren Spaziergang einen anderen Abschluß, doch dann landeten wir just zu der Zeit vor dem Hotel Sacher, als der Himmel dunkler zu werden begann – und als sie in der Sacher-Bar die Lichter anmachten. Wir blieben stehen und sahen zu, wie in der Bar die Lichter angingen; für mich ist das einfach die schönste Bar, die es gibt. »In der ganzen Welt«, sagte Frank einmal auf deutsch.

»Laß uns hier was trinken«, sagte Vater, und wir gingen hinein. Ich machte mir ein wenig Sorgen wegen seiner Kleidung. Ich selbst sah ganz ordentlich aus; so sehe ich immer aus – ganz ordentlich. Aber Vater kam mir plötzlich ein bißchen schäbig vor. Seine Hosen waren so konsequent ungebügelt, daß seine Beine rund wie Ofenrohre waren – bloß ausgebeult; er hatte in den Wiener Jahren an Gewicht verloren. Ohne die gewohnte Hausmannskost war er ein wenig schmal geworden, und obendrein war auch noch sein Gürtel zu lang – Franks Gürtel, genauer gesagt; Vater hatte ihn nur ausgeliehen. Er trug ein sehr verwaschenes grau-weißes fein gestreiftes Hemd, das ganz ordentlich aussah – es hatte mir gehört, bevor die fortgeschrittenen Stadien des Gewichthebens meinen Oberkörper verändert hatten; es hätte mir nun nicht mehr gepaßt, aber es war kein schlechtes Hemd, lediglich verschossen und ein wenig zerknittert. Störend war nur, daß das Hemd gestreift und die Jacke kariert war. Gott sei Dank trug Vater nie eine Krawatte – ich schauderte beim Gedanken an die Krawatte, die Vater getragen hätte. Doch dann wurde mir klar, daß uns niemand im Sacher von oben herab behandeln würde, denn ich sah zum erstenmal, wie mein Vater wirklich aussah. Er sah aus wie ein sehr exzentrischer Millionär; er sah aus wie der reichste Mann der Welt, aber ein Mann, der sich einen Dreck um die Meinung der anderen scherte. Er sah aus wie jene sehr wohlhabende Mischung aus Großzügigkeit und Schwäche; er konnte tragen, was er wollte, und sah immer aus, als habe er eine Million Dollar in der Tasche – selbst wenn diese Tasche ein Loch hatte. In der Sacher-Bar waren einige ungemein gutgekleidete und wohlhabende Leute, aber als mein Vater und ich hereinkamen, betrachteten sie ihn mit einem geradezu herzzerreißenden Neid in den Blicken. Ich glaube, Vater sah das, auch wenn er von der realen Welt sehr wenig sah; und er reagierte ganz gewiß naiv auf die Art und Weise, wie die Frauen ihn ansahen. Es gab Leute in der Sacher-Bar, die über eine Stunde darauf verwendet hatten, sich anzuziehen, und mein Vater war ein Mann, der während seiner sieben Jahre in Wien insgesamt nicht einmal fünfzehn Minuten auf das Kaufen seiner Kleider verwendet hatte. Er trug, was meine Mutter ihm gekauft hatte und was er von Frank und mir borgen konnte.

»Good evening, Mr. Berry«, sagte der Barkeeper zu ihm, und in dem Moment wurde mir klar, daß mein Vater die ganze Zeit hierherkam.

»*Guten Abend*«, sagte Vater, und damit war sein Deutsch im wesentlichen erschöpft. Er konnte noch *Bitte* und *Danke* und *Auf Wiedersehen* sagen, und er konnte sich höchst elegant verbeugen.

Ich bestellte ein Bier, und mein Vater bestellte »das Übliche«. Sein »Übliches« war ein gräßlich aussehender, klumpiger Drink, dem eine Art Whisky oder Rum zugrunde lag, der aber eher wie eine Portion Eiscreme mit Sirup aussah. Vater hielt nicht viel vom Trinken; er nahm nur ein kleines Schlückchen davon und verbrachte Stunden damit, in dem Rest herumzustochern. Er kam nicht zum Trinken her.

Die bestaussehenden Leute Wiens kamen auf einen Drink vorbei, und die Gäste des Hotels Sacher machten in der Sacher-Bar ihre Pläne oder trafen sich mit Bekannten, um anschließend zum Essen auszugehen. Der Barkeeper hatte natürlich keine Ahnung, daß mein Vater in dem schrecklichen Hotel New Hampshire wohnte, nur ein paar Minuten weiter – wenn man langsam ging. Ich frage mich nur, wo Vater in den Augen des Barkeepers herkam. Von einer Yacht vermutlich, oder wenigstens aus dem Bristol oder dem Ambassador oder dem Imperial. Und mir wurde klar, daß Vater eigentlich nie die weiße Smokingjacke gebraucht hatte, um die Rolle zu spielen.

»Ich weiß«, sagte Vater in der Sacher-Bar mit ruhiger Stimme zu mir. »Ich weiß, John, ich bin ein Versager. Ich hab euch alle im Stich gelassen.«

»Nein, das stimmt nicht«, sagte ich zu ihm.

»Und jetzt heißt's zurück ins Land der Freiheit«, sagte Vater, rührte mit dem Zeigefinger in seinem abscheulichen

Drink und lutschte dann an seinem Finger. »Und keine Hotels mehr«, sagte er leise. »Ich werde mir einen *Job* suchen müssen.«

Er sagte das so wie jemand, der einem erzählt, er werde sich *operieren* lassen müssen. Es tat weh, mit anzusehen, wie ihm die Wirklichkeit auf den Leib rückte.

»Und ihr Kinder werdet zur Schule gehen müssen«, sagte er. »Aufs College«, fügte er verträumt hinzu.

Ich erinnerte ihn daran, daß wir alle auch *bisher* schon Schule und College besucht hatten. Frank und Franny und ich hatten das Studium bereits abgeschlossen; und wozu sollte Lilly ihren Abschluß – in amerikanischer Literatur – machen, wenn sie doch schon einen Roman abgeschlossen hatte?

»Oh«, sagte er. »Nun, dann werden wir uns vielleicht *alle* einen Job suchen müssen.«

»Das geht schon in Ordnung«, sagte ich. Er sah mich an und lächelte; er beugte sich vor und küßte mich auf die Wange. Alles an ihm sah so vollkommen aus, daß kein Mensch in dieser Bar auch nur eine Sekunde lang hätte denken können, ich sei der junge Liebhaber dieses Mannes in mittleren Jahren. Es war ein väterlicher Kuß, und hatten sie Vater schon beim Hereinkommen voller Neid angestarrt, so wurden ihre Blicke jetzt noch neidvoller.

Es dauerte ewig, bis er aufhörte, mit seinem Drink zu spielen. Ich trank noch zwei Bier. Ich wußte, was er machte. Er schlürfte die Sacher-Bar in sich hinein, er verschaffte sich einen letzten gründlichen Eindruck vom Hotel Sacher; er stellte sich natürlich vor, es sei sein Hotel – und er wohne hier.

»Eurer Mutter«, sagte er, »hätte all das sehr gefallen.« Er machte mit seiner Hand nur eine kleine Bewegung, bevor er sie in den Schoß legte.

Was von all dem hätte ihr gefallen? fragte ich mich. Das Hotel Sacher und die Sacher-Bar – ganz bestimmt. Aber was hätte ihr *sonst* noch gefallen? Ihr Sohn Frank, der sich einen Bart stehen ließ und versuchte, die Botschaft seiner Mutter – ihren Willen – einer Schneiderpuppe zu entlocken? Ihre jüngste

Tochter Lilly mit ihren Wachstumsversuchen? Ihre größte Tochter Franny mit ihren Versuchen, alles herauszufinden, was ein Pornograph wußte? Und hätte *ich* ihr gefallen? überlegte ich: der Sohn, der sich zwar die derbe Sprache abgewöhnte, der aber keinen sehnlicheren Wunsch hatte, als mit seiner eigenen Schwester zu schlafen. Und Franny wollte es auch! Das war natürlich der Grund, weshalb sie zu Ernst gegangen war.

Vater konnte nicht wissen, warum mir die Tränen kamen, aber er fand die richtigen Worte. »Es wird nicht so schlimm werden«, beruhigte er mich. »Wir Menschen sind doch bemerkenswert – wie wir lernen, mit allem zu leben«, sagte Vater zu mir. »Wenn wir nicht durch das, was wir verlieren und vermissen, was wir wollen und nicht haben können, stark werden könnten«, sagte Vater, »dann könnten wir nie stark *genug* werden, oder? Was sonst macht uns stark?« fragte Vater.

Alle in der Sacher-Bar sahen zu, wie ich weinte und wie mein Vater mich tröstete. Das ist wohl einer der Gründe, weshalb es – meiner Meinung nach – die schönste Bar der Welt ist: dank ihrem Charme braucht sich dort niemand zu schämen, wenn er sich unglücklich fühlt.

Als mir Vater den Arm um die Schulter legte, fühlte ich mich besser.

»Good night, Mr. Berry«, sagte der Barkeeper.

»*Auf Wiedersehen*«, sagte Vater: er wußte, er würde nie zurückkommen.

Draußen hatte sich alles verändert. Es war dunkel. Es war Herbst geworden. Der erste Mann, dem wir begegneten und der mit raschen Schritten an uns vorbeiging, trug schwarze Hosen, schwarze Lackschuhe und eine weiße Smokingjacke.

Mein Vater nahm von dem Mann in der weißen Smokingjacke keine Notiz, aber mir war bei diesem Omen, bei diesem Fingerzeig, nicht wohl; ich wußte, der Mann in der weißen Smokingjacke hatte sich für die Oper feingemacht. Offenbar beeilte er sich, um rechtzeitig dort zu sein. Die Herbstsaison, vor der Fehlgeburt mich gewarnt hatte, stand unmittelbar bevor. Man spürte förmlich, daß sie in der Luft lag.

An der Metropolitan Opera in New York wurde die Saison 1964 mit Donizettis *Lucia di Lammermoor* eröffnet. Ich habe das in einem von Franks Opernbüchern gelesen, aber Frank sagt, er bezweifle sehr stark, daß sie die Saison in Wien mit *Lucia* eröffnet hätten. Frank sagt, wahrscheinlich sei für die Saisoneröffnung etwas typisch Wienerisches vorgesehen gewesen – »ihr geliebter Strauß, ihr geliebter Mozart; vielleicht sogar dieser Krautfresser Wagner«, sagt Frank. Und ich weiß nicht einmal, ob die Saison an dem Abend eröffnet wurde, als Vater und ich den Mann in der weißen Smokingjacke sahen. Klar war nur, daß es in der Staatsoper eine Vorstellung gab.

»Die italienische Fassung der *Lucia* aus dem Jahr 1835 wurde 1837 zum erstenmal in Wien gegeben«, erzählte mir Frank. »Natürlich ist sie seither noch öfter gegeben worden. Am denkwürdigsten vielleicht«, fügte Frank hinzu, »mit der großen Adelina Patti in der Titelrolle – vor allem an dem Abend, als ihr Kleid in dem Moment Feuer fing, als sie die Wahnsinnsarie zu singen begann.«

»Was denn für eine Wahnsinnsarie, Frank?« fragte ich ihn.

»Man muß es sehen, um es glauben zu können«, sagte Frank, »und selbst dann ist es nur schwer zu glauben. Doch das Kleid der Patti fing in dem Moment Feuer, als sie die Wahnsinnsarie zu singen begann – die Bühne wurde damals noch mit Gasflammen beleuchtet –, und sie muß einer von ihnen zu nahe gekommen sein. Und weißt du, was die große Adelina Patti machte?« fragte mich Frank.

»Nein«, sagte ich.

»Sie riß sich das brennende Kleid vom Leib und sang weiter«, sagte Frank. »In Wien«, fügte er hinzu, »war das die große Zeit.«

Und in einem von Franks Opernbüchern las ich, daß Adelina Pattis *Lucia* vom Schicksal für solche Zwischenfälle ausersehen schien. In Bukarest wurde die berühmte Wahnsinnsarie zum Beispiel dadurch gestört, daß jemand aus dem

Publikum in den Orchestergraben fiel – direkt auf eine Frau; in der allgemeinen Panik rief jemand: »Es brennt!«, doch die große Patti schrie nur: »Es brennt nicht!« – und sang weiter. Und in San Francisco warf irgendein Spinner eine Bombe auf die Bühne, und wieder schaffte es die furchtlose Patti, die Leute auf ihren Plätzen festzuhalten. Und das, obwohl die Bombe explodierte!

»Eine kleine Bombe«, versicherte mir Frank.

Nicht so klein war dagegen das, was Frank und ich zwischen Arbeiter und Ernst hatten zur Oper fahren sehen; *die* Bombe war so schwer wie Kummer, so groß wie ein Bär. Und es ist kaum anzunehmen, daß an dem Abend, als Vater und ich dem Sacher *Auf Wiedersehen* sagten, in der Wiener Staatsoper Donizettis *Lucia* gegeben wurde. Wenn ich mir gerne einbilde, es sei *Lucia* gewesen, so habe ich dafür meine eigenen Gründe. In dieser Oper fließen nämlich eine Menge Blut und Schlagobers – das gibt sogar Frank zu –, und irgendwie schien mir die irre Geschichte von einem Bruder, der seine Schwester in den Wahnsinn und in den Tod treibt, weil er sie einem Mann aufzwingt, den sie nicht liebt ... nun, man wird verstehen, warum mir diese spezielle Version von Blut und Schlagobers besonders angemessen schien.

»*Jede* sogenannte ernste Oper besteht aus Blut und Schlagobers«, erklärte mir Frank einmal. Ich weiß nicht viel über die Oper und kann deshalb nicht sagen, ob das stimmt; ich weiß nur, daß meiner Meinung nach *Lucia di Lammermoor* auf dem Programm der Wiener Staatsoper hätte stehen müssen, an dem Abend, als Vater und ich vom Hotel Sacher zurück zum Hotel New Hampshire gingen.

»Es spielt eigentlich keine Rolle – welche Oper es war«, sagt Frank immer, aber ich bilde mir gerne ein, es war *Lucia*. Ich bilde mir gerne ein, daß sie noch nicht bei der berühmten Wahnsinnsarie waren, als Vater und ich ins Hotel New Hampshire zurückkamen. Susie der Bär war in der Lobby – *ohne* ihren Bärenkopf! –, und sie weinte. Vater ging direkt an Susie vorbei, scheinbar ohne zu bemerken, wie durcheinander sie war – und nicht im Kostüm! –, aber unglückliche Bären waren für meinen Vater nichts Neues.

Er ging schnurstracks die Treppen hoch. Er wollte Kreisch-Annie die schlechte Nachricht von den Radikalen, die schlechte Nachricht für das Hotel New Hampshire, überbringen. »Sie hat wahrscheinlich einen Kunden bei sich, oder sie ist draußen auf der Straße«, sagte ich zu ihm, aber Vater sagte, er werde einfach vor ihrem Zimmer auf sie warten.

Ich setzte mich zu Susie.

»Sie ist immer noch bei ihm«, schluchzte Susie. Wenn Franny immer noch bei Ernst dem Pornographen war, dann war klar, daß sie mit ihm nicht nur *redete*. Es gab für Susie keinen Grund mehr, so zu tun, als sei sie ein Bär. Ich nahm Susies Bärenkopf in meine Hände, ich setzte ihn auf, ich nahm ihn wieder ab. Ich konnte nicht einfach in der Lobby sitzen und warten, bis Franny, wie eine Nutte, mit ihm fertig war und wieder in die Lobby herunterkam – und ich wußte, ich war machtlos, ich konnte nicht eingreifen. Ich wäre zu spät gekommen, wie immer. Diesmal war niemand in der Nähe, der so schnell gewesen wäre wie Harold Swallow; es gab keinen Schwarzen Arm des Gesetzes. Junior Jones *sollte* Franny noch einmal retten, aber er kam zu spät, um sie vor Ernst zu retten – genau wie ich. Wäre ich in der Lobby bei Susie geblieben, hätte ich nur mitgeheult, und ich fand, ich hatte ohnehin schon viel zuviel geheult.

»Hast du der Alten Billig Bescheid gesagt?« fragte ich Susie. »Wegen der Bombenwerfer?«

»Die jammerte nur um ihre verfickten Porzellanbären«, sagte Susie und heulte weiter.

»Ich liebe Franny auch«, sagte ich zu Susie und drückte sie kurz an mich.

»Aber nicht so wie ich!« sagte Susie und unterdrückte einen Schrei. O doch, *so wie du*, dachte ich.

Ich ging auf die Treppe zu, aber Susie zog den falschen Schluß.

»Sie sind irgendwo im zweiten Stock«, sagte Susie. »Franny

kam runter, um einen Schlüssel zu holen, aber ich hab nicht gesehen, für welches Zimmer.« Ich warf einen Blick auf den Empfangsschalter; es war leicht zu sehen, daß Susie der Bär gerade Schalterdienst hatte: es herrschte ein wüstes Durcheinander.

»Ich will zu Jolanta«, sagte ich Susie. »Nicht zu Franny.«

»Du willst es ihr sagen, was?« fragte Susie.

Aber Jolanta war nicht daran interessiert, sich etwas sagen zu lassen.

»Ich muß dir was sagen«, sagte ich vor ihrer Tür.

»Dreihundert Schilling«, sagte sie, und ich schob es unter der Tür durch.

»Gut, du kannst reinkommen«, sagte Jolanta. Sie war allein; ein Kunde hatte sie gerade verlassen, wie es schien, denn sie saß auf dem Bidet, nackt bis auf ihren BH.

»Willst du auch die Titten sehen?« fragte mich Jolanta. »Die Titten kosten hundert Schilling extra.«

»Ich will dir etwas *sagen*«, sagte ich zu ihr.

»Das kostet auch hundert Schilling extra«, sagte sie und wusch sich weiter – mit der stumpfen Kraftlosigkeit einer Hausfrau beim Geschirrspülen.

Ich gab ihr noch einmal hundert Schilling, und sie legte ihren BH ab. »Zieh dich aus«, kommandierte sie.

Ich gehorchte und sagte dabei: »Es geht um die blöden Radikalen. Sie haben alles versaut. Sie wollen die Oper in die Luft jagen.«

»Und wenn schon?« sagte Jolanta und schaute mir beim Ausziehen zu. »Du bist eigentlich falsch gebaut«, sagte sie mir. »Du bist eigentlich ein kleiner Typ mit großen Muskeln.«

»Ich werde mir vielleicht das Ding aus deiner Handtasche borgen müssen«, sagte ich vorsichtig, »– nur bis die Polizei alles in die Hand nimmt.« Aber Jolanta ging nicht darauf ein.

»Machst du es gern im Stehen, an der Wand?« fragte sie mich. »Ist dir das recht? Wenn wir das Bett benützen – wenn ich mich hinlegen muß –, kostet das hundert Schilling extra.« Ich lehnte mich an die Wand und schloß die Augen.

»Jolanta«, sagte ich. »Die meinen es wirklich ernst. Fehlgeburt ist *tot*«, sagte ich. »Und diese Wahnsinnigen haben eine Bombe, eine große Bombe.«

»Fehlgeburt wurde tot geboren«, sagte Jolanta, ging auf die Knie und nahm mich in den Mund. Später zog sie mir ein Präservativ über. Ich versuchte mich zu konzentrieren, aber als sie vor mir stand und mich in sich hineinstopfte und mich gegen die Wand knallte, ließ sie mich sofort wissen, ich sei nicht groß genug, um es im Stehen zu machen. Ich zahlte ihr weitere hundert Schilling, und wir versuchten es auf dem Bett.

»Jetzt bist du nicht *steif* genug«, beschwerte sie sich, und ich dachte schon, diese Verfehlung würde mich die nächsten hundert Schilling kosten.

»Bitte, laß dir den Radikalen gegenüber nicht anmerken, daß du über sie Bescheid weißt«, sagte ich zu Jolanta. »Und es wäre wahrscheinlich besser für dich, wenn du dich hier eine Weile nicht mehr sehen läßt – niemand kann sagen, was aus dem Hotel werden wird. Wir gehen nach Amerika zurück«, fügte ich hinzu.

»Schon gut, schon gut«, sagte sie und stieß mich von sich herunter. Sie setzte sich auf, ging dann durchs Zimmer und setzte sich wieder auf ihr Bidet. »*Auf Wiedersehen*«, sagte sie.

»Aber ich bin noch nicht *gekommen*«, sagte ich.

»Ist das vielleicht meine Schuld?« fragte sie und wusch und wusch sich, immer und immer wieder.

Wäre ich gekommen, hätte mich das vermutlich weitere hundert Schilling gekostet. Ich beobachtete ihren breiten Rükken, der über dem Bidet schaukelte; dabei bewegte sie sich eine Spur lebendiger, als sie das vorher unter mir getan hatte. Da sie mir den Rücken zukehrte, nahm ich ihre Handtasche vom Nachttisch und schaute hinein. Es sah darin aus, als hätte sich Susie der Bär darum gekümmert. Da war eine Tube mit irgendeiner Salbe, die ausgelaufen war, so daß alles klebte, was man anfaßte. Da war der übliche Lippenstift, die übliche Packung Präservative (ich bemerkte, daß ich vergessen hatte, meines abzustreifen), die üblichen Zigaretten, Pillen, Parfüm, Papiertaschentücher, Kleingeld, eine dicke Geldtasche – und einige Döschen mit allerlei Kram. Nirgends ein Messer, von einem Revolver ganz zu schweigen. Ihre Handtasche war eine leere Drohung; ihr Sex war eine Attrappe und nun schien auch ihre Gewalttätigkeit nur eine Attrappe. Dann ertastete ich ein Schraubglas, das erheblich größer war als all die Döschen – es war geradezu unangenehm groß. Ich zog es aus ihrer Handtasche und sah es mir an; Jolanta drehte sich um und kreischte los.

»Mein *Baby!*« kreischte sie. »Stell sofort mein Baby hin!«

Ich ließ es fast fallen, dieses große Glas. Und in der trüben Flüssigkeit sah ich den menschlichen Fötus schwimmen, den winzigen Embryo mit geballten Fäusten: Jolantas einzige Blüte, die schon im Keim erstickt worden war. Bedeutete ihr – wie einem Vogel Strauß, der den Kopf in den Sand steckt – dieser Embryo so etwas wie eine Schein-Waffe, eine Attrappe? War es das, wonach sie in ihrer Handtasche griff, worauf sie die Hände legte, wenn die Lage bedrohlich wurde? Und auf welche seltsame Weise war ihr das ein Trost?

»Stell sofort mein Baby hin!« schrie sie und kam auf mich zu, nackt – und triefend naß von ihrem Bidet. Ich stellte das Glas mit dem Fötus behutsam auf das Kissen auf ihrem Bett und floh.

Als ich Jolantas Tür hinter mir zumachte, hörte ich Kreisch-Annie, die wieder mal eine falsche Ankunft verkündete. Anscheinend war Vater gerade dabei, ihr die schlechte Nachricht mitzuteilen. Ich setzte mich auf den Treppenabsatz im ersten Stock, denn ich wollte nicht zu Susie dem Bären in die Lobby und traute mich auch nicht, Franny im Stock darüber aufzuspüren. Vater kam aus Annies Zimmer; er legte mir kurz seine Hand auf die Schulter und wünschte mir eine gute Nacht; dann ging er hinunter, um sich schlafen zu legen.

»Hast du's ihr gesagt?« rief ich hinter ihm her.

»Es schien für sie keine Rolle zu spielen«, sagte Vater. Ich ging zu Kreisch-Annies Tür und klopfte an.

»Ich weiß schon Bescheid«, sagte sie mir, als sie sah, wer geklopft hatte.

Aber bei Jolanta hatte ich es nicht geschafft, zu *kommen*; etwas anderes ergriff Besitz von mir, als ich vor Kreisch-Annies Tür stand. »Warum sagst du das nicht gleich?« sagte Kreisch-Annie, als ich den Mund immer noch nicht aufgemacht hatte. Sie zog mich in ihr Zimmer und machte die Tür zu. »Wie der Vater, so der Sohn«, sagte sie. Sie half mir beim Ausziehen; sie selbst war bereits ausgezogen. Kein Wunder, daß sie so schwer arbeiten muß, sagte ich mir – sie kannte offenbar das System nicht, nach dem all die ›Extras‹ auch extra zu bezahlen waren, so wie bei Jolanta. Kreisch-Annie machte alles für blanke vierhundert Schilling.

»Und wenn du nicht kommst«, sagte sie mir, »dann ist das *meine* Schuld. Aber du wirst kommen«, versicherte sie mir.

»Bitte«, sagte ich zu ihr, »wenn es dir nichts ausmacht, mir wäre es schon lieber, du würdest *nicht* kommen. Ich meine, mir wäre es lieber, du würdest nichts vormachen. Ich hätte ein *leises* Ende wirklich am liebsten«, bat ich sie, aber sie machte bereits die ersten merkwürdigen Laute unter mir. Und dann hörte ich einen Laut, der mir Angst einjagte. Er klang anders als alles, was ich je von Kreisch-Annie gehört hatte; es war auch nicht das Lied, das Susie der Bär Franny entlockte. Eine schreckliche Sekunde lang – weil so viel *Schmerz* in dem Laut mitschwang – dachte ich, es sei das Lied, das Ernst der Pornograph Franny singen ließ, doch dann begriff ich, daß es *mein* Laut war, daß es meine eigene erbärmliche Singstimme war. Kreisch-Annie begann mit mir zu singen, und in der bebenden Stille, die auf unser furchteinflößendes Duett folgte, hörte ich eine Stimme brüllen, die nur Franny gehören konnte – und es kam ganz aus der Nähe, vermutlich vom Treppenabsatz am Ende des Ganges: »Herrgott nochmal, beeilt euch doch, damit das endlich *aufhört!*« kreischte Franny.

»Warum hast du das getan?« fragte ich flüsternd, während Kreisch-Annie unter mir keuchte.

»Warum hab ich was getan?« sagte sie.

»Den Orgasmus getürkt«, sagte ich. »Ich habe dich doch gebeten, ihn wegzulassen.«

»Da war nichts getürkt«, flüsterte sie. Aber bevor ich noch daran denken konnte, diese Neuigkeit als ein Kompliment aufzufassen, fügte sie hinzu: »Ich türke *nie* einen Orgasmus. Die sind *alle* echt«, sagte Kreisch-Annie. »Verdammt nochmal, was glaubst du denn, warum ich so ein Wrack bin?« fragte sie mich. Und was glaubte ich, warum sie wohl so fest entschlossen war, ihre Tochter aus dem »Geschäft« herauszuhalten?

»Es tut mir leid«, flüsterte ich.

»Ich hoffe, sie jagen tatsächlich die Oper in die Luft«, sagte Kreisch-Annie. »Ich hoffe, sie erwischen auch das Hotel Sacher«, fügte sie hinzu. »Ich hoffe, sie sprengen die ganze Kärntner Straße weg«, fügte sie hinzu. »Und die Ringstraße, und all die Leute auf der Straße. All die *Männer*«, flüsterte Kreisch-Annie.

Franny wartete am Treppenabsatz auf mich. Sie sah auch nicht schlimmer aus als ich. Ich setzte mich neben sie, und wir fragten einander, ob »alles in Ordnung« sei. Von keinem kam eine sehr überzeugende Antwort. Ich fragte Franny, was sie von Ernst erfahren habe, und sie fröstelte. Ich legte den Arm um sie, und wir lehnten uns zusammen gegen das Treppengeländer. Ich fragte sie noch einmal.

»Ich habe alles erfahren, glaube ich«, flüsterte sie. »Was möchtest du wissen?«

»Alles«, sagte ich, und Franny schloß die Augen und legte den Kopf an meine Schulter und das Gesicht an meinen Hals.

»Liebst du mich immer noch?« fragte sie.

»Ja, natürlich«, flüsterte ich.

»Und du willst alles wissen?« fragte sie. Ich hielt den Atem an, und sie sagte: »Die Kuhstellung? Willst du darüber etwas wissen?« Ich hielt sie nur fest; ich konnte nichts sagen. »Und die Elefantenstellung?« fragte sie mich. Ich spürte, wie sie zitterte; sie gab sich alle Mühe, nicht zu weinen. »Ich kann dir ein paar Dinge über die Elefantenstellung erzählen«, sagte Franny. »Hauptsächlich eins: sie tut *weh*«, sagte sie, und sie fing an zu weinen.

»Er hat dir weh getan?« fragte ich sie leise.

»Die Elefantenstellung hat mir weh getan«, sagte sie. Wir saßen eine Weile ruhig da, bis sie nicht mehr zitterte. »Möchtest du, daß ich dir noch mehr erzähle?« fragte sie mich.

»Darüber jedenfalls nicht«, sagte ich.

»Liebst du mich immer noch?« fragte Franny.

»Ja, ich kann nicht anders«, sagte ich.

»Du Armer«, sagte Franny.

»Du Arme«, sagte ich zu ihr.

Eines zumindest ist schrecklich mit Liebenden – mit richtigen Liebenden, meine ich: mit Leuten, die ineinander verliebt sind. Selbst wenn es ihnen elend geht und wenn sie einander zu trösten versuchen, selbst dann noch genießen sie jede körperliche Berührung als einen sexuellen Reiz; selbst wenn sie mehr oder weniger in Trauer sind, können sie sexuell erregt werden. Franny und ich hätten nicht mehr länger eng umschlungen auf der Treppe sitzen können; es war unmöglich, einander irgendwie zu berühren und nicht alles berühren zu wollen.

Wahrscheinlich sollte ich Jolanta dankbar sein, daß sie uns störte. Jolanta war auf dem Weg nach draußen, wo sie auf der Straße nach einem neuen Opfer für ihre Mißhandlungen suchen würde. Sie sah Franny und mich auf der Treppe sitzen und zielte mir mit ihrem Knie genau ins Rückgrat. »O Verzeihung!« sagte sie. Und an Franny gewandt, fügte sie hinzu: »Laß dich mit dem nicht ein. Der kann nicht kommen.«

Wortlos gingen Franny und ich mehr oder weniger hinter Jolanta her hinunter in die Lobby – nur daß Jolanta durch die Lobby hinaus auf die Krugerstraße ging, während Franny und ich nach Susie dem Bären schauten. Susie schlief auf der Couch, auf der der Aschenbecher ausgeleert worden war; auf ihrem Gesicht lag ein fast heiterer Ausdruck – Susie war nicht annähernd so häßlich, wie sie immer glaubte. Franny hatte mir erzählt, daß Susies scherzhafte Bemerkung, sie sei der Prototyp des Mädchens, von dem sie sagen: ›Nicht schlecht, wenn man ihr einen Sack über den Kopf stülpt‹, in Wirklichkeit nicht sehr lustig war; die zwei Männer, die sie vergewaltigt hatten, hatten ihr tatsächlich einen Sack über den Kopf gestülpt – »damit wir dich nicht ansehen müssen«, hatten sie zu ihr gesagt. Grausamkeiten dieser Art können jeden Menschen zum Bären machen.

»Vergewaltigungen sind mir wirklich ein Rätsel«, gestand ich später Susie dem Bären, »weil eine Vergewaltigung für mich die unmenschlichste Erfahrung ist, die sich überleben läßt; wir können zum Beispiel unsere eigene Ermordung nicht überleben. Und es ist in meiner Vorstellung wohl auch deshalb die unmenschlichste Erfahrung, weil ich mir nicht vorstellen kann, daß *ich* jemanden vergewaltige, daß ich jemanden vergewaltigen *möchte*. Deshalb ist mir die Vorstellung so fremd: ich glaube, das ist es, was daran so unmenschlich scheint.«

»*Ich* kann mir schon vorstellen, daß ich jemanden vergewaltige«, sagte Susie. »Die Ficker nämlich, die mich vergewaltigt haben«, sagte sie. »Aber das auch nur, weil es einfach Rache wäre. Und es würde nicht gehen, bei einem verfickten *Mann*«, sagte Susie. »Weil es einem Mann wahrscheinlich Spaß machen würde. Es gibt ja Männer, die glauben, daß es *uns* Spaß macht, vergewaltigt zu werden«, sagte Susie. »Auf die Idee können sie nur kommen, weil sie glauben, daß es *ihnen gefallen würde.*«

Aber in der aschgrauen Lobby des zweiten Hotels New Hampshire ging es Franny und mir nur darum, Susie wieder einigermaßen aufzurichten und zu erreichen, daß sie zum Schlafen in ihr eigenes Zimmer ging. Wir stellten sie buchstäblich auf die Beine, und wir fanden ihren Kopf; wir bürsteten die alten Zigarettenkippen (in denen sie gelegen hatte) von ihrem zottigen Rücken.

»Komm, zieh dein altes Bärenfell aus, Susie«, versuchte es Franny mit gutem Zureden.

»Wie *konntest* du nur – mit Ernst?« sagte Susie leise zu Franny. »Und wie konntest *du* – mit *Nutten*?« fragte sie mich.

»Ich versteh euch beide nicht«, schloß Susie. »Ich bin zu alt für diese Dinge.«

»Nein, *ich* bin zu alt für diese Dinge, Susie«, sagte Vater mit sanfter Stimme zu dem Bären. Wir hatten nicht bemerkt, daß er in der Lobby hinter dem Empfangsschalter stand; wir dachten, er sei schlafen gegangen. Und er war nicht allein. Die weiche mütterliche Radikale, unsere liebe Schlagobers, unsere liebe Schwanger, war bei ihm. Sie hatte ihren Revolver in der Hand, und sie forderte uns mit einer Geste auf, zur Couch zurückzugehen.

»Sei so lieb«, sagte Schwanger zu mir, »und hol Lilly und Frank. Weck sie behutsam auf«, fügte sie hinzu. »Sei nicht grob, und sieh zu, daß sie nicht erschrecken.«

Frank lag im Bett, die Schneiderpuppe an seiner Seite. Er war hellwach; ich brauchte ihn nicht zu wecken. »Ich wußte es ja, wir hätten nicht warten dürfen«, sagte Frank. »Wir hätten sie gleich hochgehen lassen sollen.«

Auch Lilly war hellwach. Lilly schrieb.

»Jetzt kommt eine neue Erfahrung, über die du schreiben kannst, Lilly«, scherzte ich mit ihr, als wir Hand in Hand zur Lobby zurückgingen.

»Ich hoffe, es ist nur eine *kleine* Erfahrung«, sagte Lilly.

In der Lobby warteten sie alle auf uns. Schraubenschlüssel trug seine Uniform; als Straßenbahnschaffner sah er sehr amtlich aus. Arbeiter hatte sich für die Arbeit feingemacht; ja, er sah so vornehm aus, daß er nicht einmal in der Oper aufgefallen wäre. Er trug einen Smoking – völlig schwarz. Und der Spielmacher war da, der Lenker war da, um die Kommandos zu geben – Ernst der Weiberheld, Ernst der Pornograph, Ernst der Star war da. Nur der Alte Billig fehlte. Er hängte sein Mäntelchen nach dem Wind, wie Arbeiter bemerkt hatte: der Alte Billig war clever genug, sich rechtzeitig vor dem Schlußakt abgesetzt zu haben. Er würde sich für die nächste Vorstellung bereithalten; für Ernst und Arbeiter, für Schraubenschlüssel und Schwanger war dies fraglos die Gala- und möglicherweise die Schlußvorstellung.

»Lilly, Schätzchen«, sagte Schwanger. »Lauf, hol Freud für uns. Freud sollte auch hier sein.«

Und Lilly, wieder einmal in der Rolle des Blindenbären für Freud, brachte den alten blindgläubigen Freud zu uns; das Tap-Tap-Tap seiner Louisville-Keule ging ihm voraus, und er trug nichts als seinen scharlachroten Seidenmantel mit dem schwarzen Drachen auf dem Rücken (»Chinatown, New York City, 1939!« hatte er uns erzählt).

»Was ist das für ein Traum?« sagte der alte Mann. »Was ist bloß aus der Demokratie geworden?«

Lilly setzte Freud neben Vater auf die Couch; Freud schlug prompt mit dem Baseballschläger gegen Vaters Schienbein.

»Oh, Verzeihung!« rief Freud. »Wem gehören denn diese Knochen?«

»Win Berry«, sagte mein Vater leise; es war unheimlich, aber es war das einzige Mal, daß wir Vater seinen eigenen Namen sagen hörten.

»Win Berry!« schrie Freud. »Na, mit Win Berry in der Nähe kann es ja nicht allzu schlimm werden!« Die anderen schienen da nicht so sicher.

»Erklärt euch!« schrie Freud in die Dunkelheit, die ihn umgab. »Ihr seid alle hier«, sagte der alte Mann. »Ich kann euch riechen, ich höre jeden Atemzug.«

»Es ist eigentlich ganz einfach zu erklären«, sagte Ernst ruhig.

»Elementar«, sagte Arbeiter. »Höchst elementar.«

»Wir brauchen einen Fahrer«, sagte Ernst sanft, »jemand muß den Wagen fahren.«

»Er läuft traumhaft ruhig«, sagte Schraubenschlüssel andächtig. »Er schnurrt wie ein Kätzchen.«

»Fahr ihn doch selber, Wrench«, sagte ich.

»Sei still, Schätzchen«, sagte Schwanger zu mir; ich warf nur einen Blick auf ihren Revolver, um mich zu vergewissern, daß er auf mich gerichtet war.

»Sei still, Gewichtheber«, sagte Schraubenschlüssel; aus der Hosentasche seiner Straßenbahner-Uniform ragte ein kurzes, schwer aussehendes Werkzeug, und er hatte eine Hand auf dem Werkzeug liegen, als sei es der Griff einer Pistole.

»Fehlgeburt war voller Zweifel«, sagte Ernst.

»Fehlgeburt ist tot«, sagte Lilly – die Realistin der Familie, die Autorin der Familie.

»Fehlgeburt hatte einen tödlichen Hang zur Romantik«, sagte Ernst. »Sie stellte immer die *Mittel* in Frage.«

»Der Zweck heiligt die Mittel, das weiß doch *jeder*«, warf Arbeiter ein. »Das ist elementar, höchst elementar.«

»Du bist ein Schwachkopf, Arbeiter«, sagte Franny.

»Und so selbstgerecht wie ein Kapitalist!« ließ Freud Arbeiter wissen.

»Aber vor allem ein Schwachkopf, Arbeiter«, sagte Susie der Bär. »Ein höchst *elementarer* Schwachkopf.«

»Der Bär würde einen guten Fahrer abgeben«, sagte Schraubenschlüssel.

»Fick dich ins Knie, Wrench«, sagte Susie der Bär.

»Der Bär ist zu bösartig, dem ist nicht zu trauen«, sagte Ernst, logisch wie immer.

»Da kannst du deinen süßen Arsch drauf verwetten«, sagte Susie der Bär.

»*Ich* kann fahren«, sagte Franny zu Ernst.

»*Du* doch nicht«, sagte ich. »Du hast noch nicht einmal den Führerschein, Franny.«

»Aber ich kann trotzdem fahren«, sagte Franny. »Frank hat es mir beigebracht.«

»Ich kann besser fahren als du, Franny«, sagte Frank. »Wenn einer von uns fahren muß, dann bin ich der bessere Fahrer.«

»Nein, *ich* bin besser«, sagte Franny.

»Ich muß zugeben, du hast mich überrascht, Franny«, sagte Ernst. »Du hast die Anweisungen besser befolgt, als ich dir zugetraut hätte – du warst sehr gelehrig.«

»Nicht bewegen, Schätzchen«, sagte Schwanger zu mir, weil meine Arme zuckten – so wie sie das tun, wenn ich längere Zeit die Übungen mit der Langhantel gemacht habe.

»Was soll denn *das* bedeuten?« wollte Vater von Ernst wissen; sein Deutsch war so miserabel. »Wieso denn Anweisungen – wieso gelehrig?« fragte Vater.

»Er hat mich gefickt«, sagte Franny zu Vater.

»Schön ruhig sitzen bleiben«, sagte Schraubenschlüssel zu meinem Vater und rückte mit seinem Werkzeug näher an ihn heran.

Aber Frank mußte das Vater erst übersetzen. »Bleib wo du bist, Pop«, sagte Frank.

Freud ließ den Baseballschläger durch die Luft sausen, als wäre er eine Katze und der Schläger sein Schwanz, und er traf damit das Bein meines Vaters – einmal, zweimal, dreimal. Ich wußte, daß Vater den Schläger haben wollte. Er konnte mit der Louisville-Keule sehr gut umgehen.

Wenn Freud einen Mittagsschlaf hielt, nahm uns Vater manchmal mit in den Stadtpark und spielte uns einige Bodenroller zu. Wir alle fingen gern Bodenroller ab. Das gute alte amerikanische Baseball im Stadtpark – wir machten so manches Spielchen, bei dem Vater die Bodenroller für uns schlug. Sogar Lilly spielte gern mit. Man braucht nicht groß zu sein, um einen Bodenroller abzufangen. Frank stellte sich dabei am schlimmsten an; Franny und ich waren gute Fänger – in vielen Punkten waren wir uns recht ähnlich. Die härtesten Bodenbälle schlug Vater auf Franny und mich.

Aber nun hatte Freud den Schläger, und er benutzte ihn dazu, Vater zu beschwichtigen.

»Du hast mit Ernst geschlafen, Franny?« fragte Vater sie leise.

»Ja«, flüsterte sie. »Es tut mir leid.«

»Du hast meine Tochter gefickt?« fragte Vater Ernst.

Ernst handelte das als eine metaphysische Frage ab. »Es war eine notwendige Phase«, sagte er, und ich wußte, daß ich es in dem Augenblick Junior Jones hätte gleichtun können, ich hätte im Bankdrücken das Doppelte meines Körpergewichts geschafft, vielleicht drei- oder viermal, in rascher Folge; ich hätte diese Hantel mühelos zur Hochstrecke bringen können.

»Meine *Tochter* war eine notwendige *Phase?*« fragte Vater Ernst.

»Das hier ist keine emotionale Situation«, sagte Ernst. »Es geht vielmehr um eine technische Frage«, sagte er, ohne meinen Vater zu beachten. »Ich bin zwar überzeugt, daß du den Wagen sehr gut fahren könntest, Franny, aber Schwanger hat uns gebeten, euch Kinder zu verschonen.«

»Auch den Gewichtheber?« fragte Arbeiter.

»Ja, er liegt mir auch am Herzen«, sagte Schwanger und strahlte mich an – mit ihrem Revolver.

»Wenn du meinen Vater zwingst, dieses Auto zu fahren, bring ich dich *um!*« schrie Franny plötzlich Ernst an. Und Schraubenschlüssel ging mit seinem Werkzeug auf sie zu; wenn er sie angefaßt hätte, wäre etwas passiert, aber er blieb dicht vor ihr stehen. Freuds Baseballschläger schlug den Sekundentakt. Mein Vater hatte die Augen geschlossen; er konnte nur mühsam folgen, wenn deutsch gesprochen wurde. Er träumte wohl von seinen hart geschlagenen Bodenrollern, die durchs Innenfeld zischten.

»Schwanger hat uns gebeten, Franny«, sagte Ernst geduldig, »euch Kinder nicht mutterlos *und* vaterlos zu machen. Wir wollen deinem Vater nicht weh tun, Franny. Und wir *werden* ihm auch nicht weh tun«, sagte Ernst, »wenn sich *jemand anders* findet, dem wir den Wagen anvertrauen können.«

Ratloses Schweigen herrschte in der Lobby des Hotels New Hampshire. Wenn wir Kinder ausgenommen wurden, wenn Vater verschont werden sollte und wenn man Susie dem Bären nicht trauen konnte, hatte Ernst dann die Absicht, eine der *Nutten* den Wagen fahren zu lassen? *Denen* konnte man ganz gewiß nicht trauen. Sie dachten nur an sich selber. Während Ernst der Pornograph uns seine Dialektik gepredigt hatte, waren die Nutten an uns vorbeigehuscht – die Nutten verließen das Hotel New Hampshire. Als wortloses Team – in einer solchen Krise hielten sie zusammen wie verschworene Diebe – halfen sie der Alten Billig, ihre Porzellanbären in

Sicherheit zu bringen. Sie trugen alles *weg*, ihre Salben, ihre Zahnbürsten, ihre Pillen, Parfüme und Präservative.

»Sie waren die Ratten, die das sinkende Schiff verließen«, wie Frank später sagte. Fehlgeburts Hang zur Romantik war ihnen fremd; sie waren nie etwas Größeres als Huren. Sie verzogen sich, ohne uns Lebwohl zu sagen.

»Also, was ist jetzt, du verdammter Klugscheißer, wer macht den Fahrer?« wollte Susie der Bär von Ernst wissen. »Wer zum Teufel ist denn noch *übrig?*«

Ernst lächelte; es war ein Lächeln voller Ekel, und es galt Freud. Obwohl Freud nichts davon sehen konnte, hatte es Freud plötzlich begriffen. »*Ich* bin's!« rief er, als habe er einen Preis gewonnen; er war so aufgeregt, daß der Takt klopfende Baseballschläger sein Tempo verdoppelte. »*Ich* bin der Fahrer!« rief Freud.

»Genau so ist es«, sagte Ernst und freute sich riesig.

»Glänzend!« rief Freud. »Die perfekte Aufgabe für einen Blinden!« brüllte er, und der Baseballschläger war der Taktstock, der das Orchester dirigierte und lenkte – Freud und seine Wiener Staatsopernband!

»Und du liebst Win Berry, nicht wahr, Freud?« sagte Schwanger mit sanfter Stimme zu dem alten Mann.

»Natürlich liebe ich ihn!« rief Freud. »Wie meinen eigenen Sohn!« brüllte er und legte meinem Vater die Arme um die Schulter, nachdem er sich den Baseballschläger fest zwischen die Knie geklemmt hatte.

»Gut. Wenn du den Wagen anständig fährst«, sagte Ernst zu Freud, »wird Win Berry nichts zustoßen.«

»Wenn du Scheiße baust«, sagte Arbeiter, »bringen wir sie alle um.«

»Einen nach dem anderen«, fügte Schraubenschlüssel hinzu.

»Wie soll ein blinder Mann den Wagen fahren, ihr *Schwachköpfe?*« kreischte Susie der Bär.

»Erklär mal, wie es funktioniert, Schraubenschlüssel«, sagte Ernst ruhig. Und nun kam Schraubenschlüssels großer Auftritt, der große Augenblick, für den er gelebt hatte – bis in alle

Einzelheiten durfte er die Sache *beschreiben,* der sein ganzes Herz gehörte. Arbeiter blickte ein wenig neidisch drein. Schwanger und Ernst hörten mit den wohlwollendsten Mienen zu, wie Lehrer, die auf ihren Musterschüler stolz sind. Mein Vater war natürlich mit der Sprache nicht vertraut genug, um alles zu verstehen.

»Ich nenne es eine Sympathiebombe«, begann Schraubenschlüssel.

»Oh, was für ein glänzender Einfall!« rief Freud aus; dann kicherte er. »Eine *Sympathie*bombe! Jessas Gott!«

»Maul halten«, sagte Arbeiter.

»Tatsächlich sind es *zwei* Bomben«, sagte Schraubenschlüssel. »Die erste Bombe ist der Wagen. Der ganze Wagen«, sagte er mit einem listigen Lächeln. »Der Wagen muß nur in einer bestimmten Entfernung von der Oper gesprengt werden – ziemlich nahe bei der Oper, genau gesagt. Wenn der Wagen in diesem Bereich explodiert, wird auch die Bombe in der Oper explodieren – gewissermaßen ›aus Sympathie‹ mit der ersten Bombe. Deshalb nenne ich sie eine Sympathiebombe«, fügte er schwachsinnig hinzu. Selbst Vater hätte dem Teil der Erklärung folgen können. »Erst geht der Wagen hoch, und wenn er dabei nahe genug bei der Oper ist, dann folgt die *große* Bombe – die in der Oper – dann geht auch *sie* hoch. Die Bombe in dem Wagen ist das, was ich eine *Kontakt*bombe nenne. Der Kontakt ist das vordere Nummernschild. Wenn das vordere Nummernschild eingedrückt wird, fliegt der ganze Wagen in die Luft. Und etliche Leute in der Umgebung werden ebenfalls in die Luft fliegen«, fügte Schraubenschlüssel hinzu.

»Das läßt sich nicht vermeiden«, sagte Arbeiter.

»Die Bombe in der Oper«, sagte Schraubenschlüssel liebevoll, »ist viel komplizierter als eine Kontaktbombe. Die Bombe in der Oper ist zwar eine chemische Bombe, aber ein sehr feiner elektrischer Impuls ist erforderlich, um sie *auszulösen.* Der Zünder der Bombe in der Oper – ein außerordentlich empfindlicher Mechanismus – *reagiert* auf eine ganz spezielle Explosion innerhalb seiner Reichweite. Es ist beinahe, als hätte die Bombe in der Oper *Ohren*«, sagte Schraubenschlüssel und mußte darüber lachen; es war das erstemal, daß wir ihn lachen hörten – und es war ein widerliches Lachen. Lilly würgte auf einmal, als müsse sie sich gleich erbrechen.

»*Dir* passiert doch nichts, Schätzchen«, sagte Schwanger, um sie zu beruhigen.

»Ich brauche also nur den Wagen, mit Freud neben mir, die Ringstraße hinunter zur Oper zu fahren«, sagte Schraubenschlüssel. »Natürlich darf ich mit nichts zusammenstoßen, ich muß eine sichere Stelle finden, an der ich seitlich ranfahren kann – und dann steige ich aus«, sagte Schraubenschlüssel. »Sobald ich draußen bin, setzt sich Freud hinters Lenkrad. Niemand wird uns auffordern, weiterzufahren, bevor wir dazu bereit sind; niemand legt sich in Wien mit einem Straßenbahnschaffner an.«

»Wir wissen, daß du Auto fahren kannst, Freud«, sagte Ernst zu dem alten Mann. »Du warst früher mal Mechaniker, stimmt's?«

»Stimmt«, sagte Freud; er war fasziniert.

»Ich stehe direkt neben Freud und unterhalte mich mit ihm durch das Fenster auf der Fahrerseite«, sagte Schraubenschlüssel. »Ich warte, bis ich sehe, daß Arbeiter aus der Oper kommt und über die Kärntner Straße geht – auf die andere Seite.«

»Auf die *sichere* Seite!« fügte Arbeiter hinzu.

»Und dann sage ich Freud nur noch, er soll bis zehn zählen und dann Gas geben!« sagte Schraubenschlüssel. »Den Wagen habe ich vorher so hingestellt, daß er in die richtige Richtung fahren wird. Freud wird einfach das Gaspedal durchdrücken – er wird so schnell beschleunigen wie er nur kann. Er wird voll auf irgendwas drauffahren – fast augenblicklich, ganz gleich, in welche Richtung er fährt. Er ist *blind!*« schrie Schraubenschlüssel begeistert. »Er *muß* irgendwo drauffahren. Und wenn das geschieht, fliegt die Oper in die Luft. Die Sympathiebombe reagiert.«

»Die *Sympathie*bombe«, sagte mein Vater ironisch. Sogar Vater verstand die Sache mit der Sympathie.

»Sie hat einen perfekten Platz«, sagte Arbeiter. »Sie ist schon lange dort, deshalb wissen wir auch, daß niemand von ihr weiß. Sie ist sehr groß, aber man kann sie unmöglich finden«, fügte er hinzu.

»Sie befindet sich unter der Bühne«, sagte Arbeiter.

»Sie ist in die Bühne *eingebaut*«, sagte Schraubenschlüssel.

»Sie ist genau dort, wo sie am Schluß herauskommen und ihre Scheißverbeugungen machen!« sagte Arbeiter.

»Natürlich werden nicht alle ums Leben kommen«, sagte Ernst einfach. »Alle auf der Bühne werden sterben, und wahrscheinlich die meisten im Orchester und die meisten der Zuschauer in den ersten paar Sitzreihen. Und für diejenigen, die in sicherer Entfernung von der Bühne sitzen, wird es eine wahrhaft *opernhafte* Darbietung sein«, sagte Ernst. »Es wird ganz gewiß ein gewaltiges Spektakel geben«, sagte Ernst.

»Schlagobers und Blut«, stichelte Arbeiter mit einem Blick auf Schwanger, aber sie lächelte nur – mit ihrem Revolver.

Lilly erbrach sich. Als Schwanger sich über sie beugte, um sie zu beruhigen, *hätte* ich vielleicht die Möglichkeit gehabt, ihr den Revolver zu entreißen. Aber ich überlegte zu lange. Arbeiter übernahm den Revolver von Schwanger, als könne er – zu meiner Schande – klarer denken als ich. Lilly erbrach sich immer weiter, und auch Franny versuchte nun, sie zu besänftigen, doch Ernst redete einfach weiter.

»Wenn Arbeiter und Schraubenschlüssel hierher zurückkommen und unseren Erfolg bestätigen, dann werden wir wissen, daß wir dieser wunderbaren amerikanischen Familie kein Leid zufügen müssen«, sagte Ernst.

»Die amerikanische Familie«, sagte Arbeiter, »ist eine Institution, für die man in Amerika mit der gleichen sentimentalen Übertreibung schwärmt wie für Sportler und Filmstars; Amerikaner stürzen sich mit dem gleichen übertriebenen Eifer auf *die Familie*, mit dem sie sich auf ungesundes Essen stürzen. Die sind einfach besessen von der Idee der Familie.«

»Und nachdem wir die Oper gesprengt haben, nachdem wir eine Institution vernichtet haben, die man in Wien mit der

gleichen *widerlichen* Übertreibung verehrt wie die Kaffeehäuser – und die *Vergangenheit* –, also ... nachdem wir die
Oper gesprengt haben, sind wir im Besitz einer amerikanischen Familie. Wir werden eine amerikanische Familie als
Geisel haben. Und eine *tragische* Familie dazu. Die Mutter
und das jüngste Kind sind einem Unfall zum Opfer gefallen.
Amerikaner lieben Unfälle. Katastrophen sind für sie eine
saubere Sache. Und hier haben wir einen Vater, der sich verzweifelt bemüht, seine vier überlebenden Kinder großzuzie-
hen, und wir werden sie alle *in unserer Hand* haben.«

Vater kam bei diesem Teil nicht sehr gut mit, und Franny
fragte Ernst: »Wie sehen eure *Forderungen* aus? Wenn wir
Geiseln sind, welches sind dann die Forderungen?«

»Keine Forderungen, Schätzchen«, sagte Schwanger.

»Wir fordern nichts«, sagte Ernst, geduldig wie eh und je.
»Zu dem Zeitpunkt haben wir dann schon, was wir wollen.
Wenn wir die Oper in die Luft jagen und wenn wir euch als
unsere *Gefangenen* haben, dann haben wir auch schon das,
was wir wollen.«

»Ein Publikum«, sagte Schwanger, fast flüsternd.

»Ein ziemlich breites Publikum«, sagte Ernst. »Ein inter-
nationales Publikum. Nicht nur ein europäisches Publikum,
nicht nur das Schlagobers-und-Blut-Publikum, sondern auch
ein *amerikanisches* Publikum. Die ganze Welt wird dem zuhören, was wir zu sagen haben.«

»*Worüber?*« fragte Freud. Auch er flüsterte jetzt.

»Über alles«, sagte Ernst, logisch wie immer. »Wir haben
dann ein Publikum für alles, was wir zu sagen haben – über
alles.«

»Über die neue Welt«, murmelte Frank.

»Jawohl!« sagte Arbeiter.

»Die meisten Terroristen scheitern«, erklärte Ernst, »weil
sie die Geiseln nehmen und mit Gewalt *drohen.* Doch wir
fangen mit der Gewalt an. Dann weiß schon mal jeder, daß
wir dazu fähig sind. Und *dann* nehmen wir die Geiseln. So
können wir sicher sein, daß uns alle zuhören.«

Alles blickte auf Ernst, und dem gefiel das natürlich. Er war ein Pornograph, der bereit war, zu morden und ein Blutbad anzurichten – nicht im Dienst einer *Sache*, was schon idiotisch genug wäre, sondern für ein *Publikum*.

»Du bist total verrückt«, sagte Franny zu Ernst.

»Du enttäuschst mich«, sagte Ernst zu ihr.

»Wie war das?« schrie Vater ihn an. »Was hast du zu ihr gesagt?«

»Er sagt, daß ich ihn enttäusche, Pop«, sagte Franny.

»Sie *enttäuscht* dich!« schrie Vater. »Meine Tochter enttäuscht *dich!*« brüllte Vater Ernst an.

»Schön ruhig bleiben«, sagte Ernst ruhig zu Vater.

»Du fickst meine Tochter und sagst dann, daß sie dich *enttäuscht!*« sagte Vater.

Vater entriß Freud den Baseballschläger. Das ging blitzschnell. Er packte diese Louisville-Keule, als habe sie ein ganzes Leben in seinen Händen verbracht, und er schwang sie waagrecht durch die Luft, wobei er mit der Hüfte und den Schultern in den Schwung hineinging und voll durchzog – es war ein perfekter Schlag, der einen Ball genau die Linie entlang geschickt hätte, mit einer so niederen Flugkurve, daß er nach Passieren des Innenfeldes immer noch gestiegen wäre. Und Ernst der Pornograph, der sich zu spät duckte, bewegte seinen Kopf genau so, daß er wie ein perfekt und geradlinig geworfener Ball auf den von meinem Vater prächtig geschwungenen Schläger traf. *Krach!* Härter als jeder Bodenroller, mit dem Franny oder ich hätten fertigwerden können. Mein Vater erwischte Ernst den Pornographen mit der Louisville-Keule voll an der Stirn, direkt zwischen den Augen. Das erste, was auf dem Boden aufschlug, war Ernsts Hinterkopf, und erst dann plumpsten nacheinander seine Fersen zu Boden; nachdem der Kopf gegen den Boden gekracht war, schien eine volle Sekunde zu vergehen, ehe der ganze Körper Ernsts dalag. Zwischen seinen Augen wuchs eine purpurrote Beule zur Größe eines Baseballs, und aus dem einen Ohr rann Blut, als sei etwas Lebenswichtiges, aber Kleines – wie sein Gehirn, wie sein Herz – in seinem Innern explodiert. Seine Augen waren weit geöffnet, und wir wußten, daß Ernst der Pornograph nun soviel sehen konnte wie Freud. Ein einziger flinker Keulenschlag hatte ihn aus dem offenen Fenster befördert.

»Ist er tot?« schrie Freud; ich glaube, ohne Freuds Schrei hätte Arbeiter abgedrückt und meinen Vater getötet; Freuds Aufschrei schien Arbeiters schwerfälligen Gedanken eine neue Richtung zu geben. Er stieß die Revolvermündung meiner kleinen Schwester Lilly ins Ohr; Lilly zitterte – es gab nichts mehr, was sie hätte erbrechen können.

»Bitte tu's nicht«, flüsterte Franny Arbeiter zu. Vater hielt den Baseballschläger fest umklammert, aber er hielt ihn still. Arbeiter hatte jetzt die große Waffe, und mein Vater mußte den richtigen Augenblick abwarten.

»Alles ruhig bleiben«, sagte Arbeiter. Schraubenschlüssel konnte den Blick nicht von dem purpurroten Baseball auf Ernsts Stirn lassen, aber Schwanger lächelte weiter – sie hatte für jeden ein Lächeln.

»Ruhig, ruhig«, flötete sie. »Wir wollen ruhig bleiben.«

»Und was macht ihr *jetzt*?« wandte sich Vater an Arbeiter, ganz ruhig. Er fragte ihn auf englisch; Frank mußte übersetzen.

Die nächsten paar Minuten hatte Frank viel Arbeit als Dolmetscher, denn Vater wollte *alles* wissen, was vor sich ging. Er war ein Held; er war an der Bootsanlegestelle des alten Arbuthnot-by-the-Sea, nur daß diesmal *er* der Mann in der weißen Smokingjacke war – er hatte das Kommando übernommen.

»Gib Freud den Schläger zurück«, sagte Arbeiter zu meinem Vater.

»Freud braucht seinen Schläger wieder«, sagte Schwanger einfältig zu meinem Vater.

»Gib den Schläger wieder her, Pop«, sagte Frank.

Vater gab Freud die Louisville-Keule zurück und setzte sich neben ihn; er legte Freud einen Arm um die Schulter und sagte zu ihm: »Du *brauchst* diesen Wagen nicht zu fahren.«

»Schraubenschlüssel«, sagte Schwanger. »Du machst alles so, wie wir es geplant haben. Geh jetzt und nimm Freud mit«, sagte sie.

»Aber ich bin nicht in der Oper!« sagte Arbeiter verzweifelt. »Ich bin noch nicht dort – um zu sehen, ob Pause ist, oder um sicherzugehen, daß sie *nicht* in der Pause sind. Schraubenschlüssel muß mich aus der Oper kommen sehen, damit er weiß, es ist alles in Ordnung, der Zeitpunkt ist gut.«

Die Radikalen starrten auf ihren toten Anführer, als werde der ihnen sagen, was zu tun sei; sie brauchten ihn.

»*Du* gehst zur Oper«, sagte Arbeiter zu Schwanger. »*Ich* kann besser mit dem Revolver umgehen«, sagte er. »Ich bleibe hier, und *du* gehst zur Oper«, riet ihr Arbeiter. »Wenn du dich überzeugt hast, daß die nicht Pause machen, kommst du aus der Oper, und zwar so, daß Schraubenschlüssel dich sehen kann.«

»Aber ich bin nicht angezogen für die Oper«, sagte Schwanger. »Du bist dafür angezogen«, sagte sie zu Arbeiter.

»Du brauchst nicht dafür angezogen zu sein, um jemand fragen zu können, ob Pause ist!« brüllte Arbeiter sie an. »Du bist gut genug gekleidet, um zur Tür reinzukommen, und du kannst selber nachsehen, ob Pause ist. Du bist nur eine alte Dame – niemand macht einer alten Dame Schwierigkeiten wegen ihrer Kleidung, Herrgott nochmal.«

»Ruhig bleiben«, riet Schraubenschlüssel mechanisch.

»Na ja«, sagte unsere weiche Schwanger. »Eine ›alte Dame‹ bin ich nicht gerade.«

»Verpiß dich!« schrie Arbeiter sie an. »Los jetzt. Mach dich auf den Weg, aber *schnell!* Wir geben dir zehn Minuten. Dann machen sich Freud und Schraubenschlüssel auf den Weg.«

Schwanger stand da, als könne sie sich nicht recht entscheiden, ob sie noch ein Schwangerschaftsbuch oder noch ein Abtreibungsbuch schreiben sollte.

»Geh endlich, du Fotze!« brüllte Arbeiter sie an. »Vergiß nicht, die Kärntner Straße zu überqueren. Und sieh nach unserem Wagen, bevor du über die Straße gehst.«

Schwanger ging, nachdem sie sich wieder gefaßt hatte – ja,

sie bemühte sich, dem Anlaß mit ihrer besten mütterlichen Miene gerecht zu werden. Wir sollten sie nie wiedersehen. Ich nehme an, sie ging nach Deutschland; irgendwann wird sie vielleicht ein ganz neues Symbol-Buch hervorbringen. Irgendwo wird sie vielleicht eine neue Bewegung bemuttern.

»Du mußt das nicht tun, Freud«, flüsterte mein Vater.

»*Natürlich* muß ich es tun, Win Berry!« sagte Freud heiter. Er stand auf; er ließ den Baseballschläger über den Boden tänzeln und ging auf die Tür zu. Er fand sich recht gut zurecht, wenn man bedenkt, daß er sich in völliger Dunkelheit bewegte.

»Setz dich, du alter Trottel«, wies Arbeiter ihn an. »Wir haben noch zehn Minuten Zeit. Vergiß nicht, aus dem Wagen auszusteigen, du Idiot«, sagte Arbeiter zu Schraubenschlüssel, doch der starrte immer noch auf den toten Spielmacher am Boden. Auch ich starrte auf ihn. Zehn Minuten lang. Mir wurde klar, was ein Terrorist ist. Ein Terrorist ist, glaube ich, einfach eine andere Art von Pornograph. Der Pornograph tut so, als sei ihm seine Arbeit zuwider; der Terrorist tut so, als interessiere ihn das *Mittel* nicht. Der *Zweck,* sagen sie, sei das einzige, woran ihnen liege. Aber sie lügen beide. Ernst liebte seine Pornographie; Ernst vergötterte das Mittel. Es ist nie der Zweck, der zählt – es zählt immer *nur* das Mittel. Der Terrorist und der Pornograph sind eben *wegen* des Mittels dabei. Das Mittel bedeutet ihnen alles. Die Bombenexplosion, die Elefantenstellung, Schlagobers und Blut – sie lieben das alles. Ihre intellektuelle Gleichgültigkeit ist ein Schwindel, sie ist nur vorgetäuscht. Wenn sie von »höheren Zwecken« reden, dann lügen sie beide. Ein Terrorist *ist* ein Pornograph.

Zehn Minuten lang versuchte Frank, Arbeiter umzustimmen, aber Arbeiter hatte ein so dickes Brett vor dem Kopf, daß Frank nicht durchdrang. Ich glaube, Frank verwirrte Arbeiter nur noch mehr.

Ich weiß jedenfalls, daß Frank *mich* verwirrte.

»Weißt du, was es heute abend an der Oper gibt, Arbeiter?« fragte Frank.

»Musik«, sagte Arbeiter, »Musik und Gesang.«

»Aber es kommt darauf an – *welche* Oper sie geben«, log Frank. »Ich meine, die Vorstellung heute abend wird bei weitem nicht ausverkauft sein – das ist dir hoffentlich klar. Es ist keine dieser Vorstellungen, zu denen die Wiener in *Scharen* kommen. Es ist kein Mozart oder Strauß. Es ist nicht mal ein Wagner«, sagte Frank.

»Das ist mir gleich«, sagte Arbeiter. »Die vorderen Reihen werden besetzt sein. Die vorderen Reihen sind immer besetzt. Und die blöden Sänger werden auf der Bühne sein. Und das Orchester muß auch immer antreten.«

»Sie geben die *Lucia*«, sagte Frank. »Praktisch vor leerem Haus. Man braucht kein Wagnerianer zu sein, um zu wissen, daß es sich nicht lohnt, Donizetti anzuhören. Ich gebe zu, ich bin so etwas wie ein Wagnerianer«, gab Frank zu, »aber man braucht die germanische Einschätzung der italienischen Oper gar nicht zu teilen, um zu wissen, daß Donizetti einfach abgeschmackt ist. Altbackene Harmonien, keine der Musik adäquate Dramatik«, sagte Frank.

»Maul halten«, sagte Arbeiter.

»Leierkasten-Melodien!« sagte Frank. »Mein Gott, da muß man sich ja fragen, ob *überhaupt* jemand kommt.«

»Die kommen schon«, sagte Arbeiter.

»Es wäre besser, auf einen großen Knüller zu warten«, sagte Frank. »Jagt das Ding an einem anderen Abend in die Luft. Wartet auf eine *wichtige* Oper. Wenn ihr *Lucia* hochgehen laßt«, argumentierte Frank, »werden euch die Wiener *applaudieren!* Sie werden glauben, ihr hättet es auf Donizetti abgesehen, oder besser noch: auf die ganze italienische Oper! Du wirst eine Art Kulturheld sein«, setzte Frank ihm auseinander, »und nicht der Bösewicht, der du doch sein willst.«

»Und wenn ihr euer Publikum bekommt«, sagte Susie der Bär zu Arbeiter, »wer soll dann für euch sprechen?«

»Euer Sprecher ist tot«, sagte Franny zu Arbeiter.

»Du glaubst doch wohl nicht, daß *du* ein Publikum fesseln kannst, was, Arbeiter?« fragte ihn Susie der Bär.

»Halt's Maul«, sagte Arbeiter. »Es wäre ja auch möglich, bei Freud im Wagen einen Bären mitfahren zu lassen. Jeder weiß, daß Freud einen Bärentick hat. Eigentlich eine gute Idee, einen Bären mitfahren zu lassen – auf Freuds letzter Fahrt.«

»Am Plan wird jetzt nichts mehr geändert«, sagte Schraubenschlüssel nervös. »Alles nach Plan«, sagte er mit einem Blick auf seine Uhr. »Es sind jetzt noch zwei Minuten.«

»Dann geh jetzt«, sagte Arbeiter. »Es wird eine Weile dauern, bis der Blinde zur Tür raus ist und im Wagen sitzt.«

»Von wegen!« rief Freud. »Ich kenne den Weg! Es ist mein Hotel; ich weiß, wo die Tür ist«, sagte der alte Mann und humpelte mit seinem Baseballschläger auf die Tür zu. »Und ihr habt diesen verdammten Wagen seit Jahren an derselben Stelle stehen!«

»Geh mit ihm, Schraubenschlüssel«, forderte Arbeiter ihn auf. »Nimm den alten Ficker am Arm.«

»Ich brauche keine Hilfe!« sagte Freud fröhlich. »Good-bye, Lilly, Schätzchen!« rief Freud. »Erbrich dich nicht wieder, Schätzchen«, mahnte er sie. »Und wachs schön weiter!«

Lilly würgte wieder und zuckte heftig; Arbeiter zog den Revolver etwa fünf Zentimeter von ihrem Ohr zurück. Ihr Kotzen war ihm offensichtlich zuwider, obschon es eine sehr kleine Pfütze war, die Lilly zuwege gebracht hatte; nicht mal im Erbrechen war sie groß.

»Halt dich ran, Frank!« rief Freud – und er rief es der ganzen Lobby zu. »Laß dir von keinem sagen, du seist schwul! Du bist ein *Prinz*, Frank!« rief Freud. »Du bist besser als Rudolf!« brüllte Freud. »Du bist majestätischer als die ganzen Habsburger, Frank!« machte Freud ihm Mut. Frank konnte nichts sagen, so sehr weinte er.

»Du bist wunderbar, Franny mein Schatz, Franny mein Liebling«, sagte Freud sanft. »Man braucht dich nicht zu sehen, um zu wissen, wie schön du bist«, sagte er.

»*Auf Wiedersehen*, Freud«, sagte Franny.

»*Auf Wiedersehen*, Gewichtheber!« rief Freud mir zu.

»Umarme mich«, forderte er mich auf und streckte mir die Arme entgegen, die Louisville-Keule wie ein Schwert in der einen Hand. »Laß mich spüren, wie stark du bist«, sagte Freud zu mir, und ich ging zu ihm hin und umarmte ihn. Das war der Augenblick, in dem er mir etwas ins Ohr flüsterte.

»Wenn du die Explosion hörst«, flüsterte Freud, »*töte Arbeiter.*«

»Los jetzt!« sagte Schraubenschlüssel nervös. Er packte Freud am Arm.

»Ich liebe dich, Win Berry!« rief Freud, aber mein Vater hatte den Kopf in die Hände gelegt. Er blickte nicht auf, sondern blieb reglos und tief eingesunken auf der Couch sitzen. »Tut mir leid, daß ich dich ins Hotelgeschäft hineingezogen habe«, sagte Freud zu meinem Vater. »Und ins Bärengeschäft«, fügte Freud hinzu. »Good-bye, Susie!« sagte Freud.

Susie fing an zu weinen. Schraubenschlüssel dirigierte Freud durch die Tür. Wir konnten den Wagen sehen, den Mercedes, der eine Bombe war; er stand am Straßenrand, fast genau vor der Tür des Hotels New Hampshire. Es war eine Drehtür, und Freud und Schraubenschlüssel wurden nach draußen gedreht.

»Ich brauch deine Hilfe nicht«, beschwerte sich Freud bei Schraubenschlüssel. »Laß mich nur den Wagen *ertasten,* es reicht, wenn du mich bis zum Kotflügel führst«, begehrte er auf. »Ich kann die Tür selber finden, du Idiot«, sagte Freud. »Ich muß nur den Kotflügel zu fassen bekommen.«

Arbeiter, der immer noch über Lilly gebeugt stand, bekam langsam einen steifen Rücken. Er richtete sich ein wenig auf; er blickte zu mir, um zu sehen, wo ich war. Er warf einen Blick auf Franny. Sein Revolver ging von einem zum anderen.

»Da ist er, ich habe ihn!« hörten wir Freud draußen fröhlich rufen. »Das ist der Scheinwerfer, hab ich recht?« fragte er Schraubenschlüssel. Mein Vater hob den Kopf aus seinen Händen und blickte mich an.

»Natürlich ist das der Scheinwerfer, du alter Trottel!« brüllte Schraubenschlüssel Freud an. »Steig endlich *ein!*«

»Freud!« kreischte Vater. Er muß es in dem Moment gewußt haben. Er lief zur Drehtür. »*Auf Wiedersehen*, Freud!« schrie Vater. Von der Drehtür aus sah Vater ganz genau, was geschah. Freud, der sich mit der Hand am Scheinwerfer entlang tastete, bewegte sich auf den Kühlergrill des Mercedes anstatt auf die Tür zu.

»In die andere Richtung, du Schwachkopf!« wies Schraubenschlüssel ihn an. Aber Freud wußte genau, wo er war. Er riß seinen Arm aus Schraubenschlüssels Umklammerung; er nahm die Louisville-Keule in beide Hände und holte aus. Er suchte natürlich nach dem vorderen Nummernschild. Blinde bringen es irgendwie fertig, genau zu wissen, wo Dinge zu finden sind, die immer da waren. Freud brauchte nur drei Schläge, um das Nummernschild zu finden – daran würde sich mein Vater immer erinnern. Der erste Schlag war ein wenig zu hoch – er traf den Kühlergrill.

»Tiefer!« kreischte Vater durch die Drehtür. »*Auf Wiedersehen!*«

Der zweite Schlag traf die Stoßstange, unmittelbar links vom Nummernschild, und mein Vater brüllte: »Weiter rechts! *Auf Wiedersehen*, Freud!« Schraubenschlüssel, sagte Vater später, lief bereits weg. Er kam allerdings nicht mehr weit genug weg. Freuds dritter Schlag saß genau; Freuds dritter Schlag war der spielentscheidende Grand Slam. Was für ein ereignisreicher Abend für einen Baseballschläger. Diese Louisville-Keule wurde nie gefunden. Auch von Freud wurde nicht alles gefunden, und Schraubenschlüssels eigene Mutter war später nicht in der Lage, ihn zu identifizieren. Mein Vater wurde von der Drehtür zurückgeschleudert, das weiße Licht und all das Glas flogen ihm ins Gesicht. Franny und Frank liefen hin, um ihm zu helfen, und ich schlang meine Arme in dem Moment um Arbeiter, als die Bombe explodierte – genau wie Freud es mir aufgetragen hatte.

Arbeiter, im schwarzen Smoking für die Oper, war etwas größer und schwerer als ich; mein Kinn war fest zwischen seine Schulterblätter gepreßt, meine Arme umfaßten seinen

Brustkorb und fesselten gleichzeitig seine Arme. Er gab einen Schuß ab, in den Fußboden. Einen Augenblick dachte ich, er könnte mich in den Fuß schießen, aber ich wußte, höher würde ich ihn nicht zielen lassen. Ich wußte, Lilly war nicht mehr in Arbeiters Reichweite. Er schoß noch zweimal in den Boden. Ich hielt ihn so fest, daß er nicht einmal meinen Fuß sehen konnte, der direkt hinter seinem Fuß stand. Mit dem nächsten Schuß traf er seinen eigenen Fuß, und er fing an zu schreien. Er ließ den Revolver fallen. Ich hörte, wie er auf dem Boden aufprallte, und sah, wie Lilly ihn rasch wegnahm, aber ich achtete kaum auf den Revolver. Ich konzentrierte mich darauf, Arbeiter zusammenzudrücken. Für einen, der sich in den Fuß geschossen hat, hörte er ziemlich bald auf zu schreien. Frank erzählte mir später, Arbeiter habe aufgehört zu schreien, weil ihm die Luft ausgegangen sei. Ich achtete auch kaum auf Arbeiters Geschrei. Ich konzentrierte mich auf das Drücken. Ich stellte mir die größte Hantel der Welt vor. Ich weiß nicht genau, welche Hantelübungen ich mir eigentlich vorstellte – ob ich nun die Hantel wickelte, bankdrückte, normal stemmte oder sie einfach an meine Brust drückte. Es spielte keine Rolle; ich konzentrierte mich nur auf ihr *Gewicht*. Und wie ich mich konzentrierte. Ich erreichte, daß meine Arme an sich glaubten. Hätte ich Jolanta so fest gedrückt, sie wäre entzweigebrochen. Hätte ich Kreisch-Annie so fest gedrückt, sie wäre still gewesen. Einmal hatte ich davon geträumt, Franny so fest zu drücken. Ich hatte mit Gewichten gearbeitet, seit Franny vergewaltigt worden war, seit Iowa-Bob es mir beigebracht hatte; mit Arbeiter in meinen Armen war ich der stärkste Mann der Welt.

»Eine *Sympathie*bombe!« hörte ich Vater brüllen. Ich wußte, daß er Schmerzen hatte. »Jessas Gott! Ist es denn zu glauben? Eine verfickte *Sympathie*bombe!«

Franny sagte später, sie habe es sofort gewußt: Vater war blind. Es war nicht nur die Tatsache, daß er dem explodierenden Wagen so nahe gewesen war, oder all das Glas, das ihm von der Drehtür ins Gesicht geschleudert wurde; es war nicht das Blut in seinen Augen, das Franny sah, als sie ihm das Gesicht abwischte, um zu *sehen,* was mit ihm war. »Ich *wußte* es irgendwie«, sagte sie, »ich meine, noch *bevor* ich seine Augen sah. Ich wußte schon immer, daß er so blind war wie Freud, oder es eines Tages sein würde. Ich wußte, er würde eines Tages blind sein«, sagte Franny.

»*Auf Wiedersehen,* Freud!« heulte Vater.

»Du mußt stillhalten, Daddy«, hörte ich Lilly zu Vater sagen.

»Ja, Pop, halt still«, sagte Franny.

Frank war die Krugerstraße vor zur Kärntner Straße und um die Ecke zur Oper hinüber gelaufen. Er mußte natürlich sehen, ob die *Sympathie*bombe reagiert hatte – aber Freud hatte die Weitsicht gehabt, zu sehen, daß der vor dem Hotel New Hampshire geparkte Mercedes von Sympathie zu weit entfernt war, als daß er eine Reaktion der Oper hätte bewirken können. Und Schwanger muß wohl einfach weitergegangen sein. Oder sie entschied sich vielleicht dafür, dazubleiben und den Rest der Oper anzusehen; vielleicht war es eine, die sie mochte. Vielleicht wollte sie miterleben, wie sie am Ende alle vor den Vorhang traten und sich über der nicht losgegangenen Bombe verbeugten.

Frank sagte später, als er aus dem Hotel New Hampshire gelaufen sei, um sich von der Unversehrtheit der Oper zu überzeugen, sei ihm das leuchtende Magentarot in Arbeiters Gesicht aufgefallen; seine Finger hätten sich noch bewegt – oder vielleicht auch nur gezuckt –, und er habe zu strampeln versucht. Lilly erzählte mir später, das Magentarot habe sich – während Frank weg war – in ein Blau verwandelt. »Eine Art Schieferblau«, sagte Lilly, die Schriftstellerin. »Es war die Farbe des Meeres bei wolkenverhangenem Himmel.« Und als Frank sich von der Unversehrtheit der Oper überzeugt hatte und zurückkam, war, wie mir Franny erzählte, Arbeiter völlig reglos und leichenblaß – jede Farbe war aus seinem Gesicht gewichen. »Er hatte die Farbe einer Perle«, sagte Lilly. Er war tot. Ich hatte ihn zerquetscht.

»Du kannst ihn jetzt loslassen«, mußte Franny mir schließlich sagen. »Es ist gut, es wird alles gut«, flüsterte sie mir ins Ohr, weil sie wußte, wie sehr ich es mochte, wenn man flüsterte. Sie drückte mir Küsse aufs Gesicht, und dann gab ich Arbeiter frei.

Ich fand danach nie mehr die alte Einstellung zum Gewichttraining. Ich betreibe es zwar immer noch, aber ich gehe heute sehr locker an die Gewichte; ich mag mich nicht mehr quälen. Ein bißchen Gewichtarbeit, gerade so viel, daß ich anfange, mich wohl zu fühlen; ich mag mich nicht übermäßig anstrengen, nicht mehr.

Die zuständigen Leute sagten uns, Schraubenschlüssels »Sympathiebombe« hätte sogar funktionieren können, wenn der Wagen näher herangekommen wäre. Die Bombenspezialisten deuteten auch an, daß *jede* Explosion in der Umgebung die Sympathiebombe *jederzeit* hätte auslösen können; vermutlich war der alte Schraubenschlüssel doch nicht so präzis, wie er geglaubt hatte. Eine Menge Unsinn wurde über die *Absichten* der Radikalen geschrieben. Unglaublich viel Mist wurde über die »Aussage« geschrieben, die sie hatten machen wollen. Und es war nicht genug über Freud zu lesen. Seine Blindheit wurde beiläufig erwähnt, und auch, daß er in einem der Lager gewesen war. Aber da war absolut nichts über den Sommer 1939, über State o' Maine und das Arbuthnot-by-the-Sea, über das *Träumen* – oder über den anderen *Freud* und das, was *er* möglicherweise zu all dem zu sagen gehabt hätte. Stattdessen gab es viel idiotisches Geschwätz über die *Politik* dessen, was geschehen war.

»Politik ist immer idiotisch!« wie Iowa-Bob gesagt hätte.

Und es war nicht genug über Fehlgeburt zu lesen, darüber etwa, daß sie einem das Herz brechen konnte, wenn sie die letzten Sätze von *Der große Gatsby* vorlas. Sie erkannten natürlich an, daß mein Vater ein Held war. Sie gingen einigermaßen höflich mit dem Ruf um, den unser zweites Hotel New Hampshire genossen hatte – »in seiner Blüte«, wie Frank diese scheußlichen Tage umschrieb.

Als Vater aus dem Krankenhaus kam, machten wir ihm ein Geschenk. Franny hatte deshalb an Junior Jones geschrieben. Junior Jones hatte uns sieben Jahre lang mit Basebällen versorgt, und so wußte Franny, sie konnte sich darauf verlassen, daß Junior für Vater einen neuen Baseballschläger finden würde. Eine Louisville-Keule, nur für ihn. Er würde sie allerdings auch brauchen. Und Vater schien unser Geschenk zu rühren – d. h. eigentlich war es Frannys Aufmerksamkeit, die ihn rührte, denn der Baseballschläger war Frannys Idee gewesen. Ich glaube, Vater muß ein wenig geweint haben, als er seine Hände ausstreckte und wir den Schläger hineinlegten und als er dann spürte, was er in Händen hielt. Wir konnten allerdings nicht sehen, ob er weinte, denn seine Augen waren noch bandagiert.

Und Frank, der schon bisher für Vater hatte übersetzen müssen, mußte sich nun auch auf Vermittlerdienste einer anderen Art einstellen. Als uns die Leute von der Staatsoper ehren wollten, mußte sich Frank – in der Oper – neben Vater setzen und ihm zuflüstern, was auf der Bühne geschah. Der Musik konnte Vater ohne weiteres folgen. Ich kann mich nicht einmal erinnern, was für eine Oper es war. Ich weiß nur, daß es nicht *Lucia* war. Es war eine ganz besonders possenhafte komische Oper, weil Lilly ausdrücklich betont hatte, wir wollten nichts von Schlagobers und Blut wissen. Es sei nett, daß die Wiener Staatsoper uns für die Rettung der Oper danken wolle, aber Schlagobers und Blut wollten wir nicht mehr über uns ergehen lassen. *Die* Oper hätten wir bereits gesehen. Sie sei nämlich sieben Jahre lang im Hotel New Hampshire gegeben worden.

Zum Auftakt dieser lustigen Posse von einer Oper – wie immer sie geheißen haben mag – deuteten nun der Dirigent und das Orchester und alle Sänger auf meinen Vater in einer der vorderen Reihen (Vater hatte auf einem Sitz ganz vorne bestanden, »damit ich auch bestimmt etwas *sehen* kann«, hatte er gesagt). Und Vater stand auf und verbeugte sich; er konnte sich hinreißend verbeugen. Und er winkte mit dem Baseballschläger ins Publikum; die Wiener liebten den Teil der Geschichte, der mit der Louisville-Keule zu tun hatte, und sie waren gerührt und klatschten lange Beifall, als Vater ihnen mit dem Schläger zuwinkte. Wir Kinder waren sehr stolz.

Ich frage mich oft, ob der New Yorker Verleger, der Lillys Buch für fünftausend Dollar haben wollte, auf Franks Forderungen eingegangen wäre, wenn wir *nicht* alle berühmt geworden wären – wenn wir nicht die Oper gerettet und in unserem guten amerikanischen Familienstil die Terroristen umgebracht hätten. »Wen interessiert das schon?« fragte Frank hinterlistig. Entscheidend war, daß Lilly den Fünftausenddollar-Vertrag noch nicht unterschrieben hatte. Frank war mit dem Preis nach oben gegangen. Und als die Verleger begriffen, daß *diese* Lilly Berry das kleine Mädchen war, an deren Kopf ein Revolver gedrückt worden war, daß die kleine Lilly Berry das jüngste überlebende (und gewiß das kleinste) Mitglied *der* Berry-Familie war – der Terroristenkiller, der Opernretter – nun ... von dem Moment an hatte Frank natürlich alle Trümpfe in der Hand.

»Meine Autorin sitzt bereits an einem neuen Buch«, sagte Frank, der Agent. »Für uns hat das alles keine Eile. Was *Wachstumsversuche* angeht, so richten wir uns ganz nach dem besten Angebot.«

Frank würde natürlich absahnen.

»Willst du damit sagen, wir werden *reich* sein?« fragte Vater, ohne sehen zu können. In der ersten Zeit seiner Blindheit hatte er eine unbeholfene Art, den Kopf zu weit vorzustrecken – als ob ihm das helfen könne, etwas zu sehen. Und die Louisville-Keule war sein ewig rastloser Begleiter, sein Schlaginstrument.

»Wir können tun, was wir wollen, Pop«, sagte Franny. »*Du* kannst alles tun«, fügte sie hinzu. »Du brauchst dir nur was auszudenken«, sagte sie zu Vater, »und es gehört dir.«

»Träum weiter, Daddy«, sagte Lilly, aber all die neuen Möglichkeiten schienen ihn benommen zu machen.

»*Alles?*« fragte Vater.

»Du brauchst es nur auszusprechen«, sagte ich ihm. Er war wieder unser Held; er war unser Vater – endlich. Er war blind, aber er hatte das Kommando.

»Na ja, ich muß darüber nachdenken«, sagte Vater vorsichtig, während der Baseballschläger alle möglichen Arten von Musik machte – diese Louisville-Keule war in den Händen meines Vaters von der musikalischen Komplexität eines vollen Orchesters. Obwohl Vater mit einem Baseballschläger nie so viel Lärm machen würde wie Freud, war er damit vielseitiger als Freud in seinen kühnsten Träumen.

Und so kam es, daß wir unsere Heimat fern der Heimat nach sieben Jahren wieder verließen. Frank verkaufte das zweite Hotel New Hampshire für einen lachhaft hohen Preis. Schließlich sei es so etwas wie ein historisches Wahrzeichen, hatte Frank argumentiert.

»Ich komme nach Hause!« schrieb Franny Junior Jones.

»Ich komme nach Hause«, schrieb sie auch Chipper Dove.

»*Warum*, verdammt nochmal, Franny?« fragte ich sie. *»Warum schreibst du Chipper Dove?«*

Aber Franny weigerte sich, darüber zu reden; sie zuckte nur mit den Achseln.

»Ich hab's dir ja gesagt«, sagte Susie der Bär. »Franny muß damit *fertigwerden* – früher oder später. Ihr müßt *beide* mit Chipper Dove fertigwerden«, sagte Susie, »und ihr müßt auch noch *miteinander* fertigwerden«, sagte Susie der Bär. Ich blickte Susie an, als wisse ich nicht, wovon sie redete, aber Susie sagte: »*Ich* bin schließlich nicht blind. Ich habe Augen im Kopf. Und außerdem bin ich ein schlauer Bär.«

Aber Susie sagte das keineswegs drohend. »Ihr zwei habt da ein echtes Problem«, vertraute sie Franny und mir an.

»Sag bloß«, sagte Franny.

»Wir sind ja auch sehr vorsichtig«, sagte ich zu Susie.

»Wie lange kann man das überhaupt, *so* vorsichtig sein?« fragte Susie. »Die Bomben sind noch nicht alle losgegangen«, sagte Susie. »Ihr beide habt eine Bombe zwischen euch«, sagte Susie der Bär. »Ihr müßt mehr als nur vorsichtig sein«, warnte sie Franny und mich. »Die Bombe zwischen euch«, sagte Susie, »kann euch beide wegpusten.«

Dieses eine Mal wußte offenbar auch Franny nichts mehr zu sagen. Ich griff nach ihrer Hand, und sie erwiderte den Druck.

»Ich liebe dich«, sagte ich ihr, als wir allein waren – was wir nie hätten zulassen dürfen. »Es tut mir so leid«, flüsterte ich, »aber ich hab dich lieb, ich liebe dich wirklich.«

»Ich hab dich schrecklich lieb«, sagte Franny. Und diesmal war es Lilly, die uns rettete. Obwohl wir alle packen und uns zur Abreise fertigmachen sollten, war Lilly am Schreiben. Wir hörten die Schreibmaschine und konnten uns vorstellen, wie die kleinen Hände unserer Schwester über die Tasten *schwirrten*.

»Jetzt wo meine Sachen bald herauskommen«, hatte Lilly gesagt, »muß ich wirklich besser werden. Ich muß einfach weiterwachsen«, sagte sie, ein wenig verzweifelt. »Mein Gott, das nächste Buch muß größer werden als das erste. Und das danach«, sagte sie, »das muß *noch* größer werden.« So wie sie das sagte, war eine gewisse Verzweiflung herauszuhören, und Frank sagte: »Halt dich an mich, Kleines. Mit einem guten Agenten hast du die ganze Welt im Sack.«

»Aber ich muß es immer noch *tun*«, klagte Lilly. »Ich muß immer noch schreiben. Ich meine, jetzt *erwartet* man von mir, daß ich wachse.«

Und das Geräusch, das von Lillys angestrengten Wachstumsversuchen zeugte, lenkte Franny und mich voneinander ab. Wir gingen hinaus in die Lobby, wo wir ein wenig mehr in der Öffentlichkeit waren – wo wir uns sicher fühlten. Zwei Männer waren eben erst in dieser Lobby getötet worden, aber Franny und ich waren dort sicherer als in unseren eigenen Zimmern.

Die Nutten waren verschwunden. Es interessiert mich nicht mehr, was aus ihnen geworden ist. Es interessierte *sie* auch nicht, was aus uns wurde.

Das Hotel war leer; gefährlich viele Zimmer lockten Franny und mich.

»Eines Tages«, sagte ich zu ihr, »werden wir es tun *müssen*. Das weißt du auch. Oder meinst du, es ändert sich – wenn wir einfach abwarten?«

»Es wird sich nicht ändern«, sagte sie, »aber vielleicht sind wir – eines Tages – besser in der Lage, damit umzugehen. Vielleicht wird es eines Tages etwas *weniger* gefährlich sein, als es uns im Augenblick noch vorkommt.«

Ich bezweifelte, daß es jemals ungefährlich genug sein würde, und ich war drauf und dran, sie zu überreden, es jetzt zu tun, das zweite Hotel New Hampshire zu *nutzen*, so wie es genutzt werden wollte – um es hinter uns zu bringen, um zu sehen, ob wir unrettbar verloren waren oder uns nur auf unnatürliche Weise zueinander hingezogen fühlten –, aber Frank war unser Retter . . . diesmal.

Er tauchte mit seinen Koffern in der Lobby auf und erschreckte uns zu Tode.

»Herr Gott nochmal, Frank!« schrie Franny.

»Sorry«, murmelte er. Frank hatte seinen üblichen sonderbaren Kram bei sich: seine alten Bücher, seine merkwürdigen Kleider und seine Schneiderpuppe.

»Willst du diese Puppe mit nach Amerika nehmen, Frank?« fragte ihn Franny.

»Sie ist nicht so schwer wie das, was *ihr beide* mit euch rumschleppt«, sagte Frank. »Und sie ist entschieden *ungefährlicher.*«

Damit war klar: Frank wußte es also auch. Zu der Zeit dachten Franny und ich, Lilly wisse *nichts* davon; und wir waren – was unser eigenes Dilemma betraf – dankbar, daß Vater blind war.

»Bleibt immer weg von offenen Fenstern«, sagte Frank zu Franny und mir – die verdammte Schneiderpuppe, die er sich wie ein leichtes Holzscheit über die Schulter geworfen hatte, hatte irgend etwas Beunruhigendes in ihrem Aussehen. Es war ihre *Unechtheit*, die Franny und mir auffiel: das ramponierte Gesicht, die offenkundige Perücke und die steife, so gar nicht sinnliche Büste der Puppe – der falsche Busen, die unbewegliche Brust, die starre Hüfte. Bei der schlechten Beleuchtung in der Lobby des zweiten Hotels New Hampshire ließen Franny und ich uns so täuschen, daß wir glaubten, Kummer in neuer Gestalt zu sehen, obwohl gar nichts zu sehen war. Aber hatte uns nicht Kummer gelehrt, auf der Hut zu sein, ihn *überall* zu erwarten? Kummer kann jede Gestalt der Welt annehmen.

»Bleib du auch weg von offenen Fenstern, Frank«, sagte ich – bemüht, seine Schneiderpuppe nicht zu genau zu fixieren.

»Wir müssen alle zusammenhalten«, sagte Franny – gerade als Vater in seinem Schlaf ausrief: »*Auf Wiedersehen,* Freud!«

Verliebtsein in Franny;
Fertigwerden mit Chipper Dove

Liebe schwimmt auch obenauf. Und weil das so ist, gibt es wahrscheinlich noch mehr Ähnlichkeiten zwischen Liebe und Kummer.

Wir flogen im Herbst 1964 nach New York – und diesmal nicht mit getrennten Flügen; wir hielten zusammen, wie Franny uns geraten hatte. Die Stewardeß störte sich an dem Baseballschläger, aber sie ließ zu, daß Vater ihn zwischen den Knien hielt – den Blinden werden menschliche Zugeständnisse gemacht, ungeachtet der Vorschriften.

Junior Jones konnte uns nicht am Flughafen abholen. Junior ließ seine letzte Saison bei den Browns auslaufen – im Krankenhaus in Cleveland. »Mann«, sagte er zu mir am Telefon, »sag deinem Vater nur, ich geb ihm meine Augen, wenn er mir seine *Knie* dafür gibt.«

»Und was gibst du *mir*, wenn ich dir *meine* Knie gebe?« hörte ich Franny Junior am Telefon fragen. Ich konnte seine Antwort nicht hören, aber sie lächelte und zwinkerte mir zu.

Wir hätten nach Boston fliegen können; ich bin sicher, Fritz hätte uns abgeholt, und er hätte uns sicher auch umsonst im ersten Hotel New Hampshire wohnen lassen. Aber Vater hatte uns gesagt, er wolle Dairy oder dieses erste Hotel New Hampshire nie wieder sehen. Natürlich hätte Vater es nicht »gesehen«, auch wenn wir hingegangen wären und den Rest unseres Lebens dort verbracht hätten, aber uns war klar, was er meinte. Keiner von uns war scharf darauf, Dairy wiederzusehen und an die Zeit erinnert zu werden, als unsere Familie noch vollzählig war – als jeder von uns mit zwei Augen in die Welt blickte.

In New York waren wir auf neutralem Boden – und eine

Zeitlang, da war sich Frank sicher, würde Lillys Verleger uns unterbringen und sich um uns kümmern.

»Laßt es euch gutgehen«, sagte Frank zu uns. »Ruft einfach den Zimmerservice.« Vater genoß den Zimmerservice wie ein Kind; er bestellte Zeug, das er nie essen würde, und er bestellte seine üblichen untrinkbaren Drinks. Er war noch nie in einem Hotel mit Zimmerservice gewesen; er benahm sich, als sei er auch noch nie in New York gewesen, denn er klagte, das ganze Hotelpersonal verstehe etwa soviel Englisch wie die Leute in Wien – und er hatte natürlich recht, denn es waren Ausländer.

»So ausländisch, wie die sind, waren die Wiener nicht mal im *Traum!*« beschwerte sich mein Vater. »*Sprechen sie Deutsch?*« brüllte er ins Telefon. »Jessas Gott, Frank«, sagte Vater, »bestell uns mal ein ordentliches *Frühstück*, ja? Diese Leute verstehen mich nicht.«

»Wir sind in New York, Pop«, sagte Franny.

»Die New Yorker sprechen *weder* deutsch *noch* englisch, Dad«, erklärte Frank.

»Was zum Teufel sprechen sie *dann?*« fragte Vater. »Ich bestelle Croissants und Kaffee, und die bringen Tee und Toast!«

»Niemand weiß, was die hier sprechen«, sagte Lilly, während sie aus dem Fenster blickte.

Lillys Verleger brachte uns im Stanhope unter, an der Ecke Eighty-first Street und Fifth Avenue; Lilly hatte um ein Hotel in der Nähe des Metropolitan Museum gebeten, und ich hatte mir etwas in der Nähe des Central Park gewünscht – ich wollte laufen. Und so lief ich nun rund um das Reservoir, vier Runden jeweils, zweimal am Tag – und ich genoß die Qualen der letzten Runde, wenn mein Kopf nur noch hin und her rollte und die hohen Gebäude New Yorks über mir zu wakkeln schienen.

Lilly blickte aus den Fenstern ihrer Suite im vierzehnten Stock. Sie beobachtete gern, wie die Leute im Museum ein und aus gingen. »Ich glaube, ich würde gern hier wohnen«, sagte sie leise. »Es ist, als sehe man zu, wie in einem Schloß die Könige wechseln«, flüsterte Lilly. »Und man kann auch sehen, wie sich im Park das Laub verfärbt«, stellte Lilly fest. »Und immer wenn du mich besuchst«, sagte Lilly zu mir, »kannst du um das Reservoir laufen und mir bestätigen, daß es noch da ist. Ich will es nie aus der Nähe sehen«, sagte Lilly in ihrer seltsamen Art, »aber es wird beruhigend sein, dich über die Gesundheit des Wassers, die Zahl der Läufer im Park, die Menge des Pferdemists auf dem Reitweg berichten zu hören. Ein Schriftsteller muß über diese Dinge Bescheid wissen.«

»Hör zu, Lilly«, sagte Frank, »ich glaube, du wirst dir eine ständige Suite hier *leisten* können, aber stattdessen könntest du dir auch eine Wohnung nehmen. Du brauchst nicht im Stanhope zu *bleiben*, Lilly«, sagte Frank. »Es wäre vielleicht praktischer, wenn du deine eigene Wohnung hättest.«

»Nein«, sagte Lilly. »Wenn ich es mir leisten kann, will ich hier wohnen. *Diese* Familie kann doch bestimmt verstehen, warum ich gern in einem Hotel wohne«, sagte Lilly.

Franny schauderte. Sie wollte nicht in einem Hotel wohnen, hatte sie mir gesagt. Aber Franny würde eine Zeitlang bei Lilly bleiben – nachdem der Verleger aufhörte, die Rechnung zu bezahlen, und Lilly ihre Eckwohnung im vierzehnten Stock des Hotels beibehielt, sollte Franny ihr noch eine Weile Gesellschaft leisten. »Nur damit du einen Aufpasser hast«, scherzte Franny. Aber ich wußte, wenn jemand einen Aufpasser brauchte, dann war es Franny.

»Und du weißt auch, vor wem mich ein Aufpasser schützen muß«, sagte Franny zu mir.

Frank und Vater sollten meine Aufpasser sein; Vater und ich zogen mit Frank zusammen. Er fand eine Luxuswohnung an der Central Park South. Ich konnte auch von dort aus laufen, ich konnte durch den gesamten Central Park laufen, für Lilly nach dem Reservoir sehen und dann schweißtriefend und keuchend am Stanhope ankommen, um von der Gesundheit des Wassers und so weiter zu berichten, und um mich

Franny zu zeigen – damit ich sie wenigstens flüchtig zu sehen bekam.

Für Franny, Vater und mich waren das nur vorübergehende Adressen, doch Frank und Lilly gehörten bald zu der Sorte von New Yorkern, die so an bestimmten Teilen des Central Park hängen, daß sie nie mehr wegziehen. Lilly verbrachte den Rest ihres Lebens im Stanhope und versuchte mit unermüdlichem Schreiben zur Größe des vierzehnten Stockwerks emporzuwachsen; wenn sie auch klein war, so war sie doch ehrgeizig. Und Frank, der Agent, schaltete und waltete an den sechs Telefonen in seiner Wohnung, Central Park South Nr. 222. Sie waren beide ungeheuer emsig – Lilly und Frank –, und ich fragte Franny einmal, was ihrer Meinung nach der Unterschied zwischen ihnen sei.

»Etwa zwanzig Straßen und der Zoo im Central Park«, sagte Franny. Das war genau die *Entfernung* zwischen ihnen, aber Franny gab zu verstehen, daß es auch der *Unterschied* zwischen Lilly und Frank war: ein ganzer Zoo und mehr als zwanzig Straßen.

»Und was ist der Unterschied zwischen *uns*, Franny?« fragte ich sie kurz nach unserer Ankunft in New York.

»Ein Unterschied zwischen uns besteht darin, daß ich über dich wegkommen werde, irgendwie«, sagte mir Franny. »So bin ich nun mal: ich komme über alles weg, auch über dich. Aber du wirst nicht über mich wegkommen«, warnte mich Franny. »Ich kenne dich, mein Bruder, mein Liebster«, sagte sie zu mir. »Und du wirst nicht über mich wegkommen – jedenfalls nicht ohne meine Hilfe.«

Sie hatte natürlich recht; Franny hatte immer recht – und war mir immer einen Schritt voraus. Als es endlich dazu kam, daß Franny mit mir schlief, sollte sie es in die Wege leiten. Sie wußte auch genau, warum sie es tat – als eine Erfüllung ihres Versprechens, uns Kinder zu *bemuttern,* nachdem unsere Mutter nicht mehr da war; als die einzige Möglichkeit, sich um uns zu kümmern; als die einzige Möglichkeit, uns zu retten. »Du und ich, wir haben Rettung nötig, Kleiner«, sagte Franny.

»Aber vor allem *du* hast es nötig. Du glaubst, daß wir ineinander verliebt sind, und vielleicht glaube ich es auch. Es wird Zeit, dir zu zeigen, daß ich nichts Besonders bin. Es wird Zeit, die Luft aus dem Ballon zu lassen, bevor er platzt«, sagte mir Franny.

Sie entschied sich für den Zeitpunkt genau so, wie sie sich entschied, *nicht* mit Junior Jones zu schlafen – »um es aufzusparen«, wie sie sagte. Franny hatte immer ihre Pläne und ihre Gründe.

»Heiliger Strohsack, Mann«, sagte Junior Jones am Telefon zu mir. »Sag deiner Schwester, in Cleveland wartet ein Wrack von einem Mann auf ihren Besuch. Meine Knie sind im Eimer, aber alles andere funktioniert tadellos.«

»Ich bin kein Cheerleader mehr«, ließ Franny ihn wissen. »Setz deinen Arsch in Gang und komm nach New York, wenn du mich sehen willst.«

»Mann!« beklagte sich Junior Jones bei mir. »Sag ihr, ich kann nicht mal *gehen*. Ich hab beide Beine im Gips! An mir ist einfach zu viel dran, das läßt sich nicht auf Krücken rumschleppen. Und sag ihr, ich weiß, was für eine Scheißarsch-Stadt New York ist, Mann«, sagte Junior Jones. »Wenn ich da auf Krücken hinkomme, werden mich gleich ein paar Typen überfallen und ausrauben wollen!«

»Sag ihm, er soll erst mal seine verdammte Footballphase hinter sich bringen, vielleicht findet er dann Zeit für mich«, sagte Franny.

»O Mann«, sagte Junior Jones. »Was *will* Franny bloß?«

»Ich will dich«, sagte Franny flüsternd zu mir am Telefon – als sie sich dafür entschieden hatte. Ich war in der Central Park South 222 und versuchte, all die Anrufe auf Franks Telefonen entgegenzunehmen. Vater beklagte sich über die Telefone – sie störten ihn bei seiner Hauptbeschäftigung, dem Radiohören –, und Frank wollte einfach keine Sekretärin, ganz zu schweigen von einem richtigen Büro.

»Ich brauche kein Büro«, sagte Frank. »Ich brauche nur einen Briefkasten und ein paar Telefone.«

»Versuch's wenigstens mit einem Anrufbeantworter, Frank«, schlug ich vor, was er dann auch widerwillig akzeptierte – allerdings viel später. Da waren Vater und ich bereits ausgezogen.

An unseren ersten New Yorker Tagen war *ich* Franks Anrufbeantworter.

»Ich will dich, ganz schrecklich«, flüsterte Franny ins Telefon.

Franny war allein im Stanhope. »Lilly ist ausgegangen, zu einem literarischen Essen«, sagte Franny. Vielleicht würde Lilly auf *die* Weise wachsen, dachte ich: wenn sie zu vielen literarischen Essen ging. »Frank schaltet und waltet«, sagte Franny. »Er ist bei dem Essen dabei. Sie werden stundenlang zu tun haben. Und weißt du, wo ich jetzt gerade bin, Kleiner?« fragte mich Franny. »Ich bin im Bett«, sagte sie. »Ich bin nackt«, fügte sie hinzu, »und ich schwebe vierzehn verfickte Stockwerke über der Erde – deinetwegen bin ich so high«, flüsterte Franny. »Ich will dich«, sagte Franny. »Setz deinen Arsch in Bewegung und komm rüber. Jetzt oder nie, Kleiner«, sagte Franny. »Solange wir es nicht ausprobieren, werden wir nie wissen, ob wir auf immer darauf verzichten können.« Dann legte sie auf. Eins der anderen Telefone Franks klingelte. Ich ließ es klingeln. Franny mußte gewußt haben, daß ich zum Laufen angezogen war; ich war bereit, sofort aus dem Haus zu laufen.

»Ich geh laufen«, sagte ich zu Vater. »Eine große Runde.« Eine Runde, von der ich vielleicht nicht mehr zurückkommen werde! dachte ich.

»Ich geh aber nicht ans Telefon«, sagte Vater verdrossen. Er hatte zu der Zeit das Problem, daß er sich zu nichts entscheiden konnte. Mit der Louisville-Keule und der Schneiderpuppe saß er in Franks herrlicher Wohnung und grübelte den ganzen Tag.

»Alles?« fragte er Frank immer wieder. »Ich kann *absolut – allen* Ernstes – *alles* tun, was ich *will?*« fragte er Frank etwa fünfzigmal in der Woche.

»Alles, Pop«, sagte Frank zu ihm. »Ich mach das schon für dich.«

Frank hatte für Lilly bereits einen Vertrag über drei Bücher zustande gebracht. Er hatte die Erstauflage für *Wachstums-versuche* ausgehandelt – 100 000 Exemplare. Er hatte an Warner Brothers die Option auf die Filmrechte vergeben; des weiteren machte er mit Columbia Pictures einen Exklusivvertrag über ein Originaldrehbuch von den Ereignissen, die zu der Bombenexplosion vor dem zweiten Hotel New Hampshire führten – und zu der berühmten Opernbombe, die nie hochging. Lilly arbeitete bereits an dem Drehbuch. Außerdem hatte Frank einen Vertrag für eine Fernsehserie über das Leben im ersten Hotel New Hampshire ausgehandelt (auch dafür sollte Lilly das Buch schreiben) – Grundlage für diese Serie war *Wachstumsversuche,* und sie sollte erst freigegeben werden, wenn der Film in den Kinos war; der Kinofilm würde den Titel *Wachstumsversuche* erhalten, die Fernsehserie den Titel ›Das erste Hotel New Hampshire‹ (damit, so betonte Frank, seien die Voraussetzungen für weitere Folgen geschaffen).

Aber wer, überlegte ich, würde es je wagen, aus dem *zweiten* Hotel New Hampshire eine Fernsehserie zu machen? Wer würde das überhaupt *wollen?* fragte sich Franny.

Wenn Lilly ein bißchen gewachsen war (durch ihre Arbeit an *Wachstumsversuche*), war Frank doppelt so schnell gewachsen – für uns alle (durch den Verkauf von Lillys Bemühungen). Es war, das wußten wir, keine kleine Anstrengung für Lilly gewesen. Und wir verfolgten besorgt, wie hart sie arbeitete, wie viel sie schrieb – mit welch grimmiger Entschlossenheit sie zu wachsen versuchte.

»Laß es locker angehen, Lilly«, riet ihr Frank. »Der Cashflow ist geradezu stürmisch – du bist enorm *liquide*«, sagte Frank, der Volkswirt, »und die Zukunft sieht rosig aus.«

»Laß dich einfach eine Weile treiben«, riet ihr Franny, aber Lilly nahm die Literatur ernst – auch wenn umgekehrt die Literatur Lilly eigentlich nie ernst genug nahm.

»Ich weiß, daß ich Glück gehabt habe«, sagte Lilly. »Nun

muß ich es verdienen«, sagte sie – und gab sich noch mehr Mühe.

Doch eines Tages im Winter 1964 – es war unmittelbar vor Weihnachten – war Lilly bei einem literarischen Essen, und Franny hatte mir gesagt: jetzt oder nie. Es lagen nur etwa zwanzig Straßen und ein sehr kleiner Zoo zwischen uns. Jeder gute Mittelstreckenläufer kann in kürzester Zeit von der Central Park South zur Ecke Fifth Avenue und Eighty-first Street laufen. Es war ein Wintertag, frisch, aber grau. Die Straßen und Gehwege in New York waren vom Schnee geräumt – gute Bedingungen für einen schnellen, winterlichen Lauf. Der Schnee im Central Park sah alt und tot aus, doch mein Herz war höchst lebendig und pochte heftig in meiner Brust. Der Türsteher im Stanhope kannte mich – die Berrys waren im Stanhope auf Jahre hinaus willkommene Gäste. Der Mann am Empfang – der muntere, gutgelaunte Mann mit dem britischen Akzent – grüßte mich, während ich auf den Aufzug wartete (die Aufzüge im Hotel Stanhope sind ziemlich langsam). Ich grüßte zurück und kratzte meine Laufschuhe am Teppich ab; im Lauf der Jahre konnte ich verfolgen, wie dieser Mann zwar seine Haare, aber nie seine gute Laune verlor. Er blieb selbst dann gut gelaunt, wenn die Leute sich beschwerten (wie zum Beispiel jener wutbebende Europäer, den Lilly und ich eines Morgens am Empfangsschalter erlebten – ein wohlbeleibter Mann in einem gestreiften Bademantel; er war buchstäblich beschissen, von Kopf bis Fuß. Keiner hatte ihn über eine der Besonderheiten des Stanhope aufgeklärt: ihre berühmten, nach oben spülenden Toiletten. Nehmen Sie sich davor in acht, wenn Sie je einmal im Stanhope absteigen. Wenn Sie Ihr Geschäft in der Toilette erledigt haben, ist es ratsam, den Deckel zuzumachen und auf sichere Distanz zu gehen – ich empfehle, den Griff für die Wasserspülung mit dem Fuß zu betätigen. Der wohlbeleibte Europäer mußte direkt über seinem Haufen gestanden haben – er wollte wohl zusehen, wie alles hinuntergespült wurde, als es plötzlich nach *oben* flog und ihn über und über vollmachte. Und der ewig gutgelaunte Mann mit dem britischen Akzent blickte vom Empfangsschalter auf und sagte zu dem beschissenen, tobenden Gast: »Du liebe Güte. Ein wenig Luft in der Leitung?« Das sagte er immer. »Ein wenig Luft in der Leitung?« brüllte der wohlbeleibte Europäer. »Massenhaft Scheiße in meinen Haaren!« jaulte er. Aber das war an einem anderen Tag).

Am Tag, als ich dort war, um mit Franny zu schlafen, konnte der Aufzug nicht schnell genug da sein. Ich beschloß, zu Fuß in den vierzehnten Stock zu laufen. Als ich schließlich oben war, muß ich furchtbar gierig ausgesehen haben. Franny machte die Tür nur einen Spalt auf und guckte mich an.

»Puuh«, sagte sie. »Du mußt erst mal duschen!«

»Okay«, sagte ich. Sie wies mich an, die Tür angelehnt zu lassen und zu warten, bis sie wieder im Bett war; sie wollte nicht, daß ich sie sah – noch nicht. Ich hörte, wie sie mit großen Sätzen durchs Zimmer lief und mit einem Sprung im Bett landete.

»Okay!« rief sie, und ich ging hinein, nachdem ich das NICHT-STÖREN-Schild an die Tür gehängt hatte.

»Häng das NICHT-STÖREN-Schild an die Tür!« rief Franny mir zu.

»Hab ich schon«, sagte ich, bereits im Schlafzimmer, und sah sie an; sie lag unter der Decke und schien nur ein klein wenig nervös.

»Du brauchst nicht zu duschen«, sagte sie. »Ich *mag* es, wenn du so verschwitzt bist. Wenigstens bin ich dich so *gewöhnt.*«

Aber ich war nervös, und so duschte ich trotzdem.

»Nun mach schon, du Arschloch!« rief Franny nach mir. Ich duschte, so schnell ich konnte, und benutzte die unberechenbare Toilette mit aller Vorsicht. Das Stanhope ist ein wunderbares Hotel, vor allem, wenn man gerne im Central Park seine Runden dreht und Spaß daran hat, das Metropolitan Museum und seine Besucherströme zu beobachten, aber vor den Toiletten muß man auf der Hut sein. Da ich aus einer Familie komme, die an merkwürdige Toiletten gewöhnt ist –

die Elfenklos im ersten Hotel New Hampshire, jene winzigen Toiletten, die von Fritzens Zwergen bis zum heutigen Tag benutzt werden –, habe ich zu den Toiletten im Stanhope eher eine großzügige Einstellung; ich kenne allerdings einige Leute, die sagen, sie würden nie wieder im Stanhope übernachten. Aber was ist schon ein wenig Luft in der Leitung, ja sogar massenhaft Scheiße in den Haaren, wenn man gute Erinnerungen hat?

Ich kam nackt aus dem Badezimmer, und als Franny mich sah, zog sie die Decke über den Kopf und sagte: »Jessas Gott.« Ich schlüpfte zu ihr unter die Decke, und sie drehte mir den Rücken zu und fing an zu kichern.

»Du hast ganz nasse Eier«, sagte sie.

»Ich hab mich doch abgetrocknet!« sagte ich.

»Deine Eier hast du vergessen«, sagte sie.

»Es geht nichts über nasse Eier«, sagte ich, und Franny und ich lachten wie verrückt. Wir waren verrückt.

»Ich liebe dich«, wollte sie mir sagen, aber sie mußte zu sehr lachen.

»Ich will dich«, sagte ich ihr, aber ich lachte so sehr, daß ich niesen mußte – gerade als ich ihr sagte, daß ich sie wollte –, und das brachte uns von neuem zum Lachen. Das ging so lange, wie sie mir den Rücken zukehrte und wir uns wie die sprichwörtlichen verliebten Löffel aneinanderschmiegten, aber als sie sich umdrehte, als sie auf mir lag und ich ihre Brüste an meiner Brust spürte – als sie mich mit ihren Beinen in eine Schere nahm – da änderte sich alles. Wenn es am Anfang zu komisch gewesen war, dann war es jetzt zu ernst, und wir konnten nicht mehr zurück. Als wir uns das erste Mal liebten, waren wir in einer mehr oder weniger herkömmlichen Stellung – »nichts allzu Tantrisches, bitte«, hatte Franny mich gebeten. Und als es vorbei war, sagte sie: »Na ja, das war okay. Nicht überragend, aber ganz *nett* – hab ich recht?«

»Also, es war schon mehr als ›nett‹ – für mich«, sagte ich. »Aber nicht unbedingt ›überragend‹ – das würde ich auch sagen.«

»Das würdest du auch sagen«, wiederholte Franny. Sie schüttelte den Kopf, sie berührte mich mit ihren Haaren. »Okay«, flüsterte sie. »Paß auf, jetzt wird's *überragend*.«

Einmal muß ich sie zu fest umklammert haben. Sie sagte: »Tu mir bitte nicht weh.«

Ich sagte: »Du brauchst keine Angst zu haben.«

Sie sagte: »Ein bißchen Angst hab ich schon.«

»Ich hab auch Angst – ganz *gewaltig*«, sagte ich.

Es ist ungehörig, zu schildern, wie man mit der eigenen Schwester ins Bett geht. Genügt es, wenn ich sage, daß es »überragend« wurde und danach noch besser? Und später war es natürlich weniger gut – später wurden wir müde. Gegen vier Uhr nachmittags klopfte Lilly diskret an die Tür.

»Wer ist da, ein Zimmermädchen?« rief Franny.

»Nein, ich bin's«, sagte Lilly. »Ich bin kein Zimmermädchen, ich bin eine Schriftstellerin.«

»Geh weg und komm in einer Stunde wieder«, sagte Franny.

»Warum?« fragte Lilly.

»Ich bin gerade am Schreiben«, sagte Franny.

»Nein, das stimmt nicht«, sagte Lilly.

»Ich mache Wachstumsversuche!« sagte Franny.

»Na schön«, sagte Lilly. »Bleib bloß weg von offenen Fenstern«, fügte sie hinzu.

In gewissem Sinn *war* Franny natürlich am Schreiben; sie war die Autorin, die festlegte, was aus unserer Beziehung werden würde – sie übernahm dafür eine mütterliche Verantwortung. Sie ging zu weit – was sie mit mir machte, war zuviel. Sie machte mir bewußt, daß das, was zwischen uns war, in jeder Hinsicht zu weit ging.

»Ich will dich immer noch«, murmelte sie. Es war vier Uhr dreißig. Als ich in sie eindrang, zuckte sie zusammen.

»Bist du wund?« flüsterte ich.

»*Natürlich* bin ich wund!« sagte sie. »Aber hör bloß nicht auf. Wenn du aufhörst, bring ich dich um«, sagte Franny zu mir. Und sie *hätte* es getan, wie mir später klarwurde. In gewisser Hinsicht – wenn ich in sie verliebt *geblieben* wäre –

494

wäre sie mein Tod gewesen; jeder von uns wäre für den anderen der Tod gewesen. Aber sie übertrieb es einfach; sie wußte genau, was sie tat.

»Wir sollten lieber aufhören«, flüsterte ich ihr ins Ohr. Es war fast fünf Uhr.

»Wir sollten lieber *nicht* aufhören«, sagte Franny wild entschlossen.

»Aber du bist wund«, protestierte ich.

»Noch nicht wund genug«, sagte Franny. »Bist *du* wund?« fragte sie mich.

»Ein bißchen«, gab ich zu.

»Ich will, daß du *richtig* wund bist«, sagte Franny. »Oben oder unten?« fragte sie mich grimmig.

Als Lilly wieder an die Tür klopfte, war ich kurz davor, es Kreisch-Annie nachzumachen; wäre eine neue Brücke in der Nähe gewesen, ich hätte sie zum Einsturz bringen können.

»Komm in einer Stunde wieder!« schrie Franny.

»Es ist jetzt sieben«, sagte Lilly. »Ich bin *drei* Stunden weg gewesen.«

»Geh mit Frank zum Abendessen!« schlug Franny vor.

»Ich war mit Frank beim *Mittagessen!*« rief Lilly.

»Geh mit Vater zum Abendessen!« sagte Franny.

»Ich will überhaupt nicht essen«, sagte Lilly. »Ich muß schreiben – es ist Zeit, daß ich *wachse.*«

»Nimm dir einen freien Abend!« sagte Franny.

»Wie lange geht bei dir der Abend?« fragte Lilly.

»Gib mir noch drei Stunden«, sagte Franny. Ich stöhnte leise. Ich hatte nicht das Gefühl, daß ich noch drei Stunden überstehen konnte.

»Bekommst du denn keinen Hunger, Franny?« sagte Lilly.

»Schließlich gibt's ja auch noch einen Zimmerservice«, sagte Franny. »Und außerdem hab ich gar keinen Hunger.«

Aber Franny war unersättlich. Ihr Hunger nach mir sollte uns beide retten.

»Nicht nochmal, Franny«, bettelte ich. Es war etwa neun, glaube ich. Es war so dunkel, daß ich nichts mehr sehen konnte.

»Aber du *liebst* mich doch, oder vielleicht nicht?« fragte sie mich, und ihr Körper war wie eine Peitsche – ihr Körper war eine Hantel, die mir zu schwer war.

Um zehn sagte ich flüsternd zu ihr: »Um Himmels willen, Franny. Wir müssen aufhören. Sonst tun wir einander noch weh, Franny.«

»Nein, mein Liebster«, flüsterte sie. »Genau das werden wir *nicht:* einander weh tun. Uns wird es prima gehen. Wir werden ein gutes Leben haben«, versprach sie und nahm mich noch einmal in sich auf. Und noch einmal.

»Franny, ich *kann nicht*«, flüsterte ich. Der Schmerz machte mich absolut blind; ich war so blind wie Freud, so blind wie Vater. Und für Franny müssen die Schmerzen noch größer gewesen sein als für mich.

»Klar kannst du, mein Liebster«, flüsterte Franny. »Nur noch einmal«, drängte sie mich. »Ich weiß, daß du's schaffst.«

»Ich bin am Ende, Franny«, sagte ich ihr.

»*Fast* am Ende«, verbesserte sie mich. »Wir können nochmal, nur noch einmal. Danach«, sagte sie zu mir, »sind wir beide fertig damit. Es ist das letzte Mal, mein Liebster. Stell dir nur mal vor, wir versuchten jeden Tag so zu verbringen«, sagte Franny und drückte sich so fest an mich, daß ich keine Luft mehr bekam. »Wir würden glatt durchdrehen«, sagte Franny. »Damit läßt sich nicht leben«, flüsterte sie. »Los komm, du mußt es zu *Ende* bringen«, sagte sie mir ins Ohr. »Noch einmal, mein Liebster. Das letzte Mal!« schrie sie.

»Also gut!« schrie ich. »Weiter geht's!«

»Ja, ja, mein Liebster«, sagte Franny; ich spürte, wie sich ihre Knie um meinen Rücken schlossen. »Hallo mein Liebster, Lebwohl mein Liebster«, flüsterte sie. »Na also!« schrie sie, als sie spürte, wie mich ein Zittern durchlief. »Ist ja gut, ist ja gut«, sagte sie beschwichtigend. »Das war's, mehr hat sie nicht geschrieben«, murmelte sie. »Das war der Schluß. Nun sind wir frei. Nun haben wir's hinter uns.«

Sie half mir zur Badewanne. Das Wasser brannte mir wie Einreibealkohol auf der Haut.

»Ist das dein Blut oder meins?« fragte ich Franny, die versuchte, das Bett zu retten – nachdem sie uns gerettet hatte.

»Das spielt keine Rolle, mein Liebster«, sagte Franny fröhlich. »Das läßt sich herauswaschen.«

»Dies ist ein Märchen«, schrieb Lilly später – über das ganze Leben unserer Familie. Ich stimme ihr zu; Iowa-Bob hätte ihr auch zugestimmt. »*Alles* ist ein Märchen!« hätte Coach Bob gesagt. Und selbst Freud hätte ihm zugestimmt – *beide* Freuds. Alles *ist* ein Märchen.

Lilly kam gleichzeitig mit dem Servierwagen und dem Etagenkellner an, einem verwirrten New Yorker Ausländer, der uns etwa um elf Uhr abends das aus vielen Gängen bestehende Essen und mehrere Flaschen Wein brachte.

»Was feiert ihr denn?« fragte Lilly Franny und mich.

»Ach weißt du, John hat gerade eine lange Strecke hinter sich«, sagte Franny lachend.

»Du solltest bei Nacht nicht im Park laufen, John«, sagte Lilly besorgt.

»Ich bin die Fifth Avenue entlang gelaufen«, sagte ich. »Es war eine absolut ungefährliche Sache.«

»Absolut ungefährlich«, sagte Franny und brach in Gelächter aus.

»Was ist denn mit der los?« fragte mich Lilly und starrte Franny an.

»Ich glaube, heute ist der glücklichste Tag meines Lebens«, sagte Franny, immer noch kichernd.

»Für mich war es nur ein kleiner Vorfall unter so vielen anderen«, sagte ich ihr, und Franny warf ein Brötchen in meine Richtung. Wir lachten beide.

»Jessas Gott«, sagte Lilly, die an uns verzweifelte – und die Üppigkeit unserer Mahlzeit offenbar abscheulich fand.

»Wir *hätten* ein ganz unglückliches Leben vor uns haben *können*«, sagte Franny. »Wir alle, meine ich!« fügte sie hinzu, während sie mit den Fingern auf den Salat losging; ich machte die erste Flasche Wein auf.

»Ich habe vielleicht *immer* noch ein unglückliches Leben vor mir«, sagte Lilly stirnrunzelnd. »Wenn ich noch öfter einen Tag wie heute erleben muß«, fügte sie kopfschüttelnd hinzu.

»Setz dich und hau rein, Lilly«, sagte Franny, die sich an den Tisch setzte und sich über den Fisch hermachte.

»Genau, du ißt zuwenig, Lilly«, sagte ich ihr und widmete mich den Froschschenkeln.

»Ich war heute zum Mittagessen aus«, sagte Lilly. »Und es war ziemlich unappetitlich«, sagte sie. »Das Essen selbst wäre ja gegangen, aber die Portionen waren zu groß. Mir genügt eine Mahlzeit am Tag«, sagte Lilly, aber sie setzte sich zu uns an den Tisch und sah uns beim Essen zu. Sie angelte sich aus den grünen Bohnen in Frannys Salat ein besonders dünnes Exemplar, aß die Hälfte davon und legte die andere Hälfte auf meinen Butterteller; sie nahm eine Gabel und stocherte in meinen Froschschenkeln herum, aber sie war offensichtlich nur unruhig – sie wollte nichts essen.

»Und was hast du heute geschrieben, Franny?« fragte Lilly. Franny hatte den Mund voll, aber das hielt sie nicht auf.

»Einen ganzen Roman«, sagte Franny. »Er war wirklich übel, aber es war etwas, was ich einfach tun mußte. Als ich damit fertig war, hab ich ihn weggeworfen.«

»Du hast ihn weggeworfen?« fragte Lilly. »Vielleicht hätte es sich gelohnt, Teile davon aufzubewahren.«

»Es war alles Scheiße«, sagte Franny. »Wort für Wort. John hat ein bißchen davon gelesen«, sagte Franny, »aber er mußte es mir zurückgeben, damit ich das ganze Ding rauswerfen konnte. Ich hab es vom Zimmerservice abholen lassen.«

»Du hast es vom Zimmerservice wegwerfen lassen?« sagte Lilly.

»Ich hätte es nicht ertragen, das Ding noch mal anzufassen«, sagte Franny.

»Wie viele Seiten waren es?« fragte Lilly.

»Zu viele«, sagte Franny.

»Und wie fandest du das, was *du* davon gelesen hast?« fragte mich Lilly.

»Alles Schrott«, sagte ich. »Es gibt nur eine Autorin in unserer Familie.«

Lilly lächelte, aber Franny trat unter dem Tisch nach mir; ich verschüttete etwas Wein, und Franny lachte.

»Es freut mich, daß du Vertrauen zu mir hast«, sagte Lilly, »aber jedesmal wenn ich den Schluß des *Gatsby* lese, habe ich meine Zweifel. Es ist *dermaßen* schön«, sagte Lilly. »Ich finde, wenn ich nie einen so perfekten *Schluß* schreiben kann, dann ist es sinnlos, ein Buch auch nur *anzufangen*. Es ist sinnlos, ein Buch zu schreiben, wenn man nicht daran *glaubt*, daß es so gut werden könnte wie *Der große Gatsby*. Ich meine, es macht nichts, wenn es danebengeht – wenn das fertige Buch nicht irgendwo sehr gut ist –, aber man muß von Anfang an daran glauben, daß es ein sehr gutes Buch werden *könnte*. Und manchmal wirft mich dieser verdammte *Gatsby* mit seinem Schluß schon um, bevor ich mit dem Schreiben auch nur anfangen kann«, sagte Lilly; ihre kleinen Hände waren Fäuste, und Franny und ich bemerkten, daß sie in der einen Faust die Überreste eines Brötchens hielt. Lilly aß nicht gern, aber irgendwie schaffte sie es, ihr Essen total zu zermanschen, ohne den geringsten Nährwert für sich herauszuholen.

»Lilly, die Verzagte«, sagte Franny. »Du mußt einfach hergehen und *es tun*, Lilly«, sagte Franny zu ihr und gab mir zu den Worten »es tun« unter dem Tisch einen Tritt.

Als schwer angeschlagener Mann kehrte ich in die Central Park South 222 zurück. Tatsächlich wurde mir erst nach unserem gewaltigen Essen klar, daß ich in meinem Zustand die Entfernung von zwanzig Straßenblöcken und einem Zoo nicht würde laufen können; ich hatte meine Zweifel, ob ich überhaupt gehen konnte. Meine Schamteile taten mächtig weh. Ich sah, wie Franny das Gesicht verzog, als sie vom Tisch aufstand, um ihr Portemonnaie zu holen; auch sie litt unter den Folgen unserer Exzesse – es war natürlich alles so gelaufen, wie sie es sich vorgestellt hatte: wir sollten noch auf Tage hinaus die Schmerzen unserer Liebe spüren. Und diese Schmerzen sollten dafür sorgen, daß wir vernünftig blieben; die

Schmerzen sollten uns beide davon überzeugen, daß uns auf *diesem* Weg die sichere Selbstvernichtung bevorstand.

Franny fand in ihrem Portemonnaie etwas Geld für ein Taxi; mit einem sehr keuschen und schwesterlichen Kuß gab sie mir das Geld. Bis auf den heutigen Tag gibt es – zwischen Franny und mir – keine andere Art des Küssens. Wir küssen uns heute so, wie sich vermutlich die meisten Brüder und Schwestern küssen. Es ist vielleicht langweilig, aber es hält einen von den offenen Fenstern fern.

Und als ich an diesem Abend – kurz vor Weihnachten 1964 – das Stanhope verließ, fühlte ich mich zum erstenmal wirklich außer Gefahr. Ich war auch ziemlich sicher, daß wir alle von den offenen Fenstern wegbleiben würden – daß wir alle zu den Überlebenden zählten. Heute glaube ich, daß Franny und ich damals nur an uns dachten, unsere Gedanken waren ein wenig zu egoistisch. Ich glaube, Franny hielt ihre Unverwundbarkeit für ansteckend – so denken bekanntlich die meisten Leute, die dazu neigen, sich für unverwundbar zu halten. Und ich versuchte damals, Frannys Gefühl so genau wie möglich nachzuempfinden.

Etwa um Mitternacht erwischte ich ein downtown fahrendes Taxi und fuhr damit die Fifth Avenue hinunter bis zur Central Park South; auch wenn meine Schamteile höllisch weh taten, war ich doch sicher, daß ich das letzte Stück bis zu Franks Wohnung gehen konnte. Außerdem wollte ich mir die Weihnachtsdekoration vor dem Plaza anschauen. Ich nahm mir vor, einen kleinen Umweg zu machen, um mir bei F. A. O. Schwarz in den Schaufenstern die Spielsachen anzusehen. Ich mußte daran denken, wie sehr Egg wohl diese Schaufenster geliebt hätte; Egg war nie in New York gewesen. Aber Egg, so dachte ich mir, hatte sich wahrscheinlich die ganze Zeit bessere Schaufenster, mit noch mehr Spielsachen, vorgestellt.

Ich hinkte die Central Park South entlang. Das Haus mit der Nummer 222 liegt zwischen East Side und West Side, aber dem Westen etwas näher – eine perfekte Adresse für Frank, wie mir schien; und für uns alle, denn wir alle waren die Überlebenden des Symposions über Ost-West-Beziehungen.

Es gibt eine Photographie von Freud – von dem *anderen* Freud – in seiner Wohnung in Wien in der Berggasse 19. Er ist achtundfünfzig; es ist das Jahr 1914. Freud hat da einen »Ich-hab-es-ja-gesagt«-Blick; er sieht zugleich verärgert und besorgt aus. Er blickt so eindringlich wie Frank und so bekümmert wie Lilly. Der Krieg, der im August dieses Jahres begann, bedeutete schließlich das Ende der österreichisch-ungarischen Monarchie; dieser Krieg überzeugte auch Herrn Professor Doktor Freud, daß seine Diagnose der aggressiven und selbstzerstörerischen Triebe des Menschen ganz richtig gewesen war. Die Photographie läßt einen ahnen, woher Freud die Idee hatte, daß die Nase »Genitalform« habe. Freud hatte diese Idee »vom Spiegel«, wie Frank sagt. Ich glaube, Freud haßte Wien; für ihn spricht, daß auch *unser* Freud Wien haßte – Franny hatte als erste darauf hingewiesen. Auch Franny haßte Wien; sie würde in manchen Dingen immer eine Freudianerin sein, beispielsweise mit ihrer Verachtung für sexuelle Heuchelei. Und Frank war insofern Freudianer, als er etwas gegen Strauß hatte – »den *anderen* Strauß«, verdeutlichte Frank; er meinte Johann, den sehr wienerischen Strauß, der für die Operette *Die Fledermaus* dieses dämliche Lied schrieb: »Glücklich ist, wer vergißt, was doch nicht zu ändern ist.« Aber unser Freud *und* der andere Freud widmeten sich mit krankhafter Besessenheit Dingen, die vergessen waren – sie interessierten sich für Verdrängungen, für unsere Träume. Das machte sie beide sehr *un*-wienerisch. Und unser Freud hatte Frank einen Prinzen genannt; er hatte gesagt, keiner sollte Frank »schwul« nennen; auch der andere Freud hatte Franks Zuneigung gewonnen – als eine Mutter dem guten Doktor schrieb und ihn bat, ihren Sohn von seiner Homosexualität zu heilen, ließ Freud sie kurz wissen, Homosexualität sei keine Krankheit, da gebe es nichts zu »heilen«. Viele große Männer, belehrte der große Freud diese Mutter, seien Homosexuelle gewesen.

»Das trifft ins Schwarze!« rief Frank gerne aus. »Seht doch nur mich an!«

»Und seht *mich* an«, sagte dann Susie der Bär. »Warum hat er nichts von den großen *Frauen* gesagt? Wenn ihr mich fragt«, pflegte Susie zu sagen, »ich finde Freud ein wenig suspekt.«

»*Welchen* Freud, Susie?« stichelte Franny.

»Beide«, sagte dann Susie der Bär. »Du kannst wählen. Der eine schleppte einen Baseballschläger mit sich herum, der andere hatte dieses Ding an seiner Lippe.«

»Das war Krebs, Susie«, bemerkte Frank kühl.

»Sicher«, sagte Susie der Bär, »aber Freud sprach selber von ›diesem Ding an meiner Lippe‹. Er nannte Krebs nicht Krebs, aber bei *anderen* sprach er von Verdrängung.«

»Du bist zu streng gegen Freud, Susie«, sagte Franny.

»Er ist schließlich ein *Mann*, oder?« sagte Susie.

»Du bist zu streng gegen *Männer*, Susie«, sagte Franny.

»Das stimmt, Susie«, sagte Frank. »Du solltest es mal mit einem *versuchen!*«

»Wie wär's denn mit *dir*, Frank?« fragte ihn Susie, und Frank wurde rot.

»Also, na ja«, stammelte Frank, »ich bin, frank und frei heraus gesagt, ich bin da wohl anders.«

»Ich glaube, in dir steckt einfach eine andere Person, Susie«, sagte Lilly. »In dir steckt eine andere Person, und die will raus.«

»O Mann«, stöhnte Franny. »Vielleicht steckt ein *Bär* in ihr, und der will raus!«

»Vielleicht steckt ein *Mann* in ihr!« spekulierte Frank.

»Vielleicht steckt einfach eine nette Frau in dir, Susie«, sagte Lilly. Lilly, die Schriftstellerin, versuchte eben immer, die Helden in uns allen zu sehen.

An diesem Abend, kurz vor Weihnachten 1964, ging ich also mühsam Schritt um Schritt die Central Park South entlang; ich begann über Susie den Bären nachzudenken, und dabei fiel mir noch eine Photographie von Freud – *Sigmund* Freud – ein, die mir besonders gut gefiel. Auf diesem Bild ist Freud achtzig; drei Jahre später war er tot. Er sitzt an seinem Schreibtisch in der Berggasse 19; es ist 1936, und die Nazis würden ihn bald darauf zwingen, sein altes Arbeitszimmer in seiner alten Wohnung – und seine alte Stadt, Wien – aufzugeben. Auf dieser Photographie sitzt eine gestrenge Brille ernst auf dem genitalen Gebilde von Freuds Nase. Freud blickt nicht in die Kamera – er ist achtzig, und er hat nicht mehr viel Zeit; sein Blick gilt seiner Arbeit, er vergeudet seine Zeit nicht mit uns. Es *gibt* jedoch auf dieser Photographie jemanden, der uns anblickt. Es ist Freuds Hund, sein Chow-Chow namens Jo-fi. Ein Chow-Chow hat etwas von einem mutierten Löwen; und Freuds Chow-Chow hat den glasigen Blick von Hunden, die immer einfältig in die Kamera blicken. Kummer tat das auch immer; als er ausgestopft war, starrte er natürlich jedesmal in die Kamera. Und der kummervolle kleine Hund des alten Dr. Freud ist auf dieser Photographie, um uns zu sagen, was als nächstes geschehen wird; wir könnten den Kummer auch an der Zerbrechlichkeit all der Nippes erkennen, die Freud praktisch aus seinem Arbeitszimmer, aus der Berggasse 19 und aus Wien (der Stadt, die er haßte und die ihn haßte) verdrängen. Die Nazis hängten schließlich eine Hakenkreuzfahne an seine Tür; diese verdammte Stadt hatte ihn nie gemocht. Und am 4. Juni 1938 kam der zweiundachtzigjährige Freud nach London; er hatte noch ein Jahr zu leben – in einem fremden Land. *Unserem* Freud blieb damals noch ein Sommer, ehe er Earl endgültig satt hatte; er kehrte zu einer Zeit nach Wien zurück, als all die verdrängten Selbstmörder aus den Tagen des *anderen* Freud zu Mördern wurden. Frank hat mir den Aufsatz eines Wiener Geschichtsprofessors gezeigt – eines sehr weisen Mannes namens Friedrich Heer. Und genau das sagt Heer über die Wiener Gesellschaft zur Zeit Freuds (und ich glaube, das könnte auch für die Wiener Zeit *unseres* Freud zutreffen): »Sie waren Selbstmörder, die bald zu Mördern werden sollten.« Es waren lauter

Leute wie Fehlgeburt, nach Kräften bemüht, so zu werden wie Arbeiter; es waren lauter Leute wie Schraubenschlüssel, voll Bewunderung für einen Pornographen.

Sie waren bereit, die Anweisungen eines Pornographentraumes zu befolgen.

»Von Hitler ist bekannt«, belehrt Frank mich gern, »daß er vor der Syphilis eine irre Angst hatte. Darin liegt schon eine Ironie«, betont Frank in seiner nervtötenden Art, »denn schließlich kam Hitler aus einem Land, in dem die Prostitution schon immer gedieh.«

Sie gedieh bekanntlich auch in New York. Und an einem Winterabend stand ich an der Ecke Central Park South und Seventh Avenue und blickte ins Downtown-Dunkel; ich wußte, da unten waren die Huren. Mein eigenes Geschlecht brannte noch immer von Frannys engagierten Bemühungen, mich zu retten – uns beide zu retten –, und ich wußte nun endlich, daß ich vor *ihnen* sicher war; ich war von beiden Extremen geheilt, ich war sicher vor Franny und sicher vor den Huren.

Ein Auto ging an der Einmündung der Seventh Avenue in die Central Park South etwas zu schnell in die Kurve; es war nach Mitternacht, und außer diesem schnell fahrenden Auto war auf den beiden Straßen nichts zu sehen. Eine Menge Leute saßen in dem Auto; sie sangen ein Lied im Radio mit. Das Radio war so laut, daß ich einen Fetzen des Liedes deutlich hörte, obwohl die Fenster wegen der winterlichen Kälte zu waren. Es war kein Weihnachtslied, und ich fand das angesichts der Dekorationen in ganz New York irgendwie unpassend; doch Weihnachtsdekorationen sind auf eine Jahreszeit beschränkt, und das Lied, von dem ich nur einen Fetzen hörte, war einer jener allumfassend rührseligen Country-and-Western-Songs. Irgendeine abgedroschene, aber wahre Geschichte wurde auf abgedroschene, aber wahrheitsgemäße Art ausgedrückt. Seit jener Zeit warte ich darauf, dieses Lied wieder zu hören, aber immer wenn ich glaube, da ist es wieder, fällt mir irgend etwas auf, was doch nicht ganz stimmt.

Franny zieht mich damit auf, daß sie sagt, ich müsse den Country-and-Western-Song mit dem Titel ›Vom Himmel trennt uns nur ein Schrittchen Sünde‹ gehört haben. Und damit würde ich mich auch tatsächlich zufriedengeben; fast jedes derartige Lied würde mir reichen.

Da war nur dieser Liedfetzen, die Weihnachtsdekorationen, das Winterwetter, meine schmerzenden Schamteile – und das herrliche Gefühl der Erleichterung darüber, daß ich nun frei war, daß ich nun *mein Leben* führen konnte –, und dann war der Wagen, der zu schnell fuhr, an mir vorbeigerast. Als ich auf die Seventh Avenue trat – als ich glaubte, ich könne sie gefahrlos überqueren –, blickte ich auf und sah das Pärchen auf mich zukommen. Sie gingen die Central Park South entlang, Richtung Plaza – von Westen nach Osten –, und es war wohl, wie mir später aufging, unvermeidlich, daß wir uns ausgerechnet am Abend der *Erlösung* für Franny und mich mitten auf der Seventh Avenue trafen. Sie waren ein leicht beschwipstes Pärchen, glaube ich – oder zumindest die junge Frau war beschwipst, und da sie sich auf den Mann stützte, schwankte auch er ein wenig. Die Frau war jünger als der Mann; 1964 hätten wir sie jedenfalls noch als Mädchen bezeichnet. Lachend hielt sie sich am Arm ihres älteren Freundes fest; er sah aus, als sei er in meinem Alter – tatsächlich war er ein bißchen älter. An diesem Abend des Jahres 1964 muß er Ende Zwanzig gewesen sein. Das Gelächter des Mädchens zersplitterte in der kalten Nachtluft mit dem spitzen Geräusch ganz dünner Eiszapfen, die von den Dachrinnen eines winterumschlossenen Hauses abfallen. Ich war natürlich ausgesprochen guter Stimmung, und obwohl das kalte, schneidende Lachen des Mädchens irgendwie zu sehr aus dem Kopf und zu wenig aus dem Bauch zu kommen schien – und obwohl meine Eier schmerzten und mein Schwanz brannte –, blickte ich zu diesem schönen Paar auf und lächelte.

Wir erkannten uns ohne Umschweife – der Mann und ich. Ich hatte die Qualitäten des Spielmachers in seinem Gesicht nie vergessen können, auch wenn ich ihn seit jenem Halloween nicht mehr gesehen hatte, seit der Begegnung damals auf dem Fußweg, den die Footballspieler immer benutzten – und den alle anderen wohlweislich den Footballspielern zur alleinigen Benutzung überließen. An manchen Tagen konnte ich ihn, wenn ich mit meinen Gewichten arbeitete, immer noch sagen hören: »He, Kleiner. Deine Schwester hat den hübschesten Arsch an dieser Schule. Bumst sie mit einem?«

»Klar, sie bumst mit *mir*«, hätte ich ihm an diesem Abend auf der Seventh Avenue sagen können. Aber ich sagte gar nichts zu ihm. Ich blieb einfach stehen und stellte mich vor ihn hin, bis ich sicher war, daß er mich erkannt hatte. Er hatte sich nicht verändert; er sah fast genau so aus, wie er immer ausgesehen hatte – für mich. Und obwohl ich glaubte, ich *hätte* mich verändert – ich wußte, das Gewichttraining hatte zumindest meinen *Körper* verändert –, müssen wohl Frannys ständige Briefe dafür gesorgt haben, daß unsere Familie in Chipper Doves Erinnerung (wenn schon nicht in seinem Herzen) einen festen Platz hatte.

Chipper Dove blieb ebenfalls stehen, mitten auf der Seventh Avenue. Nach ein, zwei Sekunden sagte er leise: »Sieh mal an, wen haben wir denn da.«

Alles ist ein Märchen.

Ich blickte Chipper Doves Freundin an und sagte: »Passen Sie auf, daß er Sie nicht vergewaltigt.«

Chipper Doves Freundin lachte – es war wieder dieses nervöse, überspannte Lachen, wie klirrendes Eis, wie zersplitternde Eiszapfen. Dove lachte ein bißchen mit ihr. Zu dritt standen wir nun mitten auf der Seventh Avenue; ein Taxi, das von der Central Park South kam, überfuhr uns beinahe, aber nur die Freundin schreckte zusammen – Chipper Dove und ich blieben reglos stehen.

»He, wir stehen mitten auf der Straße, oder habt ihr das noch nicht bemerkt«, sagte das Mädchen. Sie war *wesentlich* jünger als er, fiel mir auf. Sie verzog sich rasch auf die Ostseite der Seventh Avenue und wartete auf uns, aber wir rührten uns nicht.

»Ich hab mich immer über Frannys Briefe gefreut«, sagte Dove.

»Warum hast du ihr nie zurückgeschrieben?« fragte ich ihn.

»He!« schrie seine Freundin zu uns herüber, und das nächste Taxi, das downtown fuhr, hupte uns an und machte einen Bogen um uns.

»Ist Franny auch in New York?« fragte mich Chipper Dove.

In einem Märchen weiß man oft nicht, was die Leute *wollen*. Alles hatte sich verändert. Tatsache war, daß ich nicht wußte, ob Franny Chipper Dove sehen wollte oder nicht. Tatsache war, daß ich keine Ahnung hatte, *was* in den Briefen stand, die sie ihm geschrieben hatte.

»Ja, sie ist in der Stadt«, sagte ich vorsichtig. New York ist groß, dachte ich; damit schien noch nichts preisgegeben.

»Dann sag ihr, ich würde sie gerne sehen«, sagte er, und er wollte um mich herumgehen. »Ich kann doch *dieses* Mädchen nicht warten lassen«, flüsterte er verschwörerisch; er zwinkerte mir tatsächlich zu. Ich packte ihn unter den Armen und hob ihn einfach hoch; für einen Footballer wog er nicht viel. Er wehrte sich nicht, aber die Leichtigkeit, mit der ich ihn hochgehoben hatte, schien ihn echt zu überraschen. Ich wußte nicht recht, was ich mit ihm tun sollte; ich überlegte eine Minute – oder jedenfalls muß es Chipper Dove wie eine Minute vorgekommen sein – und setzte ihn dann wieder ab. Ich stellte ihn einfach wieder vor mich hin, mitten auf der Seventh Avenue.

»He, ihr zwei seid wohl verrückt!« rief seine Freundin; zwei Taxis, die ein Rennen auszutragen schienen, fuhren links und rechts an uns vorbei – die Fahrer ließen noch lange die Hände auf den Hupen, während sie stadteinwärts verschwanden.

»Laß mal hören, *warum* du Franny sehen möchtest«, forderte ich Chipper Dove auf.

»Du hast ein bißchen mit den Gewichten gearbeitet, wie's aussieht«, sagte Dove.

»Ein bißchen«, gab ich zu. »Warum willst du meine Schwester sehen?« fragte ich ihn.

»Na ja, um mich zu entschuldigen, unter anderem«, murmelte er, aber *ihm* konnte ich nie glauben; er hatte dieses eiskalte Lächeln in seinen eiskalten Augen. Er schien von meinen Muskeln nur wenig eingeschüchtert; er besaß eine Arroganz, die größer war als Herz und Verstand der meisten Menschen.

»Wenn du wenigstens *einmal* auf ihre Briefe geantwortet hättest«, sagte ich ihm. »Du hättest dich jederzeit *schriftlich* entschuldigen können.«

»Nun ja«, sagte er und verlagerte das Gewicht von einem Fuß auf den anderen, wie ein Spielmacher, der sich anschickt, den Ball zu übernehmen. »Nun ja, es ist irgendwie schwer, das alles auszudrücken«, sagte er, und fast hätte ich ihn auf der Stelle umgebracht. Ich konnte fast alles von ihm ertragen, nur keine *Aufrichtigkeit* – dieser aufrichtige Ton war fast mehr, als ich ertragen konnte. Ich spürte das Bedürfnis, ihn zu umarmen – und fester zuzudrücken als damals bei Arbeiter –, aber zum Glück für uns beide änderte er seinen Ton. Er fing an, die Geduld mit mir zu verlieren.

»Jetzt hör mal gut zu«, sagte er. »Nach den *Verjährungsfristen* in *diesem* Land bin ich aus dem Schneider – alles verjährt, außer Mord. Und zwischen Vergewaltigung und Mord ist immer noch ein Unterschied, falls du das nicht weißt.«

»Ein hauchdünner Unterschied«, sagte ich. Das nächste Taxi war fast unser Tod.

»Chipper!« kreischte seine Freundin. »Soll ich die Polizei holen?«

»Hör zu«, sagte Dove. »Sag Franny einfach, ich würde sie ganz gerne sehen – das ist alles. Ganz offensichtlich«, sagte er, und die Eiseskälte in seinen Augen war jetzt in seiner Stimme, »ganz offensichtlich möchte sie mich sehen. Schließlich hat sie mir oft genug *geschrieben*.« Fast beklagte er sich darüber, dachte ich – als hätten ihn die Briefe meiner Schwester *gelangweilt!*

»Wenn du sie sehen willst, kannst du's ihr selber sagen«,

ließ ich ihn wissen. »Du brauchst ihr nur eine Nachricht zu hinterlassen – überlaß die ganze Sache *ihr:* ob sie dich sehen will. Du kannst im Stanhope eine Nachricht hinterlassen«, sagte ich.

»Im Stanhope?« sagte er. »Sie ist nur auf der Durchreise?«

»Nein, sie lebt da«, sagte ich. »Wir sind eine Hotelfamilie«, sagte ich ihm. »Oder hast du das vergessen?«

»Nein, nein«, lachte er, und ich sah ihm an, daß er dachte, das Stanhope sei ein großer Schritt vorwärts, nach dem Hotel New Hampshire – nach *beiden* Hotels New Hampshire, auch wenn er nur das erste gekannt hatte. »Aha«, sagte er, »Franny wohnt also im Stanhope.«

»Das Stanhope *gehört* uns inzwischen«, sagte ich ihm. Ich habe keine Ahnung, warum ich log, aber ich mußte ihn *irgendwie* drankriegen. Er sah leicht verblüfft aus, und das war immerhin eine kleine Genugtuung; ein grüner Sportwagen fuhr so dicht an ihm vorbei, daß sein Schal in dem plötzlichen Fahrtwind flatterte. Seine Freundin wagte sich wieder auf die Seventh Avenue; sie näherte sich uns mit aller Vorsicht.

»Chipper, *bitte*«, sagte sie leise.

»Ist das das einzige Hotel, das euch gehört?« fragte mich Dove und versuchte, ganz gelassen zu bleiben.

»Uns gehört halb Wien«, sagte ich ihm. »Und zwar die maßgebende Hälfte. Das Stanhope ist nur der Anfang einer ganzen Serie – in New York«, sagte ich ihm. »In Kürze kontrollieren wir auch New York.«

»Und morgen die ganze Welt?« fragte er mit diesem eiskalten Unterton in seiner Stimme.

»Das kannst du alles Franny fragen«, sagte ich. »Ich werde ihr ausrichten, daß sie mit deinem Anruf rechnen kann.« Ich mußte von ihm weggehen, um ihm nichts anzutun, aber ich hörte, wie ihn seine Freundin fragte: »Wer ist Franny?«

»Meine Schwester!« rief ich. »Ihr Freund hat sie vergewaltigt! Er und noch zwei Typen, in einem Bandenstich!« schrie ich. Weder Chipper Dove noch seine Freundin lachten diesmal, und ich ließ sie mitten auf der Seventh Avenue stehen. Hätte ich das Quietschen von Reifen und Bremsen gehört, oder selbst den dumpfen Aufprall von Körpern auf Metall oder Asphalt – ich hätte mich nicht umgedreht. Erst als ich erkannte, daß der Schmerz in meinen Schamteilen wirklich zu mir gehörte, wurde mir klar, daß ich zu weit gegangen war. Ich war am Haus Central Park South 222 vorbeigegangen – ich war bereits am Columbus Circle –, und ich mußte umkehren und Richtung Osten gehen. Als ich wieder an der Seventh Avenue war, sah ich, daß Chipper Dove und seine Freundin verschwunden waren. Einen Augenblick fragte ich mich sogar, ob ich sie nur erträumt hatte.

Es wäre mir lieber gewesen, ich hätte sie nur erträumt, glaube ich. Ich fragte mich besorgt, wie Franny sich damit auseinandersetzen, damit »fertigwerden« würde, wie Susie dauernd sagte. Ich fragte mich besorgt, ob ich Franny gegenüber auch nur erwähnen sollte, daß ich Chipper Dove gesehen hatte. Was würde es beispielsweise für sie bedeuten, wenn Dove *nie* anrief? Es schien unfair – daß ich ausgerechnet an dem Abend, an dem Franny und ich unseren Triumph feierten, ihren Vergewaltiger treffen und ihm sagen mußte, wo meine Schwester wohnte. Ich wußte, das alles ging über meinen Horizont, das alles war eine Nummer zu groß für mich – ich stand wieder am Nullpunkt, ich hatte *keine* Ahnung, was Franny wollte. Ich wußte, ich brauchte den Rat eines Vergewaltigungsexperten.

Frank schlief; er war ohnehin kein Vergewaltigungsexperte. Auch Vater schlief (in dem Zimmer, das ich mit ihm teilte), und ich sah die Louisville-Keule neben dem Bett meines Vaters am Boden liegen und wußte, wie Vaters Rat in Sachen Vergewaltigung aussehen würde – ich wußte, daß jeglicher Ratschlag zu diesem Thema mit einem Keulenschlag verbunden sein würde. Als ich meine Laufschuhe auszog, weckte ich Vater.

»Sorry«, flüsterte ich. »Schlaf nur weiter.«

»Das war aber ein langer Lauf«, murmelte er. »Du mußt völlig *erschöpft* sein.«

Das war ich natürlich, aber ich war auch hellwach. Ich ging

aus dem Zimmer und setzte mich an den Schreibtisch mit Franks sechs Telefonen. Der Hausexperte für Vergewaltigungen (im zweiten Hotel New Hampshire) war nur einen Telefonanruf entfernt; die Beratung, die ich wollte, war mittlerweile in New York zu finden: Susie der Bär wohnte in Greenwich Village. Obwohl es ein Uhr nachts war, griff ich zum Telefon. Endlich war die alte Geschichte wieder hochgekommen. Es spielte keine Rolle, daß es fast schon Weihnachten 1964 war, denn für uns war wieder Halloween 1956. All die unbeantworteten Briefe Frannys verdienten endlich eine Antwort. Auch wenn Junior Jones' Schwarzer Arm des Gesetzes eines Tages der Stadt New York seine bewundernswerten Dienste anbieten sollte, mußte sich Junior jetzt erst noch vom Rowdysport Football erholen; danach sollte er drei Jahre Jura studieren und sechs weitere Jahre damit verbringen, den Schwarzen Arm des Gesetzes zu etablieren. Auch wenn Junior doch noch zu Frannys Retter *wurde*, konnte man sich darauf verlassen, daß er zu spät kam. Die Geschichte mit Chipper Dove war *jetzt* wieder hochgekommen; auch wenn Harold Swallow ihn nie gefunden hatte, war Dove jetzt aus seinem Versteck heraus. Und um fertigzuwerden mit Chipper Dove, brauchte Franny unbedingt die Hilfe eines schlauen Bären.

Susie, der gute alte Bär, ist für sich allein schon ein Märchen.

Als sie um ein Uhr morgens den Hörer abnahm, war sie wie ein Boxer, der von den Seilen zurückschnellt.

»Du blöder Ficker! Du finsterer Fiesling! Weißt du eigentlich, wieviel Uhr es ist?« brüllte Susie der Bär.

»Ich bin's« sagte ich.

»Jessas Gott«, sagte Susie. »Ich habe einen obszönen Anruf erwartet.« Als ich ihr von Chipper Dove erzählte, fand sie, es sei *doch* ein obszöner Anruf. »Ich glaube, Franny wird nicht gerade glücklich darüber sein, daß du ihm gesagt hast, wo sie wohnt«, sagte Susie. »Ich glaube, sie hat diese ganzen Briefe nur geschrieben, um nie wieder von ihm zu hören.«

Susie wohnte in einem einfach schrecklichen Loch in Green-wich Village. Franny ging gern dort runter, um sie zu be-suchen, und Frank schaute gelegentlich bei ihr vorbei – wenn er in der Gegend war (es gab da gleich um die Ecke eine ganz auf Frank zugeschnittene Kneipe) –, aber Lilly und ich haßten das Village. Deshalb kam Susie manchmal auf einen Besuch zu uns.

Im Village konnte Susie ein Bär sein, wenn ihr danach war; es gab dort unten Leute, die schlimmer aussahen als Bären. Aber wenn Susie zu uns heraufkam, mußte sie normal aus-sehen; als Bär hätten sie sie nicht ins Stanhope gelassen, und auf der Central Park South hätte sie irgendein Polizist er-schossen – in der Annahme, sie sei aus dem Zoo im Central Park entwischt. New York war nicht Wien, und Susie ver-suchte zwar, sich ihre Bärenart abzugewöhnen, aber im Village konnte sie wieder in ihre Bärenhaut schlüpfen, ohne daß es auch nur einem Menschen auffiel. Sie lebte mit zwei anderen Frauen in einer Wohnung, in der es nur eine Toilette und ein Waschbecken mit kaltem Wasser gab. Susie kam zum Baden in die Stadt herauf – und dabei war ihr Lillys Suite im Stan-hope lieber als das luxuriöse Bad in Franks Wohnung in der South Central Park 222; ich glaube, Susie *mochte* die immer vorhandene Gefahr, daß die Wasserspülung in die verkehrte Richtung losging.

Sie versuchte sich in der Zeit als Schauspielerin. Die zwei Frauen, mit denen sie die schreckliche Wohnung teilte, waren beide Mitglieder im ›West Village Workshop‹. Es war ein Studio für Schauspieler, ein Ort, an dem Straßenclowns aus-gebildet wurden. Frank meinte dazu, der Mäusekönig hätte – wenn er noch am Leben gewesen wäre – im West Village Workshop eine Anstellung auf Lebenszeit kriegen können. Aber ich dachte, wenn es in Wien so etwas wie den West Vil-lage Workshop gegeben hätte, wäre der Mäusekönig vielleicht immer noch am Leben. Es sollte einfach etwas geben, wo man Straßentänze, Tierimitationen und Pantomime ebenso erler-nen kann wie das Einradfahren, die Urschrei-Therapie und

Akte der Erniedrigung, die nur gespielt sind. Susie sagte, der West Village Workshop bringe ihr im wesentlichen bei, auch *ohne* das Bärenkostüm so selbstsicher zu sein wie ein Bär. Es war ein langwieriger Prozeß, wie sie zugab, und in der Zwischenzeit ließ sie – für alle Fälle – ihr Bärenkostüm bei einem Fachmann für Tierkostüme im Village auffrischen.

»Jetzt solltest du das Kostüm mal sehen«, sagte mir Susie dauernd. »Ich meine, wenn du findest, daß ich bisher schon wie ein echter Bär ausgesehen habe … Mann, da kann ich nur sagen, du hast überhaupt noch nichts gesehen!«

»Es *ist* sehr bemerkenswert«, hatte Frank mir erzählt. »Die Schnauze wirkt sogar *feucht*, und die Augen sind ungeheuer. Und die *Eckzähne*«, sagte Frank, schon immer ein Bewunderer von Kostümen und Uniformen, »die Eckzähne sind phantastisch.«

»Aber wir wollen doch alle, daß Susie über ihre Bärenrolle *wegkommt*«, sagte Franny.

»Wir wollen, daß der *Bär in ihr* zum Vorschein kommt«, sagte dann Lilly, und wir grunzten alle miteinander und gaben andere widerliche Geräusche von uns.

Aber als ich Susie erzählte, daß Franny und ich uns voreinander gerettet hatten – nur, um wieder mit Chipper Dove konfrontiert zu werden –, war Susie ganz bei der Sache; Susie war die unersetzliche Freundin, die sich wie ein Bär für dich einsetzt, sobald es ungemütlich wird.

»Du bist in Franks Wohnung?« fragte Susie.

»Ja«, sagte ich.

»Bleib am Ball, Kleiner«, sagte Susie. »Ich komm gleich rauf. Warn schon mal den Türsteher.«

»Soll ich ihn vor einem Bären oder vor *dir* warnen, Susie?« fragte ich sie.

»Eines Tages, Schätzchen«, sagte Susie, »wird dich die überraschen, die ich *wirklich* bin.« Wie wahr: eines Tages sollte mich Susie tatsächlich überraschen. Doch bevor Susie zur Wohnung in der Central Park South 222 kam, rief mich Lilly auf einem von Franks sechs Telefonen an.

»Was ist passiert?« sagte ich – es war mittlerweile fast zwei Uhr in der Nacht.

»Chipper Dove«, flüsterte Lilly mit einer verängstigten kleinen Stimme. »Er hat hier angerufen! Er hat nach Franny gefragt!« Dieser Dreckskerl! dachte ich. Der rief doch tatsächlich ein Mädchen, das er vergewaltigt hatte, bei Nacht an, wenn sie *schlief!* Bestimmt wollte er sichergehen, daß Franny auch wirklich im Stanhope wohnte. Jetzt wußte er es also.

»Was hat Franny zu ihm gesagt?« fragte ich Lilly.

»Franny redete gar nicht mit ihm«, sagte Lilly. »Franny *konnte* nicht mit ihm reden. Ich meine, ihr Mund wollte einfach nicht funktionieren – sie brachte kein Wort heraus«, sagte Lilly. »Ich sagte ihm, Franny sei ausgegangen, und er sagte, er werde später noch einmal anrufen. Sieh zu, daß du rüberkommst«, sagte Lilly. »Franny hat *Angst*«, flüsterte Lilly. »Das hab ich bei Franny noch nie erlebt«, fügte Lilly hinzu. »Sie geht nicht mal mehr ins Bett zurück, sie blickt nur noch die ganze Zeit aus dem Fenster. Ich glaube, sie denkt, er wird sie *nochmal* vergewaltigen«, flüsterte Lilly.

Ich ging in Franks Zimmer und weckte ihn. Er setzte sich kerzengerade auf, warf die Decken zurück und schleuderte die Schneiderpuppe von sich. »Dove«, war alles, was ich ihm ins Ohr geflüstert hatte. »Chipper Dove« – mehr brauchte ich nicht zu sagen, und Frank wachte auf, als spiele er immer noch die Becken. Wir hinterließen Vater eine Nachricht, die wir in das Tonbandgerät neben seinem Bett sprachen. Wir sagten nur, daß wir zum Stanhope gehen würden.

Vater kam mit dem Telefon ganz gut zurecht; er zählte die Löcher in der Wählscheibe. Trotzdem wählte Vater oft die falsche Nummer, und das machte ihn so wütend, daß er die Leute am anderen Ende der Leitung jedesmal anschrie – als seien *sie* schuld, daß er die falsche Nummer gewählt hatte. »Jessas Gott!« polterte er dann. »Sie sind die falsche Nummer!« So schaffte es Vater auf seine bescheidene Art, zusammen mit seiner Louisville-Keule einen Teil von New York zu terrorisieren.

Frank und ich trafen Susie vor dem Haus Central Park South 222. Wir mußten bis zum Columbus Circle laufen, ehe wir ein Taxi auftrieben. Susie war nicht im Bärenfell. Sie trug alte Hosen und einen Pullover über einem Pullover über einem Pullover.

»*Natürlich* hat sie Angst«, sagte Susie zu Frank und mir, als wir zum Stanhope rasten. »Aber sie muß damit fertigwerden. Die *Angst* ist eine der ersten Phasen, meine Lieben. Wenn sie diese verfickte Angst überwinden kann, dann kommt die *Wut*. Und wenn sie erst mal wütend ist«, sagte Susie, »dann ist sie aus dem Gröbsten raus. Ihr braucht nur mich anzusehen«, erklärte sie, und Frank und ich sahen sie an und schwiegen. Die Sache war uns über den Kopf gewachsen, und wir wußten es.

Franny saß in eine Decke gehüllt auf ihrem Stuhl, den sie vor die Heizungsklappe gerückt hatte; sie blickte unverwandt aus dem Fenster. Das Metropolitan Museum stand in der vorweihnachtlichen Kälte wie ein Schloß, das von seinem König und seiner Königin verlassen worden war – es wirkte so ausgestorben, als laste ein Fluch auf ihm; selbst die bäuerlichen Untertanen blieben ihm fern.

»Wie könnte ich jetzt noch *ausgehen?*« sagte Franny flüsternd zu mir. »Er könnte *überall* sein da draußen«, sagte sie. »Ich *traue* mich nicht mehr hinaus«, wiederholte sie.

»Franny, Franny«, sagte ich, »er wird dich nicht mehr anrühren.«

»*Erzähl* ihr nichts«, sagte Susie zu mir. »Das hilft nicht weiter. Erzähl ihr nichts – stell ihr lieber *Fragen*. Frag sie, was sie tun will.«

»Was willst du tun, Franny?« fragte Lilly.

»Wir tun alles, was du willst, Franny«, sagte Frank.

»Überleg mal, was du *willst*, was nach deinen Vorstellungen passieren soll«, sagte Susie der Bär zu Franny.

Franny schauderte, ihre Zähne klapperten. Es war zum Ersticken in der Suite, aber Franny war starr vor Kälte.

»Ich will ihn umbringen«, sagte Franny leise.

»Sag jetzt nichts«, flüsterte mir Susie der Bär ins Ohr. Ich hätte sowieso nichts sagen können. Wir saßen vielleicht eine Stunde lang in dem Zimmer, und Franny blickte die ganze Zeit aus dem Fenster. Susie massierte ihr den Rücken, um sie zu wärmen. Franny wollte mir etwas zuflüstern, und ich beugte mich zu ihr vor. »Bist du immer noch wund?« flüsterte sie. Auf ihrem Gesicht lag ein feines Lächeln, und ich lächelte zurück und nickte. »Ich auch«, sagte sie und lächelte; aber dann blickte sie auch schon wieder aus dem Fenster, und sie sagte: »Ich wollte, ich wäre tot.« Nach einer Weile wiederholte sie: »Ich kann einfach nicht mehr ausgehen, ich kann auch hier essen – aber einer von euch muß immer bei mir sein.« Das versprachen wir ihr. »Ihn umbringen«, wiederholte sie, und über dem Park begann es hell zu werden. »Er könnte *überall* sein da draußen«, sagte sie und blickte hinaus in die wachsende Helligkeit. »Dieses Schwein!« schrie sie plötzlich. »Ich will ihn umbringen!«

In den nächsten paar Tagen wechselten wir uns ab, so daß immer jemand bei ihr war. Vater erzählten wir einfach, Franny habe eine Grippe, und sie bleibe im Bett, um rechtzeitig bis Weihnachten wieder gesund zu werden. Wir fanden, das war eine vertretbare Lüge. Franny hatte im Zusammenhang mit Chipper Dove Vater ja schon einmal beschwindelt; sie hatte ihm erzählt, sie sei nur »verprügelt« worden.

Wir hatten nicht mal einen Plan – wenn Chipper Dove tatsächlich noch einmal anrief, hatten wir keine Ahnung, wie sich Franny verhalten wollte.

»Ihn umbringen«, sagte sie immer wieder.

Und Frank, der mit mir in der Lobby des Stanhope auf den Aufzug wartete, sagte: »Vielleicht *sollten* wir ihn umbringen. Dann wäre der Fall erledigt.«

Franny war unsere Anführerin; wenn sie nicht weiter wußte, wußten wir alle nicht weiter. Wir brauchten ihr Urteil, bevor wir einen Plan fassen konnten.

»Vielleicht ruft er nie wieder an«, sagte Lilly.

»Du bist eine Schriftstellerin, Lilly«, sagte Frank. »Du

solltest es besser wissen. Natürlich wird er anrufen.« Frank gab wieder mal eine seiner Anti-Welt-Erklärungen ab – und drückte darin eine seiner perversen Theorien aus, nach der genau das eintreffen wird, was man *nicht* haben will. Als Schriftstellerin würde Lilly eines Tages Franks Weltanschauung teilen.

Aber mit Chipper Dove hatte Frank recht; er rief wieder an. Es war Frank, der ans Telefon ging. Mit Franks kühlem Kopf war es sofort vorbei; als er Chipper Doves eiskalte Stimme hörte, zuckte er zusammen – er wurde auf der Couch von einem so heftigen Krampf geschüttelt, daß er gegen die Stehlampe stieß und den Lampenschirm herunterschlug, und da wußte Franny sofort, wer am Apparat war. Sie fing an zu schreien, sie lief aus dem Wohnzimmer der Suite in Lillys Schlafzimmer (es war das am nächsten liegende Versteck), und Susie der Bär und ich mußten hinter ihr herlaufen und sie auf Lillys Bett festhalten und versuchen, sie zu beruhigen.

»Äh, nein, sie ist im Augenblick nicht da«, sagte Frank zu Chipper Dove. »Willst du eine Nummer hinterlassen, wo sie dich erreichen kann?« Chipper Dove gab Frank seine Nummer – das heißt, es waren zwei Nummern: eine private und eine geschäftliche. Die Vorstellung, daß er einen Job hatte, schien Franny plötzlich wieder zu sich zu bringen.

»Was *tut* er denn?« fragte sie Frank.

»Na ja«, sagte Frank. »Er sagte nur, er sei in der Firma seines Onkels. Du weißt doch, wie denen gleich einer abgeht, wenn sie ›Firma‹ sagen können – die verfickte *Firma*, was immer das sein mag«, sagte Frank.

»Es kann alles sein, Franny«, sagte ich. »Eine Anwaltsfirma, eine Handelsfirma.«

»Vielleicht ist es eine Vergewaltigungsfirma«, sagte Lilly, und wir erlebten das erste gute Zeichen seit Tagen: Franny lachte.

»So ist's gut, Franny«, machte Frank ihr Mut.

»Dieser Super-Scheißhaufen von einem Menschen!« brüllte Franny.

»So ist's gut, Franny«, sagte Susie der Bär.

»Dieser Arschficker in der verfickten *Firma* seines Onkels!« sagte Franny.

»So ist es recht«, sagte ich.

Und schließlich sagte Franny: »Mir *liegt* nichts dran, ihn umzubringen. Ich will ihm nur einen Schrecken einjagen«, sagte sie. »Ich will ihm *angst* machen«, sagte sie und zitterte plötzlich; sie fing an zu weinen. »Er hat *mir* wirklich angst gemacht!« heulte sie. »Ich hab *immer noch* Angst vor ihm, Herrgott nochmal«, sagte sie. »Ich will diesem Dreckskerl einen Schrecken einjagen, ich will ihm die Angst zurückgeben!« sagte Franny.

»Das läßt sich hören«, sagte Susie der Bär. »Jetzt setzt du dich endlich damit auseinander.«

»Vergewaltigen wir ihn doch!« sagte Frank.

»Wer hat dazu schon Lust?« fragte Lilly.

»Ich würde es tun – der *Sache* wegen«, sagte Susie. »Aber selbst mit mir hätte der seinen Spaß daran. Männer sind in dem Punkt richtig fies«, sagte Susie. »Sie können dich vielleicht nicht ausstehen, aber ihr *Pimmel* mag dich trotzdem.«

»Wir *können* ihn nicht vergewaltigen«, sagte Franny. Sie war also wieder auf dem Damm, dachte ich. Franny war wieder unsere Anführerin.

»Wir können alles tun, was wir wollen«, erklärte Frank – Frank der Agent, Frank der Organisator.

»Selbst wenn wir eine Möglichkeit fänden, ihn zu vergewaltigen«, sagte Susie, »selbst wenn wir den perfekten Vergewaltiger für ihn auftreiben könnten, würde ich immer noch behaupten, es wäre nicht dasselbe: der Ficker würde irgendwie seinen Spaß dran haben.«

Und dann meldete sich Lilly, die Autorin, zu Wort. Unsere kleine Lilly, die Schöpferische: sie hatte die größte Phantasie. »Er hätte keinen Spaß dran, wenn er glauben müßte, er werde von einem *Bären* vergewaltigt«, sagte Lilly.

»Sodomie!« schrie Frank fröhlich und klatschte in die Hände – so wie er schon mal die Becken gegen Chipper Dove eingesetzt hatte. »Genau das richtige für dieses Schwein!« schrie Frank.

»Moment mal, verfickt und zugenäht!« sagte Susie der Bär. »*Er* mag ja glauben, daß da ein Bär ist, aber *ich* weiß immer noch, daß ich es mit *ihm* zu tun habe. Ich meine, ich tu ja alles für die *Sache*«, sagte Susie, »alles für dich, Schätzchen«, sagte Susie zu Franny, »aber ihr müßt mir schon ein bißchen Zeit geben, damit ich mir das überlegen kann.«

»Aber ich glaube gar nicht, Susie, daß du es wirklich mit ihm *tun* müßtest«, sagte Franny. »Ich glaube, du könntest ihn genügend schrecken, wenn du es nur *beinahe* tust.«

»Du könntest tun, als seist du eine läufige Bärin, Susie«, sagte Lilly.

»Eine läufige Bärin!« jaulte Frank vergnügt. »Das ist die Lösung!« schrie er aufgedreht. »Eine läufige Bärin geht hemmungslos zur Sache! Du könntest dem Dreckskerl an die *Eier* gehen, mit deinem schrecklichen Bärenmaul!« schrie Frank auf Susie ein. »Er soll denken, er bekommt von einem Bären einen *geblasen!* Das letzte Mal!« fügte Frank hinzu.

»Ich könnte mit ihm bis hart an die Grenze gehen«, sagte Susie der Bär.

»Aber nicht weiter, Susie«, sagte Franny. »Ich will ihm nur einen Schrecken einjagen.«

»Ihn zu Tode schrecken«, sagte Frank erschöpft.

»Nicht ganz«, sagte Lilly. »Ihn *fast* zu Tode schrecken.«

»Eine läufige Bärin: das ist brillant, Lilly«, sagte ich.

»Gebt mir nur einen Tag«, sagte Lilly.

»Wofür, Lilly?« fragte Susie.

»Das Drehbuch«, sagte Lilly. »Ich brauche einen Tag für ein ordentliches Drehbuch.«

»Ich liebe dich, Lilly«, sagte Franny und drückte sie an sich.

»Ihr werdet sehr gute Schauspieler sein müssen, ihr alle«, sagte Lilly.

»Ich nehm ja schon *Unterricht,* Himmel Herrgott!« brüllte Susie. »Und ich werde meine Bekannten mitbringen! Kannst du noch zwei Leute gebrauchen, Lilly?« fragte Susie.

»Wenn es *Frauen* sind, kann ich sie gebrauchen«, sagte Lilly stirnrunzelnd.

»*Natürlich* sind es Frauen!« sagte Susie entrüstet.

»Kann *ich* mitspielen?« fragte Frank.

»Du bist keine Frau, Frank«, machte ich ihm klar. »Vielleicht will Lilly lauter Frauen.«

»Nun, ich bin eine Tunte«, sagte Frank gereizt. »Und Chipper Dove weiß das.«

»Ich kann Frank ein tolles Kostüm besorgen«, sagte Susie zu Lilly.

»Ehrlich?« fragte Frank aufgeregt. Er hatte schon länger keine Gelegenheit mehr gehabt, sich herauszuputzen.

»Laßt mich daran arbeiten«, sagte Lilly. Lilly, die Arbeiterin: sie würde immer ein bißchen *zu* schwer arbeiten. »Es wird einfach perfekt sein müssen«, sagte Lilly. »Wenn wir *glaubhaft* sein wollen«, sagte Lilly, »muß alles bis ins letzte stimmen.«

Und plötzlich fragte Franny: »Werde ich mitspielen müssen, Lilly?« Wir konnten sehen, daß sie nicht mitspielen wollte oder Angst davor hatte; sie wollte, daß es stattfand – sie wollte es wohl auch *sehen,* aber sie wußte nicht, ob sie auch wirklich eine *Rolle* übernehmen konnte.

Ich hielt Frannys Hand. »Du wirst ihn *anrufen* müssen, Franny«, sagte ich, und sie fing wieder an zu zittern.

»Du mußt ihn nur hierher einladen«, sagte Lilly. »Wenn du das geschafft hast, brauchst du nicht mehr viel zu sagen. Zu *tun* brauchst du überhaupt nichts, das verspreche ich dir«, sagte Lilly. »Aber du wirst schon diejenige sein müssen, die ihn anruft.«

Franny blickte wieder aus dem Fenster. Ich massierte ihr die Schultern, damit sie nicht so fror. Frank tätschelte ihr den Kopf; Frank hatte die irritierende Angewohnheit, seine Zuneigung zu Menschen dadurch zu zeigen, daß er sie tätschelte, als seien sie Hunde.

»Also los, Franny«, sagte Frank. »*Du* schaffst das schon, Franny.«

»Du *mußt* es tun, Schätzchen«, sagte Susie der Bär mit sanfter Stimme und legte eine freundliche Pfote auf Frannys Arm.

»Jetzt oder nie, Franny. Weißt du noch?« flüsterte ich ihr ins Ohr. »Bringen wir das einfach hinter uns«, sagte ich zu ihr, »und dann können wir uns alle um andere Dinge kümmern – um den Rest unseres Lebens zum Beispiel.«

»Den Rest unseres Lebens«, sagte Franny befriedigt. »Okay«, flüsterte sie. »Wenn Lilly das Drehbuch schreiben kann«, sagte Franny, »dann werd ich ja wohl den verfickten Anruf schaffen.«

»Dann laßt mich jetzt alle allein«, sagte Lilly. »Ich muß mich an die Arbeit machen«, sagte sie besorgt.

Wir gingen alle in Franks Wohnung zu einer Party mit Vater. »Kein Wort von all dem gegenüber Vater«, sagte Franny. »Halten wir Vater da raus.«

Meistens hielt sich ja Vater selbst heraus, aber als wir in Franks Wohnung kamen, hatte Vater eine kleine Entscheidung getroffen. Obwohl unzählige Möglichkeiten vor ihm lagen, hatte es Vater nicht geschafft, das zu entwickeln, was Iowa-Bob eine Spieltaktik genannt hätte; er wußte immer noch nicht, was er *tun* wollte. Eine glückliche Zukunft gehörte nicht zu den Möglichkeiten, mit denen mein Vater vertraut war. Aber als wir in Partystimmung in die Wohnung kamen, hatte Vater immerhin eine winzig kleine Entscheidung getroffen.

»Ich will einen dieser Blindenhunde haben« sagte Vater.

»Aber du hast doch uns, Pop«, sagte Frank zu ihm.

»Es ist immer jemand da, um dich zu begleiten, ganz gleich, wo du hin willst«, sagte ich ihm.

»Es geht nicht allein darum«, sagte Vater. »Ich brauche ein Tier in meiner Nähe«, sagte er.

»O Mann«, sagte Franny. »Warum stellst du nicht Susie an?«

»Susie muß aufhören, den Bären zu spielen«, sagte Vater. »Wir sollten sie nicht mehr darin bestärken.« Wir blickten alle ein wenig schuldig drein, und Susie strahlte – Vater konnte unsere Gesichter natürlich nicht sehen. »Und außerdem«, sagte Vater, »ist New York kaum zum Aushalten für einen Bären. Ich fürchte, die Bärentage sind vorbei«, seufzte er. »Aber ein guter alter Blindenhund«, sagte Vater, »also wißt ihr«, sagte er, und es war ihm fast ein bißchen peinlich, seine Einsamkeit zuzugeben, »das wäre für mich jemand, mit dem ich *reden* könnte. Ich meine, ihr habt euer eigenes Leben – oder ihr *werdet* es bald haben«, sagte Vater. »Ich möchte wirklich nur einen Hund. Daß es ein *Blinden*hund ist, darauf kommt es gar nicht so sehr an. Ich möchte einfach einen netten Hund. Geht das?« fragte er.

»Klar, Pop«, sagte Frank.

Franny gab Vater einen Kuß und sagte ihm, wir würden ihm zu Weihnachten einen Hund besorgen.

»So bald schon?« fragte Vater. »Ich glaube, bei einem Blindenhund darf man nichts überstürzen«, sagte Vater. »Ich meine, mit einem schlecht ausgebildeten Hund gäbe es nur Probleme.«

»Alles ist möglich, Pop«, sagte Frank. »Ich werde mich darum kümmern.«

»Herrgott nochmal, Frank«, sagte Franny. »Wir *alle* werden ihm einen Hund besorgen, wenn du nichts dagegen hast.«

»Eins noch«, sagte Vater. Susie der Bär legte die Pfote auf meine Hand, als wisse selbst Susie, was jetzt kam. »Nur eins noch«, sagte Vater. Wir warteten alle ganz still darauf. »Er darf nicht wie Kummer aussehen«, sagte Vater. »Und *ihr* habt die Augen, also müßt ihr den Hund für mich aussuchen. Achtet bloß darauf, daß er nicht die geringste Ähnlichkeit mit Kummer hat.«

Und Lilly schrieb das notwendige Märchen, und jeder von uns spielte seine Rolle. Lillys Märchen zufolge waren wir allesamt vollkommen. Am letzten Werktag vor Weihnachten 1964 holte Franny tief Luft und rief Chipper Dove in seiner »Firma« an.

»Tag, *ich* bin's«, begrüßte sie ihn munter. »Ich muß *dringend* mit dir essen gehen, ganz *unbedingt*«, sagte Franny zu Chipper Dove. »Ja, du sprichst mit Franny Berry – und du kannst mich jederzeit abholen«, sagte Franny. »Ja, im Stanhope – Suite Nummer *vierzehn-null-eins*.«

Dann nahm ihr Lilly den Hörer aus der Hand und sagte mit kratzbürstiger Krankenschwesterstimme – und so laut, daß Chipper Dove sie mühelos hören konnte – zu Franny: »Mit wem telefonieren Sie *jetzt* schon wieder? Sie wissen doch genau, daß Sie nicht telefonieren sollen!« Dann legte Lilly den Hörer auf, und wir warteten.

Franny ging ins Bad und übergab sich. Als sie zurückkam, ging es ihr schon wieder besser. Sie sah zwar furchtbar aus, aber sie *sollte* furchtbar aussehen. Die zwei Frauen vom West Village Workshop hatten Franny das Make-up verpaßt; diese Frauen können Wunder wirken. Sie nahmen eine wunderschöne Frau, und sie *verwüsteten* sie. Sie gaben Franny ein Gesicht, das so leblos wirkte wie Kreide; sie gaben ihr einen Mund wie eine klaffende Wunde, sie gaben meiner Schwester Nadeln als Augen. Und sie kleideten sie ganz in Weiß, wie eine Braut. Wir fragten uns besorgt, ob Lillys Drehbuch nicht zu theatralisch war.

Frank stand in seinem schwarzen Trikot und einem lindgrünen Kaftan vor dem Fenster und blickte hinaus. Im Gesicht hatte er nur etwas Lippenstift.

»Ich weiß nicht«, sagte Frank besorgt. »Wenn er nun nicht kommt?«

Susies zwei Freundinnen waren da – die verletzten Frauen vom West Village Workshop. Sie waren, wie Susie uns erzählt hatte, von *Männern* verletzt worden. Die eine der beiden war eine Schwarze namens Ruthie; sie sah aus wie ein beinahe perfektes, durch Klonen gewonnenes Ebenbild von Junior Jones. Sie trug eine Schaffellweste, ohne etwas darunter, und dazu eine leuchtend grüne, unten weite Hose, über der ihr Bauch wabbelte. Sie hatte sich einen langen silbernen Nagel, der fast so dick war wie ein Schienennagel, durch ihren verrückten Haarschopf gesteckt. Sie hielt eine lange Lederleine in einer ihrer großen schwarzen Hände; am Ende der Leine war Susie der Bär.

Das Bärenkostüm war ein Triumph menschlicher Einfühlungsgabe. Besonders die Schnauze, wie Frank betont hatte. Besonders die Reißzähne. Der Eindruck einer feuchten Schnauze. Und der traurige Wahnsinn der Augen. (Tatsächlich sah Susie aus dem Maul.)

Eine besondere Feinheit waren auch die Krallen; sie waren echt, wie Susie stolz hervorhob – die ganzen Tatzen waren echt. Es verstärkte irgendwie die Echtheit des Ganzen, daß Susie einen Beißkorb trug. Wir hatten den Beißkorb in einem Fachgeschäft für die Ausrüstung von Blindenhunden gekauft; es war ein echter Beißkorb.

Wir hatten den Temperaturregler für die Heizung so weit aufgedreht, wie es nur ging, weil Franny klagte, ihr sei kalt. Susie sagte, ihr gefalle die Hitze; sie fühle sich mehr als ein Bär, wenn sie stark schwitze, und uns war klar, daß sie in dem Bärenkostüm schweißnaß war. »Ich habe mich noch nie so stark als Bär gefühlt«, sagte Susie zu uns, während sie auf allen vieren im Zimmer auf und ab ging.

»Heute bist du ganz Bär, Susie«, sagte ich zu ihr.

»Der *Bär in dir*, Susie, kommt heute aus dir *raus*«, sagte Lilly zu ihr.

Franny saß in dem Brautkleid auf der Couch, und die Kerze auf dem Tisch neben ihr brannte mit einer schwächlichen Flamme. Überall in der Suite waren Kerzen angezündet, und sämtliche Jalousien waren heruntergelassen. Frank hatte ein wenig Weihrauch verbrannt, so daß es in der ganzen Suite wirklich furchtbar roch.

Die andere Frau vom West Village Workshop war ein blasser, unscheinbarer, sehr mädchenhafter Typ mit strohblonden Haaren. Sie trug die Dienstkleidung einer Hausangestellten, so wie alle Zimmermädchen im Stanhope sie trugen, und sie hatte einen völlig gelangweilten, ausdruckslosen Blick, der ihrer stumpfsinnigen Beschäftigung entsprach. Sie hieß eigentlich Elizabeth, aber im Village nannte man sie Scurvy, also Skorbut. Sie war die beste Schauspielerin, die je aus dem West Village Workshop hervorging – sie war die Königin des Darstellervölkchens im Washington Square Park. Sie hätte einem ganzen Hinterhof voller Maulwürfe die Urschrei-Therapie beibringen können; sie hätte den Maulwürfen Schreie beibringen können, bei denen Regenwürmer aus dem Boden springen würden. Susie nannte sie eine erstklassige unübertreffliche Hysterikerin. »Niemand kann Hysterie besser darstellen als Scurvy«, sagte uns Susie der Bär, und Lilly hatte ihr eine erstklassige unübertrefflich hysterische Rolle auf den Leib geschrieben. Scurvy saß einfach da und rauchte; sie sah so leblos aus wie ein Penner auf einer Parkbank.

Ich spielte mitten im Wohnzimmer ein bißchen mit der großen Hantel herum. Frank und Lilly hatten mich gründlich eingefettet; ich war von Kopf bis Fuß voller Öl und roch wie ein Salat, aber das Öl hob meine Muskeln auf besondere Art hervor. Ich trug eines dieser knappen einteiligen Trikots – dieses wie ein altmodischer Badeanzug aussehende Ding, das von Ringern und Gewichthebern getragen wird.

»Halt deine Muskeln warm«, sagte Coach Lilly zu mir, »tu gerade so viel, daß die Adern schön hervortreten. Wenn er hier reinkommt, möchte ich, daß diese Adern an deiner Hautoberfläche regelrecht *herausschnellen*.«

»*Falls* er hier reinkommt«, stieß Frank ungeduldig hervor.

»Er wird kommen«, sagte Franny leise. »Er ist schon ganz nahe«, sagte sie und machte die Augen zu. »Ich weiß, daß er schon ganz nahe ist«, wiederholte sie.

Als das Telefon klingelte, fuhren alle in dem Zimmer zusammen – alle außer Franny und der erstklassigen unübertrefflichen Hysterikerin namens Scurvy; sie zuckten nicht einmal. Franny ließ das Telefon ein paarmal klingeln. Lilly kam aus dem Schlafzimmer; in ihrer Schwesternkleidung sah sie sauber und gepflegt aus. Als es vielleicht das vierte Mal klingelte, nickte sie Franny zu, und Franny nahm den Hörer ab. Sie sagte nichts.

»Hallo?« sagte Chipper Dove. »Franny?« hörten wir ihn fragen. Franny zitterte, aber Lilly nickte ihr weiterhin zu.

»Komm schnell rauf«, flüsterte Franny in das Telefon. »Komm rauf, solange meine Pflegerin noch fort ist!« zischte sie. Dann legte sie auf; sie würgte, und ich dachte schon, sie müsse wieder ins Bad gehen und sich übergeben, aber sie hielt stand, und es ging ihr gleich wieder besser.

Lilly rückte ihren straffen, mausgrauen kleinen Haarknoten zurecht, der in Wirklichkeit eine Perücke war. Sie sah aus wie eine alte Pflegerin in einem Heim für Zwerge; die Frauen vom West Village Workshop hatten aus Lillys Gesicht eine runzlige Dörrpflaume gemacht. Sie trat in den Wandschrank gleich neben dem Ausgang, und zog die Tür hinter sich zu. Wenn man im Wohnzimmer der Suite war, konnte man die Schranktür leicht mit der Eingangstür verwechseln.

Scurvy lud sich einen Stapel sauberer Bettwäsche auf den Arm und ging hinaus auf den Gang. »Fünf bis sieben Minuten nach ihm«, sagte ich ihr.

»Ich brauch keine Ermahnungen«, sagte sie mürrisch. »Ich kann an der Tür horchen und auf mein verficktes Stichwort warten«, ließ sie mich verächtlich wissen. »Schließlich bin ich *Profi*.«

Eines hatten die Frauen vom West Village Workshop gemeinsam, wie Susie mir anvertraut hatte: Sie waren alle vergewaltigt worden.

Ich begann mit meiner Gewichtarbeit. Ich stieß die Hantel einige Male rasch nach oben, um Blut in meine Muskeln zu pumpen. Susie der Bär legte sich – weg von Franny – ans Fußende der Couch und rollte sich zusammen, als wolle sie schlafen. Sie versteckte ihre Krallen und die Schnauze mit dem Beißkorb; von hinten sah sie aus wie ein schlafender Hund. Die schwarze Frau namens Ruthie – die mächtige Frau, die ein Klon von Junior Jones war – ließ sich neben Franny auf die Couch plumpsen. Als der Bär in seinem Winterschlaf zu schnarchen anfing, zog Frank den Kaftan aus und hängte ihn an einen Türknauf – er trug jetzt nur noch das hauteng schwarze Trikot – und ging in Lillys Schlafzimmer und schaltete die Musik ein. Vom Wohnzimmer aus konnte man durch die Schlafzimmertür auf das Bett blicken. Als die Musik einsetzte, begann Frank auf dem Bett zu tanzen. Die Musik hatte Frank sich selbst ausgesucht. Die Wahl war ihm nicht schwergefallen: er entschied sich für die Wahnsinnsarie aus Donizettis *Lucia*.

Ich warf einen Blick auf Franny und sah, wie sich ein paar Tränen aus den Stecknadellöchern zwängten, zu denen die Frauen Frannys Augen zurechtgeschminkt hatten; die Tränen hinterließen wüste Spuren in dem dicken Make-up. Franny verknotete die Finger in ihrem Schoß, und ich klopfte sachte an die Schranktür und flüsterte: »Ein Meisterwerk, Lilly«, sagte ich. »Es hat alle Merkmale eines Meisterwerks.«

»Ihr dürft bloß euren Text nicht vermasseln«, flüsterte Lilly.

Als Chipper Dove an die Tür klopfte, wölbten sich meine Bizepse so, wie Lilly das haben wollte, und auch die Unterarme sahen recht gut aus. Mir lief ein wenig Schweiß über die ölige Haut, und im Schlafzimmer fing Lucia an zu schreien. Frank hüpfte so unglaublich plump auf dem Bett herum, daß ich kaum hinsehen konnte.

»Herein!« rief Franny nach draußen zu Chipper Dove, und als ich sah, daß sich der Türknauf drehte, packte ich die Tür von innen und ließ Chipper Dove herein – blitzschnell. Ich muß die Tür wohl etwas heftiger aufgerissen haben, als nötig gewesen wäre, denn Chipper Dove flog regelrecht ins Zimmer – und landete auf allen vieren. Ich hängte das NICHT-STÖREN-Schild außen an den Türgriff und machte die Tür hinter ihm zu.

»Sieh mal an, wen haben wir denn da«, sagte Franny in ihrer besten eisigen Stimme.

»Heiliger Strohsack!« schrie Frank, hoch aufgerichtet auf dem federnden Bett.

Ich rollte die Hantel gegen die Tür, aber Chipper Dove stand einigermaßen gelassen auf. Er hatte dieses nie ersterbende Lächeln aufgesetzt; bis jetzt war es jedenfalls *noch nicht* erstorben.

»Was soll das alles, Franny?« fragte er sie lässig, aber Frannys Text war bereits zu Ende. (»Sieh mal an, wen haben wir denn da.« Mehr brauchte sie nicht zu sagen.)

»Wir werden dich jetzt vergewaltigen«, sagte ich zu Chipper Dove.

»He, Moment mal«, sagte Dove. »Das war nicht direkt eine *Vergewaltigung* damals«, sagte er. »Ich meine, du hattest mich wirklich *gern*, Franny«, sagte er zu ihr, aber Franny hatte ausgeredet. »Das mit den anderen Jungs tut mir leid, Franny«, fügte Dove hinzu, aber der starre Blick aus Frannys Nadelaugen sagte ihm nichts. »Scheiße!« sagte Dove und wandte sich mir zu. »*Wer* wird mich vergewaltigen?«

»Ich nicht!« schrie Frank aus dem Schlafzimmer und federte immer höher und höher. »Ich für meine Person ziehe *Schlammpfützen* vor. Die ficke ich die ganze Zeit!«

Chipper Dove konnte immer noch lächeln. »Dann also die auf der Couch?« fragte er mich verschmitzt. Er starrte die mächtige Ruthie an; sie muß ihn an Junior Jones erinnert haben – sie starrte nur zurück –, doch Chipper Dove schaffte es, selbst sie anzugrinsen. »Ich hab nichts gegen schwarze Frauen«, sagte Chipper Dove und konzentrierte sich auf Ruthie und mich. »Ich finde das sogar ganz gut, zwischendurch mal eine schwarze Frau.« Ruthie hob die eine Backe ihres gewaltigen Arsches an und furzte.

»*Mich* fickst du nicht«, ließ sie Chipper Dove wissen.

Dove konzentrierte sich nun ganz auf mich. Von seinem Lächeln war kaum mehr etwas zu sehen; er begann wohl zu argwöhnen, *ich* sei dazu ausersehen worden, ihn zu vergewaltigen, und die Idee gefiel ihm sichtlich weniger.

»Nein, *er* doch nicht, du Arschloch!« brüllte Frank aus dem Schlafzimmer und keuchte und sprang immer weiter – höher und höher. »Er mag *Mädchen,* genau wie *du!*« brüllte Frank in Doves Richtung. »Widerliche, widerliche, widerliche *Mädchen!*« rief Frank. Er fiel vom Bett, aber er war sofort wieder oben und setzte seinen wilden Tanz fort. Lucia hörte sich wirklich verrückt an.

»Willst du mir weismachen, dieser *Hund* hier soll es tun?«
fragte mich Chipper Dove. »Du glaubst doch wohl nicht, daß
ich für einen verfickten *Hund* stillhalte!« fuhr er mich an.

»Was denn für'n Hund, Mann?« fragte Ruthie Chipper
Dove. Ruthie konnte so fürchterlich lächeln wie Chipper
Dove.

»Dieser Hund da«, sagte Dove und zeigte auf Susie den
Bären. Susie lag zusammengerollt da – den haarigen Rücken
Dove zugekehrt – und schnarchte; die Pfoten und den Kopf
hatte sie unter sich verborgen. Ruthie fuhr mit ihrem großen
nackten Fuß Susie zwischen die Beine. Sie machte sich daran,
Susie mit ihrem Fuß durchzukneten. Susie begann zu stöhnen.

»Das ist doch kein *Hund*, Mann«, sagte Ruthie lächelnd –
und knetete weiter mit ihrem obszönen Fuß. Und dann
schraubte Ruthie ihren Fuß mit einer heftigen Bewegung in
Susies Weichteile, und Susie der Bär kam brüllend zu sich; sie
fuhr herum und schnappte bösartig nach Ruthie. Dove sah,
daß der Beißkorb sie kaum zurückhalten konnte; er sah, wie
Ruthie mit einem Satz vor den langen, zum Schlag ausholen-
den Klauen zurückwich. Ruthie warf Susie die Leine ins Gesicht und lief auf die andere Seite des Zimmers. Susie wollte
sich offenbar auf sie stürzen, aber Franny brauchte nur die
Hand auszustrecken. Sie berührte Susie nur einmal, und schon
war Susie wieder ganz zahm und legte den Kopf in Frannys
Schoß und brummte leise vor sich hin.

»Earl! Earl!« stöhnte sie.

»Das ist ja ein *Bär*«, sagte Dove.

»Da kannst du deinen Arsch drauf verwetten, Mann«, sagte
Ruthie.

Und Frank, der immer höher segelte und sich in Lucias Arie
hineinsang – und selbst *ihre* Verrücktheit noch zu übertrumpfen schien –, brüllte: »Das ist eine *läufige Bärin!*«

»Diese Bärin *will* dich«, sagte ich zu Chipper Dove.

Als sich Dove wieder der Bärin zuwandte, sah er, daß
Franny ihre Hand genau dort bei Susie liegen hatte, wo die
Bärin ihre Schamteile haben mußte. Franny rieb die Stelle mit

ihrer Hand, und die Bärin war plötzlich ganz verspielt; sie rollte den Kopf von einer Seite zur anderen, sie gab höchst ungehörige Geräusche von sich. Die Leute vom West Village Workshop hatten bei Susie dem Bären einfach Wunder bewirkt; vorher war sie lediglich ein schlauer Bär gewesen, doch nun war sie ein Bär, mit dem man rechnen mußte.

»Diese Bärin ist so scharf«, sagte Ruthie, »daß sie sogar *mich* ficken würde.«

»He, Moment mal«, sagte Chipper Dove zu mir. Er klammerte sich immer noch an die Illusion, ich sei der einzige Normale unter ihnen. So schätzte er inzwischen die Lage ein: ich war seine letzte Hoffnung. Als Scurvy, das Zimmermädchen, an die Tür klopfte, hatten wir ihn genau da, wo Lilly ihn haben wollte. Ich schleuderte die Hantel zur Seite, als wiege sie überhaupt nichts. Ich riß die Tür so ruckartig auf, daß Scurvy, als sie ins Zimmer geflogen kam, noch konfuser und bestürzter schien als vorher Chipper Dove. Susie der Bär brummte – allzu plötzliche Bewegungen mißfielen ihr –, und das zu Tode erschrockene Zimmermädchen blickte zu mir auf.

»Da draußen steht NICHT STÖREN, du dumme Gans!« brüllte ich sie an. Ich zerrte sie hoch, und als sie wieder auf den Beinen stand, riß ich ihr vorne die Arbeitskleidung auf. Sie fing sofort an hysterisch zu werden. Ich stellte sie auf den Kopf und hob sie hoch, um sie zu schütteln. Frank jaulte vor Vergnügen.

»Schwarze Höschen, schwarze Höschen!« kreischte Frank auf dem federnden Bett.

»Sie sind entlassen«, sagte ich zu dem wimmernden Zimmermädchen. »Sie haben nicht reinzukommen, wenn das NICHT-STÖREN-Schild an der Tür hängt. Wenn Sie zu blöd sind, um das zu kapieren«, sagte ich, »sind Sie entlassen.« Ich gab sie, immer noch kopfüber, an Ruthie weiter. Wie ich von Susie wußte, hatten Ruthie und Scurvy diese Nummer seit langem geübt. Es war eine Art Apachentanz, ein Tanz mit dem Thema ›Frau vergewaltigt Frau‹. Ruthie machte sich ohne Umschweife über Scurvy her, direkt vor Chipper Doves Augen.

»Es ist mir ganz gleich, auch wenn Sie der *Besitzer* des Hotels sind!« heulte Scurvy. »Sie sind schreckliche widerliche Leute, und ich putze nie wieder die Schweinereien weg, die dieser Bär hinterläßt, *nie wieder, nie wieder*«, jammerte sie. Dann brachte sie es in absolut umwerfender Manier fertig, sich unter Ruthie in *krampfhaften Zuckungen* zu winden – sie würgte, sie spuckte, sie schnappte über. Ruthie ließ sie in einem kleinen Knäuel liegen, zusammengeschrumpft und winselnd – und hin und wieder von einem grauenerregenden Krampf geschüttelt.

Ruthie zuckte mit den Achseln und sagte zu mir: »Ihr müßt endlich Zimmermädchen einstellen, die robuster sind als dieser weiße Abschaum, Mann. Jedesmal wenn die Bärin einen vergewaltigt, flippen die Zimmermädchen aus. Die werden einfach nicht *fertig* damit.«

Und als ich einen Blick auf Chipper Dove warf, sah ich – *endlich!* –, daß sein eiskaltes Lächeln verschwunden war. Er starrte auf die Bärin: Susie wurde für Frannys Berührungen immer empfänglicher. Ruthie ging hin und nahm der Bärin den Beißkorb ab; Susie grinste uns zähnebleckend an. Sie war bärenhafter als jeder Bär. Bei dieser einmaligen Vorstellung nach Lillys Drehbuch hätte Susie sogar einen *Bären* überzeugt, daß sie eine Bärin war. Eine läufige Bärin.

Ich weiß nicht einmal, ob Bärinnen überhaupt läufig werden. »Es spielt keine Rolle«, wie Frank sagen würde.

Nur eines spielte eine Rolle: daß Chipper Dove daran glaubte. Ruthie fing an, Susie behutsam hinter den Ohren zu kratzen. »*Siehst* du ihn? Siehst du ihn – *den* da drüben?« lockte Ruthie. Und Susie der Bär setzte sich mit schlurfenden und wiegenden Schritten in Bewegung; schnuppernd ging sie auf Chipper Dove zu.

»Moment mal«, wandte Dove sich wieder an mich.

»Es ist besser, du bewegst dich nicht so hastig«, sagte ich zu ihm. »Bären mögen keine hastigen Bewegungen.«

Dove erstarrte. Susie, die sich unheimlich viel Zeit ließ, begann an ihm herumzuschnüffeln. Frank lag erschöpft auf dem Bett im Schlafzimmer. »Ich will dir einen Rat geben«, sagte Frank zu Chipper Dove. »Du hast mich mit Schlammpfützen bekannt gemacht, drum will ich dir für den Umgang mit Bären einen Rat geben«, sagte Frank.

»He, bitte«, sagte Chipper Dove leise zu mir.

»Vor allem«, sagte Frank, »darfst du dich *nicht bewegen*. Wehr dich *auf keinen Fall*. Der Bär schätzt es gar nicht, wenn man sich wehrt.«

»Laß dich einfach ein bißchen gehen, Mann«, sagte Ruthie wie im Traum.

Ich trat vor Dove und öffnete seine Gürtelschnalle; er wollte mich daran hindern, aber ich sagte: »Keine hastigen Bewegungen.« Als Doves Hose weich auf dem Teppich landete, fuhr ihm Susie der Bär noch im selben Moment mit der Schnauze zwischen die Beine.

»Ich würde dir empfehlen, die Luft anzuhalten«, riet Frank aus dem Schlafzimmer.

Und das war Lillys Stichwort. Plötzlich stand sie im Zimmer. Für Dove sah es so aus, als sei sie einfach mit ihrem eigenen Schlüssel zur Eingangstür hereingekommen.

Wir starrten alle auf die zwergenhafte Krankenschwester; Lilly sah verärgert aus.

»Ich hab doch geahnt, daß Sie wieder mal *darauf* aus sind, Franny«, sagte Lilly zu ihrer Patientin. Franny rollte sich auf der Couch zusammen und kehrte uns allen den Rücken zu.

»Sie sind ihre Pflegerin und nicht ihre Mutter«, fuhr ich Lilly an.

»Es ist nicht *gut* für sie – es ist einfach irrsinnig, jedermann zu vergewaltigen, vergewaltigen, *vergewaltigen!*« schrie Lilly mich an. »Jedesmal wenn diese verdammte Bärin läufig ist, zerrt ihr einfach jeden, den ihr wollt, hier rein und *vergewaltigt* ihn – und ich sage euch, das ist nicht *gut* für sie.«

»Aber es ist das einzige, was Franny *mag*«, sagte Frank mürrisch.

»Es ist nicht *recht*, daß sie es mag«, erklärte Lilly, ganz die dickköpfige, aber gute Pflegerin, die sie ja auch war.

»Ach, *kommen* Sie«, sagte ich. »*Der* hier ist etwas Besonderes. Der hier hat *sie* vergewaltigt!« sagte ich zu Lilly.

»Mich hat er gezwungen, eine Schlammpfütze zu ficken«, jammerte Frank.

»Wenn wir nur noch *den* hier vergewaltigen können«, flehte ich Lilly an, »dann tun wir es ganz bestimmt nie mehr.«

»Versprechungen, Versprechungen«, sagte Lilly und verschränkte ihre kleinen Arme über ihren kleinen Brüsten.

»Wir versprechen es!« schrie Frank. »Nur noch einen. Nur noch *diesen* hier.«

»Earl!« schnaubte Susie, und ich dachte schon, Dove werde gleich in Ohnmacht fallen. Susie schnaubte ungestüm in Doves Schamteile. Susie der Bär schien sagen zu wollen, auch sie sei besonders an *diesem* hier interessiert.

»Bitte, bitte!« fing Dove an zu schreien. Susie schlug ihm die Beine weg und legte sich mit ihrem ganzen Gewicht über seine Brust. Sie legte eine große Tatze – eine *echte* Tatze – direkt auf seine Schamteile. »Bitte!« sagte Dove. »Bitte nicht! *Bitte!*«

Und das war alles, was Lilly geschrieben hatte. Das war die Stelle, an der wir aufhören sollten. Alle hatten ihren Text aufgesagt, bis auf Lilly.

Lilly sollte nur noch sagen: »Es gibt keine Vergewaltigungen mehr, *keine einzige mehr* – und das ist endgültig.« Und ich sollte Dove auflesen und in den Gang hinauswerfen.

Doch Franny stand von der Couch auf und schob alle beiseite; sie ging zu Dove hinüber. »Das reicht, Susie«, sagte Franny, und Susie ließ von Dove ab. »Zieh deine Hosen wieder an, Chipper«, sagte Franny zu ihm. Er stand auf, fiel aber gleich wieder hin; er rappelte sich erneut auf und zog seine Hosen hoch. »Und wenn du das nächstemal deine Hosen *aus*ziehst, ganz gleich *für wen*«, sagte Franny zu Chipper Dove, »dann denk mal an mich.«

»Denk an uns *alle*«, sagte Frank, der nun aus dem Schlafzimmer kam.

»Vergiß uns nicht«, sagte ich zu Chipper Dove.

»Wenn du uns mal begegnest«, sagte die mächtige Ruthie, »dann geh lieber in die andere Richtung. Jeder von uns könnte dich glatt umbringen, Mann«, sagte sie trocken.

Susie der Bär nahm den Bärenkopf ab; sie würde ihn nie mehr *nötig* haben. Künftig trug sie das Bärenkostüm nur noch zum Spaß. Sie blickte Chipper Dove direkt in die Augen. Die erstklassige unübertreffliche Hysterikerin namens Scurvy erhob sich vom Teppich und kam auch herüber, um sich Chipper Dove genau anzusehen. Sie musterte ihn, als wolle sie ihn ihrem Gedächtnis einprägen; dann zuckte sie mit den Achseln, zündete sich eine Zigarette an und wandte sich ab.

»Bleib nicht weg von offenen Fenstern!« rief Frank hinter Dove her, als er uns verließ; er ging den Gang entlang und stützte sich dabei immer wieder an der Wand ab. Es entging keinem von uns, daß er nasse Hosen hatte.

Chipper Dove bewegte sich wie ein Mann, der in einer Krankenstation für Geistesgestörte die Toilette sucht. Er bewegte sich mit der ganzen Unsicherheit eines Mannes, der nicht recht wußte, was in der Toilette auf ihn wartete – ja, als sei er nicht einmal sicher, was er dort zu tun habe.

Doch in uns allen war jenes ernste Gefühl einer Ernüchterung, das in jeder ehrlichen Untersuchung über Rache festgehalten werden sollte. Was immer wir getan haben mochten, es würde nie so schrecklich sein wie das, was er Franny angetan hatte – und wenn es so schrecklich gewesen *wäre,* dann wäre es zuviel gewesen.

Mein ganzes Leben lang blieb mir das Gefühl, als hätte ich immer noch Chipper Dove in der Mangel und stemmte ihn hoch – so daß seine Füße ein paar Handbreit über der Seventh Avenue baumelten. Es war mit ihm wirklich nichts anderes anzufangen, als ihn wieder abzusetzen; und es würde mit ihm auch *nie* etwas anderes anzufangen sein – so ist das nun mal mit unseren Chipper Doves: wir werden sie auch künftig immer nur hochheben und wieder absetzen, immer und ewig.

Und damit, könnte man meinen, war auch das erledigt. Lilly hatte ihre Bewährungsprobe mit einer richtigen Oper, einem echten Märchen, bestanden. Susie der Bär hatte die Rolle zu Ende gespielt; sie hatte ihre Bärenrolle endgültig ausgeschöpft; sie behielt das Bärenkostüm nur aus sentimentalen Gründen und zur Belustigung von Kindern – und natürlich für Halloween. Vater bekam zu Weihnachten einen Blindenhund. Es sollte für ihn der erste in einer ganzen Reihe von Blindenhunden sein. Und wenn mein Vater erst mal ein Tier hatte, mit dem er reden konnte, würde er endlich dahinterkommen, was er mit dem Rest seines Lebens anfangen wollte.

»Hier kommt der Rest unseres Lebens«, sagte Franny mit ehrfürchtiger Rührung, wie es schien. »Der Rest unseres verfickten Lebens kann endlich losgehen«, sagte sie.

An dem Tag, als Chipper Dove aus dem Stanhope zu seiner »Firma« zurück ging, sah es so aus, als würden wir *alle* überleben – diejenigen, die noch übrig waren; es sah so aus, als hätten wir es geschafft. Franny war nun frei für ein Leben nach ihren eigenen Vorstellungen, Lilly und Frank hatten ihre selbstgewählte Laufbahn – oder die Laufbahn hatte *sie* gewählt, wie man so sagt. Vater brauchte nur ein wenig Zeit mit dem Teil seiner selbst, der auf Tiere horchte – um leichter zu einem Entschluß zu kommen. Ich wußte, daß ein in Österreich absolviertes Studium der amerikanischen Literatur *mich* für kaum etwas qualifizierte, aber was *hatte* ich schon anderes zu tun, als mich um meinen Vater zu kümmern – und dann und wann Gewichte zu heben für meinen Bruder und meine Schwester, wenn ihnen die Last zu schwer wurde.

Was wir alle in den vorweihnachtlichen Dekorationen, in dem ganzen Trubel um unsere Abrechnung mit Chipper Dove vergessen hatten, war jene Gestalt, die uns von Anfang an verfolgt hatte. Es war wie in jedem Märchen: gerade wenn du glaubst, aus dem Wald raus zu sein, ist der Wald einiges größer, als du angenommen hattest; gerade wenn du glaubst, aus dem Wald raus zu sein, stellt sich heraus, daß du immer noch *drin* bist.

Wie hatten wir nur die Lektion des Mäusekönigs so rasch vergessen können? Wie hätten wir denn den alten Hund unserer Kindheit, unseren lieben Kummer, so einfach abtun können, wie Susie, die ihr Bärenkostüm sauber zusammenlegte und sagte: »Das wär's dann. Das hätten wir hinter uns. Jetzt werden die Karten neu gemischt.«

Es gibt ein Lied, das die Wiener singen – es ist eines ihrer sogenannten *Heurigen*lieder, mit dem sie immer den neuen Wein feiern. Es ist bezeichnend für diese Leute, die Freud so gut verstand, daß ihre Lieder voller Todeswünsche sind. Keine Frage, der Mäusekönig selbst muß einst dieses kleine Lied gesungen haben.

Verkauft's mei G'wand, ich fahr' in Himmel.

Als Susie der Bär mit ihren Freundinnen zurück ins Village ging, verlangten Frank und Franny und Lilly und ich den guten, alten Zimmerservice und bestellten den Champagner. Während wir noch die sehr geringe Süße unserer Rache an Chipper Dove auskosteten, erschien uns unsere Kindheit wie ein klarer See – hinter uns. Wir hatten das Gefühl, von Kummer befreit zu sein. Aber einer von uns muß selbst in diesem Augenblick das Lied gesungen haben. Einer von uns summte heimlich die Melodie.

ERNST IST DAS LEBEN, HEITER IST DIE KUNST!

Der Mäusekönig war tot, aber für einen von uns war der Mäusekönig nicht vergessen.

Ich bin kein Dichter. Ich war nicht mal der Schriftsteller in unserer Familie. Donald Justice sollte Lillys literarischer Held werden: er verdrängte sogar den wunderbaren Schluß des *Gatsby*, den Lilly uns zu oft vorlas. Donald Justice hat auf höchst überzeugende Art die Frage gestellt, die ins Herz meiner hotelerfahrenen Familie zielt:

*Was wäre denn das Unheil anderes – gerade unser
eigenes Unheil –
Als etwas durch und durch Alltägliches?*

Das Unheil gehört also auch auf die Liste. Denn das Unheil
ist »etwas durch und durch Alltägliches«, besonders in Familien. Kummer schwimmt obenauf, Liebe auch, und – letzten
Endes – auch das Unheil. Es bleibt obenauf.

12.

Das Mäusekönig-Syndrom;
das letzte Hotel New Hampshire

Hier ist der Epilog, denn einen Epilog gibt es immer. In einer Welt, in der Liebe und Kummer obenauf schwimmen, gibt es viele Epiloge – und manche gehen immer weiter. In einer Welt, in der sich das Unheil immer wieder dazwischendrängt, sind manche Epiloge kurz.

»Der Traum ist die *verkleidete* Erfüllung eines *unterdrückten, verdrängten* Wunsches«, verkündete uns Vater beim Osteressen in Franks Wohnung in New York – Ostern 1965.

»Du zitierst schon wieder Freud, Pop«, sagte Lilly zu ihm.

»Welchen Freud?« fragte Franny aus Gewohnheit.

»Sigmund«, antwortete Frank. »*Die Traumdeutung*, viertes Kapitel.«

Ich hätte die Quelle auch kennen müssen, denn Frank und ich wechselten uns darin ab, Vater abends vorzulesen. Vater hatte uns gebeten, ihm den *ganzen* Freud vorzulesen.

»Wovon hast du denn geträumt, Pop?« fragte ihn Franny.

»Vom Arbuthnot-by-the-Sea«, sagte Vater. Seine Blindenhündin verbrachte jede Mahlzeit mit ihrem Kopf in Vaters Schoß. Immer wenn Vater nach seiner Serviette griff, legte er der Hündin einen Bissen in die wartende Schnauze, und die hob dann kurz den Kopf an, so daß Vater an seine Serviette konnte.

»Du solltest sie bei Tisch *nicht* füttern«, schimpfte Lilly mit Vater, aber wir alle mochten den Hund. Es war eine Deutsche Schäferhündin mit einer besonders satten goldbraunen Farbe, die das sonst vorherrschende Schwarz an vielen Stellen unterbrach und in ihrem sanften Gesicht sogar dominierte; sie hatte eine besonders lange Schnauze und hohe Backenknochen, so daß ihre Erscheinung in nichts an einen Labrador erinnerte.

Vater wollte sie erst Freud nennen, aber wir fanden es schon verwirrend genug, daß wir bei allen möglichen Bemerkungen nicht wußten, *welcher* Freud gemeint war. Wir konnten Vater überzeugen, daß ein *dritter* Freud uns alle verrückt gemacht hätte.

Lilly meinte, wir sollten den Hund Jung nennen.

»Was? Nach diesem Verräter! Diesem Antisemiten!« protestierte Frank. »Wer würde je auf die Idee kommen, ein *Weibchen* nach *Jung* zu benennen?« fragte Frank. »Nur Jung selbst wäre auf so eine Idee gekommen«, sagte er empört.

Lilly regte daraufhin an, den Hund Stanhope zu nennen, weil Lilly in den vierzehnten Stock so vernarrt war; Vater gefiel zwar die Idee, seinen ersten Blindenhund nach einem Hotel zu benennen, aber er sagte, er würde ein Hotel vorziehen, das er wirklich mochte. Wir waren uns dann alle einig, daß die Hündin den Namen *Sacher* bekommen sollte. Immerhin war Frau Sacher eine Frau gewesen.

Sachers einzige schlechte Angewohnheit war es, daß sie Vater jedesmal, wenn er sich zum Essen hinsetzte, den Kopf in den Schoß legte, aber Vater bestärkte sie darin – so daß es eigentlich Vaters schlechte Angewohnheit war. Im übrigen war Sacher ein vorbildlicher Blindenhund. Sie verzichtete darauf, andere Tiere anzugreifen und dabei meinen Vater völlig unkontrolliert hinter sich herzuziehen; besonders schlau war sie im Umgang mit Aufzügen – mit ihrem Körper blockierte sie die Tür, so daß diese erst zugehen konnte, wenn mein Vater den Aufzug betreten oder verlassen hatte. Sacher verbellte den Türsteher des St. Moritz, doch im übrigen war sie zu Vaters Fußgängerkollegen freundlich, allenfalls ein wenig gleichgültig. Zu der Zeit war man in New York noch nicht verpflichtet, den Hundedreck selbst zu entfernen, so daß Vater diese erniedrigende Arbeit erspart blieb – sie wäre für ihn ohnehin fast unmöglich gewesen, das war ihm klar. Tatsächlich hatte Vater schon damals, als noch niemand davon sprach, Angst vor einer solchen Verordnung. »Ich meine«, sagte er, »wenn Sacher mal mitten auf die Central Park South scheißt, wie soll ich dann den Haufen *finden?* Es ist schlimm genug, Hundedreck auflesen zu müssen, aber wenn du nichts *sehen* kannst, ist das ausgesprochen mühselig. Ich werde es nicht tun!« brüllte er. »Wenn irgendein selbstgerechter Bürger auch nur *versucht,* mich darauf anzusprechen, wenn mir einer auch nur *nahelegt,* ich sei für die Schweinereien meines Hundes verantwortlich, ich glaube, dann greife ich zum Baseballschläger!« Doch vorläufig war Vater noch außer Gefahr. Und als sie später die Hundedreck-Verordnung erließen, lebten wir nicht mehr in New York. Als das Wetter besser wurde, gingen Sacher und mein Vater ohne Begleitung zwischen dem Stanhope und der Central Park South spazieren, und mein Vater nahm sich die Freiheit heraus, gegen Sachers Dreck blind zu sein.

In Franks Wohnung schlief der Hund auf dem Teppich zwischen Vaters Bett und meinem, und nachts fragte ich mich manchmal, ob ich Sacher oder Vater träumen hörte.

»Du hast also vom Arbuthnot-by-the-Sea geträumt«, sagte Franny zu Vater. »Was Neues ist das ja nicht gerade.«

»Doch«, sagte Vater. »Es war keiner der *alten* Träume. Ich meine, eure Mutter kam darin nicht vor. Wir waren nicht wieder *jung* oder so.«

»Kein Mann in einer weißen Smokingjacke, Daddy?« fragte Lilly.

»Nein, nein«, sagte Vater. »Ich war alt. In dem Traum war ich sogar älter, als ich in Wirklichkeit bin«, sagte er; er war fünfundvierzig. »In dem Traum«, sagte Vater, »ging ich mit Sacher einfach am Ufer spazieren; wir bummelten einfach durch die Anlagen – rings um das Hotel«, sagte er.

»Rings um die *Ruinen,* meinst du«, sagte Franny.

»Nun ja«, sagte Vater listig, »ich konnte natürlich nicht direkt *sehen,* ob das Arbuthnot noch eine Ruine war, aber ich hatte so ein Gefühl, als sei es *wiederhergestellt* – ich hatte das Gefühl, alles sei wieder gerichtet«, sagte Vater und schob Bissen um Bissen von seinem Teller in seinen Schoß – und in Sacher. »Es war ein nagelneues Hotel«, sagte Vater schelmisch.

»Und ich wette, du warst der *Besitzer*«, sagte Lilly zu ihm.

»Du *hast* doch gesagt, ich kann absolut *alles* tun, nicht wahr, Frank?« fragte Vater.

»In dem Traum warst du der *Besitzer* des Arbuthnot-by-the-Sea?« fragte ihn Frank. »Und alles war wieder gerichtet?«

»Es herrschte der normale Betrieb, Pop?« fragte ihn Franny.

»Der normale Betrieb«, sagte Vater und nickte; Sacher nickte ebenfalls.

»Ist es *das,* was du tun willst?« fragte ich Vater. »Du wärst gern der Besitzer des Arbuthnot-by-the-Sea?«

»Na ja«, sagte Vater. »Wir müßten ihm natürlich einen anderen Namen geben.«

»Natürlich«, sagte Franny.

»Das *dritte* Hotel New Hampshire!« schrie Frank. »Lilly!« rief er. »Stell dir das nur mal vor! *Noch* eine Fernsehserie!«

»Ich habe mit der ersten Serie noch gar nicht richtig angefangen«, sagte Lilly besorgt.

Franny kniete sich neben Vater; sie legte ihm eine Hand aufs Knie; Sacher leckte Frannys Finger ab. »Du willst es *noch einmal* tun?« fragte Franny Vater. »Du willst noch einmal von vorne anfangen? Dir ist doch klar, daß du es nicht tun *mußt.«*

»Aber was sollte ich denn *sonst* tun, Franny?«, fragte er sie lächelnd. »Es ist das *letzte* – das verspreche ich euch«, sagte er zu uns allen. »Wenn es mir nicht gelingt, aus dem Arbuthnot-by-the-Sea etwas Besonderes zu machen, werfe ich das Handtuch.«

Franny warf Frank einen Blick zu und zuckte mit den Achseln; auch ich zuckte mit den Achseln, und Lilly verdrehte nur die Augen. Frank sagte: »Na ja, es dürfte nicht allzu schwer sein, herauszubringen, was es kostet und wem es gehört.«

»Ich will ihn nicht sehen – falls es immer noch *ihm* gehört«, sagte Vater. »Ich will den Dreckskerl nicht sehen.« Vater wies uns immer auf Dinge hin, die er nicht sehen wollte, und wir waren gewöhnlich beherrscht genug, ihn nicht darauf hinzuweisen, daß er sowieso nichts sehen konnte.

Franny sagte, sie wolle den Mann in der weißen Smokingjacke auch nicht sehen, und Lilly sagte, sie sehe ihn die ganze Zeit – in ihrem Schlaf; Lilly sagte, sie sei es leid, ihn zu sehen.

Schließlich waren es Frank und ich, die einen Wagen mieteten und die lange Fahrt nach Maine antraten; Frank brachte mir unterwegs das Autofahren bei. Wir bekamen wieder die Ruinen des Arbuthnot-by-the-Sea zu sehen. Wir stellten fest, daß sich Ruinen nicht wesentlich verändern: die Möglichkeiten der Veränderung, die in einer Ruine stecken, haben sich gewöhnlich schon erschöpft – in dem langen Prozeß der Veränderung, mit dem die Ruine erst zur Ruine *geworden* ist. Wenn eine Ruine erst einmal zur Ruine geworden ist, verändert sie sich kaum mehr. Es gab zwar Spuren von neuen Vandalen, aber es war wohl nicht sehr reizvoll, sich an einer Ruine auszutoben, und so erschien uns die ganze Anlage fast genau so wie damals im Herbst 1946, als wir alle zum Arbuthnot-by-the-Sea gekommen waren, um Earl sterben zu sehen.

Wir hatten keine Mühe, den Pier zu finden, an dem der alte State o' Maine erschossen wurde, obwohl dieser Pier – ebenso wie die umliegenden Piere – neu gebaut worden war und obwohl viele neue Boote im Wasser lagen. Das Arbuthnot-by-the-Sea sah aus wie eine kleine Geisterstadt, aber was einst ein putziges, von Fischern und Hummerfängern bevölkertes Dorf – in unmittelbarer Nähe des Hotels – gewesen war, war nun ein schäbiges kleines Touristenstädtchen. Es gab eine kleine Hafenanlage, wo man Boote mieten und Köderwürmer kaufen konnte, und es gab einen felsigen öffentlichen Strand in Sichtweite des Privatstrandes, der zum Arbuthnot-by-the-Sea gehörte. Da sich keiner mehr darum kümmerte, war der Privatstrand kaum noch privat. Zwei Familien waren dort beim Picknick, als Frank und ich hinkamen; eine der Familien war mit einem Boot gekommen, aber die andere Familie war mit dem Auto unmittelbar bis an den Strand gefahren. Sie hatten dieselbe private Zufahrt wie Frank und ich benutzt, vorbei an dem verblaßten Schild, auf dem immer noch zu lesen war: DIESEN SOMMER GESCHLOSSEN!

Die Kette, die einmal die Zufahrt versperrt hatte, war vor langer Zeit abgerissen und weggeschleppt worden.

»Es würde ein Vermögen kosten, das Ding auch nur bewohnbar zu machen«, sagte Frank.

»Wenn sie es überhaupt verkaufen wollen«, sagte ich.

»Wer, um Himmels willen, würde es *behalten* wollen?« fragte Frank.

Vom Immobilienmakler in Bath erfuhren wir schließlich, daß der Mann in der weißen Smokingjacke immer noch das Arbuthnot-by-the-Sea besaß – und immer noch am Leben war.

»Sie wollen den Besitz des alten Arbuthnot kaufen!« fragte der schockierte Makler.

Wir freuten uns über die Neuigkeit, daß es tatsächlich einen »alten Arbuthnot« gab.

»Ich habe nur mit seinen Anwälten zu tun«, sagte der Immobilienmakler. »Die versuchen schon seit Jahren, den Besitz loszuwerden. Der alte Arbuthnot lebt in Kalifornien«, erzählte uns der Makler, »aber er hat überall im Land seine Anwälte sitzen. Ich selber habe meistens mit dem in New York zu tun.«

Nun dachten wir, wir müßten nur noch dem New Yorker Anwalt mitteilen, daß wir es haben wollten, aber in New York informierte uns dann Arbuthnots Anwalt, daß Arbuthnot uns sehen wollte.

»Wir müssen also nach Kalifornien«, sagte Frank. »Der alte Arbuthnot scheint so senil wie einer der Habsburger, aber er verkauft nicht, solange er uns nicht *kennengelernt* hat.«

»Jessas Gott«, sagte Franny. »Das ist eine teure Reise, nur um jemanden kennenzulernen!«

Frank machte ihr klar, daß Arbuthnot die Kosten übernahm.

»Wahrscheinlich will er euch ins Gesicht lachen«, sagte uns Franny.

»Wahrscheinlich will er Leute kennenlernen, die verrückter sind als *er*«, sagte Lilly.

»Ich kann kaum glauben, daß ich so viel Glück habe!« rief

Vater. »Allein wenn ich mir vorstelle, daß es immer noch zu haben ist!«

Frank und ich sahen keinen Grund, ihm von den Ruinen zu erzählen – und von dem schäbigen neuen Tourismus, der sein geliebtes Arbuthnot-by-the-Sea umgab.

»Er wird sowieso nichts davon zu *sehen* bekommen«, flüsterte Frank.

Und ich bin froh, daß Vater keine Gelegenheit hatte, den alten Arbuthnot zu sehen, der im Beverly Hills Hotel seine endgültig letzte Residenz hatte. Als Frank und ich auf dem Flughafen von Los Angeles ankamen, nahmen wir uns zum zweitenmal in dieser Woche einen Mietwagen und fuhren zu unserem Treffen mit dem betagten Arbuthnot.

In einer Suite mit eigenem Palmengarten trafen wir den alten Mann mit einer bereitstehenden Pflegerin, einem bereitstehenden Anwalt (diesmal war es ein kalifornischer Anwalt) und einem – wie sich herausstellen sollte – tödlichen Emphysem. Mit etlichen Kissen im Rücken saß er in einem mit allen Schikanen ausgerüsteten Klinikbett – behutsam atmend saß er neben einer Reihe von Klimageräten.

»Ich mag L. A.«, keuchte Arbuthnot. »Nicht so viele Juden hier wie in New York. Oder vielleicht bin ich gegen Juden endlich *immun* geworden«, fügte er hinzu. Dann wurde er von einem Husten, der ihn überraschend (und von der Seite her) zu überfallen schien, jäh auf sein Klinikbett geschleudert; es hörte sich an, als stecke ihm ein ganzes Truthahnbein im Hals – es schien unmöglich, daß er sich noch einmal erholte; es sah so aus, als bringe ihn sein unbeirrter Antisemitismus endlich um (das hätte Freud bestimmt glücklich gemacht), aber ebenso schnell, wie der Anfall ihn gepackt hatte, ließ er ihn wieder los, und der alte Mann war ganz ruhig. Seine Pflegerin schüttelte ihm die Kissen zurecht; der Anwalt legte ihm ein paar bedeutsam aussehende Dokumente auf die Brust und gab dem alten Arbuthnot einen Federhalter in die zitternde Hand.

»Ich sterbe bald«, sagte Arbuthnot zu Frank und mir – als

ob wir das nicht auf den ersten Blick gesehen hätten. Er trug einen weißen Seidenpyjama und schien ungefähr hundert Jahre alt; er kann kaum über fünfzig Pfund gewogen haben.

»Sie sagen, sie seien keine Juden«, sagte der Anwalt zu Arbuthnot und deutete dabei auf Frank und mich.

»Ist *das* der Grund, weshalb Sie uns sehen wollten?« fragte Frank den alten Mann. »Das hätten Sie auch am Telefon feststellen können.«

»Vielleicht sterbe ich bald«, sagte er, »aber das heißt noch lange nicht, daß ich den Juden das Feld überlasse.«

»Mein Vater«, erklärte ich Arbuthnot, »war eng mit Freud befreundet.«

»Nicht mit *dem* Freud«, sagte Frank zu Arbuthnot, aber der alte Mann hatte wieder angefangen zu husten und hörte nicht, was Frank zu sagen hatte.

»Freud?« sagte Arbuthnot, übel hustend und spuckend. »*Ich* habe auch mal einen Freud gekannt! Einen jüdischen Dompteur. Die Juden können aber mit Tieren nicht umgehen«, vertraute er uns an. »Tiere haben nämlich ein gutes Gespür«, sagte er. »Die merken gleich, wenn einer ein bißchen komisch ist«, sagte er. »Der Freud, den *ich* kannte, das war ein dummer jüdischer Dompteur. Er hat versucht, einen Bären zu dressieren, aber der Bär hat ihn aufgefressen!« Arbuthnot jaulte vor Vergnügen – was den nächsten Hustenanfall auslöste.

»Eine Art antisemitischer Bär?« fragte Frank, und Arbuthnot lachte so fürchterlich, daß ich schon glaubte, der darauf folgende Hustenanfall würde ihn umbringen.

»Ich *wollte* ihn umbringen«, sagte Frank später.

»Sie müssen verrückt sein, wenn Sie das alte Hotel kaufen wollen«, sagte Arbuthnot zu uns. »Oder wissen Sie vielleicht nicht, wo *Maine* liegt? Einfach nirgendwo! Es gibt dort keine anständigen Bahnverbindungen, und es gibt keine anständigen Flugverbindungen. Die Autofahrt dorthin ist fürchterlich – es ist zu weit von New York *und* von Boston weg –, und wenn man *doch* mal hinkommt, ist das Wasser zu kalt, und in einer Stunde haben einen die Insekten zu Tode gestochen. Es kommen auch keine Segler mehr hin, die wirklich Format haben – ich meine die Segler mit Geld«, sagte er. »Wenn man ein bißchen Geld hat, gibt es in Maine absolut nichts, wofür man es ausgeben könnte! Die haben dort nicht mal *Huren*.«

»Uns gefällt es trotzdem«, sagte ihm Frank.

»Es sind keine Juden, oder?« fragte Arbuthnot seinen Anwalt.

»Nein«, sagte der Anwalt.

»Es ist schwer zu sagen, nur vom Aussehen«, sagte Arbuthnot. »Früher konnte ich einen Juden auf Anhieb erkennen«, erklärte er uns. »Aber jetzt sterbe ich bald«, fügte er hinzu.

»Ein Jammer«, sagte Frank.

»Freud ist *nicht* von einem Bären aufgefressen worden«, sagte ich zu Arbuthnot.

»Der Freud, den *ich* kannte, ist von einem Bären aufgefressen worden«, sagte Arbuthnot.

»Nein«, sagte Frank, »der Freud, den Sie kannten, war ein *Held*.«

»Doch nicht der Freud, den ich kannte«, stritt der alte Arbuthnot verdrießlich weiter. Seine Pflegerin fing etwas Speichel auf, der von seinem Kinn tropfte, und wischte ihm so geistesabwesend das Gesicht ab, wie sie sonst vielleicht einen Tisch abstaubte.

»Der Freud, den wir *beide* kennen«, sagte ich, »hat die Wiener Staatsoper gerettet.«

»Wien!« schrie Arbuthnot. »Wien ist voller Juden!« brüllte er.

»In Maine gibt's heute auch mehr davon als früher«, reizte ihn Frank.

»In L. A. auch«, sagte ich.

»Ich sterbe sowieso«, sagte Arbuthnot. »Gott sei Dank.« Er unterschrieb die Papiere auf seiner Brust, und der Anwalt händigte sie uns aus. Auf diese Weise kaufte also Frank 1965 das Arbuthnot-by-the-Sea und zehn Hektar Land an der Küste Maines. »Für ein Butterbrot«, wie Franny später sagte.

Ein fast himmelblaues Muttermal sproß im Gesicht des alten

Arbuthnot, und beide Ohren leuchteten grell violett, da sie mit Gentianaviolett, einem altmodischen Mittel gegen Pilze, bestrichen waren. Es war, als fresse ein gewaltiger Pilz Arbuthnot von innen her auf. »Einen Augenblick noch«, sagte er, als wir schon im Gehen waren – und seine Brust schickte ein wäßriges Echo hinterher. Seine Pflegerin schüttelte ihm wieder die Kissen zurecht; sein Anwalt ließ eine Aktentasche zuschnappen; bei der Kälte aus all den summenden Klimageräten wirkte der Raum auf Frank und mich wie eine Gruft – wie die Kaisergruft für die herzlosen Habsburger in Wien. »Was haben Sie eigentlich für Pläne?« fragte Arbuthnot. »Was zum Teufel wollen Sie mit dem Gebäude *anfangen*?«

»Es gibt ein Ausbildungslager für Sonderkommandos«, erklärte Frank dem alten Arbuthnot. »Für die israelischen Streitkräfte«, fügte er hinzu.

Ich sah, daß Arbuthnots Anwalt grinste; es war ein ganz besonderes Grinsen, das Frank und mich später auf den Papieren, die uns ausgehändigt worden waren, nach dem Namen des Anwalts sehen ließ. Der Name des Anwalts war Irving Rosenman, und wenn er auch aus Los Angeles kam, waren Frank und ich doch ziemlich sicher, daß er Jude war.

Der alte Arbuthnot grinste nicht. »Israelische Kommandos?« sagte er.

»*Ratta-tat-tat-tat-tat!*« sagte Frank, wie ein Maschinengewehr. Es sah aus, als wolle sich Irving Rosenman in die Klimageräte stürzen, um nicht laut hinauszulachen.

»Die Bären werden sie schon erwischen«, sagte Arbuthnot seltsamerweise. »Die Bären werden *alle* Juden erwischen, am Ende«, sagte er – der besinnungslose Haß in seinem alten Gesicht war so altmodisch und so grell wie das Gentianaviolett in seinen Ohren.

»Dann wünsch ich einen schönen Tod«, sagte Frank zu ihm.

Arbuthnot fing an zu husten; er wollte noch etwas sagen, aber er konnte mit dem Husten nicht aufhören. Er winkte die Pflegerin zu sich, und sie hatte offenbar keine große Mühe, sein Husten zu interpretieren; sie war daran gewöhnt; sie winkte uns aus Arbuthnots Zimmer und kam dann nach und ließ uns wissen, was Arbuthnot uns noch hatte sagen wollen.

»Er sagt, er wird sich den schönsten Tod leisten, der mit Geld zu bekommen ist«, sagte sie uns, und das – hatte Arbuthnot hinzugefügt – sei mehr, als wir beide erwarten könnten.

Und Frank und mir fiel nichts ein, was wir dem alten Arbuthnot durch die Pflegerin hätten ausrichten können. Es genügte uns, ihn seinen Vorstellungen von israelischen Kommandos in Maine zu überlassen. Frank und ich verabschiedeten uns von Arbuthnots Pflegerin und von Irving Rosenman, und mit dem dritten Hotel New Hampshire in Franks Tasche flogen wir zurück nach New York.

»Genau da solltest du's auch lassen, Frank«, sagte Franny. »In deiner Tasche.«

»Du kannst doch aus dem alten Ding kein Hotel mehr machen«, sagte Lilly zu Vater. »Es hat seine Chance verspielt.«

»Wir werden ganz bescheiden anfangen«, versicherte Vater Lilly.

»Wir« – das waren Vater selbst und ich. Ich sagte ihm, ich würde mit ihm nach Maine gehen und ihm am Anfang helfen.

»Dann bist du genauso verrückt wie er«, hatte Franny mir gesagt.

Aber ich hatte eine Idee, von der Vater nie etwas erfahren sollte. Wenn ein Traum, wie Freud sagt, die Erfüllung eines Wunsches ist, dann gilt das – wieder nach Freud – auch für Witze. Ein Witz ist auch die Erfüllung eines Wunsches. Ich hatte da einen Witz für Vater; ich hatte ihm einen Streich zu spielen, und das läuft nun schon seit fünfzehn Jahren. Da Vater mittlerweile über sechzig ist, ist es wohl nur recht und billig, zu sagen, der Witz ist »angekommen«; es ist nur recht und billig, zu sagen, ich bin ungestraft davongekommen.

Das letzte Hotel New Hampshire war nie – und wird nie – ein Hotel. Das ist der Streich, den ich Vater all diese Jahre gespielt habe. Lillys erstes Buch, *Wachstumsversuche*, brachte so viel Geld ein, daß wir das Arbuthnot-by-the-Sea hätten wiederherstellen *können;* und als sie die ganze Geschichte verfilmten, hätten wir auch das Gasthaus Freud zurückkaufen können. Vielleicht hätten wir uns da auch das Sacher leisten können; zumindest hätten wir das Stanhope kaufen können. Aber ich wußte, es war nicht nötig, daß das dritte Hotel New Hampshire ein *wirkliches* Hotel wurde.

»Die ersten beiden«, sagte Frank dazu, »waren schließlich auch keine *wirklichen* Hotels.« In Wahrheit war Vater von Anfang an blind, oder Freuds Blindheit war ansteckend gewesen.

Wir ließen das Gerümpel vom Strand entfernen. Wir ließen die Anlagen mehr oder weniger in Ordnung bringen, was nichts anderes heißt, als daß wir wieder den Rasen mähten; und wir bemühten uns sogar um einen der Tennisplätze. Viele Jahre später bauten wir ein Schwimmbecken ein, weil Vater gern schwamm und weil es mich nervös machte, ihn im Meer schwimmen zu sehen; ich hatte immer Angst, er könnte die falsche Richtung einschlagen und aufs offene Meer hinausschwimmen. Und die Gebäude, die einst dem Personal als Unterkünfte gedient hatten – wo seinerzeit Mutter und Vater und Freud gewohnt hatten? Wir beseitigten sie einfach; wir überließen sie einem Abbruchunternehmen. Nachdem das Gelände planiert war, kam eine Asphaltdecke drauf. Wir sagten Vater, es sei ein Parkplatz, auch wenn wir es nie mit sehr vielen Autos zu tun hatten.

Wir hängten unser Herz ans Hauptgebäude. Wo der Empfangsschalter gewesen war, bauten wir eine Bar ein; aus der Lobby machten wir ein riesiges Spielzimmer. Wir dachten dabei an die Dartsscheiben und die Billardtische im Café Mowatt, so daß es wohl zutrifft, wenn Franny sagt, wir hätten die Lobby in ein Wiener Kaffeehaus verwandelt. Von dort ging es direkt in das ehemalige Hotelrestaurant und in die Küche; wir rissen einfach einige Wände ein und machten aus dem Ganzen das, was der Architekt »eine Art ländliche Küche« nannte.

»Eine riesengroße Art«, sagte Lilly.

»Eine sonderbare Art«, sagte Frank.

Es war Franks Idee, den Ballsaal wiederherzustellen. »Für den Fall, daß wir mal eine große Party haben«, meinte er, obwohl abzusehen war, daß wir nie eine Party haben würden, für die die sogenannte ländliche Küche nicht groß genug gewesen wäre. Selbst noch nachdem wir viele Badezimmer stillgelegt und das oberste Stockwerk in einen Lagerraum und den ersten Stock in eine Bibliothek verwandelt hatten, wären dreißig Leute und mehr bequem unterzubringen gewesen – wenn wir das je beabsichtigt hätten und wenn wir genügend Betten gekauft hätten.

Am Anfang schien sich Vater zu wundern, daß alles so ruhig war: »Wo sind die Gäste?« fragte er manchmal, vor allem im Sommer, wenn man bei offenen Fenstern erwartet, daß Kinder zu hören sind – daß ihre hohen und hellen Stimmen vom Strand heraufgeweht werden und sich mit den Schreien der Möwen und Seeschwalben vermischen. Ich erklärte Vater, daß wir im Sommer genug verdienten, um im Winter auf den Hotelbetrieb verzichten zu können, aber in manchen Sommern fragte er mich doch nach der Stille ringsum, die getragen war vom stetigen Rhythmus des Meeres. »Also nach meinen Eindrücken kann ich mir nicht vorstellen, daß wir hier mehr als zwei oder drei Gäste haben«, sagte dann Vater und fügte hinzu: »Es sei denn, ich werde jetzt auch noch *taub*.«

Aber wir erklärten ihm alle, als erstklassiges *Ferien*hotel hätten wir es gar nicht nötig, für ein volles Haus zu sorgen; unsere Zimmerpreise seien so hoch, daß wir gar nicht alle Zimmer belegen müßten, um auf unsere Kosten zu kommen.

»Ist das nicht phantastisch?« sagte er darauf. »Es ist genau das, was ich diesem Hotel schon immer zugetraut habe«, erinnerte er uns. »Es brauchte nur die richtige Mischung aus Vornehmheit und Demokratie. Ich wußte schon immer, daß es etwas *Besonderes* sein könnte.«

Nun, meine eigene Familie war natürlich ein Muster an Demokratie; zuerst verdiente Lilly das Geld, dann machte sich Frank daran, mit dem Geld zu arbeiten, und so hatte das dritte Hotel New Hampshire eine Menge *nicht* zahlender Gäste. Wir wollten möglichst viele Leute im Haus, denn die Gegenwart von Menschen, ihre fröhlichen Laute ebenso wie ihr Gezänk, stützte die Illusion meines Vaters, daß wir es schließlich doch noch zu einem vornehmen Hotel gebracht hatten, das ausschließlich schwarze Zahlen schrieb. Lilly kam und blieb, solange sie es aushielt. Sie arbeitete nie gerne in der Bibliothek, obwohl wir ihr praktisch den ganzen ersten Stock anboten. »Zu viele Bücher in der Bibliothek«, sagte sie. Wenn sie schrieb, hatte sie das Gefühl, daß die Gegenwart anderer Bücher ihre kleinen Bemühungen noch kleiner machte. Einmal versuchte Lilly sogar im Ballsaal zu schreiben – jenem weiten Raum, der auf Musik und anmutige Füße wartete. Lilly schrieb und schrieb in diesem Raum, aber mit dem winzigen Picken und Klappern auf ihrer Schreibmaschine konnte sie niemals den leeren Tanzboden füllen – auch wenn sie sich Mühe gab. Und wie sich Lilly Mühe gab.

Und Franny kam immer wieder und blieb, um sich der Neugier der Öffentlichkeit zu entziehen; Franny benutzte unser drittes Hotel New Hampshire dazu, sich zu sammeln. Denn Franny wurde berühmt – berühmter sogar als Lilly, fürchte ich. In der Filmfassung von *Wachstumsversuche* spielte Franny sich selbst. Schließlich *ist* sie die Heldin des ersten Hotels New Hampshire. In der Filmfassung ist sie natürlich die einzige von uns, die authentisch wirkt. Aus Frank machten sie den stereotypen homosexuellen Becken-rassler und Tierpräparator; sie machten Lilly zu einem »nied-lichen« Mädchen, aber Lillys Kleinheit war für uns nie nied-lich. Ich fürchte, wir sahen in Lillys Körpergröße immer ein Scheitern ihrer Bemühungen – weder die Bemühungen noch das Resultat hatten etwas mit Niedlichkeit zu tun. Und bei Egg übertrieben sie: Egg der Herzensbrecher – Egg war wirk-lich »niedlich«.

Einen Veteranen aus zahllosen Wildwestfilmen ließen sie Iowa-Bob spielen (Frank und Franny und ich hatten Tau-sende von Malen erlebt, wie dieser alte Stümper vom Rücken eines Pferdes geschossen wurde); er hatte eine Art, Gewichte zu heben, als verschlinge er einen Berg Pfannkuchen – er war alles andere als überzeugend. Und sie unterschlugen natürlich sämtliche Flüche. Irgendein Produzent wollte Franny tatsächlich weismachen, eine derbe Sprache zeuge von einem beschränkten Wortschatz und von einem Mangel an Phantasie. Und Frank und Lilly und Vater und ich ließen dann gerne einen Schrei los und fragten Franny, was sie *darauf* geantwortet habe.

»Dir hat wohl einer ins Hirn geschissen!« hatte sie zu dem Produzenten gesagt. »Fick dich doch ins Ohr, du erbärmliches Arschloch!«

Doch trotz der Beschränkungen in der Sprache kam Franny in *Wachstumsversuche* gut rüber. Und das, obwohl sie Junior Jones so besetzten, daß er wie ein gehemmter Komiker wirkte, der bei einer Jazzband unterkommen will, und obwohl die Typen, die Mutter und Vater spielten, fade und blaß blieben; und dann der Typ, der *mich* verkörperte – Jessas Gott, nein. Trotz all dieser Handikaps behielt Franny ihre Ausstrahlung. Sie war in den Zwanzigern, als der Film gedreht wurde, aber sie war so hübsch, daß man ihr die Sechzehnjährige ohne weiteres abnahm.

»Ich glaube, der Schwachkopf, der *dich* spielte«, sagte Franny zu mir, »sollte eine absolut leblose Mischung aus Liebenswürdigkeit und Dummheit verströmen.«

»Also, ich weiß nicht, das verströmst du doch *tatsächlich*, hin und wieder«, foppte mich Frank.

»Wie eine gewichthebende alte Jungfer«, sagte Lilly zu mir. »So haben sie deine Rolle gesehen.«

Aber in den ersten paar Jahren, in denen ich mich im dritten Hotel New Hampshire um Vater kümmerte, sah ich mich selbst durchaus in dieser Rolle: als eine gewichthebende alte Jungfer. Nach einem in Wien absolvierten Studium der amerikanischen Literatur konnte ich mit dem Job eines Verwalters der Illusionen meines Vaters ganz zufrieden sein.

»Du brauchst eine gute Frau«, sagte Franny zu mir am

Telefon – aus New York, aus L. A., aus der Sicht eines kommenden Stars.

Frank stritt sich mit ihr darüber, ob ich nicht vielleicht einen guten *Mann* brauchte. Aber ich war auf der Hut. Es machte mich glücklich, Vaters Phantasie aufzubauen. In der Tradition, die von der verlorenen Fehlgeburt begründet worden war, genoß ich es besonders, Vater abends vorzulesen; jemandem vorzulesen, ist eine der Freuden dieser Welt. Es sollte mir sogar gelingen, Vater fürs Gewichtheben zu interessieren. Auch wenn man nichts sieht, kann man Gewichte heben. Und nun haben wir jeden Morgen unseren Spaß im alten Ballsaal. Überall haben wir Matten ausgebreitet, und wir haben eine passende Bank fürs Bankdrücken. Wir haben Kugel- und Scheibenhanteln für jede Gelegenheit – und wir haben vom Ballsaal einen herrlichen Ausblick auf den Atlantischen Ozean. Wenn Vater den Ausblick auch nicht mit den Augen genießen kann, so ist er doch zufrieden, daß ihn die Meeresbrise umfächelt, wenn er am Boden liegt und seine Gewichte stemmt. Seit dem Tag, an dem ich Arbeiter zerquetschte, gehe ich, wie gesagt, nicht mehr ganz so konsequent an die Gewichte ran, und Vater versteht inzwischen so viel vom Gewichtheben, daß ihm das klargeworden ist; er tadelt mich deswegen ein bißchen, aber mir macht es einfach Spaß, ein leichtes Training mit ihm durchzuziehen. Die Arbeit mit den schweren Gewichten überlasse ich mittlerweile ihm.

»Ich weiß, du bist auch heute noch in Form«, triezt er mich, »aber im Sommer vierundsechzig hattest du mehr drauf.«

»Man kann nicht sein ganzes Leben zweiundzwanzig sein«, erinnere ich ihn, und dann widmen wir uns eine Weile den Gewichten. An diesen Vormittagen, wenn noch der Nebel über Maine hängt und die Feuchtigkeit des Meeres auf uns liegt, kann ich mir leicht vorstellen, daß die ganze Reise für mich nochmal von vorn anfängt – ich kann dann glauben, ich liege auf dem Teppich, wo der alte Kummer so gerne lag, und Iowa-Bob liegt neben mir und bringt mir etwas bei, statt daß da Vater liegt, dem ich etwas beibringe.

Ich ging schon auf die Vierzig zu, als ich erstmals versuchte, mit einer Frau zusammenzuleben.

Zu meinem dreißigsten Geburtstag schickte mir Lilly ein Gedicht von Donald Justice. Sie mochte den Schluß und dachte, er treffe auf mich zu. Ich war damals schlecht gelaunt und ließ sofort einen kurzen Brief an Lilly los, in dem ich sie fragte: »Wer ist dieser Donald Justice, und wieso trifft alles, was er sagt, auf *uns* zu?« Aber es ist ein hübscher Schluß für ein Gedicht, ganz gleich von wem, und ich fühlte mich mit dreißig *tatsächlich* so.

> *Dreißig heute, ich sah*
> *Die Bäume kurz aufflackern wie*
> *Die Kerzen auf einer Torte,*
> *Als die Sonne am Himmel sank,*
> *Ein flüchtiges Aufblitzen nur,*
> *Doch die Zeit reichte aus für einen Wunsch,*
> *Bevor das Licht erlöschen konnte,*
> *Wenn mir nur ein Wunsch eingefallen wäre,*
> *Ganz so wie früher,*
> *Wenn ich mich über das saubere*
> *Tischtuch im Kerzenlicht beugte,*
> *Um sie auszublasen mit einem Hauch.*

Und als später Frank vierzig wurde, schickte ich ihm einen Geburtstagsgruß und legte ihm Donald Justices Gedicht ›Männer mit Vierzig‹ bei.

> *Männer mit Vierzig*
> *Lernen es, leise die Türen zu schließen,*
> *Zu Zimmern, in die sie*
> *Nicht mehr zurückkehren.*

Frank ließ sofort einen kurzen Brief an mich los, in dem er sagte, er habe das verdammte Gedicht nur bis zu dieser Stelle gelesen. »Schließ deine eigenen Türen!« fuhr mich Frank an. »Du bist auch bald vierzig. Was mich angeht, so knall ich die verdammten Türen zu und in die verfickten alten Zimmer kehre ich pausenlos zurück!«

Bravo, Frank! dachte ich. Er ist immer ohne die geringste Furcht an den offenen Fenstern vorbeigegangen. All die großen Agenten tun das: sie schaffen es, den unglaublichsten und unlogischsten Rat vernünftig erscheinen zu lassen, sie schaffen es, daß du ohne Furcht zur Sache gehst, und auf diese Weise bekommst du es, bekommst du mehr oder weniger, was du willst, oder du bekommst jedenfalls irgendwas; wenigstens gehst du nicht leer aus, wenn du ohne Furcht zur Sache gehst, wenn du den Sprung ins Dunkel wagst, als befolgtest du den vernünftigsten Rat der Welt. Wer hätte geglaubt, daß aus Frank ein so liebenswerter Mensch werden würde? (Als kleiner Junge war er dermaßen fies.) Und ich werfe Frank nicht vor, daß er Lilly zu sehr antrieb. »Es war *Lilly*«, sagte Frank immer, »die Lilly zu sehr antrieb.«

Als ihre *Wachstumsversuche* den verdammten Kritikern gefielen – als sie mit ihrem überheblichen Lob zu ihr herabstiegen und sagten, *obwohl* sie *die* Lilly Berry aus der berühmten Familie der Opernretter sei, sei sie wirklich »nicht schlecht«, sei sie wirklich sehr »vielversprechend« – als sie immer weiter von der *Unverbrauchtheit* ihrer *Stimme* schwafelten, bedeutete das für Lilly nichts anderes, als daß es Zeit für sie wurde, etwas auf die Beine zu stellen; es war Zeit für sie, Ernst zu machen.

Doch unsere kleine Lilly schrieb ihr erstes Buch fast durch Zufall; dieses Buch war nur ein beschönigender Ausdruck für ihre Wachstumsversuche, aber es bestand ihr gegenüber darauf, daß sie *wirklich* eine Schriftstellerin sei, auch wenn sie vielleicht nur eine sensible und hingebungsvolle Leserin war, die die Literatur liebte und glaubte, sie *wolle* schreiben. Ich glaube, es war das Schreiben, das Lilly umbrachte, denn Schreiben kann so etwas bewirken. Es hat sie einfach aufgezehrt; sie war nicht groß genug, den Raubbau, den das Schreiben mit sich bringt, das ständige Rumhobeln an sich selbst, zu ertragen. Nachdem die Filmfassung von *Wachstumsversuche* Franny berühmt machte und nachdem die Fernsehserie über das erste Hotel New Hampshire dafür sorgte, daß der Name Lilly Berry zu einem Begriff wurde, da wollte Lilly, glaube ich, »nur noch schreiben«, so wie man das immer wieder von Schriftstellern hört. Ich glaube, sie wollte nun einfach die Freiheit haben, *ihr* Buch zu schreiben. Unglücklicherweise war dieses zweite Buch nicht sehr gut. Es hieß *Der Abend des Geistes*, nach einer Zeile, die sie ihrem Guru, Donald Justice gestohlen hatte:

> *Nun kommt der Abend des Geistes.*
> *Hier sind die Glühwürmer, zuckend im Blut;*

und so weiter. Es wäre vielleicht klüger gewesen, sie hätte sich bei ihrem Titel (und mit ihrem Buch) auf eine andere Donald-Justice-Zeile bezogen:

> *Die Zeit ein Bogen, vom sicheren Scheitern gekrümmt.*

Sie hätte ihrem Buch den Titel *Sicheres Scheitern* geben können, denn genau das geschah: es scheiterte. Es war mehr, als sie verkraften konnte; es wuchs ihr über den Kopf. Es war ein Buch über den Tod der Träume, darüber, daß Träume sehr schwer sterben. Es war insofern ein tapferes Buch, als es von allem abwich, was mit Lillys kleiner Autobiographie zu tun hatte, aber es wich in ein Land aus, das zu fremdartig war, als daß sie es hätte begreifen können; sie schrieb ein *vages* Buch, in dem sich widerspiegelte, wie fremd ihr die Sprache war, die sie nur besuchte. Wenn man vage schreibt, ist man immer verletzbar, und sie war dann auch rasch verletzt, als die Kritiker – diese verdammten Rezensenten mit ihrer dumpfen, schwerfälligen Verschlagenheit – über sie herfielen.

Nach Meinung Franks, der Lilly gewöhnlich richtig beurteilte, kam für sie noch die Peinlichkeit dazu, ein schlechtes

Buch geschrieben zu haben, das von einer ziemlich einfluß-reichen Gruppe schlechter Leser als *heroisch* aufgenommen wurde. Unter den Studenten gab es gewisse Analphabeten, die gerade die Vagheit in *Der Abend des Geistes* anziehend fan-den; diese Studenten stellten erleichtert fest, daß absolute Nebelhaftigkeit nicht nur veröffentlicht werden konnte, son-dern anscheinend auch mit Ernsthaftigkeit gleichgesetzt wurde. Was einige der Studenten in dem Buch am besten fanden, war laut Frank das, was Lilly an ihrem Buch am meisten haßte – daß es Selbsterforschung trieb, die nirgendwo hinführte, daß es keine durchgehende Handlung hatte, daß seine Figuren mal Charaktere waren und mal nicht, daß es keine Geschichte erzählte. Bestimmte Leute an den Universitäten sehen in einem offenkundigen Mangel an Klarheit irgendwie eine Be-stätigung dafür, daß etwas, was jeder Narr als Untugend erkennt, durch die Kunst so umgeordnet werden kann, daß es als Tugend dasteht.

»Wie zum Teufel *kommen* diese Studenten bloß auf eine solche Idee!« beschwerte sich Franny.

»Nicht *alle* haben diese Idee«, erklärte ihr Frank.

»Die glauben alle, wenn etwas gekünstelt und angestrengt und verfickt *schwierig* ist, dann sei das *besser* als etwas Un-kompliziertes, Flüssiges und Verständliches!« schrie Franny. »Was ist bloß *los* mit diesen Fickern!«

»Nur einige von ihnen sind so, Franny«, sagte Frank.

»Nur die, die aus Lillys Scheitern einen Kult gemacht haben?« fragte Franny.

»Nur die, die auf ihre Lehrer hören«, sagte Frank selbst-gefällig – glücklich und zufrieden in einer seiner Gegen-alles-Stimmungen. »Überleg doch mal, Franny: woher *haben* diese Studenten wohl ihre Denkweise?« fragte Frank. »Von ihren Lehrern.«

»Jessas Gott«, sagte Franny da nur.

Sie bewarb sich nicht um eine Rolle in *Der Abend des Geistes;* aus dem Buch ließ sich ohnehin kein Film machen. Franny wurde viel müheloser zum Filmstar als Lilly zur

Schriftstellerin. »Ein Star zu sein ist leichter«, sagte Franny einmal. »Du brauchst nichts anderes zu tun, als locker hinzunehmen, daß du bist wie du bist, und darauf zu vertrauen, daß die Leute dich mögen; du vertraust einfach darauf, daß sie mitkriegen, wie du *in dir drin* bist«, sagte Franny. »Du bist ganz locker und hoffst, daß du so rüberkommst, wie du *in dir drin* bist.«

Bei einem Schriftsteller braucht wohl das, was *in ihm drin* ist, mehr Nahrung, um herauskommen zu können. Ich wollte Donald Justice immer einen Brief in dieser Sache schreiben, aber ich glaube, ihn – nur einmal, und aus der Ferne – zu sehen sollte genügen. Wenn das Beste und Klarste in ihm nicht in seinen *Gedichten* steckte, wäre er kein sehr guter Schriftsteller. Und da so viel Gutes und Starkes von ihm in seine Gedichte *einfließt,* wäre es wahrscheinlich enttäuschend, ihn kennenzulernen. Ich will damit natürlich nicht sagen, daß er möglicherweise ein Nichtsnutz ist. Er ist wahrscheinlich ein wunderbarer Mann. Aber er kann unmöglich so präzise sein wie seine Gedichte; seine Gedichte sind so erhaben, daß er selbst einfach eine Enttäuschung sein müßte. In Lillys Fall war natürlich ihr Werk das Enttäuschende – und sie wußte es. Sie wußte, ihr Werk war nicht so liebenswert wie sie selbst, und Lilly hätte es lieber umgekehrt gehabt.

Was Franny rettete, war nicht nur, daß das Dasein eines Filmstars leichter ist als das eines Schriftstellers. Was Franny *auch* rettete, war, daß sie als Filmstar nicht allein zu sein brauchte. Donald Justice dagegen weiß, daß du als Schriftsteller ganz allein sein mußt, ob du nun allein *lebst* oder nicht.

Du würdest mich nicht erkennen.
Mein Gesicht ist es, das aufblüht
In den feuchtkalten Spiegeln von Toiletten,
Wenn du nach dem Lichtschalter tastest.

Meine Augen haben den Ausdruck
Der kalten Augen von Statuen,

Die zusehen, wie ihre Tauben zurückkehren
Von dem Futter, das du überall verstreut hast.

»Jessas Gott«, wie Franny einmal sagte. »Wer möchte *den* schon kennenlernen?«

Aber Lilly zu kennen, war wunderschön – außer vielleicht für sie selbst. Lilly wollte, daß ihre Worte wunderschön waren, aber ihre Worte ließen sie im Stich.

Es ist bemerkenswert, daß Franny und ich in Frank einmal den Mäusekönig sahen; bei Frank lagen wir völlig daneben. Wir unterschätzten Frank von Anfang an. Er war ein Held, aber es mußte erst so weit kommen, daß er alle unsere Schecks zeichnete und uns sagte, wieviel wir für dieses oder jenes ausgeben konnten; erst dann erkannten wir den Helden, der Frank von Anfang an gewesen war.

Nein, Lilly war unser Mäusekönig. »Wir hätten es wissen müssen!« klagte Franny immer und immer wieder. »Sie war einfach zu klein!«

Nun ist also Lilly für uns verloren. Sie war der Kummer, den wir nie ganz verstanden; es gelang uns nie, ihre Masken zu durchschauen. Vielleicht wurde Lilly nie groß genug, daß wir sie hätten sehen können.

Sie verfaßte ein Meisterwerk, das sie sich selbst nie hoch genug anrechnete. Sie schrieb das Drehbuch für den Film mit Chipper Dove in der Hauptrolle; sie war die Librettistin und Regisseurin dieser Oper im Rahmen der grandiosen Tradition von Schlagobers und Blut. Sie wußte ganz genau, wie weit sie mit dieser Geschichte gehen konnte. *Der Abend des Geistes* war das Werk, das ihren eigenen Erwartungen nicht gerecht wurde – und dann die Schwierigkeiten, die sie mit dem Neuanfang hatte, als sie versuchte, das Buch zu schreiben, das den ehrgeizigen Titel *Alles nach der Kindheit* bekommen sollte. Es ist nicht mal ein Zitat von Donald Justice; es war Lillys eigene Idee, aber sie konnte auch diesem Anspruch nicht gerecht werden.

Wenn Franny zuviel trinkt, fängt sie an über die Macht zu

motzen, die Donald Justice über Lilly hatte; Franny wird manchmal so betrunken, daß sie dem armen Donald Justice die Schuld an dem gibt, was mit Lilly passiert ist. Aber Frank und ich versichern Franny immer wieder, daß es *Qualität* war, was Lilly umbrachte; es war *Der große Gatsby* mit seinem Schluß: es war ein Schluß, der nicht von ihr war, ein Schluß außerhalb ihrer Reichweite. Und einmal sagte Lilly: »Dieser *verdammte* Donald Justice! Er hat all die guten Zeilen geschrieben!«

Er hat möglicherweise die letzte Zeile geschrieben, die meine Schwester Lilly las. Frank fand bei Lilly Donald Justices Buch *Nachtlicht*, aufgeschlagen auf der mit vielen Eselsohren markierten Seite 20, und um die eine Zeile ganz oben auf der Seite war Kringel um Kringel gezogen worden – einmal sogar mit einem Lippenstift, dann mit mehreren verschiedenen Strichen von mehreren verschiedenen Kugelschreibern; selbst ein bescheidener Bleistiftstrich war darunter.

Der Schluß kann, glaube ich, nie richtig sein.

Das könnte die Zeile gewesen sein, die Lilly dazu trieb.

Es war eine Nacht im Februar. Franny war gerade an der Westküste; Franny hätte sie nicht retten können. Vater und ich waren in Maine; Lilly wußte, daß wir früh zu Bett gingen. Vater hatte mittlerweile seinen dritten Blindenhund. Sacher war tot, sie hatte sich überfressen. Die kleine hellfarbige Hündin, die immer so frech kläffte, bis sie von einem Auto überfahren wurde – sie hatte die Untugend, hinter Autos herzujagen; glücklicherweise nur, wenn sie Vater *nicht* an der Leine hatte–, die war auch tot; Vater nannte sie Schlagobers, weil ihr Temperament ihn an Schlagsahne erinnerte. Der dritte war ein Furzer, aber nur in diesem einen Punkt hatte er eine unangenehme Ähnlichkeit mit Kummer; es war wieder ein Deutscher Schäferhund, aber diesmal ein Rüde, und Vater bestand darauf, ihm den Namen Fred zu geben. So hieß auch das alte Faktotum im dritten Hotel New Hampshire – ein tauber ehe-

maliger Hummerfischer. Immer wenn Vater seinen Hund rief –
ob das nun Sacher war oder Schlagobers –, antwortete Fred das
Faktotum von irgendwoher im Hotel, wo er gerade beschäftigt
war, mit einem »Was?« Das irritierte Vater so sehr (und erinnerte uns beide, ohne daß darüber gesprochen wurde, an Egg),
daß Vater ständig drohte, er werde den *nächsten* Hund Fred
nennen.

»Da dieser alte Trottel sowieso immer antwortet, wenn ich
den Hund rufe, ganz gleich, *was* ich für einen Namen rufe!«
schimpfte Vater. »Jessas Gott, wenn er sowieso die ganze Zeit
›Was?‹ ruft, können wir's ja so einrichten, daß wenigstens der
Name stimmt.«

So kam also Blindenhund Nummer Drei zu dem Namen
Fred. Seine einzige schlechte Angewohnheit war, daß er die
Tochter der Putzfrau zu buckeln versuchte, sobald das kleine
Mädchen von der Seite ihrer Mutter wich. Fred drückte in
seiner einfältigen Art das kleine Mädchen an den Boden und
begann zu buckeln, und das kleine Mädchen kreischte: »Nein,
Fred!« Und die Putzfrau brüllte: »Hör schon auf, Fred!« und
schlug Fred mit einem Mop oder einem Besen oder was immer
zur Hand war. Und Vater hörte den Spektakel und wußte,
was los war, und brüllte: »Herrgott nochmal, Fred, du geiles
Miststück! Setz deinen Arsch in Bewegung und komm her zu
mir, Fred!« Und das taube Faktotum, der ehemalige Hummerfischer, der *andere* Fred, rief: »Was? Was?« Und ich mußte
nach ihm suchen (da Vater sich weigerte) und ihm sagen:
»NICHT *DU*, FRED! ES IST NICHTS, FRED!«

»Ach so«, sagte er dann und ging wieder an die Arbeit.
»Hab geglaubt, da ruft jemand.«

Es wäre also für Lilly aussichtslos gewesen, uns in Maine
anzurufen. Wir hätten für sie nicht viel mehr tun können, als
ein paarmal »Fred!« zu rufen.

Tatsächlich versuchte Lilly, Frank anzurufen. Frank wohnte
nicht so weit von ihr weg; er hätte vielleicht helfen können.
Wir sagen ihm heute, er hätte ihr vielleicht in diesem *einen*
Fall helfen können, aber wir wissen auch: letztlich bleibt

das Unheil obenauf. Lilly erreichte jedenfalls Franks Anrufbeantworter. Frank hatte den persönlichen Auftragsdienst
durch eine dieser mechanischen Einrichtungen ersetzt, durch
eine dieser nervtötenden Bandaufnahmen.

> TAG! HIER IST FRANK – DAS HEISST, EIGENTLICH
> BIN ICH NICHT HIER (HA HA). EIGENTLICH BIN ICH
> WEG. WOLLEN SIE EINE NACHRICHT HINTERLASSEN?
> WARTEN SIE, BIS ES PIEPST, DANN KÖNNEN SIE IHR
> HERZ AUSSCHÜTTEN.

Franny hinterließ viele Nachrichten, die Frank verärgerten.
»Geh fick einen Pfannkuchen, Frank!« schrie Franny in das
nervtötende Gerät. »Das kostet mich jedesmal *Geld,* wenn mir
dieser verfickte Apparat antwortet – verfickt und zugenäht, ich
bin in *Los Angeles,* Frank, du Schwachkopf, du Superarsch, du
Furz im Sturzflug!« Und dann machte sie alle möglichen furzenden Geräusche und sehr feuchte Küsse, und Frank rief mich
an, angewidert wie üblich.

»Also ehrlich«, sagte er. »Ich versteh das nicht von Franny.
Sie hat mir auf meinem Tonbandgerät die widerlichste Nachricht hinterlassen! Ich *weiß* ja, sie hält sich für komisch, aber
sie muß doch wissen, daß uns allen ihr vulgäres Gerede langsam reicht! In ihrem Alter paßt das einfach nicht mehr – falls
es überhaupt einmal zu ihr gepaßt hat. Du hast *dir* diese Ausdrücke abgewöhnt; streng dich doch mal an und gewöhn sie *ihr*
auch ab.«

Und immer weiter und weiter.

Lillys Nachricht muß Frank erschreckt haben. Und er kam
von seiner abendlichen Verabredung wahrscheinlich schon kurz
nach ihrem Anruf zurück; er schaltete das Gerät ein und hörte
sich die aufgezeichneten Nachrichten an, während er sich die
Zähne putzte und bereits an sein Bett dachte.

Es waren überwiegend geschäftliche Dinge. Der Tennis-
spieler, dessen Interessen er vertritt, hatte irgendein Problem
wegen eines Werbespots für ein Deodorant. Ein Drehbuch-

autor rief an, um mitzuteilen, ein Regisseur »manipuliere« ihn, und Frank machte sich in Gedanken rasch eine Notiz – und die besagte, daß bei diesem Autor eine Menge »Manipulation« *nötig* war. Eine berühmte Choreographin kam mit ihrer Autobiographie nicht mehr weiter; es gebe da eine Sperre in ihrer Kindheit, vertraute sie Frank an, der sich weiter um seine Zähne kümmerte. Er spülte den Mund aus, löschte das Licht im Bad, und dann hörte er Lilly.

»Tag, ich bin's«, sagte sie, und es klang, als wolle sie sich entschuldigen – beim Apparat. Lilly entschuldigte sich dauernd. Frank lächelte und schlug seine Bettdecke zurück; er legte immer erst seine Schneiderpuppe ins Bett, bevor er unter die Decke kroch. Es gab eine lange Pause auf dem Tonband, und Frank dachte schon, das Ding sei kaputt; das kam oft genug vor. Aber dann fügte Lilly hinzu: »Ich bin's nur.« Die Müdigkeit in ihrer Stimme ließ Frank nachsehen, wie spät es war, und er wartete mit einiger Beklemmung auf ihre Stimme. In der darauffolgenden Pause flüsterte Frank – daran erinnert er sich noch – ihren Namen. »Red weiter, Lilly«, flüsterte er.

Und Lilly sang ihr kleines Lied, nur ein kleines Bruchstück eines Liedes; es war eines der Heurigenlieder – ein albernes, trauriges Lied, ein Mäuseköniglied. Frank kannte dieses Lied natürlich auswendig.

Verkauft's mei G'wand, ich fahr' in Himmel.

»Heiliger Strohsack, Lilly«, flüsterte Frank zum Tonband hin; er fing an, sich rasch wieder anzuziehen.

»*Auf Wiedersehen*, Frank«, sagte Lilly auf deutsch, als sie ihr kleines Lied gesungen hatte.

Frank gab ihr keine Antwort. Er lief hinunter zum Columbus Circle und hielt ein Taxi an, das uptown fuhr. Und wenn Frank auch kein Läufer war, so bin ich doch sicher, daß er die Strecke in einer guten Zeit lief; ich hätte nicht schneller sein können. Selbst wenn er bei Lillys Anruf zu Hause gewesen wäre, so würde doch – wie ich ihm immer wieder klarmachte –

jeder für eine Entfernung von zwanzig Straßen und einem Zoo länger brauchen als für vierzehn Stockwerke im freien Fall – denn das war die Entfernung vom Fenster der Ecksuite im vierzehnten Stock des Stanhope bis zum Gehweg an der Ecke Eighty-first Street und Fifth Avenue. Lilly hatte einen kürzeren Weg zurückzulegen als Frank, und sie hätte ihr Ziel in *jedem* Fall vor ihm erreicht; es gab nichts, was er hätte tun können. Trotzdem war es Frank – nach seinen eigenen Worten – nicht in den Sinn gekommen, »*Auf Wiedersehen,* Lilly« zu sagen (oder auch nur zu denken), bis sie ihm ihren kleinen Leichnam gezeigt hatten.

Sie hinterließ einen besseren Abschiedsbrief als damals Fehlgeburt. Lilly war nicht verrückt. Sie hinterließ einen ernsthaften Abschiedsbrief.

Tut mir leid,
(stand auf dem Zettel)
einfach nicht groß genug.

Am besten kann ich mich an ihre kleinen Hände erinnern: wie sie in ihrem Schoß umherhüpften, sobald sie etwas Nachdenkliches sagte – und Lilly war immer nachdenklich. »Zu wenig Lachen in ihr, Mann«, wie Junior Jones einmal sagte. Lillys Hände konnten sich nicht zügeln; sie tanzten zu dem, was sie gerade zu hören glaubte – vielleicht war es die gleiche Musik, zu der Freud seinen Baseballschläger tanzen ließ, das gleiche Lied, das heute Vater hört, wenn der Schläger neben seinen müden Beinen sich anmutig bewegt. Mein Vater, der blinde Spaziergänger: er geht überall hin, stundenlang durchstreift er das Gelände um das dritte Hotel New Hampshire, jeden Tag, sommers wie winters. Zuerst führte ihn Sacher, dann Schlagobers und dann Fred; als Fred es sich angewöhnte, Stinktiere zu töten, mußten wir uns von ihm trennen. »Ich *mag* Fred«, sagte Vater, »aber mit seinem Furzen *und* den Stinktieren wird er uns die Gäste vertreiben.«

»Na ja, von den *Gästen* kommen keine Klagen«, sagte ich zu Vater.

»Ach was, die sind nur höflich«, sagte Vater. »Das zeigt nur, daß es vornehme Leute sind, aber es ist ekelhaft, eine echte Zumutung, und wenn Fred je in *meiner* Gegenwart auf ein Stinktier losgeht... also, weiß Gott, dann bring ich ihn um; dann bekommt er den Baseballschläger zu spüren.«

Wir fanden also eine nette Familie, die einen Wachhund haben wollte; sie waren nicht blind, aber es störte sie nicht, daß Fred furzte und stank wie ein Stinktier.

Und nun geht Vater mit Blindenhund Nummer Vier spazieren. Wir wurden es leid, Namen für sie zu finden, und mit Lillys Tod verlor Vater noch ein wenig mehr von seiner Verspieltheit. »Ich schaff das einfach nicht, *noch* einen Hund zu taufen«, sagte er. »Willst *du* das nicht übernehmen?« Aber ich hatte auch anderes im Kopf als Hundenamen. Franny drehte gerade einen Film in Frankreich, und Frank – den Lillys Weggehen am schwersten getroffen hatte – irritierte allein schon der Gedanke an Hunde. Frank hatte mit zuviel Kummer zu kämpfen; er war ganz und gar nicht in der Stimmung, Hunde zu taufen.

»Jessas Gott«, sagte Frank. »Nennt ihn doch Nummer Vier.«

Mein Vater zuckte mit den Achseln und begnügte sich mit einem einfachen »Vier«. Und wenn Vater nun in der Dämmerung nach seinem Gefährten sucht, dann höre ich ihn die Zahl Vier hinausbrüllen. »Vier!« bellt er dann. »Himmel Herrgott, Vier!« Und der alte Fred, das Faktotum, ruft immer noch: »Was?« Und Vater ruft weiter sein »Vier! Vier! Vier!«, wie einer, der sich an ein Spiel aus seiner Kinderzeit erinnert: das Spiel, bei dem einer den Ball hochwirft und die Nummer eines Mitspielers aufruft, und der Aufgerufene muß den Ball fangen, bevor der Ball den Boden berührt. »Vier!« höre ich Vater rufen, und im Geist sehe ich ein Kind vor mir, das mit ausgestreckten Armen auf den Ball zuläuft.

Manchmal ist das Kind Lilly, manchmal ist es Egg.

Und wenn Vater dann Vier endlich gefunden hat, sehe ich vom Fenster aus zu, wie Vier meinen Vater zum Pier hinunterführt; in dem dämmrigen Licht kann man Vater mit seinem Blindenhund leicht für einen jüngeren Mann unten an dem Pier halten – einen jüngeren Mann mit einem Bären, vielleicht; möglicherweise angeln sie Steinköhler. »Das Angeln macht keinen Spaß, wenn du nicht sehen kannst, wie der Fisch aus dem Wasser kommt«, hat Vater mir klargemacht. Deshalb sitzt Vater mit Vier einfach am Pier und heißt den Abend willkommen, bis ihn die wilden Schnaken Maines ins Hotel New Hampshire zurücktreiben.

Es gibt sogar ein Schild: HOTEL NEW HAMPSHIRE. Vater bestand darauf, und obwohl er es nicht sehen kann – und nichts vermissen würde, wenn das Ganze nur vorgetäuscht wäre –, komme ich ihm mit diesem Zugeständnis gern entgegen, auch wenn es hin und wieder lästig wird. Manchmal verirren sich nämlich Touristen und finden dann uns; sie sehen das Schild und glauben, wir seien *wirklich* ein Hotel. Ich habe Vater ein sehr kompliziertes System erklärt, das wir uns aufgrund des »Erfolges« in *diesem* Hotelbetrieb erlauben können. Wenn uns die verirrten Touristen finden und nach Zimmern fragen, kommt von uns die Frage, ob sie vorbestellt haben.

Sie sagen natürlich nein, aber dann – angesichts der Stille, angesichts dieser Atmosphäre des Friedens und der Abgeschiedenheit, die wir im dritten Hotel New Hampshire zustande gebracht haben – fragen sie unweigerlich: »Aber es sind doch bestimmt Zimmer frei?«

»Es sind keine Zimmer frei«, sagen wir immer. »Ohne Vorbestellung sind bei uns keine Zimmer zu haben.«

Manchmal bohrt Vater in diesem Punkt nach. »Aber wir haben doch bestimmt *Platz* für sie«, zischt er dann. »Sie scheinen sehr nett. Ich höre auch ein paar Kinder, die sich offenbar streiten; und die Mutter hört sich müde an – sie haben wahrscheinlich eine lange Autofahrt hinter sich.«

»Wir müssen unseren Standard halten, Pop«, sage ich. »Was würden wohl unsere anderen Gäste sagen, wenn wir so etwas einreißen ließen?«

»Ich mein ja nur, es ist so exklusiv«, flüstert er verwundert.

»Ich *wußte* zwar schon immer, daß das hier ein ganz besonderes Hotel ist, aber irgendwie hätte ich nicht im Traum geglaubt, daß es *tatsächlich* . . .« Und gewöhnlich bricht er genau
an der Stelle ab und lächelt. Und dann fügt er hinzu: »Was
meinst du, wie *das* deiner Mutter gefallen hätte!« Der Baseballschläger beschreibt einen großen Bogen, und führt Mutter
alles vor Augen.

Und ich sage, ohne daß in meiner Stimme die geringste Ein-
schränkung mitschwingt: »Es hätte ihr bestimmt gefallen,
Pop.«

»Vielleicht nicht jede Minute«, fügt mein Vater nachdenklich hinzu, »aber wenigstens dieser Abschnitt. Wenigstens das
Ende.«

Lillys Ende war, berücksichtigt man ihre Gefolgschaft mit
ihrem ganzen Kult, so still, wie wir es uns nur wünschen konnten. Ich wollte, ich hätte den Mut gehabt, Donald Justice um
eine Elegie zu bitten, aber es war – im Rahmen der Möglichkeiten – ein Familienbegräbnis. Junior Jones war da; er saß
neben Franny, und ich konnte nicht umhin, die vollkommene
Harmonie zu bemerken, mit der sie sich an der Hand hielten.
Oft wird einem erst bei einem Begräbnis klar, wer älter geworden ist. Ich stellte fest, daß Junior ein paar sanfte Fältchen
mehr um die Augen hatte; er war mittlerweile ein sehr hart
arbeitender Rechtsanwalt – solange er Jura studierte, hatten
wir kaum etwas von ihm gehört; er verschwand während des
Studiums fast ebenso vollkommen von der Bildfläche, wie er
einst bei den Cleveland Browns unter einem Haufen Footballspieler verschwunden war. Ich vermute, beim Jurastudium und
beim Football geht es ähnlich kurzsichtig zu. Die Footballspiele in der vordersten Abwehrkette hatten Junior, wie er
selbst oft sagte, auf das Jurastudium vorbereitet. Knochen-
arbeit, aber langweilig, langweilig, langweilig.

Nun leitete Junior den Schwarzen Arm des Gesetzes, und
ich wußte, daß Franny immer bei ihm wohnte, wenn sie in
New York zu tun hatte.

Sie waren beide Stars, und ich dachte mir, vielleicht konnten sie endlich ungezwungen miteinander umgehen. Aber bei Lillys Begräbnis konnte ich nur noch denken, wie glücklich Lilly gewesen wäre, hätte sie die beiden so zusammen gesehen.

Vater, der neben Susie dem Bären saß, hatte seinen Baseballschläger zwischen den Knien, das schwerere Ende am Boden – und er schwankte nur ganz leicht. Und beim Gehen – an Susies Arm, geführt von Freuds ehemaligem Blindenbären – trug er die Louisville-Keule mit großer Würde, als sei sie lediglich ein stabiler Spazierstock.

Susie war ein Wrack, aber beim Begräbnis riß sie sich zusammen – Vater zuliebe, glaube ich. Sie verehrte meinen Vater seit seinem wundersamen Schlag mit der Louisville-Keule – jenem legendären, instinktiven Schlag, der Ernst den Pornographen weggefegt hatte. In der Zeit danach, bis hin zu Lillys Selbstmord, war Susie der Bär viel unterwegs gewesen. Sie hatte die Ostküste verlassen, um in den Westen zu gehen, und war dann wieder in den Osten zurückgekommen. Eine Zeitlang leitete sie eine Kommune in Vermont. »Unter meiner Leitung ging es steil bergab«, erzählte sie uns lachend. Sie richtete in Boston eine Beratungsstelle für Familien ein, die sich zu einer Kindertagesstätte weiterentwickelte (weil es dafür einen größeren Bedarf gab), die sich ihrerseits zu einem Vergewaltigungs-Notrufzentrum weiterentwickelte (sobald es überall Kindertagesstätten gab). Das Vergewaltigungs-Notrufzentrum wurde in Boston nicht gerade willkommen geheißen, und Susie gibt zu, daß nicht die *ganze* Feindseligkeit von außen kam. Es gab natürlich überall Vergewaltigungsfreunde, Frauenhasser und alle möglichen dummen Menschen, die bereitwillig annahmen, daß Frauen, die in einem Vergewaltigungs-Notrufzentrum arbeiteten, mit Susies Worten »eingefleischte Lesben und feministische Unruhestifter« sein *mußten*. Die Bostoner machten Susie und ihrem ersten Vergewaltigungs-Notrufzentrum das Leben ziemlich schwer. Anscheinend um ihren Standpunkt deutlich zu machen, vergewaltigten sie sogar eine der Angestellten des Zentrums. Aber selbst Susie gibt zu, daß in der Frühzeit des Zentrums ein Teil der dort arbeitenden Frauen *tatsächlich* »eingefleischte Lesben und feministische Unruhestifter« waren; es waren einfach Männerhasserinnen, und so kam ein Teil der Schwierigkeiten im Vergewaltigungs-Notrufzentrum auch von innen. Einige dieser Frauen waren einfach Anhängerinnen einer Art Anti-System-Philosophie, nur daß ihnen Franks Sinn für Humor abging, und wenn sich die Vollstreckungsbeamten gegen die Frauen stellten, die in Vergewaltigungsfällen endlich mal für ein bißchen Gerechtigkeit sorgen wollten, so stellten sich umgekehrt die Frauen generell gegen das bestehende Recht – nur dem *Opfer* nützte das alles nicht viel.

Susies Vergewaltigungs-Notrufzentrum in Boston wurde geschlossen, als ein paar der Männerhasserinnen auf einem Parkplatz in Back Bay einen mutmaßlichen Vergewaltiger kastrierten. Susie war nach New York zurückgekommen – sie hatte sich wieder der Familienberatung zugewandt. Sie spezialisierte sich auf Fälle von Kindermißhandlung – wobei sie sich mit den Kindern *und* den prügelnden Eltern »auseinandersetzte«, wie sie es nannte –, aber sie hatte New York gründlich satt (sie sagte, es mache keinen Spaß, in Greenwich Village zu leben, wenn man *kein* Bär sei), und sie war überzeugt, daß ihre Zukunft in der Beratung von Vergewaltigungsopfern lag.

Nachdem ich ihre Vorstellung 1964 im Stanhope erlebt hatte, mußte ich ihr zustimmen. Franny sagte immer, Susies Vorstellung sei besser gewesen als alles, was sie, *Franny*, je zuwege bringen würde, und Franny ist sehr gut. Die Art und Weise, wie Franny bei der Auseinandersetzung mit Chipper Dove ihre aus einem Satz bestehende Rolle durchstand, muß ihr das notwendige Selbstvertrauen gegeben haben. Tatsächlich ließ Franny in allen ihren späteren Filmen diesen alten Satz wiederaufleben: »Sieh mal an, wen haben wir denn da.« Sie findet immer eine Stelle, an der sie diesen reizenden Satz unterbringen kann. Sie tritt natürlich nicht unter ihrem eigenen Namen auf. Das tun Filmstars fast nie. Und Franny Berry ist nicht gerade ein Name, den die Leute zur Kenntnis nehmen.

Frannys Name für Hollywood, ihr Schauspielername, ist Ihnen ein Begriff. Das hier ist unsere Familiengeschichte, und es ziemt sich nicht, daß ich Frannys Künstlernamen nenne –, aber ich weiß, daß Sie sie alle kennen. Franny ist diejenige, die jeder begehrt. Sie ist die Beste, selbst in der Rolle des Bösewichts; sie ist immer der eigentliche Held, selbst wenn sie stirbt, selbst wenn sie aus Liebe stirbt – oder, schlimmer, im Krieg. Sie ist die Schönste, die Unnahbarste, aber irgendwie auch die Verwundbarste – und die Abgebrühteste. (Sie ist der Grund, weshalb Sie ins Kino gehen, oder weshalb Sie im Kino bleiben.) Nun träumen also andere von ihr – nun, da sie mich davon befreit hat, auf so verheerende Art von ihr träumen zu müssen. Heute kann *ich* mit *meinen* Träumen von Franny leben, aber unter den Besuchern ihrer Filme muß es Leute geben, die mit ihren Träumen von Franny nicht so gut leben können.

Die Anpassung an ihren Ruhm fiel ihr sehr leicht. Es war eine Anpassung, die Lilly nie geschafft hätte, aber Franny hatte da keine Schwierigkeiten – denn sie war schon immer der Star unserer Familie gewesen. Sie war es gewohnt, die Hauptattraktion zu sein, im Mittelpunkt der Aufmerksamkeit zu stehen – sie war es gewohnt, diejenige zu sein, auf die wir warteten, auf die wir hörten. Sie war zur Hauptdarstellerin geboren.

»Und ich bin zum erbärmlichen verfickten *Agenten* geboren«, sagte Frank düster, nach Lillys Beerdigung. »So weit habe ich es nun als Agent gebracht«, sagte er und meinte Lillys Tod. »Sie war für all die Scheiße, die ich ihr zugemutet habe, einfach nicht groß genug!« sagte er trübsinnig, und dann fing er an zu weinen. Wir versuchten ihn aufzumuntern, aber Frank sagte: »Ich bin immer der verfickte *Agent*, verdammte Scheiße. Ich bin immer der Auslöser – immer ich. Denkt doch nur an Kummer!« heulte er. »Wer hat ihn denn ausgestopft? Wer hat mit der ganzen Geschichte angefangen?« schrie er und hörte nicht auf zu weinen. »Ich bin doch der Agent, der dauernd Scheiße baut«, schluchzte er.

Aber Vater – mit dem Baseballschläger als seiner Antenne – legte Frank die Hand auf die Schulter und sagte: »Frank, Frank, mein Junge. *Du* hast mit Lillys Schwierigkeiten nichts zu tun, Frank. Wer ist denn der Träumer in der Familie, Frank?« fragte Vater, und wir sahen ihn alle an. »Nun, das bin *ich* – *ich* bin der Träumer, Frank«, sagte Vater. »Und Lilly hat sich nur mehr erträumt, als sie *tun* konnte, Frank. Sie hat die verdammten Träume *geerbt*«, sagte Vater. »Von mir.«

»Aber ich war ihr Agent«, sagte Frank einfältig.

»Schon, aber das spielt keine Rolle, Frank«, sagte Franny. »Ich meine, es spielt sehr wohl eine Rolle, daß du *mein* Agent bist, Frank – ich brauche dich wirklich. Aber *niemand* konnte Lillys Agent sein, Frank.«

»Es spielte keine Rolle, Frank«, sagte ich zu ihm – weil er das immer zu mir sagte. »Es spielte keine Rolle, *wer* ihr Agent war, Frank.«

»Aber ich *war* es nun mal«, sagte er – er war so nervtötend dickköpfig!

»Herrgott, Frank«, sagte Franny. »Es ist leichter, mit deinem *Anrufbeantworter* zu reden.« Das brachte ihn schließlich zur Vernunft.

Eine Zeitlang mußten wir noch die Klagemauer der trauernden Verehrer ertragen: die Kultgemeinschaft um Lillys Selbstmord – es waren ihre Fans, für die Lillys Selbstmord ihre elementarste Aussage war, der Beweis ihrer Ernsthaftigkeit. In Lillys Fall war das pure Ironie, denn Frank und Franny und ich wußten, Lillys Selbstmord war – aus ihrer eigenen Sicht – der elementarste Ausdruck ihres Gefühls, nicht ernst *genug* zu sein. Doch diese Leute bestanden darauf, Lilly für das zu lieben, was sie an sich selbst am wenigsten liebte.

Eine Gruppe dieser Selbstmordfans schrieb sogar an Franny und forderte sie auf, die Universitäten des Landes zu besuchen und – als Lilly – aus Lillys Werken zu lesen. Es war Franny die Schauspielerin, an die sie sich wandten: Franny sollte Lilly spielen.

Und wir erinnerten uns an Lillys Gastspiel im Lehrkörper einer Universität und an ihren Bericht von der einzigen Sitzung der Englisch-Abteilung, an der sie je teilnahm. In der Sitzung gab der Ausschuß für Autorenlesungen bekannt, das verbleibende Geld reiche nur noch für zwei Besuche von mäßig bekannten Dichtern oder für *einen* Besuch eines bekannten Schriftstellers oder Dichters, *oder* aber man könnte das *ganze* verbleibende Geld nehmen und die beträchtlichen Forderungen einer Frau erfüllen, die die Universitäten des Landes besuchte und Virginia Woolf darstellte. Obwohl Lilly die einzige Person in dieser Englisch-Abteilung war, die sich in ihren Kursen mit Virginia Woolfs Büchern befaßte, mußte sie feststellen, daß sie sich als einzige den Wünschen der Abteilung widersetzte, die Virginia-Woolf-Darstellerin einzuladen. »Ich glaube, Virginia Woolf wäre dafür, das Geld einem lebenden Schriftsteller zukommen zu lassen«, sagte Lilly. »Einem *echten* Schriftsteller«, fügte sie hinzu. Doch die Abteilung beharrte darauf, sie wollten das ganze Geld für die Frau aufwenden, die Virginia Woolf darstellte.

»Okay«, sagte Lilly schließlich. »Ich bin einverstanden, aber nur, wenn die Frau *alles* macht. Nur wenn sie Virginia Woolf *zu Ende* spielt.« In der Sitzung der Englisch-Abteilung herrschte Schweigen, und dann fragte jemand Lilly, ob ihr wirklich ernst damit sei – ob sie tatsächlich den »geschmacklosen« Vorschlag machen wolle, die Frau solle die Universität besuchen und Selbstmord begehen.

Und meine Schwester Lilly sagte: »Mein Bruder Frank würde es widerlich nennen, daß Sie – als Literaturprofessoren – tatsächlich bereit sind, Geld für eine Schauspielerin auszugeben, die eine tote Schriftstellerin imitiert, deren Werke Sie in Ihren Kursen nicht berücksichtigen, anstatt es für einen lebenden Schriftsteller auszugeben, dessen Werke Sie wahrscheinlich nicht gelesen haben. Vor allem«, sagte Lilly, »wenn man bedenkt, daß die Frau, deren Werke hier nicht berücksichtigt werden und deren Person gespielt werden soll, von dem Unterschied zwischen wirklicher Größe und dem bloßen

Posieren regelrecht *besessen* war. Und sie wollen diese Frau dafür *bezahlen*, daß sie ausgerechnet als Virginia Woolf posiert? Sie sollten sich schämen«, sagte ihnen Lilly. »Holen Sie die Frau ruhig her«, fügte Lilly noch hinzu. »Ich werde ihr selber die Tasche mit Steinen füllen; ich werde ihr den Weg zum Fluß zeigen.«

Und genau das erzählte dann Franny der Gruppe, die von ihr verlangte, daß sie als Lilly posierte und die Universitäten abklapperte. »Sie sollten sich schämen«, sagte Franny. »Außerdem«, fügte sie hinzu, »bin ich viel zu groß, um Lilly zu spielen. Meine Schwester war wirklich *klein*.«

Von den Selbstmordfans wurde das Franny als Gefühllosigkeit ausgelegt – und in Verbindung damit wurde unsere Familie in den Zeitungen verschiedentlich so dargestellt, als seien wir gegen Lillys Tod gleichgültig (weil wir nicht bereit waren, uns irgendwie an diesen Lilly-Posen zu beteiligen). In seiner Verärgerung bot Frank an, bei einer öffentlichen Lesung aus den Werken von Dichtern und Schriftstellern, die Selbstmord begangen hatten, Lilly darzustellen. Logischerweise las keiner der Schriftsteller oder Dichter seine eigenen Werke vor; verschiedene Leser wurden verpflichtet, die dem Werk der Verstorbenen – oder, schlimmer noch, ihrem ›Lebensstil‹, fast immer gleichbedeutend mit ihrem ›Todesstil‹ – nahestanden, und sie sollten aus den Werken der Selbstmörder lesen, als seien *sie selbst* die toten – nun plötzlich wieder auferstandenen – Autoren. Franny wollte auch damit nichts zu tun haben, aber Frank bot sich an; er wurde abgewiesen. »Wegen ›Unaufrichtigkeit‹«, sagte er. »Die argwöhnten, ich sei unaufrichtig. Und hatten verdammt *recht* damit!« brüllte er. »Den Fickern würde eine Überdosis Unaufrichtigkeit nur guttun!« fügte er hinzu.

Und Junior Jones war – endlich! – soweit, Franny zu heiraten. »Es ist ein Märchen«, sagte Franny zu mir in einem Ferngespräch, »aber Junior und ich haben uns gesagt, wenn wir es noch länger aufsparen, bleibt uns nichts mehr, was das Sparen wert wäre.« Franny ging mittlerweile auf die Vierzig zu. Dem

Schwarzen Arm des Gesetzes und Hollywood waren wenigstens Schlagobers und Blut gemeinsam. Ich nehme an, für die Leute in New York und Los Angeles hatten Franny und Junior das, was man »Glamour« nennt, aber ich denke oft, Leute mit »Glamour« haben einfach eine Menge zu tun. Junior und Franny wurden von ihrer Arbeit aufgefressen, und sie lebten von dem Trost, daß es immer die Arme des anderen gab, in die sie erschöpft sinken konnten.

Ich war sehr glücklich für sie und bedauerte nur, daß sie beide verkündeten, für Kinder würde ihnen keine Zeit bleiben. »Ich will keine Kinder, wenn ich mich nicht um sie kümmern kann«, sagte Franny.

»Dito, Mann«, sagte Junior Jones.

Und eines Abends erzählte mir Susie der Bär, *sie* wolle auch keine Kinder, denn *ihre* Kinder könnten nur häßlich sein, und sie wolle keine häßlichen Kinder in die Welt setzen – um nichts in der Welt, sagte sie mir. Es sei einfach das grausamste Leben, dem man ein Kind aussetzen könne: die Diskriminierung, die man zu ertragen habe, wenn man nicht gut aussehe.

»Aber du bist *nicht* häßlich, Susie«, sagte ich ihr. »Man muß sich nur ein bißchen an dich gewöhnen«, sagte ich ihr. »Ich finde dich wirklich attraktiv, wenn du's genau wissen willst.« Und das war ehrlich gemeint; in meinen Augen war Susie der Bär ein Held.

»Dann stimmt's in deinem Kopf nicht ganz«, sagte Susie. »Ich hab ein Gesicht wie eine Zimmermannsaxt, wie ein Meißel mit schlechtem Teint. Und ich habe einen Körper wie eine alte Tüte«, sagte sie. »Wie eine Tüte voll von kaltem Haferbrei«, sagte Susie.

»Ich finde dich richtig nett«, sagte ich ihr, und ich *fand* sie nett; Franny hatte mir gezeigt, wie liebenswert Susie der Bär war. Und ich hatte das Lied gehört, das Susie der Bär Franny entlockt hatte; ich hatte etliche interessante Träume gehabt, in denen Susie mir ähnliche Lieder entlockte. Und so sagte ich noch einmal: »Ich finde dich richtig nett.«

»Dann ist dein Hirn eine alte Tüte voll von kaltem Haferbrei«, sagte Susie zu mir. »Wenn du mich ›richtig nett‹ findest, dann bist du ernstlich krank.«

Und eines Nachts, als wir keine Gäste im Hotel New Hampshire hatten, hörte ich ein merkwürdiges Kriechgeräusch. Bei Vater waren nächtliche Streifzüge ebenso wahrscheinlich wie Spaziergänge am hellichten Tag – schließlich herrschte für ihn immer finstere Nacht. Aber wo immer Vater auch hinging, die Louisville-Keule schleifte hinter ihm her oder ging ihm suchend voraus, und mit den Jahren glich sein Gang immer mehr dem Gang Freuds, als habe Vater auf psychologischem Wege zum Hinken gefunden – zum Zeichen der Verwandtschaft mit dem alten Traumdeuter. Außerdem machte Vater keinen Schritt, ohne daß Blindenhund Nummer Vier bei ihm war! Mit dem Stutzen der Zehennägel waren wir bei Vier ziemlich nachlässig, so daß es ziemlich geräuschvoll zuging, wenn Vater mit Vier unterwegs war.

Der alte Fred, das Faktotum, hatte ein Zimmer im dritten Stock und schlief wie ein Stein am Meeresgrund; er schlief so fest wie die aufgegebenen Fischreusen, von Robben zerstört, bald versunken im tiefen Schlamm, bald ausgespült von der Flut. Der alte Fred hielt sich mit seinen Schlafzeiten mehr oder weniger an die Sonne; weil er taub sei, sagte er, bleibe er nachts nicht gerne auf. Besonders im Sommer vibrieren die Nächte in Maine mit allerlei Geräuschen – zumindest, wenn man die Nächte mit den *Tagen* in Maine vergleicht.

»In New York ist es genau umgekehrt«, sagte Frank gern. »Wenn es an der Central Park South einmal ruhig wird, dann gegen drei Uhr morgens. Aber in Maine«, sagte Frank gern, »ist morgens um drei die *einzige* Stunde, in der überhaupt etwas los ist – wenn die verfickte Natur aufwacht.«

Es war, wie ich feststellte, etwa drei Uhr früh in dieser Sommernacht, und die ganze Insektenwelt schien auszuschwärmen; die Meeresvögel verhielten sich einigermaßen ruhig, doch das Meer war deshalb nicht weniger beharrlich. Und ich hörte dieses eigenartige Kriechgeräusch. Zuerst war schwer auszumachen, ob es von draußen kam – mein Fenster stand offen, war aber mit einem Fliegengitter versehen –, oder ob sich im Gang vor meiner Tür etwas regte. Auch meine Tür war offen; und die Außeneingänge am Hotel New Hampshire waren nie verschlossen – es gab zu viele davon.

Ein Waschbär, dachte ich.

Doch dann schlurfte etwas, das viel schwerer war als ein Waschbär, über den blanken Fußboden am untersten Treppenabsatz und tappte dann auf dem weichen Teppichboden den Gang entlang auf meine Tür zu; ich spürte förmlich das *Gewicht* des Näherkommenden, was immer es auch war – denn unter ihm ächzten die Dielen. Selbst das Meer schien sich zu beruhigen, selbst das Meer schien diesem Geräusch zu lauschen – es war eines jener nachts zu hörenden Geräusche, die den Gezeitenstrom anhalten, die die Vögel (obwohl sie nachts nie fliegen) hoch aufsteigen und dort verharren lassen, als seien sie an den Himmel gemalt.

»Vier?« flüsterte ich; vielleicht war es der Hund, der da herumstrich. Aber was immer da den Gang entlangkam, bewegte sich zu zögernd, als daß es Blindenhund Nummer Vier sein konnte. Vier war schon öfter durch diesen Gang getappt; der alte Vier würde nicht an jeder Tür stehenbleiben.

Ich wünschte mir, ich hätte Vaters Baseballschläger, aber als der Bär zur Tür hereinwankte, war mir klar, daß es im Hotel New Hampshire keine Waffe gab, die gegen *diesen* Eindringling wirksam genug war. Ich lag sehr still da und tat so, als schlafe ich fest – mit offenen Augen. In dem diffusen, schattenhaften, flanellweichen Licht kurz vor dem Morgengrauen kam mir der Bär riesig vor. Er starrte in mein Zimmer, auf mein bewegungsloses Bett, wie eine alte Krankenschwester bei der Bettenkontrolle in einer Klinik; ich versuchte, die Luft anzuhalten, aber der Bär wußte, daß ich da war. Er schnupperte eingehend und kam dann sehr graziös auf allen vieren in mein Zimmer. Na ja, warum auch nicht? dachte ich. Ein Bär eröffnete das Märchen meines Lebens; es ist nur passend, daß ein Bär es beendet. Der Bär schob mir seine warme Schnauze ins Gesicht und beschnüffelte alles an mir; mit seinem zielbewußten Schnüffeln schien er die Geschichte meines Lebens vorbeiziehen zu lassen – und mit einer Geste, die nach Mitleid aussah, legte er mir seine schwere Pfote auf die Hüfte. Es war eine ziemlich warme Sommernacht – für Maine –, und ich war nackt und nur mit einem Laken zugedeckt. Der Atem des Bären war heiß und roch ein wenig nach Früchten – vielleicht war er gerade in den Heidelbeeren gewesen –, aber es war ein überraschend angenehmer, wenn auch nicht gerade frischer Atem. Als der Bär das Laken zurückschlug und mich von oben bis unten betrachtete, spürte ich nur die Spitze des Eisbergs jener Angst, die Chipper Dove gespürt haben mußte, als er wirklich glaubte, eine *läufige* Bärin wolle ihn. Aber dieser Bär hatte für das, was er sah, nur ein verächtliches Schnauben. »Earl!« sagte der Bär und gab mir einen ziemlich derben Stoß; er schuf sich Platz neben mir und kroch zu mir ins Bett. Erst als er mich umarmte und als ich die ganz besondere Note in seinem eigenartigen und eindringlichen Geruch identifizieren konnte, kam mir der Verdacht, daß das kein gewöhnlicher Bär war. Neben dem angenehmen fruchtigen Atem und der senfgrünen Schärfe des Sommerschweißes war da der offenkundige Geruch von *Mottenkugeln*.

»Susie?« sagte ich.

»Dachte schon, du kämst nie drauf«, sagte sie.

»Susie!« rief ich und wandte mich ihr zu und erwiderte ihre Umarmung; nie war ich glücklicher gewesen, sie zu sehen.

»Nicht so laut«, wies Susie mich an. »Weck deinen Vater nicht auf. Ich bin überall in diesem verfickten Hotel rumgekrochen und hab dich gesucht. Erst hab ich deinen Vater gefunden, und einen gibt es, der sagt ›Was?‹ in seinem Schlaf, und ich bin auf einen absoluten *Schwachkopf* von einem Hund gestoßen, dem ist nicht einmal aufgefallen, daß ich ein Bär war – der Ficker wedelt einfach mit dem Schwanz und schläft gleich wieder ein. Was für ein Wachhund! Und Frank, der Ficker, hatte mir den Weg beschrieben – ich glaube, man sollte sich von Frank nicht mal den Weg nach *Maine* beschreiben lassen, geschweige denn zu dieser komischen Ecke dieses erbärmlichen Staates. Heiliger Strohsack«, sagte Susie, »ich wollte dich nur treffen, bevor es hell wird, ich wollte bei dir sein, solange es noch dunkel ist, Herrgott nochmal, und ich muß gestern etwa um die Mittagszeit in New York losgefahren sein, und jetzt fängt's gleich an zu dämmern, verfickt nochmal«, sagte sie. »Und ich bin ganz kaputt«, fügte sie hinzu; sie fing an zu weinen. »Ich schwitze wie ein Schwein in diesem blöden verfickten Kostüm, aber ich rieche so fürchterlich und sehe so schrecklich aus, daß ich mich nicht traue, das Ding auszuziehen.«

»Zieh's aus«, sagte ich ihr. »Du riechst richtig gut.«

»Hör bloß auf«, sagte sie und heulte weiter. Aber sie nahm dann doch den Bärenkopf ab und verschmierte mit den Pfoten die Tränen im Gesicht, bis ich ihre Pfoten festhielt und sie eine Weile auf den Mund küßte. Ich glaube, mit den Heidelbeeren lag ich richtig: für mich schmeckt Susie nach wild wachsenden Heidelbeeren.

»Du schmeckst richtig gut«, sagte ich ihr.

»Hör bloß auf«, murmelte sie, aber sie ließ zu, daß ich ihr vollends aus dem Bärenkostüm half. Es war wie eine Sauna da drin. Mir wurde bewußt, daß Susie gebaut war wie ein Bär, und sie war so sehr in Schweiß gebadet, daß sie aussah wie ein Bär, der gerade aus einem See steigt. Mir wurde klar, wie sehr ich sie bewunderte – wegen ihrer Bärenartigkeit, wegen ihres komplizierten Mutes.

»Ich hab dich sehr gern, Susie«, sagte ich und kroch, nachdem ich meine Tür zugemacht hatte, wieder zu ihr ins Bett.

»Beeil dich, es wird bald hell«, sagte sie, »und dann siehst du, wie häßlich ich bin.«

»Ich kann dich jetzt schon sehen«, sagte ich, »und ich finde dich schön.«

»Wenn du mich davon überzeugen willst, wirst du dich sehr anstrengen müssen«, sagte Susie der Bär.

Seit ein paar Jahren überzeuge ich nun schon Susie den Bären, daß sie schön ist. *Ich* bin natürlich davon überzeugt, und in ein paar Jahren, denke ich, wird sie mir zustimmen.

Bären sind stur, aber sie haben einen gesunden Verstand; hat man erst einmal ihr Vertrauen gewonnen, schrecken sie nicht mehr vor einem zurück.

Am Anfang war Susie vom Glauben an die eigene Häßlichkeit so besessen, daß sie jede nur denkbare Vorsichtsmaßnahme gegen eine mögliche Schwangerschaft ergriff, denn sie glaubte, es gebe für sie nichts Schlimmeres, als ein armes Kind in diese grausame Welt zu setzen und ihm die Behandlung zuzumuten, mit der die Häßlichen gewöhnlich leben müssen. Als ich anfing, mit Susie dem Bären zu schlafen, nahm sie die Pille und benutzte zudem ein Pessar; sie schmierte so viel samentötendes Gelee auf das Pessar, daß ich gegen das Gefühl ankämpfen mußte, an einem *Overkill* beteiligt zu sein – gegen das Sperma. Um mir über diese Beklemmung hinwegzuhelfen, bestand Susie darauf, daß ich ein Präservativ benutzte.

»Das ist das Dumme bei Männern«, sagte sie gelegentlich. »Bevor du's mit ihnen tust, mußt du dich so massiv wappnen, daß du manchmal den Zweck aus den Augen verlierst.«

Aber in letzter Zeit ist Susie ruhiger geworden. Sie ist jetzt offenbar der Meinung, daß *eine* Methode der Geburtenregelung ausreicht.

Und wenn es doch einmal schiefgehen sollte, dann kann ich nur hoffen, daß sie sich tapfer damit abfinden wird. Natürlich würde ich sie nicht drängen, ein Baby zu haben, wenn sie es nicht haben wollte. Leute, die von anderen verlangen, daß sie ungewollte Kinder zur Welt bringen, sind in meinen Augen schlimmer als Kinderfresser.

»Aber selbst wenn ich nicht zu häßlich wäre«, protestiert Susie, »dann bin ich doch zu alt. Ich meine, wenn du über vierzig bist, kann es alle möglichen Komplikationen geben. Ich hätte vielleicht nicht nur ein häßliches Baby, ich hätte vielleicht *überhaupt* kein Baby – ich würde vielleicht eine Art *Banane* zur Welt bringen! Es ist ganz schön riskant, wenn du über vierzig bist.«

»Unsinn, Susie«, sage ich ihr. »Wir bringen dich schon in Form – ein leichtes Gewichttraining, ein bißchen Laufen. Im

Herzen bist du noch jung, Susie«, sage ich ihr. »Der *Bär in dir* ist noch nicht mal erwachsen.«

»Überzeug mich doch«, sagt sie zu mir, und ich weiß, was das heißt. Es ist unsere Umschreibung dafür – wenn wir einander wollen. Aus heiterem Himmel sagt sie dann einfach zu mir: »Mir fehlt ein bißchen Überzeugung.«

Oder ich sage etwa: »Susie, du siehst aus, als müßte man dich überzeugen.«

Oder aber Susie sagt einfach »Earl!« zu mir, und ich weiß genau, was sie meint.

Als wir getraut wurden, sagte sie genau das; an der Stelle, wo sie eigentlich »Ja« hätte sagen sollen, sagte Susie: »Earl!«

»Was?« sagte der Pfarrer.

»Earl!« sagte Susie und nickte.

»Ja«, sagte ich dem Pfarrer. »Das heißt ja.«

Ich vermute, weder Susie noch ich werden je ganz über Franny wegkommen, aber wir haben unsere Liebe zu Franny als unseren gemeinsamen Besitz, und das ist mehr, als wohl die meisten Paare gemeinsam haben. Und wenn Susie einst Freud ihre Augen lieh, übernehme ich heute das Sehen für meinen Vater, und so haben Susie und ich auch Freuds Blick als gemeinsamen Besitz. »Deine Ehe wurde im Himmel geschlossen, Mann«, sagte Junior Jones einmal zu mir.

Nach der Nacht, in der ich zum erstenmal mit Susie dem Bären geschlafen hatte, kam ich zum morgendlichen Gewichttraining mit Vater etwas zu spät in den Ballsaal.

Er war bereits fleißig an der Arbeit, als ich hereinwankte.

»Vierhundertundvierundsechzig«, sagte ich zu ihm, denn das war der traditionelle Gruß zwischen uns. Wenn wir an diesen alten Schwerenöter Schnitzler dachten, dann schien uns das eine sehr komische Art der Begrüßung für zwei Männer, die ohne Frauen lebten.

»*Von wegen* vierhundertundvierundsechzig!« raunzte Vater. »Vierhundertvierundsechzig – nie und nimmer! Ich hab mir das die halbe Nacht anhören müssen. Jessas Gott, ich bin vielleicht blind, aber ich kann immer noch *hören*. Nach dem, was ich mitgekriegt habe, hast du vielleicht noch vierhundertundachtundfünfzig. In dir stecken keine vierhundertundvierundsechzig mehr – das war einmal. Wer zum Teufel ist sie? Ich hätte so was nicht für möglich gehalten, so ein *Tier*!«

Aber als ich ihm erzählte, daß ich mit Susie dem Bären zusammengewesen war und daß ich sehr stark hoffte, sie würde dableiben und bei uns wohnen, da war Vater begeistert.

»Genau das hat uns gefehlt!« rief er aus. »Das ist einfach perfekt! Ich meine, ein besseres Hotel könnte man sich nicht wünschen. Ich finde, du hast das Hotelgewerbe phantastisch im Griff! Aber wir brauchen einen Bären. Jeder braucht einen Bären! Und jetzt, wo du einen Bären hast, bist du am Ziel, John. Jetzt hast du doch noch das Happy-End geschrieben.«

Nicht ganz, dachte ich. Aber wenn ich alles berücksichtigte – wenn ich an Kummer dachte, an das Unheil, an die Liebe –, dann wußte ich, die Dinge könnten sehr viel schlechter stehen.

Was fehlt also noch? Nur ein Kind, glaube ich. Ein Kind fehlt. Ich wollte ein Kind, und ich will es noch immer. Wenn ich an Egg denke, wenn ich an Lilly denke, dann sind Kinder das einzige, was mir jetzt noch fehlt. Es könnte mir natürlich immer noch gelingen, Susie den Bären zu überzeugen, aber Franny und Junior Jones werden mir mein erstes Kind verschaffen. Um *das* Kind hat nicht mal Susie Angst.

»*Das* Kind wird wunderschön«, sagt Susie. »Wenn Franny und Junior es machen, da *kann* ja nichts schiefgehen!«

»*Kann* denn bei *uns* was schiefgehen?« frage ich sie. »Sobald du's zur Welt bringst, wird es ein wunderschönes Kind sein, glaub mir.«

»Aber denk doch nur an die *Farbe*«, sagte Susie. »Wenn Junior und Franny es machen, meine ich, da muß es doch eine absolut phantastische Farbe haben, oder nicht?«

Aber ich weiß – Junior Jones hat es mir selbst gesagt –, daß Frannys und Juniors Baby *jede* Farbe haben kann. »Zwischen Kaffee und Milch ist alles drin«, sagt Junior gern.

»*Jede* Babyfarbe wird phantastisch sein, Susie«, sage ich ihr.

»Das weißt du doch.« Aber Susie braucht einfach noch mehr Überzeugung.

Ich glaube, wenn Susie Juniors und Frannys Baby *sieht*, wird sie auch eins wollen. Das hoffe ich jedenfalls – schließlich bin ich fast vierzig, und Susie ist schon darüber hinaus, und wenn wir ein Baby haben wollen, dann sollten wir nicht mehr viel länger warten. Ich glaube, Frannys Baby wird den Ausschlag geben; selbst Vater stimmt mir zu – und selbst Frank.

Und ist das nicht typisch Franny, daß sie mir großzügig anbietet, ein Baby für *mich* zu bekommen? Ich meine, seit jenem Tag in Wien, an dem sie uns allen versprach, sie werde sich um uns kümmern, sie werde unsere Mutter sein, hat Franny nicht einmal nachgelassen, Franny hat sich durchgesetzt – der Held in ihr hat ständig trainiert, der Held in Franny könnte einen ganzen Ballsaal voller Hanteln heben.

Es war erst im letzten Winter, nach dem großen Schnee, als Franny mich anrief, um mir zu sagen, sie werde ein Baby zur Welt bringen – nur für mich. Franny war gerade vierzig; sie sagte, wenn sie ein Baby zur Welt bringe, dann schließe sie damit die Tür zu einem Zimmer, in das sie nicht zurückkehren werde. Als das Telefon läutete, war es noch so früh am Morgen, daß Susie und ich glaubten, es sei ein Vergewaltigungs-Notruf, und Susie sprang aus dem Bett, weil sie glaubte, sie müsse sich wieder mal um ein Vergewaltigungsopfer kümmern. Aber es war unser normales Telefon, das läutete, und es war Franny – mit einem Ferngespräch von der Westküste. Sie und Junior waren noch auf und hatten eine kleine Party zu zweit; sie seien noch nicht schlafen gegangen, sagten sie – und sie betonten, in Kalifornien sei es immer noch Nacht. Sie klangen ein bißchen betrunken und albern, und Susie war verärgert; sie sagte ihnen, niemand außer einem Vergewaltigungsopfer rufe uns so früh am Morgen an, und dann gab sie den Hörer an mich weiter.

Ich mußte Franny den üblichen Bericht über das Vergewaltigungs-Notrufzentrum geben. Franny hat für das Zentrum ziemlich viel Geld gestiftet, und Junior hat dafür gesorgt, daß

wir in unserem Bezirk in Maine gute juristische Berater bekamen. Allein im vergangenen Jahr konnte Susies Zentrum einundneunzig Opfern von Vergewaltigungen oder von verge-
waltigungsähnlichen Mißhandlungen medizinischen, psycholo-
gischen und juristischen Rat geben. »Nicht schlecht – für
Maine«, wie Franny sagt.

»In New York und L.A., Mann«, sagte Junior Jones, »gibt
es vielleicht einundneunzig*tausend* Opfer im Jahr. Alle *möglichen* Opfer«, fügt er hinzu.

Es war nicht schwer, Susie zu überzeugen, daß all diese
Zimmer im Hotel New Hampshire zu etwas zu gebrauchen
waren. Unsere Möglichkeiten sind einem Vergewaltigungs-
Notrufzentrum mehr als angemessen, und Susie hat inzwi-
schen einige Studentinnen vom College in Brunswick ausge-
bildet, so daß wir immer eine Frau am Notruf-Telefon haben.
Susie hat mich angewiesen, nie an dieses Telefon zu gehen.
»Das letzte, was ein hilfesuchendes Vergewaltigungsopfer
hören will«, sagte Susie zu mir, »ist so ein Ficker von einem
Mann.«

Natürlich gibt es immer wieder Komplikationen mit Vater,
der nicht *sehen* kann, welches Telefon läutet. Vater hat es sich
daher angewöhnt, immer wenn ihn das Läuten eines Telefons
aufschreckt, einfach »Telefon!« zu brüllen. Selbst wenn er
dicht danebensteht.

Überraschenderweise ist Vater, der ja das Hotel New
Hampshire immer noch für ein Hotel hält, kein schlechter
Berater für die Vergewaltigungsopfer. Er weiß wohl, daß Ver-
gewaltigungs-Notrufe Susies Betätigungsfeld sind – er weiß
nur nicht, daß das unsere *einzige* Betätigung ist, und manchmal unterhält er sich mit einem der Vergewaltigungsopfer, die
ein paar Tage bei uns im Hotel New Hampshire sind, um
wieder auf die Beine zu kommen, und er hält diese Frau irr-
tümlicherweise für einen normalen Gast des Hotels.

Vielleicht trifft er das Opfer zufällig, wenn es unten auf
einem der Landestege sitzt und versucht, wieder zu sich zu
finden, und mein Vater tastet sich mit der Louisville-Keule,

tap-tap-tap, hinaus auf den Landesteg, und Vier wedelt mit dem Schwanz, um meinen Vater wissen zu lassen, daß jemand da ist, und Vater fängt an zu plaudern. »Hallo, wer ist da?« wird er fragen.

Und vielleicht sagt das Vergewaltigungsopfer: »Ich bin's nur, Sylvia.«

»Ach ja, Sylvia!« wird Vater sagen, als kenne er sie schon ein Leben lang. »Nun, wie gefällt Ihnen das Hotel, Sylvia?« Und die arme Sylvia wird denken, das sei die sehr höfliche und indirekte Bezeichnung meines Vaters für das Vergewaltigungs-Notrufzentrum – »das Hotel« –, und sie wird einfach mitspielen.

»Also, es hat mir sehr viel bedeutet«, wird sie sagen. »Ich meine, ich hatte wirklich das Bedürfnis, zu reden, aber ich wollte nicht das Gefühl haben, über irgend etwas reden zu müssen, bevor ich dazu bereit war; und das ist das Schöne hier, daß einen niemand unter Druck setzt, daß einem niemand sagt, das und das *solltest* du empfinden oder tun, und doch helfen sie einem so, daß man leichter zu diesen Gefühlen findet, als wenn man ganz auf sich allein gestellt wäre. Wenn Sie verstehen, was ich sagen will«, wird Sylvia hinzufügen.

Und Vater wird sagen: »Natürlich verstehe ich das, meine Liebe. Wir sind ja schon seit Jahren im Geschäft, und genau darin liegt die Aufgabe eines guten Hotels: es bietet einfach den Raum und die Atmosphäre für das, was der einzelne *braucht*. Ein gutes Hotel macht Raum und Atmosphäre zu etwas Großzügigem, etwas Einfühlsamem – ein gutes Hotel macht Gesten, die einer Berührung, einem freundlichen Wort gleichkommen, und zwar genau in dem Moment (und *nur* in dem Moment), wo man das braucht. Ein gutes Hotel ist immer da für den Gast«, wird mein Vater sagen, während der Baseballschläger seinen Text und die dazugehörende Musik dirigiert, »aber der Gast darf nie das Gefühl haben, daß man ihm auf die Pelle rückt.«

»Genau, ich glaube, das ist es«, wird Sylvia sagen – oder Betsy oder Patricia, Columbine, Sally, Alice, Constance oder

Hope. »Es holt irgendwie alles aus mir *heraus*, aber nicht mit Gewalt«, werden sie sagen.

»Nein, nie mit Gewalt, meine Liebe«, wird Vater zustimmen. »Ein gutes Hotel erzwingt nichts. Ich rede da gern von einem *Sympathie*raum«, wird Vater sagen, ohne je einzugestehen, daß er dafür Schraubenschlüssel und seiner Sympathiebombe zu Dank verpflichtet ist.

»Und«, wird Sylvia sagen, »alle sind so nett hier.«

»Genau das ist es, was mir an einem guten Hotel gefällt!« wird Vater sich begeistern. »Alle *sind* nett. In einem *Klasse*-Hotel«, wird er Sylvia oder jedem anderen Zuhörer sagen, »kann der Gast diese Nettigkeit *erwarten*. Sie kommen zu uns, meine Liebe – entschuldigen Sie bitte, wenn ich das so sage –, wie jemand, der verstümmelt worden ist, und wir sind Ihre Ärzte und Krankenschwestern.«

»Ja, das stimmt«, wird Sylvia sagen.

»Wenn Sie zerrissen und gebrochen in ein Klasse-Hotel kommen«, wird Vater unermüdlich weitermachen, »werden Sie, wenn Sie dieses Klasse-Hotel verlassen, wieder *ganz* sein. Wir fügen Sie einfach wieder zusammen, aber das geschieht auf eine fast mystische Weise – das ist der Sympathieraum, von dem ich rede –, denn mit *Gewalt* kann man keinen wieder zusammenfügen; da muß jeder auf seine Art zusammenwachsen. Wir bieten lediglich den Raum«, wird Vater sagen, während der Baseballschläger in der Art eines Zauberstabes das Vergewaltigungsopfer segnet. »Den Raum und das *Licht*«, wird mein Vater sagen, als sei er ein Heiliger, der einer anderen heiligen Person den Segen erteilt.

Und genau so sollte man mit einem Vergewaltigungsopfer umgehen, sagt Susie; sie sind heilig, und man behandelt sie, wie ein Klasse-Hotel seine Gäste behandelt. Jeder Gast in einem Klasse-Hotel ist ein Ehrengast, und jedes Vergewaltigungsopfer im Hotel New Hampshire ist ein Ehrengast – und heilig.

»Es ist wirklich ein guter Name für unser Zentrum«, räumt Susie ein. »Das Hotel New Hampshire – irgendwie hat das Stil.«

Und mit Unterstützung der regionalen Behörden und einer wunderbaren Organisation von Ärztinnen, die sich die ›Kennebec Women's Medical Associates‹ nennt, führen wir ein echtes Vergewaltigungs-Notrufzentrum in unserem unechten Hotel. Susie sagt mir manchmal, Vater sei der beste Berater, den sie habe.

»Wenn eine wirklich kaputt ist«, vertraut Susie mir an, »schick ich sie runter zu den Landestegen, wo sie den blinden Mann und Blindenhund Nummer Vier trifft. Was immer er ihnen erzählt, es muß eine gewisse Wirkung haben«, folgert sie. »Bis jetzt ist jedenfalls noch keine ins Wasser gesprungen.«

»Bleiben Sie immer weg von offenen Fenstern, meine Liebe«, sagt mein Vater so ziemlich zu jeder. »Das ist das Wichtigste«, fügt er noch hinzu. Es ist zweifellos Lilly, die dem Rat meines Vaters so viel Autorität verleiht. Er war schon immer gut darin, uns Kindern einen Rat zu geben – selbst wenn er absolut keine Ahnung hatte, was los war. »Vielleicht *gerade wenn* er absolut keine Ahnung hat«, sagt Frank. »Schließlich weiß er *immer* noch nicht, daß ich schwul bin, aber er gibt mir ständig gute Ratschläge.« Wenn das nicht gekonnt ist!

»Okay, okay«, sagte Franny zu mir am Telefon, erst letzten Winter, gleich nach dem großen Schnee. »Ich hab dich nicht angerufen, um die Einzelheiten jeder Vergewaltigung in Maine zu erfahren – ein *andermal* wieder, Kleiner«, sagte Franny zu mir. »Willst du immer noch ein Baby?«

»Natürlich will ich ein Baby«, sagte ich ihr. »Ich versuche Susie jeden Tag davon zu überzeugen.«

»Nun«, sagte Franny, »was würdest du sagen, wenn das Baby von mir käme?«

»Aber *du* willst doch kein Baby, Franny«, erinnerte ich sie. »Was meinst du also damit?«

»Ich meine damit, daß Junior und ich ein bißchen nachlässig waren«, sagte Franny. »Aber statt zu tun, was man heute so tut, überlegten wir uns, daß wir ja eigentlich die perfekten Eltern für ein Baby kennen.«

»Besonders in der heutigen Zeit, Mann«, sagte Junior an seinem Ende der Leitung. »Ich glaube, Maine ist bald so was wie der letzte Schlupfwinkel.«

»Jedes Kind sollte in einem seltsamen Hotel aufwachsen, meinst du nicht auch?« sagte Franny.

»Meine Überlegung war die, Mann«, sagte Junior Jones, »daß jedes Kind wenigstens einen Elternteil haben sollte, der *nichts* tut. Ich will dich bestimmt nicht beleidigen, Mann«, sagte Junior zu mir, »aber als eine Art *Betreuer*, der nichts Besonderes tut, bist du einfach perfekt. Du weißt, was ich sagen will?«

»Er will sagen, du sorgst dich um alle«, sagte Franny in ihrer lieben Art. »Er will sagen, das ist irgendwie deine *Rolle*. Du bist ein perfekter Vater.«

»Oder eine Mutter, Mann«, fügte Junior hinzu.

»Und wenn Susie ein Baby um sich hat, geht ihr vielleicht ein Licht auf«, sagte Franny.

»Vielleicht hat sie dann den Mut, die Sache in die Hand zu nehmen, Mann«, sagte Junior Jones. »Bildlich gesprochen«, fügte er hinzu, und Franny jaulte vor Vergnügen. Sie hatten diesen Anruf offensichtlich schon länger miteinander geplant.

»He!« sagte Franny an ihrem Apparat. »Hast du deine Zunge verschluckt? Bist du noch da? Hallo, hallo!«

»He, Mann«, sagte Junior Jones. »Bist du in Ohnmacht gefallen, oder was?«

»Hat dich ein Bär am Wickel?« fragte mich Franny. »Ich frage dich, willst du mein Baby?«

»Das ist nicht irgendein Jux, Mann«, sagte Junior Jones.

»Ja oder nein, Kleiner?« sagte Franny. »Ich hab dich lieb, das weißt du doch«, fügte sie hinzu. »Ich würde mein Baby nicht *jedem* überlassen, ich hoffe, das weißt du, Kleiner.« Aber ich brachte kein Wort heraus, so glücklich war ich.

»Ich biete dir neun Monate meines Lebens an, verfickt nochmal! Ich biete dir neun Monate meines schönen *Körpers* an, Kleiner!« lockte mich Franny. »Es liegt an dir!«

»Mann!« rief Junior Jones. »Deine Schwester, von deren

Körper Millionen träumen, macht dir ein Angebot! Sie ist bereit, deinetwegen ihre *Gestalt* zu ändern. Sie ist bereit, wie eine verfickte Colaflasche auszusehen, nur um ein Baby für dich zu haben, Mann. Ich weiß nicht genau, wie *ich* damit zurechtkommen werde«, fügte er hinzu, »aber wir lieben dich schließlich *beide*. Also, was ist? Es liegt an dir.«

»Ich *liebe* dich!« betonte Franny noch einmal mit Nachdruck. »Ich versuche dir zu geben, was du *brauchst*, John«, sagte sie mir.

Doch Susie der Bär nahm mir den Hörer aus der Hand. »Himmel nochmal«, sagte sie zu Franny und Junior, »erst weckt ihr uns so früh am Tag, daß ich glaube, es ist schon wieder eine verfickte Vergewaltigung, und jetzt habt ihr es geschafft, daß er ganz rot im Gesicht ist und kein Wort mehr herausbringt! Verfickt und zugenäht! Was gibt's denn heute morgen?«

»Wenn Junior und ich ein Baby haben«, wollte Franny von Susie wissen, »kümmert ihr euch dann darum, du und John?«

»Da kannst du deinen süßen Arsch drauf verwetten, Schätzchen«, sagte mein guter Bär.

Und damit war der Fall geregelt. Wir warten immer noch. Typisch Franny: sie braucht länger als alle anderen. »Das liegt an *mir*, Mann«, sagt Junior Jones. »Dieses Baby ist so groß, daß es ein bißchen länger im Backofen bleiben muß als andere.«

Er muß wohl recht haben, denn Franny trägt mein Baby nun schon fast zehn Monate lang. »Sie ist massig genug, um für die Browns zu spielen«, klagt Junior Jones; ich rufe ihn jeden Abend an und lasse mir berichten.

»Jessas Gott«, sagt Franny zu mir. »Ich liege nur noch den ganzen Tag im Bett und warte auf die *Explosion*. Es ist so langweilig. Was ich deinetwegen alles aushalte, mein Liebster«, sagt sie zu mir – und wir lachen darüber, und das Lachen gehört nur uns beiden.

Susie geht umher und singt ›Der Tag ist nah‹, und Vater hebt immer noch mehr Gewichte; er arbeitet in letzter Zeit wie ein Wahnsinniger mit den Gewichten. Er ist überzeugt, das Baby wird als Gewichtheber *geboren* werden, und Vater sagt, er muß sich in Form bringen, um mit ihm fertigzuwerden. Und all die Frauen vom Zentrum haben sehr viel Geduld mit mir – mit meiner Unart, mich auf jedes Telefon zu stürzen, das läutet. »Es ist nur der Notruf«, sagen sie mir. »Entspann dich.«

»Wahrscheinlich nur eine Vergewaltigung, Schätzchen«, versichert mir Susie. »Es ist nicht dein Baby. Beruhige dich.«

Es geht überhaupt nicht darum, daß ich begierig auf die Nachricht warte, ob es ein Junge oder ein Mädchen ist. Dieses eine Mal bin ich der gleichen Meinung wie Frank. Es spielt keine Rolle. Heutzutage, wo sie so viele Voruntersuchungen machen – vor allem bei einer Frau in Frannys Alter –, *wissen* sie natürlich schon das Geschlecht des Kindes; irgend jemand weiß es jedenfalls. Franny nicht – sie wollte es nicht wissen. Wer will schon solche Dinge im voraus wissen? Wer wüßte denn nicht, daß die halbe Freude in der ahnungsvollen Vorfreude liegt?

»Was immer es ist, es wird sich langweilen«, sagt Frank.

»Sich *langweilen*, Frank!« brüllte Franny. »Wie kannst du es *wagen*, zu sagen, mein Baby werde sich langweilen?«

Aber Frank äußert nur eine typische New Yorker Meinung über Maine. »Wenn das Baby in Maine aufwächst«, beharrt Frank, »wird es sich langweilen *müssen*.«

Aber ich mache Frank darauf aufmerksam, daß das Leben im Hotel New Hampshire nie langweilig ist. Nicht in dem sorglosen ersten Hotel New Hampshire, nicht in dem düsteren Traum, den das zweite Hotel New Hampshire darstellte, und auch nicht in unserem dritten Hotel New Hampshire – in dem *Klasse*-Hotel, das wir zuletzt doch noch geworden sind. Keiner langweilt sich. Und Frank sieht das am Ende auch ein; schließlich ist er hier ein häufiger und stets willkommener Gast. Er herrscht dann in der Bibliothek im ersten Stock so, wie Junior Jones die Hanteln im Ballsaal beherrscht, wenn *er* uns besucht, oder wie Frannys Schönheit alle Räume veredelt, wenn *sie* da ist – die gute Luft und die kalte See in Maine: Franny veredelt einfach alles. Ich rechne voll damit, daß Frannys Kind einen ähnlich guten Einfluß haben wird.

Um Franny Mut zu machen, versuchte ich ihr am Telefon ein Gedicht von Donald Justice vorzulesen, das Gedicht mit dem Titel ›An ein Kind, das zehn Monate auf sich warten läßt.‹

Spät Eintreffender, nicht
Einer dächte daran, dir vorzuwerfen,
Daß du so zögerst.

Wer würde seine Hand, bereit zu klopfen
An eine Tür, so fremd wie diese,
Nicht nochmals sinken lassen?

»Hör auf, das reicht«, unterbrach mich Franny. »Verschon mich bitte mit diesem verfickten Donald Justice. Ich hab schon so viele Donald-Justice-Gedichte gehört, daß ich davon gleich schwanger werde, oder zumindest Bauchschmerzen bekomme.«

Aber Donald Justice hat recht, wie gewöhnlich. Wer würde *nicht* davor zögern, in diese Welt zu kommen? Wer würde sein Märchen nicht möglichst lange hinausschieben? Schon jetzt also läßt Frannys Kind bemerkenswerte Einsicht und seltenes Feingefühl erkennen.

Und gestern kam der Schnee; in Maine lernen wir, das Wetter persönlich zu nehmen. Susie war in Bath, um die mutmaßliche Vergewaltigung einer Kellnerin zu untersuchen, und ich machte mir Sorgen, weil sie im Schneesturm zurückfahren mußte, aber Susie war noch vor dem Abend sicher zuhause, und wir fühlten uns beide an den großen Schneesturm im vergangenen Winter erinnert, an den Tag, an dem Franny anrief, um uns von ihrem bevorstehenden Geschenk zu erzählen.

Vater spielt wie ein Kind im Schnee. »Für einen Blinden ist der Schnee etwas Wunderbares«, sagte er erst gestern, als er schneebedeckt in die Küche kam; er hatte draußen in den Verwehungen herumgetollt und sich mit Blindenhund Nummer Vier buchstäblich am Boden gewälzt. Es war ein wilder Schneesturm; nachmittags um halb vier mußten wir schon überall Licht machen. Ich heizte zwei der Holzöfen an. Ein Vogel war, vom Schnee geblendet, durch eine Fensterscheibe in den Ballsaal geflogen und hatte sich das Genick gebrochen. Vier entdeckte ihn neben den Hanteln und schleppte ihn im ganzen Hotel herum, ehe Susie ihn dem Hund wegnehmen konnte. Der Schnee an Vaters Stiefen schmolz und machte den Küchenboden glitschig. Vater glitt in einer Pfütze aus und versetzte mir einen Schlag in die Rippen – mit der Louisville-Keule, die er immer wild durch die Luft schwingt, sobald er das Gleichgewicht verliert. Wir hatten deshalb eine kleine Auseinandersetzung. Wie ein Kind bringt er es nicht fertig, den Schnee von seinen Stiefeln zu klopfen, *bevor* er ins Haus kommt.

»Ich kann den Schnee nicht *sehen*!« beschwert er sich, wie ein starrsinniges Kind. »Wie zum Teufel soll ich etwas abklopfen, was ich nicht sehen kann?«

»Hört auf damit, alle beide«, sagte Susie der Bär zu uns. »Wenn erst ein Kind im Haus ist, könnt ihr beide hier nicht mehr *rumbrüllen*.«

Ich machte frische Nudeln mit einer raffinierten Maschine, die Frank aus New York mitgebracht hatte; sie walzt den Teig dünn aus und schneidet die Nudeln in jeder gewünschten Form. Es ist wichtig, solche Spielsachen zu haben, wenn man in Maine lebt. Susie machte eine Muschelsoße für die Pasta, und Vater schnitt die Zwiebeln für sie; Zwiebeln scheinen Vaters Augen nichts auszumachen. Als wir Vier bellen hörten, dachten wir, er hätte noch einen armen Vogel gefunden. Draußen sahen wir einen VW-Bus, der im Schneesturm versuchte, unseren Zufahrtsweg heraufzukommen; der Bus schlitterte und rutschte. Der Fahrer mußte entweder aufgeregt sein (»Schon wieder eine verfickte Vergewaltigung«, sagte Susie instinktiv), oder aber er kam aus einem anderen Staat. Ein Fahrer aus Maine würde sich im Schnee nicht so anstellen, dachte ich, aber es war nicht gerade Touristensaison im Hotel New Hampshire. Der Bus schaffte es nicht ganz bis zum Parkplatz, kam aber immerhin so nahe, daß ich das Kennzeichen aus Arizona sehen konnte.

»Kein Wunder, daß die nicht fahren können«, sagte ich – in der typischen Art, wie man in Maine über die Auswärtigen urteilt.

»Na und«, sagte Susie. »Du würdest wahrscheinlich auch wie ein Idiot aussehen, in einer Wüste in Arizona.«

»Was ist das, eine Wüste?« fragte Vater, und Susie lachte.

Der Fahrer des VW-Busses aus Arizona kam durch den Schnee auf uns zu; er wußte nicht mal, wie man im Schnee *geht* – er fiel dauernd hin.

»Die hatten ganz da draußen in Arizona eine Vergewaltigung, Susie«, sagte ich ihr. »Und du bist so berühmt, daß sie nur mit *dir* reden wollen.«

»Wissen die denn nicht, daß wir ein Ferienhotel für *Sommer*frischler sind?« sagte Vater mürrisch. »Wer es auch ist, ich werde ihnen sagen, daß wir im Winter geschlossen haben.«

Der Mann aus Arizona fand das bedauerlich. Er erklärte uns, er wolle eigentlich in die Berge, zum Skilaufen – was er und seine Familie noch nie versucht hätten –, aber man habe ihm den Weg nicht richtig erklärt, oder er habe sich in dem Schneesturm verfahren, und jetzt sei er statt dessen hier am Meer.

»Falsche Saison fürs Meer«, belehrte ihn Vater. Dem Mann leuchtete das ein. Er sah nett aus, aber furchtbar müde.

»Wir *haben* doch genug Platz«, flüsterte Susie mir zu.

Ich wollte gar nicht erst damit anfangen, Gäste aufzunehmen; was mir an *diesem* Hotel New Hampshire am besten gefiel, war, daß die Gäste ausschließlich in Vaters Einbildung existierten. Aber als ich all die kleinen Kinder sah, die aus dem VW-Bus kletterten und gleich anfingen, im Schnee zu spielen, wurde ich weich. Auch die Mutter sah furchtbar müde aus – nett, aber müde.

»Was ist denn *das*?« kreischte eines der Kinder.

»Es ist ein Meer, glaube ich«, sagte die Mutter.

»Ein *Meer*!« schrien die Kinder.

»Gibt es auch einen Strand?« rief eines der Kinder.

»Irgendwo unter dem Schnee, nehm ich an«, sagte die Mutter.

Und so baten wir den Mann und seine Frau und seine vier kleinen Kinder als unsere Gäste ins Hotel New Hampshire, obwohl wir »im Winter geschlossen« hatten. Mehr Nudeln zu machen, ist kein Problem, und eine Muschelsoße läßt sich leicht strecken.

Vater geriet ein wenig durcheinander, als er unsere Gäste zu ihren Zimmern brachte. Es war das erste Mal in *diesem* Hotel New Hampshire, daß er einem Gast ein Zimmer zeigen mußte, und als er in der Bibliothek nach Bettwäsche suchte, wurde ihm klar, daß er keine Ahnung hatte, wo alles aufbewahrt wurde. Ich mußte ihm natürlich helfen, und es gelang mir ganz gut, so zu tun, als brächte ich ständig Gäste zu ihrem Zimmer.

»Sie müssen schon entschuldigen, wenn nicht alles reibungslos klappt«, sagte ich zu dem Vater der netten jungen Familie. »Außerhalb der Saison kommen wir leicht ein bißchen aus der Übung.«

»Es ist reizend von Ihnen, uns überhaupt aufzunehmen«, sagte die nette junge Mutter. »Die Kinder waren enttäuscht, als sie hier keine Skiläufer sahen, aber ein Meer haben sie auch noch nie gesehen – sie kommen also auf ihre Kosten. Und das Skilaufen können sie ja morgen nachholen«, fügte sie hinzu. Sie schien mir eine gute Mutter.

»Ich erwarte selber ein Kind«, sagte ich zu ihr. »Es kann jeden Tag soweit sein.« Und erst später wies mich Susie darauf hin, daß sich meine Bemerkung sonderbar angehört haben muß, da selbst Susie eindeutig *nicht* schwanger war.

»Wie zum Teufel sollten sie sich zusammenreimen, was du *meinst*, du Schwachkopf!« sagte Susie.

Aber alles war in bester Ordnung. Die Kinder hatten einen prächtigen Appetit, und nach dem Essen zeigte ich ihnen, wie man einen Apfelkuchen macht. Und während der Kuchen im Backofen war, machte ich mit ihnen einen gespenstischen Winterspaziergang hinunter zum sturmgepeitschten Strand und zu den schneeverwehten Landestegen; ich zeigte ihnen, wie die wütenden Wellen überall am Ufer die Spitzenmuster aus Eis überrollten; ich zeigte ihnen, daß das Meer bei einem Sturm eine große graue Wassermasse ist, die pausenlos heranrollt, Welle auf Welle. Mein Vater erzählte dem jungen Ehepaar aus Arizona natürlich alles über den wundersamen Sympathieraum, den ein wirkliches Klasse-Hotel bietet; wie Susie mir sagte, beschrieb er den netten Leuten aus Arizona unser Hotel, als beschreibe er das Sacher.

»Aber im Grunde *sind* wir das Sacher, für ihn«, sagte mein warmer Bär in dieser Nacht in meinen Armen, während draußen der Sturm heulte und der Schnee fiel.

»Ja, Liebste«, sagte ich zu ihr.

Es war wunderbar, am Morgen im Bett zu liegen und die Stimmen der Kinder zu hören; sie hatten die Hanteln im Ballsaal entdeckt, und Vater gab ihnen Tips. Iowa-Bob wäre von *diesem* Hotel New Hampshire bestimmt begeistert gewesen, dachte ich.

Bei dem Gedanken weckte ich dann Susie und bat sie, in das Bärenkostüm zu schlüpfen.

»*Earl!*« beschwerte sie sich. »Ich bin zu alt, um noch ein Bär zu sein.« Sie ist frühmorgens ziemlich bärbeißig – meine gute Susie.

»Nun mach schon, Susie«, sagte ich. »Tu es für die Kleinen. Denk doch nur, was es für sie bedeuten wird.«

»Was denn?« sagte Susie. »Willst du vielleicht, daß ich den Kindern angst mache?«

»Nein, nein, Susie«, sagte ich. »Du sollst ihnen doch nicht *angst* machen.« Ich wollte nur, daß sie das Bärenkostüm anzog und draußen im Schnee ums Hotel herumging, und ich würde plötzlich rufen: »Seht mal! *Bären*spuren im Schnee! Und sie sind *frisch*!«

Und die Leute aus Arizona, groß und klein, würden alle aus

dem Haus kommen und über die *Wildnis* staunen, in die sie – wie in einem Traum – geraten waren, und dann würde ich rufen: »Da! Da ist der Bär! Da drüben bei dem Holzstoß!« Und Susie würde dort stehenbleiben – vielleicht konnte ich sie überreden, ein, zwei gute *Earl!* von sich zu geben –, und dann würde sie in ihrer Bärenmanier hinter dem Holzstoß verschwinden und durch einen der Hintereingänge ins Haus schleichen und ihr Kostüm abstreifen und mit den Worten in die Küche kommen: »Was höre ich da von einem Bären? Man sieht hier in der Gegend kaum noch Bären.«

»Du willst, daß ich da rausgehe, in den verfickten Schnee?« fragte Susie.

»Für die Kleinen, Susie«, sagte ich. »Was für ein Fest das für sie wäre! Erst sehen sie das Meer, und dann sehen sie einen *Bären!* Jeder sollte einmal einen Bären sehen, Susie«, sagte ich. Natürlich stimmte sie zu. Sie machte sich mißmutig an ihre Aufgabe, aber dadurch wirkte sie nur noch besser; als Bär war Susie schon immer vorzüglich, aber so langsam gewinnt sie die Überzeugung, daß sie auch ein liebenswerter Mensch ist.

Und so gaben wir den fremden Besuchern aus Arizona das Traumbild eines Bären mit auf den Weg. Vater winkte ihnen vom Ballsaal aus zum Abschied und sagte hinterher zu mir: »Ein Bär, was? Susie wird sich den Tod holen, oder zumindest eine Lungenentzündung. Und niemand sollte krank sein – niemand sollte auch nur einen Schnupfen haben –, wenn das Baby kommt. Ich kenne mich mit Babys besser aus als du, das ist ja wohl klar. Ein *Bär*«, wiederholte er kopfschüttelnd, aber ich wußte, daß es die Leute aus Arizona überzeugt hatte; Susie der Bär ist von einer meisterlichen Überzeugungskraft.

Der Bär neben dem Holzstoß, dessen Atem in dem strahlenden, kalten Morgen regelrecht dampfte und dessen Pfoten weiche Abdrücke in dem frischen, unberührten Schnee hinterließen – als sei er der erste Bär auf der Erde, und als sei dies der erste Schnee des Planeten –, das *alles* hatte sehr überzeugend gewirkt. Wie auch Lilly wußte: alles *ist* ein Märchen.

Und so träumen wir weiter gegen den Strom. So erfinden wir unser Leben. Wir geben uns eine anbetungswürdige Mutter, wir machen unseren Vater zum Helden. Und jemandes älterer Bruder und jemandes ältere Schwester – auch sie werden zu unseren Helden. Wir erfinden, was wir lieben und was wir fürchten. Es gibt immer einen tapferen, verlorenen Bruder – und auch eine kleine, verlorene Schwester. Wir träumen immer weiter: das beste Hotel, die perfekte Familie, das Leben in der Sommerfrische. Und unsere Träume entschlüpfen uns fast so lebendig, wie wir sie heraufbeschwören können.

Im Hotel New Hampshire sind wir lebenslänglich festgeschraubt – aber was ist schon ein wenig Luft in der Leitung, ja selbst massenhaft Scheiße in den Haaren, wenn man gute Erinnerungen hat?

Ich hoffe, dies ist ein passender Schluß für dich, Mutter – und für dich, Egg. Es ist ein Schluß, Lilly, der sich der Art deines Lieblingsschlusses bewußt ist – jenes Schlusses, den du nie schreiben konntest, dem du nie gewachsen warst. Vielleicht gibt es in dem Schluß nicht genug Hanteln für Iowa-Bob und nicht genug Fatalismus für Frank. Vielleicht steckt nicht genug vom Wesen der Träume in diesem Schluß, um Vater oder Freud zufriedenzustellen. Und nicht genug Geschmeidigkeit für Franny. Und dieser Schluß ist vermutlich nicht häßlich genug für Susie den Bären. Er ist wahrscheinlich nicht groß genug für Junior Jones, und ich weiß, er ist nicht annähernd gewalttätig genug, um einige Freunde und Feinde aus unserer Vergangenheit zufriedenzustellen; er verdient vielleicht nicht mal ein kleines Stöhnen von Kreisch-Annie – wo immer sie heute liegt und kreischt.

Aber das ist es nun mal, was wir tun: wir träumen weiter gegen den Strom, und unsere Träume entschlüpfen uns fast so lebendig, wie wir sie heraufbeschwören können. So läuft das nun mal, ob es uns paßt oder nicht. Und weil es so läuft, brauchen wir etwas ganz Bestimmtes: wir brauchen einen guten, schlauen Bären. Manche Leute haben einen so guten Verstand, daß sie ganz für sich allein leben können – ihr *Ver-*

stand kann ihr guter, schlauer Bär sein. So ist es bei Frank, glaube ich: Franks Verstand ist ein guter, schlauer Bär. Er ist nicht der Mäusekönig, für den ich ihn anfänglich gehalten habe. Und Franny hat einen guten, schlauen Bären namens Junior Jones. Franny versteht es auch geschickt, Kummer in Schach zu halten. Und mein Vater hat seine Illusionen; sie sind stark genug. Die Illusionen meines Vaters sind *sein* guter, schlauer Bär, zum Schluß. Und das heißt natürlich, daß nur noch ich übrigbleibe, mit Susie dem Bären – mit ihrem Vergewaltigungs-Notrufzentrum und meinem Märchenhotel – mir geht es also auch ganz gut. Es *muß* einem ja gutgehen, wenn man ein Baby erwartet.

Coach Bob wußte es von Anfang an: Du mußt besessen werden und besessen bleiben. Und noch was: Bleib immer weg von offenen Fenstern.

Der Autor dieses Romans ist folgenden Werken verpflichtet und möchte deren Verfassern danken: *Wien — Geist und Gesellschaft im Fin de siècle* von Carl E. Schorske (S. Fischer); *Schicksalsjahr Wien 1888/89* von Frederic Morton (Molden); *Vienna Inside-Out* von J. Sydney Jones (Jugend und Volk); *Wien* von David Pryce-Jones und der Redaktion der Time-Life-Bücher (Time-Life); *Lucia di Lammermoor* von Gaetano Donizetti, mit einer Einleitung von Ellen H. Bleiler (Dover Opera Guide and Libretto Series) und *Die Traumdeutung* von Sigmund Freud (S. Fischer).

Besonderer Dank gebührt Donald Justice. Und besonderer Dank — und besondere Zuneigung — Lesley Claire und dem Sonoma County Rape Crisis Center in Santa Rosa, Kalifornien.

Am 18. Juli 1980 wechselte das Stanhope Hotel an der Ecke Eighty-first Street und Fifth Avenue die Direktion und den Besitzer und wurde zum ›American Stanhope‹ — ein feines Hotel, zur Zeit verschont vor Problemen, wie sie in dieser erfundenen Geschichte beschrieben werden.

Zu der deutschsprachigen Ausgabe des Hotels New Hampshire haben die folgenden Personen und Institutionen beigetragen:
der Autor, John Irving (natürlich), den man ungeniert immer wieder »Was?« fragen durfte; der besessen gewordene Übersetzer, Hans Hermann; der besessen gebliebene Lektor, Thomas Bodmer; der Mann vom Übersetzungs-Notrufzentrum, Fritz Senn; die Sigmund-Freud-Gesellschaft Wien; die Kriminalpolizei Zürich; die Vergewaltigungsexpertin der ›Emma‹-Redaktion; die Druck- und Verlagsanstalt ›Wiener Verlag‹, wo dieses Buch in Blei gesetzt wurde.

John Irving
im Diogenes Verlag

Laßt die Bären los!
Roman. Deutsch von Michael Walter

Das Personal: zwei nicht erfolgsverwöhnte Studenten, ein großstadtsüchtiges Mädel vom Land, der Österreichische Bundesadler, Nachtwächter, ein mystischer Motorrad-Meister, ein Traktorfahrer, Honigbienen, ein raffinierter Linguist, ein Historiker ohnegleichen, die Slivnica-Familienhorde und die Benno-Blum-Bande, die 39er-Grand-Prix-Rennmaschine und der berühmte Asiatische Kragenbär.

»Irvings Erstling weist bereits alle Vorzüge auf, die seine späteren Bücher auszeichnen: Einfallsreichtum, Witz und Humor. Nacherzählen läßt sich Irvings heiter-melancholischer Schelmenroman, in dem vor allem Wien eine besondere Rolle spielt, nicht. Man sollte ihn lesen.« *Hamburger Abendblatt*

Die wilde Geschichte vom Wassertrinker
Roman. Deutsch von
Edith Nerke und Jürgen Bauer

»*Die wilde Geschichte vom Wassertrinker* liegt nun in einer durchweg gelungenen Übersetzung vor. Die Geschichte ist klug angelegt, unterhaltsam und stellenweise immer wieder von überraschender Komik. Und nicht zuletzt ist sie eine besonders galante und latent ironische Verbeugung des Autors vor den Frauen: Ohne deren zivilisierenden und fordernden Einfluß, so muß man annehmen, wäre Fred ›Bogus‹ Trumper im Stadium selbstzerstörerischer Faulheit steckengeblieben und hätte den beseligenden Prozeß des Reifwerdens nie am eigenen Leib und Geist verspürt.« *FAZ*

»*Die wilde Geschichte vom Wassertrinker* ist einfach grandios! Diese in der Tat wild zwischen Zeiten und

Orten umschweifende Geschichte vom Erwachsenwerden gehört zum Besten, was Irving bislang vorgelegt hat. Witzig, melancholisch und wie immer gewürzt mit ein bißchen Österreich, leidenschaftlichem Vater-Sein (keine Bären diesmal) und der Küste von Maine, erzählt Irving in rasantem Tempo vom Leben im verstopften Zustand. Diese verschmitzte Posse übers amerikanisch-akademische ›Anderssein‹ ist ein Sittenroman, dem beim Lesen keine Pinkelpause gegönnt werden kann.« *coolibri, Bochum*

»Brutale Wirklichkeit und Halluzinationen, Komödiantentum und Pathos. Ein bunt zusammengewürfeltes Muster... von erhebender Schönheit.«
Time Magazine, New York

»Irvings bester Roman – virtuos, gerecht, bewegend.«
Le Point, Paris

Eine Mittelgewichts-Ehe
Roman. Deutsch von
Nikolaus Stingl

In einer Universitätsstadt in Neuengland beschließen zwei Paare, es einmal mit Partnertausch zu versuchen, ein mittelgewichtiger Versuch, mit dem schwergewichtigen Problem der Ehe fertig zu werden und wieder gefährlich zu leben. Anfangs scheint in dieser erotisch-ironischen Geschichte einer Viererbeziehung alles zu klappen.

»Lust und Last beim Partnertausch, Traum und Alptraum, Irrsinn und Irrwitz, Klamauk und Katastrophe: Irving verschweigt nichts.« *FAZ*

Das Hotel New Hampshire
Roman. Aus dem Amerikanischen
von Hans Hermann

Eine gefühlvolle Familiengeschichte, in der Bären, ein Wiener Hotel voller Huren und Anarchisten, ein Familienhund, Arthur Schnitzler, Moby-Dick, der große Gatsby, Gewichtheber, Geschwisterliebe und Freud vorkommen – nicht *der* Freud, sondern Freud der Bärenführer.

»Ein ausuferndes Bilderbuch, wild fabulierend und von köstlicher Ironie durchsetzt.«
Tagesspiegel, Berlin

»Irrsinnig komisch, meisterhaft erzählt, bezaubernd; als ob die Brüder Grimm und die Marx Brothers beschlossen hätten, gemeinsam einen draufzumachen.«
The New York Times

Gottes Werk und Teufels Beitrag
Roman. Deutsch von
Thomas Lindquist

Dr. Wilbur Larch und Homer Wells: ein moderner Schelmenroman und zugleich eine herrlich altmodische Familiensaga von einem Vater wider Willen und seinem ›Sohn‹, der, wie einst David Copperfield, eines Tages auszieht, um »der Held seines eigenen Lebens zu werden«.

»Ein Roman über die endlosen Mühen der sexuellen Emanzipation, über den langen, historischen Weg aus der Bigotterie; von einem Mann geschrieben, mit einem Mann als Held, kein bißchen feministisch und doch ein flammendes Werk für Frauen. Das mache mal einer nach.« *Die Zeit, Hamburg*

Owen Meany
Roman. Deutsch von
Edith Nerke und Jürgen Bauer

»Außergewöhnlich, originell und bereichernd… gewaltig und befriedigend. Irving schreibt mit Verve und Gusto. Mit *Owen Meany* hat John Irving sein eigenes kleines Wunder geschaffen.« *Stephen King*

»*Owen Meany* ist ein strategisches Meisterwerk. Die Geschichte eines amerikanischen Messias läßt sich verbinden mit einer archetypischen Tom-Sawyer-und Huckleberry-Finn-Geschichte...«
Die Zeit, Hamburg

»Das Buch ist ein erzähltechnisches Meisterwerk. Ich kenne keinen Kriminalroman, der so gut mit soviel ›suspense‹ arbeitet.« *Süddeutsche Zeitung, München*

Rettungsversuch für Piggy Sneed

Sechs Erzählungen und ein Essay
Deutsch von Dirk van Gunsteren und
Michael Walter

»Der ›Rettungsversuch für Piggy Sneed‹ leitet eine Sammlung von sechs Erzählungen und einem Essay über Charles Dickens ein, die beweist, daß Irving nicht nur ein großartiger Romancier ist, sondern auch die kleine Form meisterhaft beherrscht. Die Auswahl reicht von seiner ersten, 1968 publizierten Erzählung ›Miss Barret ist müde‹ über die 1981 mit dem O'Henry Award prämierte Geschichte ›Innenräume‹ bis hin zu der Geschichte einer wahnwitzigen Autofahrt quer durch die USA, die selbst nach einem offenbar tödlichen Zusammenstoß nicht enden will (›Fast schon in Iowa‹).« *Ulrich Baron/Rheinischer Merkur, Bonn*

»Eine reine Freude für Irving-Fans.«
Duglore Pizzini/Die Presse, Wien

Zirkuskind

Roman. Deutsch von
Irene Rumler

»Die Handlung von John Irvings achtem Roman spielt hauptsächlich in Bombay. Dr. Farrokh Daruwalla ist eine der bisher bezauberndsten Schöpfungen des Autors: ein von Zweifeln geplagter, pummeliger Arzt, fremd sowohl in Kanada, seiner Wahlheimat, als

auch in Indien, wo er geboren wurde. Wenn sich Dr. Daruwalla nicht gerade vergeblich bemüht, Blutproben von Zwergen in indischen Zirkussen zu sammeln, um das ›Zwergen-Gen‹ zu lokalisieren, verbringt er seine Zeit damit, im Duckworth-Golfclub von Bombay darüber nachzudenken, wer der Mörder eines ehrenwerten Clubmitglieds sein könnte, das im Bougainvillea-Gebüsch beim neunten Loch entdeckt wurde. Weitere unvergeßliche Figuren bevölkern Irvings turbulente Geschichte: das Hippie-Mädchen aus Iowa; ein brutaler Transsexueller und ein deutscher Drogenhändler; ein undurchsichtiger Filmstar samt seinem jesuitischen Zwilling; kastrierte Transvestiten-Prostituierte und ein zwergwüchsiger Chauffeur. *Zirkuskind* ist ein wildes Buch.«
Vogue, New York

»Die reinste Verführung.« *The Guardian, London*

Andrea De Carlo
im Diogenes Verlag

»Der ironische Blick, der den Kern einer Situation erfaßt, ist De Carlos herausragende Qualität und war es seit je. Das bedeutet nicht, daß er ein literarischer Clown ist. Ohne tiefschürfende Introspektion rückt er psychologisch äußerst komplexe Zusammenhänge ins Licht, indem er sie an ihren sichtbaren Zeichen erkennt.« *Neue Zürcher Zeitung*

»Ein Italiener macht deutschen Romanciers Tempovorgaben.« *Szene Hamburg*

»Bemerkenswert ist nicht nur die Präzision, sondern auch die Wertfreiheit seiner Beschreibungen. Der Verzicht auf die Attitüden eines schöngeistigen Antiamerikanismus versetzt De Carlo in die Lage, ohne Zorn und Eifer bestimmte zeitgenössische Phänomene zu registrieren, die ihren Ursprung auf der anderen Seite des Atlantik gehabt haben mögen, aber nicht auf Amerika beschränkt geblieben sind.«
Frankfurter Allgemeine Zeitung

Vögel in Käfigen und Volieren
Roman. Aus dem Italienischen von Burkhart Kroeber

Creamtrain
Roman. Deutsch von Burkhart Kroeber

Macno
Roman. Deutsch von Renate Heimbucher

Yucatan
Roman. Deutsch von Jürgen Bauer

Zwei von zwei
Roman. Deutsch von Renate Heimbucher

Techniken der Verführung
Roman. Deutsch von Renate Heimbucher

Arcodamore
Roman. Deutsch von Renate Heimbucher

Ian McEwan
im Diogenes Verlag

»Ian McEwan ist das, was man so einen geborenen Erzähler nennt. Man liest ihn mit Spannung, mit Genuß, mit Vergnügen, mit Gelächter, man kann sich auf sein neues Buch freuen. McEwans Literatur verwandelt die Qualen der verworrenen Beziehungsgespräche in Unterhaltung, er setzt sie literarisch auf einer Ebene fort, wo man über sie lachen kann. Wie sollte man sich einen zivilisatorischen Fortschritt bei diesem Thema sonst vorstellen?«
Michael Rutschky/Der Spiegel, Hamburg

»Er hat einen eigenwilligen, reinen Stil, der mich manchmal an Borges und García Márquez erinnert.«
The Standard, London

»McEwan ist zweifelsohne eines der brillantesten Talente der neuen angelsächsischen Generation.«
L'Express, Paris

Der Zementgarten
Roman. Aus dem Englischen von Christian Enzensberger

Erste Liebe–letzte Riten
Erzählungen. Deutsch von Harry Rowohlt

Zwischen den Laken
Erzählungen. Deutsch von Michael Walter, Wulf Teichmann und Christian Enzensberger

Der Trost von Fremden
Roman. Deutsch von Michael Walter

Ein Kind zur Zeit
Roman. Deutsch von Otto Bayer

Unschuldige
Eine Berliner Liebesgeschichte
Roman. Deutsch von Hans-Christian Oeser

Schwarze Hunde
Roman. Deutsch von Hans-Christian Oeser

Der Tagträumer
Erzählung. Deutsch von Hans-Christian Oeser

Philippe Djian
im Diogenes Verlag

»Djians Sprache und Rhythmus verschlagen einem den Atem und ziehen einen in die Geschichten, als wäre Literatur nicht Folge, sondern Strudel.«
Göttinger Woche

»Djian schreibt glasklar und in einem Tempo, dem ältere Herren wie Grass und Walser schon längst durch Herzinfarkt erlegen wären.« *Plärrer, Nürnberg*

Philippe Djian, geboren 1949, lebt in Bordeaux und Lausanne. Pierre Le Pape über Djians Stil: »Die Puristen mögen getrost grinsen; morgen werden die Schulkinder, sofern sie dann noch lesen, bei Djian lernen, was viele der besten jungen Autoren längst von ihm erhalten haben: eine Lektion in Stilkunde.«

Betty Blue
37,2° am Morgen
Roman. Aus dem Französischen
von Michael Mosblech

Erogene Zone
Roman. Deutsch von Michael Mosblech

Verraten und verkauft
Roman. Deutsch von Michael Mosblech

Blau wie die Hölle
Roman. Deutsch von Michael Mosblech

Rückgrat
Roman. Deutsch von Michael Mosblech

Krokodile
Sechs Geschichten
Deutsch von Michael Mosblech

Pas de deux
Roman. Deutsch von Michael Mosblech

Matador
Roman. Deutsch von Ulrich Hartmann